AUTRES OUVRAGES ÉCRITS PAR JOHN BOLTON

Surrender is not an option: Defending America at the United Nations
How Barack Obama is endangering our national sovereignty

LA PIÈCE OÙ ÇA S'EST PASSÉ

Mémoires de la Maison Blanche

Ouvrage original publié aux États-Unis
par Simon & Schuster,
1230 Avenue of the Americas,
New York, NY 10020, U.S.A
sous le titre :
The Room Where It Happened

Édition française publiée par
TALENT ÉDITIONS
115 rue de l'Abbé Groult, 75015 Paris
ISBN : 978-2-37815-172-0

Photos de couverture :
© POOL / GETTY IMAGES NORTH AMERICA / GETTY
IMAGES VIA AFP et © MANDEL NGAN / AFP
Design de couverture : © www.buchgut.com

LA PIÈCE OÙ ÇA S'EST PASSÉ

Mémoires de la Maison Blanche

JOHN BOLTON
Ex-conseiller à la Sécurité nationale des États-Unis

Traduit de l'anglais (États-Unis)
par Grégory Berge, Olivier Bougard, Jehanne Hénin
et Yannick Brolles.

Talent Éditions

Pour Gretchen et Jennifer Sarah

« Nous avons été durement frappés, Messieurs. Mais voyons qui frappera le plus longtemps. »

LE DUC DE WELLINGTON
RALLIANT SES TROUPES LORS DE LA BATAILLE
DE WATERLOO, EN 1815

Sommaire

CHAPITRE 1

UNE LONGUE MARCHE JUSQU'À UN BUREAU DE L'AILE OUEST

Lorsque l'on occupe le rôle de conseiller à la sécurité nationale, la multiplication et le volume du nombre de difficultés se dressant devant soi sont deux des éléments les plus attrayants. Si vous n'aimez pas la tourmente, l'incertitude et le risque, tout en étant constamment submergé d'informations à gérer, de décisions à prendre, de tâches à accomplir, avec un emploi du temps bousculé par le rythme de conflits internationaux et nationaux entre personnalités plus fières les unes que les autres, alors il vaut mieux que vous essayiez autre chose. Il est à la fois grisant, mais quasiment impossible d'expliquer à quelqu'un de l'extérieur comment, de manière très rarement cohérente, les différentes pièces s'assemblent.

Je ne vais pas réussir à formuler une théorie complète sur la transformation du gouvernement, car aucune n'est possible. Toutefois, le point de vue habituel adopté par Washington sur la trajectoire de Trump est faux. Cette pseudo-vérité, séduisante aux oreilles des intellectuels fainéants, veut que Trump ait toujours été étrange, et que durant ses quinze premiers mois, incertain dans son nouveau rôle et entouré par un « axe d'adultes », il ait hésité à agir. Progressivement, cependant, Trump a pris de plus en plus confiance, cet « axe d'adultes » a disparu, les problèmes, eux, sont apparus et Trump s'est retrouvé entouré de personnes sachant uniquement dire : « Oui, Monsieur ! »

Certains éléments de cette hypothèse sont justes, mais l'image globale qu'elle dresse est bien trop simpliste. Cet « axe d'adultes » a provoqué de nombreux problèmes récurrents, non pas, parce qu'il a réussi à « gérer » Trump, comme les plus nobles d'esprit auraient pu imaginer, mais parce qu'il a fait exactement l'inverse. Cet axe n'a rien fait qui aurait pu suffire à établir l'ordre. Ses actions servaient ses propres intérêts, de manière si transparente, et méprisaient Trump et ses ambitions les plus claires (qu'elles soient valeureuses ou non), de manière si ouverte, qu'il a ravivé l'état d'esprit, déjà suspect, de Trump, tout en rendant la tâche encore plus difficile pour tous ceux qui ont voulu ensuite avoir de véritables échanges politiques avec le président. J'ai longtemps cru que le rôle de conseiller à la sécurité nationale était de s'assurer que le président connaissait les différentes options à sa disposition, quelle que soit la décision à prendre, et d'être sûr ensuite que la décision prise était appliquée par les bureaucraties concernées. Le processus du Conseil de sécurité nationale diverge bien évidemment selon le président, mais dans l'ensemble, il s'agissait bien des deux étapes essentielles du processus.

Cet « axe d'adultes » a accompagné Trump avec tellement peu d'efficacité qu'il a sous-estimé les intérêts du peuple, vu des conspirations à tout va, et s'est montré incroyablement mal informé en matière de direction de la Maison Blanche, sans même parler de l'ensemble de l'administration fédérale. Cet « axe d'adultes », bien évidemment, n'est pas entièrement responsable. Trump restera toujours Trump. J'ai fini par comprendre qu'il pensait pouvoir diriger la branche exécutive et établir des politiques de sécurité nationale, instinctivement, en s'appuyant sur ses relations avec des dirigeants internationaux et son sens du spectacle obtenu grâce à des apparitions dans différentes émissions télé. Bien évidemment, l'instinct, les relations personnelles et le charisme sont des éléments indéniables du répertoire d'un président. Mais ils ne suffisent pas, loin de là. Analyse, planification, discipline et rigueur intellectuelle, évaluation de résultats, corrections de trajectoires et d'autres activités équivalentes sont le b.a.-ba, le côté obscur, du travail décisionnel d'un président. L'image et l'apparence physique ne vous conduiront guère plus loin.

Toutefois, d'un point de vue institutionnel, les quinze premiers mois transitionnels de Trump ont indéniablement été bâclés. Tous les processus qui auraient dû immédiatement devenir seconde nature, surtout pour les nombreux conseillers de Trump sans expérience préalable, même en tant qu'assistant au sein de branches exécutives, ne se sont jamais déroulés. Trump et la majorité de son équipe n'ont jamais lu le « mode d'emploi » du gouvernement, ne réalisant probablement pas qu'une telle attitude les empêcherait automatiquement de devenir membres de l'« État profond ». Quand je suis arrivé dans ce chaos, j'ai remarqué des problèmes qui auraient pu être résolus durant les cent premiers jours du gouvernement, si ce n'est avant. Le changement incessant de personnel n'a évidemment pas facilité la tâche, tout comme le « bellum omnium contra omnes » (« la guerre de tous contre tous ») hobbesien de la Maison Blanche. Dire que la description, selon Hobbes, de l'existence humaine comme « solitaire, misérable, difficile, sauvage et brève » correspond à la vie à la Maison Blanche peut paraître exagéré. Toutefois, parmi les principaux conseillers, nombreux sont ceux qui, avant la fin de leur mandat, auraient été d'accord. Comme je l'explique dans mon livre *Surrender is not an option*, mon approche, lorsqu'il s'agit d'effectuer une tâche pour le gouvernement, est d'absorber autant de connaissances que possible dans les bureaucraties où j'ai travaillé (État, Justice, Agence des États-Unis pour le développement international) afin d'être prêt à accomplir mes objectifs.

Mon but n'était pas de trouver des personnes avec qui faire du co-voiturage, mais plutôt d'être au volant. Cette mentalité était rare dans la Maison Blanche de Trump. Lors de mes premières visites de l'aile Ouest, j'ai été frappé par les différences entre cette présidence et les précédentes. Ce qui se passait le lundi, lorsqu'il fallait résoudre tel problème, ne ressemblait souvent que peu à ce qui se passait le mardi, ou le mercredi. Peu de personnes semblaient le réaliser, s'en soucier ou vouloir même l'améliorer, et ce n'était pas sur le point de s'arranger. Voilà la conclusion déprimante et inévitable à laquelle je suis arrivé, peu de temps après avoir rejoint le gouvernement.

L'ancien sénateur du Nevada, Paul Laxalt, un de mes mentors, aimait dire : « En politique, il n'existe aucune conception immaculée ». Cette idée explique très clairement comment sont nominés certains rôles clés de la branche exécutive. Malgré la fréquence des communiqués de presse commençant par « J'ai été très surpris que le président Smith m'appelle pour… », de telles expressions d'innocence sont invariablement dissociées de la réalité. La concurrence pour ces emplois de haut niveau n'est que plus acharnée durant la « transition présidentielle », une invention américaine qui est devenue de plus en plus élaborée au cours des dernières décennies. Les équipes de transition constituent de parfaits cas d'étude pour les écoles de commerce, car elles leur apprendraient tout ce qu'il ne faut pas faire. Ces équipes existent pour une brève durée (de l'élection à l'inauguration) et disparaissent pour toujours. Elles sont submergées par des avalanches d'informations (et de fausses informations) ; comme des analyses stratégiques et politiques complexes souvent en concurrence les unes avec les autres ; ou de nombreuses décisions successives concernant le personnel du véritable gouvernement ; ainsi que le regard et la pression exercés par les médias et les groupes d'intérêts.

Sans aucun doute, certaines transitions se passent mieux que d'autres et leur déroulement est souvent révélateur du gouvernement à venir. La transition de Richard Nixon, en 1968-1969, est le premier exemple de transition contemporaine, avec une analyse minutieuse des principales branches exécutives. Celle de Ronald Reagan, en 1980-1981, est emblématique pour son respect de la maxime : « C'est le personnel qui fait les politiques », et sa manière de se focaliser intensément sur la sélection de personnes prêtes à adhérer à la plate-forme de Reagan. Enfin, en 2016-2017, la transition de Donald Trump a été… sa transition à lui.

J'ai passé la soirée des élections, les 8 et 9 novembre, dans les studios de Fox News à Manhattan, à attendre de donner mon opinion sur les priorités du « prochain président » en matière de politique étrangère, ce que tout le monde prévoyait vers 22 heures, juste après la victoire d'Hillary Clinton. Je suis finalement passé à l'antenne à 3 heures du matin. En matière de planification anticipée, j'ai vu mieux, non seulement chez la Fox, mais aussi dans le camp du président élu. Peu d'observateurs pensaient que Trump pouvait gagner. Tout comme lors de la défaite de Robert Dole en 1996 contre Bill Clinton, les préparations de Trump avant les élections étaient modestes, ce qui reflétait un effondrement imminent. En comparaison avec la campagne d'Hillary, qui ressemblait à une marche militaire en route vers le pouvoir, Trump ne semblait être accompagné que de quelques âmes courageuses ayant du temps libre. Sa victoire inattendue a donc pris son équipe par surprise et a soudainement entraîné une lutte de territoire entre les bénévoles prêts à assurer la transition et le remerciement de tous ceux présents depuis le début. Redémarrer de zéro le 9 novembre était loin d'être un cadeau, car l'essentiel du personnel de transition se trouvait à Washington, tandis que Trump et ses conseillers les plus proches se trouvaient à la Trump Tower à Manhattan. Trump n'a pas vraiment compris ce que le mastodonte fédéral avait fait avant sa victoire, et il n'a pas beaucoup acquis, voire pas du tout, de connaissances plus profondes durant la transition, ce qui ne laissait pas présager de grandes performances politiques.

J'ai joué un rôle insignifiant dans la campagne de Trump, à l'exception d'une réunion avec le candidat, le vendredi 23 septembre au matin, à la Trump Tower, trois jours avant son premier débat avec Clinton. Hillary et Bill étaient dans la classe juste au-dessus de la mienne à l'école de droit de Yale, donc en plus de conseils sur la sécurité, j'ai donné à Trump mon avis sur le type de performances qu'Hillary s'apprêtait à tenir : bien préparée, avec un discours bien structuré, et une stratégie qu'elle suivrait à la trace. En 40 ans, elle n'avait pas changé. Trump a mené l'essentiel de la conversation, comme lors de notre première rencontre en 2014, avant sa candidature. Peu avant la fin de notre entretien, il m'a dit : « Vous savez, vos opinions et les miennes sont en réalité très proches. Très proches. »

À ce moment-là, j'étais très engagé : membre éminent de l'American Enterprise Institute, contributeur pour Fox News, intervenant régulier sur le circuit conférencier, conseiller d'un cabinet juridique majeur, membre de comités d'entreprise, conseiller principal d'une société internationale en investissement privé, et auteur d'environ un article d'opinion par semaine. Fin 2013, j'ai formé un PAC, un comité d'action politique, et un super PAC pour assister les candidats à la Chambre des représentants et au Sénat qui croyaient en une politique américaine robuste en sécurité nationale, en distribuant des centaines de milliers de dollars aux candidats et en dépensant des millions en frais indépendants durant les campagnes 2014 et 2016, et je me préparais à en faire de même en 2018. J'étais donc très occupé. Par ailleurs, j'avais également été impliqué dans les trois derniers gouvernements républicains, et depuis mes années à l'Université de Yale, j'étais fasciné par les relations internationales. J'étais donc sur le point de replonger.

De nouvelles menaces et opportunités se sont rapidement présentées à nous, et après huit ans de Barack Obama, il y avait beaucoup à réparer. Je me suis penché profondément et sérieusement sur la question de la sécurité nationale américaine dans un monde tumultueux : la Russie et la Chine au niveau stratégique ; l'Iran, la Corée du Nord et d'autres aspirants renégats aux armes nucléaires ; le tourbillon de menaces terroristes provenant d'extrémistes islamistes du Moyen-Orient (Syrie, Liban, Irak et Yémen), de l'Afghanistan et d'au-delà ; ainsi que les menaces de nos voisins, dans notre propre hémisphère, comme Cuba, le Venezuela et le Nicaragua. Alors que les clichés en politique internationale sont inutiles, à part pour les intellectuels fainéants, j'aime dire que ma politique était « pro-américaine ». Je suivais les opinions d'Adam Smith en matière d'économie, celles d'Edmond Burke sur la société, celles du journal *The Federalist Paper* sur ce qui touchait à l'administration, et une fusion entre l'avis de Dean Acheson et celui de John Foster Dulles sur la sécurité nationale. Ma première campagne politique a eu lieu en 1964, pour Barry Goldwater.

Je connaissais les conseillers les plus expérimentés de la campagne Trump, comme Steve Bannon, Dave Bossie, et Kellyanne Conway, par l'intermédiaire d'associations passées, durant lesquelles nous avions évoqué l'éventualité de rejoindre le gouvernement Trump, si jamais il devait se former. Une fois la transition commencée, j'ai trouvé qu'il était raisonnable d'offrir mes services comme ministre des Affaires étrangères, ce que beaucoup d'autres ont fait. Lorsque Chris Wallace de la Fox a terminé son émission le 9 novembre, après le résultat de l'élection, il m'a serré la main en disant : « Félicitations, Monsieur le ministre ». Bien sûr, le poste de ministre des Affaires étrangères n'était pas en manque de postulant, ce qui entraînait d'incessantes spéculations de la part des médias quant au nom du « finaliste », en commençant par Newt Gingrich, puis Rudy Giuliani, et Mitt Romney, puis encore Rudy. Je les respectais, car j'avais travaillé avec chacun d'eux et je savais qu'ils étaient tous crédibles à leur propre façon. Je faisais particulièrement attention, car il y avait un bavardage constant (pour ne pas dire une pression) selon lequel je devrais me contenter du rôle d'adjoint au ministre, ce qui n'était évidemment pas ma préférence. Ce qui s'est passé ensuite a permis de mettre en lumière le style décisionnel de Trump et m'a servi (ou aurait dû me servir) de leçon.

Bien que tous les principaux candidats soient, philosophiquement parlant, des conservateurs, ils présentaient des différences en matière d'antécédents, de perspectives, de style, de points forts et de points faibles. Parmi ces éventuels vainqueurs (et d'autres comme le sénateur du Tennessee, Bob Corker, et l'ancien gouverneur de l'Utah, Jon Huntsman), existait-il des attributs et des qualifications communs que Trump recherchait ? De toute évidence, non, et un observateur digne de ce nom aurait dû demander : Quel est le principe réel qui gouverne le processus de sélection du personnel de Trump ? Pourquoi ne pas engager Rudy Giuliani comme procureur général, un poste pour lequel il semblait être fait ? Et Romney comme chef de cabinet de la Maison Blanche, avec ses compétences indéniables en planification stratégique et en gestion ? Et Gingrich, et ses décennies de théorie créative, comme tsar en politique intérieure de la Maison Blanche ?

Trump recherchait-il uniquement des « centristes » ? Grand cas a été fait de son aversion présumée pour ma moustache. Il est même allé jusqu'à me confier que cela n'avait jamais été un facteur, car son père en portait également une. À part les psychiatres et ceux profondément passionnés par le travail de Sigmund Freud, dont je ne fais pas partie, je ne pense pas que mon style capillaire ait influencé le raisonnement de Trump. Et si cela était le cas, que Dieu nous vienne en aide. Les femmes séduisantes, toutefois, appartiennent à une autre catégorie lorsqu'il s'agit de travailler avec Trump. La loyauté était un facteur essentiel, une qualité que Giuliani n'avait pas franchement exhibée dans les jours suivant la publication de la vidéo *Access Hollywood*, début octobre. L'histoire raconte que Lyndon Johnson a une fois déclaré, au sujet d'un assistant : « Je veux de la vraie loyauté. Je veux qu'il me lèche le cul à midi pile devant la vitrine de Macy et qu'il me dise que ça sent la rose ». Qui savait que Trump était un tel passionné d'histoire ? Giuliani a ensuite été très courtois avec moi, en disant, après son retrait de la course au poste de ministre des Affaires étrangères : « John serait probablement mon choix. Je pense que John fait un travail fantastique. »

Le président élu m'a appelé le 17 novembre, et je l'ai félicité pour sa victoire. Il m'a raconté ses différents appels avec Vladimir Poutine et Xi Jinping, et était impatient de s'entretenir avec le Premier ministre japonais, Shinzo Abe. « Vous serez en place dans les jours qui suivent, me promit Trump, et nous comptons sur vous pour résoudre une série de problèmes. » Le jour suivant, le nouveau président fit ses premières annonces personnelles, en choisissant Jeff Sessions comme procureur général (dommage pour Giuliani) ; Mike Flynn comme conseiller à la sécurité nationale (récompensant à juste titre son travail acharné durant la campagne) ; et Mike Pompeo comme directeur de la CIA. Quelques semaines après l'annonce de Flynn,

Henry Kissinger m'a dit : « D'ici un an, il ne sera plus là. » Kissinger ne savait pas, bien évidemment, ce qu'il allait se passer, mais il savait que Flynn occupait le mauvais rôle. Au fil des jours, plusieurs membres du Cabinet de la Maison Blanche ont été publiquement nommés, tout comme d'autres postes supérieurs, notamment, le 23 novembre, où la gouverneure de Caroline du Sud, Nikki Haley, a été choisie comme ambassadrice des États-Unis auprès des Nations Unies, avec rang au Cabinet. Une étape surprenante étant donné que le poste de ministre des Affaires étrangères était encore libre. Haley n'était aucunement qualifiée pour ce rôle, mais il s'agissait d'une opportunité idéale pour quelqu'un ayant des ambitions présidentielles et désireuse de cocher la case « Politiques étrangères » sur son CV. Rang de Cabinet ou pas, l'ambassadeur auprès des Nations Unies fait partie de l'État, et une politique étrangère américaine ne peut avoir qu'un seul ministre des Affaires étrangères. Et pourtant, Trump était là, à sélectionner des postes subordonnés pour combler son gouvernement, mais sans aucun ministre en vue. Par définition, il y avait de l'orage dans l'air, surtout quand j'ai appris de la part d'un membre du personnel d'Haley que Trump l'avait considérée comme ministre des Affaires étrangères. Haley, d'après son assistant, a décliné l'offre en raison d'un manque d'expérience qu'elle espérait, de toute évidence, acquérir en tant qu'ambassadrice des États-Unis auprès des Nations Unies.

Jared Kushner, que Paul Manafort m'avait présenté durant la campagne, m'a appelé au moment de Thanksgiving. Il m'a assuré que j'étais « on ne peut plus dans la course » pour le poste de ministre des Affaires étrangères, et « pour un tas d'autres raisons, Donald adore ce que vous faites, comme nous tous. » Toutefois, le *New York Post* a cité une source, évoquant une prise de décision à Mar-a-Lago, à Thanksgiving : « Donald était en train de marcher et demandait à tous ceux à qui il pouvait, qui devrait être son ministre des Affaires étrangères. Il y avait beaucoup de critiques envers Romney, et Rudy était apprécié par de nombreuses personnes.

Il y en avait aussi beaucoup qui étaient en faveur de John Bolton. » Je savais que j'aurais dû travailler plus dur à la primaire de Mar-a-Lago ! Néanmoins, j'étais reconnaissant d'avoir tant de soutien parmi les Américains pro-Israël (les Juifs, tout comme les évangéliques), les partisans du deuxième amendement, les Américains d'origine cubaine, vénézuélienne, et taïwanaise, ainsi que les conservateurs, globalement. Beaucoup de personnes ont appelé Trump et ses conseillers en mon nom, dans le cadre d'un lobbying de transition on ne peut plus respectable.

Le désordre contagieux créé par cette transition, reflétait, de plus en plus, non seulement des échecs organisationnels, mais aussi, et tout simplement, le style décisionnel de Trump. Charles Krauthammer, un de ses plus fervents critiques, m'a dit qu'il avait eu tort, il y a quelque temps, de comparer le comportement de Trump à celui d'un enfant de onze ans. « Je me suis planté de dix ans », m'a confié Krauthammer. « C'est encore un bébé d'un an. Il considère tout à travers un prisme évaluant si telle situation peut être bénéfique à Donald Trump ou non. » C'est exactement à cela que ressemblait le processus de sélection de son gouvernement vu de l'extérieur. Comme me l'a dit un stratège républicain, le meilleur moyen de devenir ministre des Affaires étrangères, c'est d'essayer de « rester debout, plus longtemps que les autres. »

Pence, le vice-président élu, m'a appelé le 29 novembre pour me demander de le rencontrer à Washington, le lendemain. Je connaissais Pence pour son travail au Comité des affaires étrangères de la Chambre des représentants. Il croyait fermement que la sécurité nationale devait être entourée de politiques solides. Nous avons parlé avec aisance de différents problèmes politiques liés aux relations internationales et à la défense, mais j'ai été scotché quand il a dit au sujet du poste de ministre des Affaires étrangères : « Je ne qualifierais pas cette décision d'imminente ». Étant donné les différentes déclarations faites dans la presse indiquant que Giuliani avait retiré sa candidature comme ministre des Affaires étrangères à cette époque, il se pouvait que ce soit l'ensemble du processus de sélection du ministre des Affaires étrangères qui doive commencer à nouveau, soit un développement quasi inédit à ce stade de la transition.

Quand je suis arrivé aux bureaux de la campagne de transition, le lendemain, le représentant Jeb Hensarling venait de terminer un entretien avec Pence. Hensarling, d'après les dires, était si sûr d'obtenir le poste de ministre des Finances qu'il a dit à son équipe de commencer à préparer ses valises. Sa déception, en apprenant qu'il n'était pas nommé, était équivalente à celle de la représentante, Cathy Rodgers quand elle a découvert qu'elle n'allait pas être ministre de l'Intérieur après qu'on lui a dit qu'elle le serait, tout comme l'ancien sénateur, Scott Brown, qui a appris qu'il ne serait pas ministre aux Anciens combattants. La tendance était claire. Pence et moi avions eu une discussion amicale de trente minutes, durant laquelle j'ai répété, comme je l'ai fait plusieurs fois avec Trump, la fameuse remarque d'Acheson lorsqu'on lui a demandé pourquoi lui et le président Truman avaient une si bonne relation professionnelle : « Je me suis toujours rappelé qui était le président, et qui était le ministre des Affaires étrangères. Tout comme lui. »

Trump a annoncé Jim Mattis comme ministre de la Défense, le 1er décembre, mais l'incertitude entourant le poste de ministre des Affaires étrangères continuait de grandir. Je suis arrivé à la Trump Tower, le lendemain, pour mon entretien. J'ai attendu dans le lobby de la Trump Organization avec un procureur général de l'État et un sénateur américain, eux aussi en attente. Comme à son habitude, le président élu était en retard, et qui ne suis-je pas surpris de voir sortir de son bureau, l'ancien ministre de la Défense, Bob Gates ! J'ai deviné par la suite que Gates était là pour faire du lobbying pour Rex Tillerson comme ministre de l'Énergie ou des Affaires étrangères, mais Gates s'est contenté de quelques plaisanteries et n'a donné aucun indice quant au but de sa mission. Je suis finalement entré dans le bureau de Trump, où nous avons parlé pendant environ une heure, en compagnie de Reince Priebus (futur chef de cabinet de la Maison Blanche) et de Bannon (qui allait être le stratège en chef du gouvernement). Nous avons parlé des points les plus sensibles dans le monde, des menaces stratégiques les plus importantes comme la Russie et la Chine, du terrorisme, et de la prolifération des armes nucléaires. J'ai commencé par mon anecdote avec Dean Acheson, et, à l'inverse de mes anciennes rencontres avec Trump, c'est moi qui ai occupé l'essentiel du temps de parole, en répondant aux questions des autres. J'étais convaincu que Trump m'écoutait attentivement. Il n'a passé ni répondu à aucun appel, et nous n'avons pas été interrompus, jusqu'à ce que sa fille, Ivanka, vienne discuter des affaires familiales, ou peut-être lui rappeler vaguement l'heure qu'il était.

Je lui ai décrit pourquoi le rôle de ministre des Affaires étrangères avait besoin d'une révolution culturelle pour devenir un instrument politique efficace lorsque Trump m'a demandé : « Là, nous parlons du job de ministre des Affaires étrangères, mais seriez-vous prêt à considérer celui d'adjoint ? » J'ai répondu que non, en expliquant que le rôle de ministre des Affaires étrangères ne peut pas être dirigé avec succès de ce poste-là. Par ailleurs, l'idée de travailler avec quelqu'un sachant très bien que je voulais ce poste me mettait mal à l'aise. Vers la fin de notre conversation, Trump a pris ma main entre les siennes et m'a dit : « Je suis sûr que nous allons travailler ensemble. »

Par la suite, dans une petite salle de conférence, Priebus, Bannon, et moi-même avons tenu un caucus, où chacun a dit que la réunion s'était « très bien passée ». Bannon a même dit qu'en matière de portée et de détails, Trump « n'avait jamais entendu quelque chose de tel auparavant ». Toutefois, ils m'ont vivement encouragé à prendre le rôle de ministre des Affaires étrangères, ce qui me laissait présumer qu'il y avait peu de chances que j'emporte le gros lot et devienne ministre des Affaires étrangères. Je leur ai à nouveau expliqué pourquoi travailler comme adjoint était impensable. Le lendemain, j'ai appris que Trump était sur le point d'interviewer Tillerson pour le rôle de ministre des Affaires étrangères. C'est la première fois que j'ai entendu le nom de Tillerson, ce qui m'a logiquement fait comprendre pourquoi Priebus et Bannon m'avaient demandé de prendre le poste d'adjoint. Ni Trump ni les autres n'ont soulevé le problème lié à la confirmation du Sénat. La majorité des candidats nominés par Trump peuvent s'attendre à une opposition démocrate significative ou même unanime. Les sentiments isolationnistes bien connus de Rand Paul signifient qu'il aurait été un problème pour moi, mais plusieurs sénateurs républicains (dont John McCain, Lindsey Graham, et Cory Gardner) m'ont dit que son opposition serait surmontée. Néanmoins, après cette réunion, je n'ai reçu aucune nouvelle de la Trump Tower, ce qui m'a convaincu que j'allais rester un simple citoyen.

Cependant, la nomination de Tillerson, le 13 décembre n'a fait que soulever une vague de spéculations (pour et contre) mon arrivée comme adjoint. Un conseiller de Trump m'a encouragé en disant : « Dans quinze mois, tu seras ministre. Ils connaissent ses limites. » L'une d'entre elles est sa relation avec Vladimir Poutine et la Russie, datant de ses années à ExxonMobil, précisément au moment où Trump était critiqué, de manière précoce mais croissante, pour « connivence » avec Moscou afin de battre Clinton. Tandis que Trump a finalement été disculpé d'une telle collusion, sa réaction défensive a permis d'ignorer ou de nier délibérément le fait que la Russie s'immisçait dans les élections des États-Unis et d'autres pays, et de plus vagues débats politiques publics. D'autres adversaires comme la Chine, l'Iran et la Corée du Nord, étaient aussi en train de s'ingérer.

Au travers de commentaires, à l'époque, j'ai insisté sur la gravité des ingérences étrangères dans notre politique. McCain m'a remercié début janvier, en disant que « j'étais un homme de principe », ce qui n'aurait probablement pas gagné la sympathie de Trump, même s'il l'avait su.

À la Défense aussi, le poste de ministre des Affaires étrangères était synonyme de tumulte, car Mattis appuyait la candidature de la représentante de l'ère Obama, Michèle Flournoy. Flournoy, une démocrate, aurait pu être ministre de la Défense si Clinton avait gagné, mais comprendre pourquoi Mattis la voulait au cœur d'un gouvernement républicain était difficile à saisir. Par la suite, Mattis a également encouragé Anne Patterson, une agente du service extérieur diplomatique, pour occuper le poste essentiel d'adjoint au ministre à la politique de Défense. J'ai travaillé plusieurs fois avec Patterson et je savais qu'elle était philosophiquement compatible avec un rôle politique de haut rang dans un gouvernement démocratique libéral, mais pas vraiment dans un gouvernement républicain. Le sénateur, Ted Cruz, a posé des questions sur Mattis au sujet de Patterson, mais Mattis était incapable ou peu disposé à expliquer ses raisons, et sa nomination, face à une opposition croissante de la part de sénateurs républicains et autres, a finalement été retirée. Tout ce tumulte a poussé Graham et les autres à me demander de rester en dehors du gouvernement, durant ses premiers jours, pour le rejoindre plus tard, ce que je trouvais plutôt persuasif. Pendant un temps, j'ai été considéré comme directeur du renseignement national, rôle finalement attribué à l'ancien sénateur, Dan Coats, début janvier. Je pensais que le bureau lui-même, créé par le Congrès après les attaques terroristes du 11 septembre, afin de mieux coordonner la communauté du renseignement, était une erreur et qu'il ne représentait qu'une couche administrative supplémentaire. Éliminer ou réduire l'impact du rôle du bureau du directeur était un projet que j'aurais aimé entreprendre avec enthousiasme, mais j'ai rapidement conclu que Trump, lui-même, n'était que peu intéressé par ce qui serait une galère politique. Étant donné la guerre à rallonge, presque irrationnelle, entre Trump et la communauté du renseignement, j'ai eu la chance de ne pas hériter du rôle de directeur. Ainsi, la transition Trump s'est achevée sans que je puisse réellement espérer rejoindre le gouvernement. J'ai médité ce résultat en concluant que si le processus décisionnel (mot employé à la légère) de Trump, depuis sa prise de fonction, était aussi atypique et erratique que les choix de son personnel, alors, j'étais très bien en dehors. Si seulement une personne pouvait dire ça au nom du pays.

Par la suite, moins de trente jours après l'existence de ce gouvernement, Mike Flynn s'est autodétruit. Cela a commencé par des critiques reçues pour de supposées remarques envers l'ambassadeur russe, Sergei Kislyak, quelqu'un que je connaissais bien. Il était mon homologue à Moscou quand j'étais ministre chargé du Contrôle des armements et des Affaires de sécurité internationale durant le gouvernement Bush 43[1]. Les critiques se sont considérablement intensifiées quand Flynn a apparemment menti à Pence et à d'autres, au sujet de la conversation avec Kislyak. Pourquoi Flynn aurait-il menti au sujet d'une simple conversation innocente ? Je n'ai jamais compris pourquoi. Cependant, tout est devenu transparent, quelques jours plus tard, après avoir parlé avec plusieurs collaborateurs supérieurs du gouvernement et avec Trump lui-même. En réalité, ils avaient déjà perdu confiance en Flynn à cause de ses performances insuffisantes (tout comme Kissinger l'avait prédit), et le « problème russe » n'était qu'une simple couverture politique, opportune et pratique. Flynn démissionna le 13 février, après une journée de Sturm und Drang[2] à la Maison Blanche, quelques heures seulement après que Kellyanne Conway a été malheureusement invitée à faire le travail ingrat de dire à des journalistes affamés que Trump avait entièrement confiance en Flynn. Voici la définition même du désordre et de la confusion.

Le désordre et la confusion ont également frappé les membres du NSC[3] durant les trois premières semaines du gouvernement. Tandis que le choix des différents membres du personnel était déroutant, le directeur de la CIA, Mike Pompeo, a personnellement pris l'initiative, quasi inédite, de refuser que le directeur supérieur, l'une des ambitions de Flynn et l'un des échelons les plus élevés du NSC, ait accès aux informations ultra-confidentielles de niveau SCI[4]. En refusant d'attribuer une telle autorisation, la route du NSC se trouvait efficacement barrée pour toute personne souhaitant y travailler, un coup dur pour Flynn. Il a également vécu un nombre de batailles infinies avec des fonctionnaires de carrière, racontées en détail au NSC

1 Georges W. Bush, 43ème président des États-Unis, fils de Georges Bush, 41ème président des États-Unis (NDT).

2 « Tempête et stress » (NDT).

3 NSC : Conseil de sécurité nationale (NDT).

4 SCI : Informations compartimentées sensibles (NDT).

durant les années Obama, mais, comme cela semblait obligatoire, il était toujours là au début de la présidence Trump. Ces conflits étaient à l'origine de fréquentes fuites d'informations portant sur le sang bureaucratique versé sur le sol de la Maison Blanche et du bâtiment du bureau exécutif Eisenhower, la grande pile victorienne de blocs de granit gris, de l'autre côté de West Executive Avenue, où se trouve l'essentiel des membres du NSC.

De même, l'enrayement de l'immigration illégale, un des problèmes emblématiques de la campagne de Trump, a poussé la Maison Blanche à trébucher sur une série d'erreurs, durant les premiers jours, en essayant de rédiger des décrets présidentiels et des directives politiques. Les difficultés juridiques étaient inévitables, et susceptibles d'être plaidées à chaud au sein d'un système judiciaire composé, pendant huit ans, de personnes désignées par Obama. Toutefois, c'est bien la Maison Blanche qui était responsable de la première débâcle sur l'immigration, et qui trahissait ainsi le manque de préparation et de coordination interne de cette transition. Un télégramme émis sur le « canal contestataire[5] » à destination du ministère des Affaires étrangères et prévu pour rester en interne, s'est retrouvé sur Internet, signé par plus d'un millier d'employés, critiquant l'initiative contre l'immigration. La presse en a fait ses choux gras, même si les arguments du télégramme étaient faibles, désorganisés, et mal présentés. Pourtant, le télégramme, et d'autres messages similaires provenant de journalistes télé et d'opposants du Capitole sont restés sans réponse. Qui était responsable ? Quel était le plan ?

Étonnamment, Tillerson appela, trois jours après l'approbation de sa nomination par le Comité sénatorial des relations étrangères, le 23 janvier, grâce à un vote 10–11 en harmonie avec la ligne du parti, ce qui était suffisant pour que je sorte d'une réunion avec le conseil d'administration d'une entreprise. Nous avons parlé trente minutes, principalement des problèmes organisationnels de l'État et du fonctionnement du processus de prise de décision inter-institutions. Tillerson s'est montré courtois et professionnel, et profondément désintéressé à l'idée de m'avoir comme adjoint. Bien

---

5 Dissent Channel : messagerie ouverte aux citoyens américains employés par le ministère des Affaires étrangères des États-Unis à travers laquelle ils sont invités à s'expliquer de manière critique et constructive au sujet du gouvernement (NDT).

sûr, j'aurais ressenti la même chose à sa place. Tillerson a ensuite dit à Elliott Abrams, qu'il considérait également pour ce poste, qu'il voulait quelqu'un capable de le soutenir en travaillant dans l'ombre, pas quelqu'un connu du grand public, comme cela avait été mon cas avec l'ONU et en tant qu'analyste pour la Fox. Tillerson m'a demandé si j'étais intéressé par un poste, autre que celui d'adjoint, au ministère des Affaires étrangères. Je lui dis que non, car j'avais déjà eu le meilleur rôle de second couteau possible, en tant qu'ambassadeur américain auprès des Nations Unies. Tillerson s'est mis à rire, ce qui nous a fait parler des relations, parfois tendues, entre ministres et ambassadeurs. De toute évidence, il n'avait pas parlé avec Haley du caractère de leur relation, et il ne savait aucunement comment gérer cette bombe à retardement.

J'étais inquiet à l'idée que Tillerson réussisse à rassembler la bureaucratie du ministère des Affaires étrangères. Après tout, il avait passé la totalité de ses quarante et un ans de carrière à Exxon, dans un environnement où il existe de véritables indicateurs métriques de performance, des déclarations de pertes et de profits jouant le rôle de cruels contremaîtres, et où la culture d'entreprise est rarement sujette à des changements révolutionnaires venant de l'intérieur. Après plusieurs années passées au sommet de la pyramide hiérarchique d'Exxon, à croire que tous ses subordonnés étaient dans la même équipe, il aurait été remarquable que Tillerson, installé dans la suite du ministre, au septième étage, assume quoi que ce soit d'autre au sujet des carriéristes assis aux étages inférieurs ou affectés aux quatre coins du monde. C'est exactement à cause de son parcours que Tillerson aurait dû s'entourer de personnes familières avec les points forts et faibles de la fonction civile et des services étrangers, mais il décida d'en faire autrement. Il ne voulut pas lancer de révolution culturelle (comme je l'aurais fait), ni adopter le « constructivisme » (comme tous ses prédécesseurs ont fait) ou chercher à contrôler la bureaucratie sans fondamentalement la modifier (comme Jim Baker le fit). À la place, il s'est isolé avec quelques collaborateurs de confiance, et en a payé le prix fort.

Mais grâce à l'échec spectaculaire de Flynn, juste ou injuste, le rôle de conseiller à la sécurité nationale, que je n'avais pas encore envisagé en raison du lien intime entre Flynn et Trump, était désormais disponible. La presse spéculait que le successeur de Flynn serait un autre général, comme David Petraeus, Robert Harwood (ancien marine, désormais à Lockheed, fermement recommandé par Mattis), ou Keith Kellogg (un supporter de longue date de Trump et maintenant, secrétaire exécutif du NSC). Tillerson ne semblait que peu concerné, un autre signe de malaise. À la fois parce qu'il n'était pas dans le coup et parce qu'il ne semblait pas réaliser le problème potentiel qui se dressait devant lui si un allié de Mattis obtenait ce poste, et rendait les relations entre Tillerson et la Maison Blanche plus difficiles. En effet, de nouvelles histoires révélaient désormais au grand jour les faiblesses du profil de Tillerson.

Bannon m'a texté, le vendredi 17 février, pour me demander de venir à Mar-a-Lago et rencontrer Trump durant le week-end du Jour des présidents[6]. Ce jour-là, Joe Scarborough de MSNBC a tweeté : « Je m'oppose fortement à @AmbJohnBolton comme ministre des Affaires étrangères. Mais, en comparaison avec Michael Flynn, l'ancien ambassadeur américain auprès de l'ONU est Thomas Jefferson à Paris. » Dans Trumpworld, cela pourrait être utile. Ce week-end, pendant la primaire de Mar-a-Lago, un invité m'a dit avoir entendu Trump répéter à plusieurs reprises : « Je commence vraiment à beaucoup aimer Bolton ». N'ai-je pas déjà dit qu'il fallait que je travaille la foule plus sérieusement ? Trump a interviewé trois candidats : le lieutenant général H. R. McMaster, auteur de *Dereliction of Duty*[7], un superbe essai sur les relations entre les sphères civile et militaire aux États-Unis ; le Lieutenant général Robert Caslen, commandant de West Point ; et moi. J'ai rencontré McMaster, il y a quelques années. J'ai parlé avec lui et admiré sa manière enthousiaste de défendre des positions controversées. Caslen, je le voyais pour la première fois, et j'ai pensé que c'était un haut fonctionnaire agréable et très compétent. Chacun d'eux était en uniforme, déjà en train de montrer ses compétences en marketing. Moi, j'avais ma moustache.

Trump m'a chaleureusement salué, en me disant à quel point il me respectait et qu'il était heureux de me considérer comme conseiller à la sécurité nationale. Trump m'a également demandé si j'étais

6 Jour férié donné en l'honneur des différents présidents des États-Unis, le troisième lundi du mois de février (NDT).
7 « Dérogation au devoir » (NDT).

prêt à envisager « un titre comme celui de Bannon[8] » (également assis au bar privé du premier étage de la résidence de Mar-a-Lago, en compagnie de Priebus et de Kushner) et de couvrir une variété de problèmes stratégiques. Je pouvais donc devenir un des nombreux « assistants du président », qui existaient déjà en trop grand nombre dans la Maison Blanche de Trump, et dont les efforts, lorsqu'il s'agissait de définir leurs rôles et responsabilités, n'étaient que bâclés. Une telle proposition était pour moi une ineptie, que j'ai poliment refusée en disant que le seul poste qui m'intéressait était celui de conseiller à la sécurité nationale. Comme l'a apparemment dit Henry Kissinger : « N'accepte jamais un emploi dans l'administration sans messagerie électronique. »

Le président m'a assuré que le successeur de Flynn aurait carte blanche en matière d'affaires organisationnelles et de sélection du personnel, ce qui, d'après moi, était essentiel pour diriger efficacement l'état-major du NSC et un processus interinstitutionnel. Nous avons couvert tous les problèmes mondiaux, un véritable tour d'horizon, comme aime le dire le ministère des Affaires étrangères, et Trump n'est intervenu qu'à un moment : « C'est incroyable. John parle exactement comme à la télévision. Je pourrais l'écouter pendant des heures. J'adore ça ! » Kushner a demandé : « Comment faites-vous pour gérer la controverse qui vous entoure, à tel point que soit les gens vous aiment, soit ils vous détestent ? » Alors que j'étais sur le point d'ouvrir la bouche, Trump s'est exclamé : « Ouais, exactement comme moi ! Les gens m'aiment ou me détestent. John et moi, on est exactement pareils ! » J'ai aussi ajouté qu'une personne ne devrait être jugée que sur ses résultats, en énumérant quelques-uns de ce que je considère comme mes plus beaux accomplissements en politique internationale. La réunion s'est terminée par une discussion sur la Russie, où Trump a dit : « Je vous ai entendu parler l'autre jour au sujet du FNI, » en faisant référence au Traité sur les forces nucléaires à portée intermédiaire avec la Russie. Il a ensuite expliqué pourquoi il trouvait terriblement injuste qu'aucun pays autre que la Russie et les États-Unis (comme la Chine, l'Iran, ou la Corée du Nord) ne soit limité dans le développement de forces à portée intermédiaire, alors

8 En 2016, Steve Bannon est désigné comme directeur exécutif de la campagne de Trump, puis en 2017, il est nommé au poste, nouvellement créé, de conseiller stratégique du président des États-Unis (NDT).

que les Russes étaient en train de violer le traité. C'est à quelques mots près, exactement ce que j'ai dit, donc j'étais persuadé

qu'il continuait de regarder et d'absorber Fox News ! J'ai proposé de suggérer à Poutine d'agir en conformité avec les obligations russes du FNI ou de nous voir nous retirer, ce que Trump a accepté.

Bannon et moi sommes partis ensemble, lui me disant : « C'était une super soirée ! » Et à mes yeux, il était clair que Trump était sur le point de choisir un général. Je suis retourné à mon hôtel, et plus tard dans la journée, Bannon et Priebus m'ont demandé de prendre le petit-déjeuner avec eux, à Mar-a-Lago, le lendemain matin. Priebus a suggéré des alternatives au poste de conseiller à la sécurité nationale, en disant à propos de Trump : « N'oublie pas à qui tu t'adresses. » Ils m'ont promis une influence réelle, un accès à Trump, et une évolution inévitable au sein du gouvernement, ce qui signifiait qu'un jour ou l'autre, je finirais par devenir ministre des Affaires étrangères ou de quelque chose. En m'appuyant sur mon expérience gouvernementale, j'ai expliqué que pour diriger une bureaucratie, il faut la contrôler, pas seulement la regarder depuis la Maison Blanche. Le NSC était un mécanisme de coordination des institutions de sécurité nationale, et ce rôle nécessitait quelqu'un avec de l'expérience aux niveaux inférieurs, sachant ce qui fonctionne et ne fonctionne pas. Je pense que Trump leur a dit : « Faites-le rejoindre le gouvernement pour qu'il puisse nous défendre à la télévision. » Voilà exactement la dernière chose que j'avais à l'esprit, en relation avec des politiques que je n'avais peu ou pas élaborées. À un moment, Bannon m'a dit : « Aidez-moi, Monsieur l'Ambassadeur ! ». C'est ce que j'essayais réellement de faire, alors qu'en réalité, il voulait que je lui dise ce qui lui permettrait de m'engager dans le gouvernement.

Durant le vol retour vers Washington, j'ai vu grâce au Wi-Fi que Trump avait choisi McMaster. Ce n'était pas une surprise, mais j'étais surpris d'entendre Trump dire : « Je connais John Bolton. Nous allons lui demander de travailler à nos côtés, mais dans un autre registre. John est ultra-compétent. Nos réunions avec lui ont toutes été très positives. Il sait beaucoup de choses. Il nous a fait part de plusieurs très bonnes idées qui, je dois l'admettre, m'inspirent beaucoup. Nous proposerons donc un autre rôle à John Bolton. »

Je n'avais pas clairement expliqué quel était le meilleur rôle pour moi, surtout pas à Kushner, qui m'a texté quelques minutes plus tard : « On a passé un super moment ensemble. On te veut vraiment dans l'équipe. Trouvons un moment pour parler cette semaine. Tu as beaucoup de choses à offrir et nous sommes dans une position unique où nous pouvons accomplir beaucoup. » Madeleine Westerhout, la secrétaire de Trump dans l'« Ovale extérieur » (la pièce où se trouve l'assistante personnelle de Trump), m'a appelé le mardi pour me mettre en contact avec Trump, mais j'ai raté l'appel car mon téléphone était sur silencieux. De manière prévisible, Trump était occupé quand je l'ai rappelé, alors j'ai demandé à Westerhout si elle connaissait la raison de son appel, de peur de passer sur le gril. Elle m'a dit : « Oh, il tenait juste à vous dire à quel point vous êtes incroyable », et qu'il voulait me remercier d'être venu jusqu'à Mar-a-Lago. Je lui ai dit que cela était très gentil de sa part, et que, ne voulant pas surcharger son emploi du temps, il n'avait vraiment pas à me rappeler, en espérant éviter une balle. Quelques jours plus tard, Westerhout, toujours aussi enthousiaste à l'époque, m'a laissé un autre message disant que le président voulait me voir. J'étais persuadé qu'il allait encore me proposer un poste amorphe, mais heureusement, un séjour de deux semaines à l'étranger m'a permis d'éviter une nouvelle balle.

Il est possible de courir, mais point de se cacher, et finalement, un entretien avec Trump fut programmé pour le 23 mars, après un déjeuner avec McMaster au mess de la Maison Blanche. J'ai texté à Bannon, en avance, afin d'être complètement transparent : je n'étais intéressé que par le poste de ministre des Affaires étrangères ou ceux à la sécurité nationale, et à mes yeux, aucun n'était disponible. Par coïncidence, je suis arrivé dans l'aile Ouest pour la première fois depuis dix ans, alors qu'une foule de journalistes attendait dehors pour interviewer les membres républicains de la Chambre des représentants, qui venaient de discuter avec Trump du peu d'effort visant à abroger l'Obamacare. Je n'avais prévu de répondre à aucune question, mais c'est exactement ce dont j'avais besoin. À l'époque de Twitter, toutefois, même une histoire sans histoire reste une histoire, comme l'a tweeté un journaliste :

GLENN THRUSH

John Bolton vient d'arriver dans l'aile Ouest. Je lui ai demandé ce qu'il faisait ici. Il m'a souri et répondu : « Les soins de santé !! »

J'ai vu plus tard qu'au moment de mon arrivée, Bob Costa du Washington Post était en train de tweeter :

> **ROBERT COSTA**
> **Trump veut que John Bolton rejoigne le gouvernement. Voilà pourquoi Bolton est à la MB aujourd'hui, d'après un homme de confiance de Trump. Conversation en cours.**

Mon déjeuner avec McMaster avait été parfaitement plaisant. Après une discussion sur l'Irak, l'Iran et la Corée du Nord, nous sommes allés au Bureau ovale pour voir Trump, qui venait juste de finir son déjeuner avec le ministre des Finances, Steven Mnuchin et Nelson Peltz, un homme d'affaires new-yorkais.

Trump était assis derrière le *Resolute desk*[9], qui était complètement nu, à l'inverse de son bureau new-yorkais qui semblait toujours être recouvert de journaux, de comptes rendus et de prises de notes. Il a demandé à ce qu'une photo de nous deux soit prise, puis, McMaster et moi nous sommes assis en face de son bureau afin de discuter. Nous avons brièvement parlé des efforts d'abrogation de l'Obamacare avant d'enchaîner avec l'Iran et la Corée du Nord, en répétant essentiellement ce que McMaster et moi-même avions déjà dit durant notre déjeuner. Trump m'a dit : « Vous savez, vous et moi sommes d'accord sur quasiment tout, excepté l'Irak », auquel j'ai répondu : « Oui, mais même là, nous sommes d'accord pour dire que c'est à cause de la décision d'Obama de retirer les forces américaines en 2011 qu'il existe aujourd'hui un tel bordel là-bas. » Trump a continué : « Pas aujourd'hui, mais un jour, au bon moment et dans le bon rôle, je vais vous demander de rejoindre ce gouvernement, et vous allez accepter, n'est-ce pas ? » J'ai rigolé, comme l'ont fait Trump et McMaster (même si j'étais légèrement mal à l'aise pour lui), puis j'ai répondu : « Bien sûr ! » en me disant qu'une fois de plus, je l'avais échappé belle. Aucune pression, aucune précipitation et aucun poste amorphe, sans messagerie électronique, à la Maison Blanche.

Notre entretien a duré une vingtaine de minutes, après lesquelles Mc Master et moi sommes partis, en nous arrêtant, sur le chemin

9 Grand bureau servant fréquemment de bureau aux présidents des États-Unis (NDT).

de la sortie, au bureau de Bannon. Puis Bannon et moi avons croisé Priebus, puis Sean Spicer dans un couloir et enfin le vice-président, qui m'a salué très chaleureusement. On se serait cru dans un dortoir universitaire. Chacun entrant et sortant du bureau de chacun en parlant d'une chose ou d'une autre. Ces personnes n'étaient-elles pas en pleine crise, tâchant d'abroger l'Obamacare, un des problèmes emblématiques abordés par Trump durant sa campagne de 2016 ? Cette Maison Blanche ne ressemblait pas à celle que j'ai traversée par le passé, sous d'autres gouvernements, c'est le moins que je puisse dire. C'est Mike Pence qui m'a dit la chose la plus inquiétante de tout l'après-midi : « Je suis très content que tu nous rejoignes », ce qui n'est pas du tout ce que j'avais l'impression de faire ! Je suis finalement parti à quatorze heures quinze, mais je pense que j'aurais pu facilement « traîner » là-bas tout l'après-midi.

Je voyais très bien cette façon de rentrer en contact avec le gouvernement Trump durer indéfiniment, et d'une certaine manière, c'est ce qui s'est passé. J'ai passé le cap des cent jours de ce gouvernement, en paix avec moi-même, sachant très clairement ce que j'étais prêt à faire et à ne pas faire. Après tout et à l'instar de Caton le jeune[10] dans une des répliques préférées de la pièce de théâtre préférée de George Washington : « Quand le vice prévaut et que les hommes impies gouvernent, l'honneur est un poste privé. »

Toutefois, la vie sous Trump, ne ressemblait pas à la vie dans *Cato*, l'œuvre éponyme de Joseph Addison, où le héros se bat pour défendre la République romaine en déclin contre Jules César. À la place, ce nouveau gouvernement avait plutôt des airs d'« Hotel California », la chanson des Eagles : « You can check out any time you like / But you can never leave. »[11]

Je n'ai pas eu à attendre longtemps pour que Bannon et Priebus m'appellent et me textent pour me dire de venir, dans un rôle ou un autre, à la Maison Blanche, car ils cherchaient désespérément à résoudre les écarts d'opinion entre Trump, McMaster, et Tillerson. Le plus palpable de leurs problèmes était l'Iran, et plus précisément

10 Homme politique romain resté dans l'histoire comme une figure du stoïcisme et célèbre pour son intégrité (NDT).

11 « Tu peux régler ta note quand tu veux, mais tu ne pourras jamais partir ». (NDT)

l'accord sur le nucléaire[12] de 2015, qu'Obama considérait comme une de ses deux plus grandes réalisations (l'autre étant l'Obamacare). L'accord avait été mal conçu, abominablement négocié et élaboré, et uniquement à l'avantage de l'Iran : inapplicable, invérifiable et inadéquat, tant en matière de durée que de portée. Bien qu'apparemment conçu pour résoudre la menace posée par le programme d'armements nucléaires iranien, cet accord n'a rien fait de cela. En réalité, il a permis d'exacerber cette menace en créant un semblant de solution, en détournant son attention des dangers, et en supprimant les sanctions économiques qui s'étaient montrées douloureuses pour l'économie iranienne, tout en autorisant Téhéran à agir, essentiellement sans restrictions. Par ailleurs, cet accord ne répondait pas sérieusement aux autres menaces posées par l'Iran : son programme de missiles balistiques (le développement, à peine déguisé, d'un réseau de véhicules de livraison d'armes nucléaires), son rôle continu en tant que banque centrale du terrorisme international, ainsi que ses autres activités malignes dans la région, par le biais des interventions et de l'influence grandissante de la Force Al-Qods, l'unité militaire du Corps des Gardiens de la révolution islamique, en Irak, en Syrie, au Liban, au Yémen et ailleurs. Libérés de sanctions, bénéficiant d'une part d'un transfert par avion-cargo de « palettes de billets » équivalentes à 150 millions de dollars, et d'autre part, du déblocage, sous la forme d'actifs internationaux, de 150 milliards de dollars, il était sage de dire que pour les ayatollahs radicaux de Téhéran, les affaires reprenaient de plus belle.

En 2016, Trump et d'autres candidats républicains ont fait campagne contre le Plan d'action global commun, le nom officiel à rallonge de l'accord sur le nucléaire iranien, et tous semblaient prêts à lui passer l'extrême-onction dès la fin de son inauguration. Mais les opinions combinées de Tillerson, Mattis, et McMaster ont réussi à frustrer Trump et ses efforts de retrait de ce misérable accord, ce qui leur a valu les applaudissements des médias en pleine adoration, comme s'ils représentaient un « axe d'adultes » faisant de son mieux pour empêcher Trump de donner vie à ses fantasmes les plus fous. Si seulement ils savaient... En réalité, plusieurs partisans de Trump ont considéré que leurs efforts empêchaient Trump de faire ce qu'il avait promis de faire aux électeurs. Et McMaster ne s'est

12 Accord de Vienne sur le nucléaire iranien (NDT).

pas facilité la tâche en s'opposant au terme « terrorisme islamiste radical » pour décrire quelque chose comme le... terrorisme islamiste radical. Jim Baker avait l'habitude de me dire, à l'époque où je travaillais pour lui au ministère des Affaires étrangères durant la présidence de Bush 41[13], et que j'insistais un peu trop fortement en faveur de quelque chose que Baker savait, mais que Bush ne voulait pas : « John, le gars qui a été élu ne veut pas faire ça. » Cela voulait généralement dire qu'il fallait que je calme mes ardeurs, mais dans l'appareil de sécurité nationale immature du gouvernement Trump, ce que « le gars qui a été élu » voulait ne représentait qu'une partie de mes données.

Au début du mois de mai, après une énième discussion à la Maison Blanche avec Priebus et Bannon, ces derniers m'ont conduit à ce qui s'est avéré être une séance photo avec Trump et Pence au niveau de la colonnade unissant la Résidence à l'aile Ouest. « Content de vous voir, John », me dit Trump, alors que nous longions la colonnade, entourés de photographes. Nous avons parlé des Philippines et de la menace chinoise d'imposer sa souveraineté à la quasi-totalité des pays côtiers de la mer de Chine méridionale[14]. Une fois terminé, Trump a dit, suffisamment fort pour que la horde de journalistes à nos arrières l'entende : « Est-ce que Rex Tillerson est là ? Il devrait parler à John. » Et voilà comment Trump rejoignit finalement le Bureau ovale. Priebus m'a dit : « C'était super. On va t'inviter à revenir ici régulièrement. »

La vie à la Maison Blanche commençait à développer son propre rythme, d'abord avec Trump renvoyant fin mai le directeur du FBI, James Comey, (en suivant une suggestion de Kushner, selon Bannon), puis rencontrant le ministre russe des Affaires étrangères, Sergei Lavrov (que je connaissais alors depuis plus de vingt-cinq ans) et discutant, de manière presque imprudente, selon certains, de documents classifiés, où il traitait notamment Comey de « cinglé », d'après le journal impartial, le *New York Times*. Fin mai, je me trouvais en Israël pour donner un discours et rencontrer le Premier

13 Georges Bush, 41ème président des États-Unis, père de Georges W. Bush, 43ème président des États-Unis (NDT).

14 Singapour, Malaisie, Viêt Nam, Taïwan, Philippines, Brunei et Indonésie (NDT).

ministre, Bibi Netanyahou, que j'avais rencontré pour la première fois durant le gouvernement Bush 41. La menace iranienne occupait l'essentiel de son attention, comme cela devrait être le cas de n'importe quel Premier ministre israélien, mais il était également dubitatif à l'idée de confier la fin du conflit israélo-palestinien à Kushner, dont il connaissait la famille depuis plusieurs années. Il était suffisamment diplomate pour ne pas s'opposer publiquement à l'idée, mais comme le reste du monde, il se demandait comment Kushner pouvait bien penser réussir là où Kissinger et d'autres avaient échoué.

Je suis retourné à la Maison Blanche, au mois de juin, pour voir Trump, accompagné par Priebus jusqu'au Bureau ovale dont la porte était ouverte. Trump nous a vus et m'a dit : « Bonjour John, donnez-moi une minute, je suis en train de signer des nominations judiciaires. » J'étais prêt à lui donner tout le temps nécessaire, car la résolution de son nombre croissant de nominations judiciaires, en bonne voie d'être honorées après la confirmation des Juges Neil Gorsuch et Brett Kavanaugh, représentait la priorité numéro un et le plus grand accomplissement des conservateurs, durant son mandat. Lorsque Priebus et moi sommes entrés, j'ai félicité Trump pour son retrait de l'accord de Paris sur le climat, un accomplissement que « l'axe d'adultes » n'avait pas réussi à empêcher et que je considérais comme une grande victoire contre la gouvernance mondiale. L'accord de Paris était une farce, même pour ceux réellement concernés par le réchauffement climatique. Comme dans tant d'autres cas, ces accords internationaux effleurent à peine les problèmes majeurs qu'ils prétendent résoudre, et se contentent de donner aux politiciens de chaque pays l'occasion de se féliciter, sans faire aucune différence perceptible pour le monde réel. Et dans ce cas, en donnant le feu vert à des pays comme la Chine et l'Inde, qui restent libres, essentiellement, de faire ce qu'ils veulent. J'ai donné à Trump une copie d'un article que j'ai écrit en 2000, intitulé « Should We Take Global Governance Seriously[15]? » et publié dans le *Chicago Journal of International Law*, non pas parce que je pense qu'il aimerait ou devrait le lire, mais pour lui rappeler qu'il est important de préserver la souveraineté des États-Unis.

J'ai prévenu Trump contre tout gaspillage de capital politique à la recherche d'une solution hors d'atteinte au différend israélo-arabe,

15 « Devrions-nous prendre la gouvernance mondiale au sérieux ? » (NDT)

et j'ai fortement encouragé le déplacement de l'ambassade américaine en Israël, à Jérusalem, et de la reconnaître ainsi comme la capitale d'Israël. Quant à l'Iran, je l'ai incité à tout faire pour rapidement se retirer de l'accord sur le nucléaire, en expliquant comment l'utilisation de la force contre le programme nucléaire iranien semblait être la seule solution durable. « Dites à Bibi[16] que s'il utilise la force, je le soutiendrai. Je le lui ai déjà dit, mais dites-le-lui aussi » m'a dit Trump, spontanément. Alors que la conversation battait son plein, Trump m'a demandé : « Vous vous entendez bien avec Tillerson ? » et je lui ai répondu que depuis janvier, nous ne nous étions pas parlé. Quelques jours plus tard, Bannon m'a contacté pour me dire que Trump était satisfait de leur rencontre. Et évidemment, quelques semaines plus tard, Tillerson m'a appelé pour me proposer d'être envoyé spécial pour une mission de réconciliation en Libye, ce que j'ai pris comme une autre « case à cocher » ; si jamais Trump posait la question à Tillerson, ce dernier pouvait dire qu'il m'avait offert quelque chose, alors j'ai refusé. Presque instantanément, Tillerson a demandé à Kurt Volker, un proche collaborateur de McCain, de devenir envoyé spécial en Ukraine. Aucun de ces deux postes ne nécessitait un emploi gouvernemental à temps plein, mais à mes yeux, soit vous êtes avec le gouvernement soit vous ne l'êtes pas. Un poste à mi-chemin de la Maison Blanche, ça n'existe pas.

La Corée du Nord et l'affaire Otto Warmbier, avec sa libération, le traitement inhumain qu'il a subi à Pyongyang et son décès peu après son retour aux États-Unis, sont un autre sujet qui occupait l'esprit du gouvernement. La brutalité de la Corée du Nord nous a confirmé tout ce que nous avions besoin de savoir sur son régime. Par ailleurs, Pyongyang a lancé des missiles balistiques, notamment le 4 juillet[17] (quel geste attentionné) et le 28 juillet, ce qui a finalement entraîné de nouvelles sanctions de la part du Conseil de sécurité des Nations Unies, le 5 août. Quelques jours plus tard, Trump a déclaré : « Fire and fury like the world has never seen[18] » contre la Corée du Nord, même si Tillerson a immédiatement tenté de rassurer les Américains en leur disant de « bien dormir la nuit » et de ne pas « être plus préoccupé que ça par le vocabulaire utilisé ces derniers jours », ce qui a eu le don de ne pas clarifier la situation. Je

16 Surnom de Benyamin Netanyahou (NDT).
17 Fête nationale des États-Unis (NDT)
18 « Feu et furie, comme ce monde ne l'a jamais vu. » (NDT).

me demandais si Tillerson voulait attendrir la Corée du Nord ou Trump, qui en a remis une couche le 11 août en déclarant que les États-Unis étaient « armés et chargés » en cas de menace nord-coréenne supplémentaire. Il n'y a jamais eu de véritables preuves visibles de nouveaux efforts de préparation militaire en cours.

Le 30 août, Trump a tweeté que les États-Unis avaient parlé avec la Corée du Nord pendant vingt-cinq ans sans aucun résultat, et qu'il était inutile de vouloir parler davantage. Point réitéré par Trump le 7 octobre :

Pendant vingt-cinq ans, présidents et gouvernements ont parlé avec la Corée du Nord, des accords ont été signés et d'énormes sommes ont été dépensées… sans aucun résultat. Des accords enfreints avant même que l'encre soit sèche ont fait passer des négociateurs américains pour des clowns. Désolé, il n'y a qu'une seule solution !

Mattis, qui était en Corée du Sud, a presque immédiatement contredit Trump, en disant qu'il était toujours possible d'agir avec diplomatie, même s'il a rapidement fait marche arrière en déclarant qu'il n'y avait aucun point de divergence entre lui et le président. La dissonance se faisait de plus en plus forte. La Corée du Nord donna son avis avec un sixième test d'armement nucléaire, le 3 septembre, celui-ci quasi certainement thermonucléaire, suivi douze jours plus tard par le lancement d'un missile au-dessus du Japon, soulignant ainsi le point tweeté par Trump. Dans la seconde suivante, le Premier ministre japonais Abe a écrit un article d'opinion dans le *New York Times* concluant que « dialoguer davantage avec la Corée du Nord ne nous mènerait que dans une impasse », et en affirmant : « Je soutiens entièrement la position des États-Unis selon laquelle toutes les options sont envisageables », ce qui est probablement la manière la plus directe qu'un homme politique japonais puisse employer pour dire qu'il soutient une attaque militaire. Tillerson, à l'inverse, annonçait que nous voulions « inviter la Corée du Nord à un dialogue constructif et productif. » Il était, de toute évidence, sous le contrôle du « constructivisme ». Quand Trump a annoncé de nouvelles sanctions financières contre la Corée du Nord, la Chine a répondu en disant que sa banque centrale avait ordonné à toutes les banques chinoises de cesser leurs affaires avec Pyongyang, ce qui représentait un énorme pas en avant si jamais cela se confirmait (et beaucoup en doutaient).

Toutefois, c'est bien l'Iran qui était la poudrière la plus visible, et en juillet, Trump a dû décider, pour la seconde fois, s'il approuvait ou non la certification de conformité de l'Iran avec l'accord sur le nucléaire. La première occasion de faire cela a été une erreur, et Trump était sur le point de la renouveler. J'ai alors écrit un article d'opinion dans *The Hill* qui est apparu sur leur site web les 16 et 17 juillet, ce qui a apparemment déclenché une bataille d'une journée au sein de la Maison Blanche. McMaster et Mnuchin ont tenu une conférence de presse pour annoncer aux journalistes que la décision de certifier la conformité de l'Iran avait été prise, et la Maison Blanche a e-mailé plusieurs « points à débattre » aux médias, afin de justifier leur décision, car la mise en application était imminente. Mais un analyste indépendant m'a dit : « C'est le chaos au NSC », les points à débattre n'ont finalement pas été envoyés, et la décision de certifier la conformité iranienne a été inversée. Le *New York Times*, citant un dirigeant de la Maison Blanche, a communiqué qu'une confrontation de presque une heure avait eu lieu entre Trump, d'un côté, et Mattis, Tillerson et McMaster, de l'autre, au sujet de la certification, ce qui confirmait ce que j'avais entendu plus tôt. Cela a été confirmé par plusieurs autres sources. Trump a finalement succombé, peu volontiers, et seulement après avoir demandé une énième fois s'il existait d'autres alternatives, qui, d'après ses conseillers, n'existaient pas. Bannon m'a texté : « POTUS[19] a adoré... Votre article d'opinion l'a poussé à agir contre l'Iran. »

Trump m'a appelé quelques jours plus tard pour se plaindre de la manière dont avait été gérée la certification de l'Iran, et surtout du « personnel du ministre des Affaires étrangères » qui ne lui avait donné aucune autre option. Il a ensuite dit, en faisant référence à ma dernière conversation avec Tillerson : « Je comprends pourquoi vous avez refusé les propositions de Rex. Vous savez, n'acceptez pas de positions à la con, à l'autre bout du monde. S'il vous offre quelque chose de vraiment intéressant, parfait, super pour vous, mais autrement, soyez patient. Je vais vous appeler », puis il a conclu notre

19 Surnom donné au président des États-Unis (**P**resident **O**f **T**he **U**nited **S**tates) (NDT).

appel en me disant « Venez me voir la semaine prochaine » pour parler de l'Iran. Bannon m'a texté dans la foulée : « On parle de ça/toi tous les jours. » J'ai dit à Bannon que j'allais rédiger un plan indiquant comment les États-Unis pouvaient se retirer de l'accord iranien. Cela ne serait pas difficile.

Le lendemain, Sean Spicer a démissionné en tant que porte-parole de la Maison Blanche pour protester contre la nomination d'Anthony Scaramucci comme directeur des communications, ce qui a permis à Sarah Sanders d'être choisie pour succéder à Spicer. Une semaine plus tard, Trump a renvoyé Priebus, puis nommé John Kelly comme ministre à la Sécurité intérieure ainsi qu'un ancien général quatre étoiles de la marine, comme chef de cabinet de la Maison Blanche. Le lundi 31 juillet, Kelly a renvoyé Scaramucci. À la mi-août, une controverse a éclaté après les commentaires de Trump au sujet des manifestants néonazis à Charlottesville, en Virginie. Finalement, le 18 août, c'est Bannon qu'il renvoie. Est-ce vraiment ça que les écoles de commerce enseignent sur la direction de grandes organisations ?

Ma stratégie de sortie de l'accord iranien, que j'avais transmise plus tôt à Bannon, n'a apparemment fait réagir personne à la Maison Blanche. J'ai alors demandé à rencontrer Trump, mais Westerhout m'a suggéré d'aller d'abord m'entretenir avec Tillerson, ce qui aurait été une perte de temps pour nous deux. Je suspectais que les efforts de Kelly, visant à discipliner les opérations de la Maison Blanche et, en particulier, à limiter l'anarchie des entrées et des sorties du Bureau ovale, étaient à l'origine de la suspension de mon « privilège d'accès », et de ceux de beaucoup d'autres. Je me disais qu'il serait vraiment dommage de laisser mon plan iranien prendre la poussière, alors j'ai suggéré à l'éditeur du *National Review*, Rich Lowry, de le publier, ce qu'il a fait fin août. Le ministre des Affaires étrangères iranien, Javad Zarif, a immédiatement qualifié mon plan d'« échec colossal pour Washington. » Je savais que j'étais sur le bon chemin.

À Washington, la majorité des journalistes a choisi, plutôt que de se concentrer sur la substance de mon plan, de s'interroger sur ma perte d'accès au Bureau ovale, probablement parce qu'ils sont plus qualifiés en intrigue de palais qu'en politique. Kushner m'a alors texté : « Tu es toujours le bienvenu à la Maison Blanche » et

« Steve [Bannon] et moi étions en désaccord sur de nombreux sujets, mais on était unanimes sur l'Iran. » Kushner m'a même invité à le rencontrer le 31 août pour parcourir les premiers points de son plan de paix pour le conflit israélo-palestinien, et évidemment parler de l'Iran. Après un hiatus relativement long, je pensais que cet entretien était tout, sauf une coïncidence.

Malgré tout, toujours aucune nouvelle de Trump, même si une troisième décision de certification de la conformité de l'Iran, prévue par la loi tous les quatre-vingt-dix jours, était programmée pour le mois d'octobre. La Maison Blanche a ensuite annoncé que Trump ferait un discours important sur l'Iran, le 12 octobre, alors, j'ai décidé d'arrêter de faire mon timide et d'appeler Westerhout pour demander un rendez-vous. À ce moment-là, plusieurs sources ont déclaré que Tillerson avait qualifié Trump de « putain d'abruti », ce qu'il a refusé de nier catégoriquement. Plusieurs rumeurs ont commencé à circuler, d'abord la démission de Kelly comme chef de cabinet, puis son remplacement par Pompeo, même si, à en croire d'autres rumeurs, Pompeo devait aussi remplacer McMaster. Je restais concentré sur l'Iran et décidai d'écrire un nouvel article d'opinion pour *The Hill*, en espérant que le résultat soit aussi magique que la dernière fois. L'article a été publié le 9 octobre, le même jour que mon déjeuner avec Kushner, dans son bureau de l'aile Ouest. Bien que nous ayons longuement parlé de son plan de paix pour le conflit israélo-palestinien et de l'Iran, c'est la photo que j'avais apportée de l'entrée extravagante du bureau du conseiller spécial, Robert Mueller, située dans le bâtiment où se trouvait mon super PAC, qui a vraiment attiré son attention.

Les médias ont dévoilé que les conseillers de Trump ont insisté pour qu'il refuse de certifier la conformité de l'Iran tout en maintenant le statut des États-Unis au sein de cet accord. J'ai trouvé cela humiliant, mais les partisans de cet accord étaient si désespérés qu'ils étaient prêts à concéder un élément primordial de conformité pour maintenir cet accord. Trump m'a appelé durant l'après-midi du 12 octobre (le discours ayant été déplacé au vendredi 13) pour discuter. « Vous et moi pensons la même chose de cet accord. Vous êtes peut-être plus dur que moi, mais nous sommes d'accord » m'a-t-il dit. Je lui ai répondu que, d'après ma compréhension des informations parues dans la presse, il était sur le point de décertifier l'Iran, mais de conserver la position des États-Unis au sein de cet accord, ce qui constituait, au moins, un pas en avant. Je lui ai demandé à ce qu'on discute plus longuement de ce problème, quand il serait disponible. « D'accord à 100 % ! » m'a dit Trump. « À 100 % ! Je connais votre opinion. J'écoute ce que vous dites très attentivement. » Je lui ai demandé s'il était disposé à ajouter une phrase à son discours, disant que l'accord est sous révision, vingt-quatre heures sur vingt-quatre et sept jours sur sept, et que le retrait des États-Unis est possible à tout moment. Cela nous permettait de ne plus avoir à attendre quatre-vingt-dix jours avant d'avoir une nouvelle chance de nous retirer et de faire clairement réaliser à tous que l'objectif prioritaire n'était pas la conformité, comme le suggérait les partisans de l'accord, mais le maintien des États-Unis dans l'accord. Nous avons ainsi parlé du vocabulaire que Trump pourrait employer au moment de dicter son discours aux autres personnes dans la salle.

Trump a ensuite abordé le sujet du corps des Gardiens de la révolution islamique, en me demandant s'il devait désigner ce groupe comme une organisation terroriste étrangère, et donc la soumettre à des pénalités et des contraintes supplémentaires. Je l'ai vivement encouragé à le faire, car cette organisation contrôlait les programmes de missiles balistiques et d'armes nucléaires de l'Iran, et soutenait fortement le terrorisme islamiste radical (sunnite et chiite). Trump m'a ensuite dit avoir entendu qu'une telle appellation mettrait l'Iran particulièrement en colère, et qu'il pourrait y avoir des représailles contre les forces américaines présentes en Irak et en Syrie, ce qui, en fait, je l'ai appris ultérieurement, était l'opinion de Mattis. Mais peu importe car ce raisonnement était mal orienté. En effet, si Mattis a raison, la solution est de protéger davantage nos troupes ou d'ordonner leur retrait afin de se concentrer sur la menace principale, l'Iran. En tout, il aura fallu presque deux ans pour que les Gardiens de la Révolution soient désignés comme une organisation terroriste étrangère, ce qui montre l'incroyable persévérance d'une bureaucratie décidée à agir.

Trump m'a aussi dit qu'il pensait ajouter quelque chose sur la Corée du Nord, une idée que j'ai évidemment encouragée. Le vendredi, il a donc dit : « Beaucoup de personnes sont convaincues que l'Iran est en relation avec la Corée du Nord. Je vais demander à nos services de renseignements de procéder à une analyse détaillée et de me rapporter leurs résultats, au-delà de ce qu'ils avaient déjà trouvé par le passé. » J'étais aux anges ! Je lui ai dit que j'avais hâte de le revoir, et Trump a répondu : « Absolument ! ». Plus tard, en novembre, le jour de mon anniversaire (une pure coïncidence j'en suis sûr), Trump a fait rajouter la Corée du Nord sur la liste des États soutenant le terrorisme, de laquelle elle avait été retirée par erreur durant le gouvernement Bush 43.

Ma conversation téléphonique avec Trump avait réussi à accomplir quatre objectifs : (1) inclure dans le discours que l'accord avec l'Iran est sous révision continue et que les États-Unis peuvent se retirer à tout moment ; (2) faire apparaître le lien entre l'Iran et la Corée du Nord ; (3) énoncer clairement que les Gardiens de la Révolution doivent être désignés comme une organisation terroriste étrangère ; et (4) renouveler son engagement et me permettre de le voir sans nécessiter d'autorisation de la part de quiconque. Paradoxalement, en activant son haut-parleur, tous les points ci-dessus ont dû être clairs pour tous ceux présents dans le Bureau ovale avec lui. Je me suis alors demandé si faire partie du gouvernement me permettrait d'être réellement plus efficace qu'avec un simple appel téléphonique venant de l'extérieur, quelques heures avant un discours comme celui-ci.

Kushner m'a fait revenir à la Maison Blanche le 16 novembre pour discuter de son plan de paix pour le conflit israélo-palestinien. Je lui ai recommandé de nous faire quitter le Conseil des droits de l'homme des Nations Unies, plutôt que de suivre le plan d'Haley et de vouloir le « réformer » (voir le chapitre 8). Ce Conseil était déjà une mascarade en 2006, quand j'ai voté contre lui, en abolissant son prédécesseur, tout aussi inutile. Nous n'aurions jamais dû le rejoindre, comme Obama l'a fait. Je me suis aussi prononcé pour qu'on arrête de financer l'Office de secours et de travaux des Nations Unies pour les réfugiés de Palestine au Proche-Orient, une institution apparemment conçue pour soutenir les réfugiés palestiniens, mais qui, au bout de plusieurs décennies, était devenue un bras de l'apparat palestinien plutôt que de l'ONU. Kushner m'a répété à deux reprises à quel point je serais plus compétent que l'équipe actuelle pour diriger le ministère des Affaires étrangères. Début décembre, Trump a tenu une promesse faite en 2016, en déclarant Jérusalem comme capitale d'Israël et en annonçant que l'ambassade américaine y serait maintenant implantée. Il m'avait appelé quelques jours auparavant, et je l'avais soutenu, mais il était déjà clairement décidé à agir. Cela faisait déjà trop longtemps et l'éternelle prédiction de pseudo-crise dans la « rue arabe » par les « experts » régionaux a été un échec lamentable. La majorité des États arabes ont alors porté leur attention sur leur vraie menace, qui était l'Iran, pas Israël. En janvier, les États-Unis ont arrêté de financer l'Office de secours et de travaux des Nations Unies pour les réfugiés de Palestine au Proche-Orient, en contribuant seulement à hauteur de 60 millions de dollars d'une tranche prévue de 125 millions de dollars, soit environ un sixième de 400 millions de dollars, c'est-à-dire la contribution américaine 2018 basée sur une estimation de l'année fiscale totale.

Trump m'a de nouveau invité à la Maison Blanche le 7 décembre. J'étais assis dans le hall de l'aile Ouest, en train d'admirer l'immense arbre de Noël, lorsque Trump est arrivé, accompagné de Chuck Schumer et de Nancy Pelosi, juste après une réunion avec les dirigeants du Congrès. Nous nous sommes tous serré la main, puis ils se sont mis à poser devant l'arbre de Noël pour quelques photos. Alors que j'étais en train de regarder, John Kelly m'a pris par le bras en me disant : « Partons d'ici tout de suite et revenons uniquement pour la réunion. » Nous sommes arrivés au Bureau ovale seulement quelques secondes avant Trump, qui était accompagné de Pence. Nous avons échangé quelques politesses, puis Pence est parti et Kelly et moi nous sommes retrouvés face à Trump, assis de l'autre côté du *Resolute desk*. Je l'ai d'abord félicité pour l'ambassade et Jérusalem, et puis nous avons vite enchaîné avec l'Iran et la Corée du Nord.

J'ai décrit certains des liens existant entre les deux États dissidents, notamment lorsque la Corée du Nord a vendu des missiles Scud à l'Iran, il y a plus de vingt-cinq ans ; leurs essais balistiques communs en Iran après 1998 (suite à des protestations japonaises, Pyongyang avait déclaré un moratoire sur les essais de missiles depuis la Péninsule, après que l'un d'entre eux a atterri dans l'Océan Pacifique à l'Est du Japon) ; et leur objectif commun de développer des véhicules de livraison d'armes nucléaires. En matière de capacités nucléaires, le Pakistanais A. Q. Khan, un acteur majeur de la prolifération de ces armes, a vendu aux deux pays sa technologie d'enrichissement de l'uranium (qu'il a volée pour le Pakistan à l'entreprise européenne Urenco Ltd) et des plans d'armes nucléaires (fournis initialement au Pakistan par la Chine). La Corée du Nord avait construit le réacteur détruit en Syrie par Israël en septembre 2007, quasi certainement grâce au financement de l'Iran, et puis j'ai décrit comment l'Iran pouvait simplement acheter à la Corée du Nord ce dont il avait besoin et quand il en avait besoin (à moins qu'il ne l'ait déjà fait).

La menace représentée par l'acquisition nord-coréenne d'armes nucléaires livrables se manifestait de plusieurs façons. Premièrement, toute stratégie dépend de l'analyse des intentions et des capacités. Les intentions sont souvent difficiles à interpréter ; les capacités, en revanche, sont beaucoup plus faciles à évaluer (et cela même en tenant compte des imperfections de nos services de renseignements). Mais qui est prêt à parier qu'il sait ce qu'il se passe dans le cerveau des dirigeants de la seule dictature communiste au monde, en présence de preuves irréfutables d'accélération du développement des capacités balistiques et nucléaires ? Deuxièmement, une Corée du Nord dotée d'armes nucléaires peut faire du chantage aux États voisins qui ne sont pas armés de la sorte comme le Japon et la Corée du Sud (où nous avons d'importantes forces déployées), mais aussi aux États-Unis, surtout si nous sommes dirigés par un président fragile ou inepte. La simple possession d'une telle arme, et pas simplement le risque d'une première attaque, est un danger suffisant, sans parler des avantages proposés par Pyongyang en cas de prolifération en Asie orientale et partout ailleurs. Troisièmement, la Corée du Nord a démontré à maintes reprises qu'elle était prête à vendre n'importe quoi à n'importe qui pour argent comptant, donc les risques de voir ce pays devenir un « Amazon » nucléaire stratégique sont donc loin d'être anodins.

J'ai expliqué pourquoi et comment une attaque préventive contre les programmes de missiles balistiques et d'armes nucléaires de la Corée du Nord serait efficace ; comment nous pourrions utiliser des bombardements massifs conventionnels contre l'artillerie de Pyongyang au nord de la DMZ[20], qui menaçait Séoul, et ainsi réduire considérablement le nombre de blessés ; et enfin pourquoi les États-Unis, en supposant que la Chine ne fasse rien de dramatique, allaient bientôt être confrontés à un choix binaire : laisser la Corée du Nord en possession d'armes nucléaires ou utiliser sa puissance militaire. La seule autre alternative était de réunifier la Péninsule, soit en laissant le gouvernement en Corée du Sud, soit en obtenant un changement de régime politique en Corée du Nord, ce qui, dans les deux cas, nécessitait la coopéra-

20 Zone coréenne démilitarisée de 248 km de long et 4 km de large entre les Corées du Nord et du Sud. (NDT).

tion de la Chine, condition que nous n'avions même pas commencé à aborder avec eux. Trump me demanda : « À combien estimez-vous les chances de guerre contre la Corée du Nord ? Cinquante-cinquante ? » J'ai répondu que, d'après moi, cela dépendait entièrement de la Chine, mais que cinquante-cinquante était probablement correct. Trump s'est tourné vers Kelly en disant : « Il pense comme vous. »

Au cours de cette conversation (qui a duré environ trente-cinq minutes), Trump a exprimé son mécontentement vis-à-vis de Tillerson, en disant qu'il semblait ne pas contrôler le ministère des Affaires étrangères. « Comment est-ce possible ? » a demandé Trump. Je lui ai dit que Tillerson n'avait pas attribué les postes de subalternes à des personnes prêtes à faire progresser les politiques du gouvernement et qu'il s'était, en effet, fait museler par des carriéristes. J'ai également expliqué que le ministère des Affaires étrangères avait besoin d'une « révolution culturelle », car il désirait diriger sa propre politique étrangère, notamment sous la gouvernance de présidents républicains, un commentaire auquel Trump et Kelly ont acquiescé positivement. Trump a ensuite demandé à Kelly quelles étaient, d'après lui, les erreurs de Tillerson. Il a répondu que Tillerson essayait trop de centraliser le processus décisionnel autour de lui. J'ai dit que j'étais d'accord, mais aussi que pour déléguer du pouvoir, il faut impérativement avoir les bonnes personnes en place. Kelly a acquiescé en disant : « Délégation et supervision. »

Trump a ensuite dit à Kelly : « John connaît cet endroit (le ministère des Affaires étrangères) comme sa poche. » Et Kelly a approuvé. J'ai été frappé de comprendre qu'en réalité, Trump n'avait pas nominé McMaster. Alors que notre réunion se terminait, Trump m'a dit : « Vous êtes toujours prêt à nous rejoindre le jour où le bon poste sera disponible, n'est-ce pas ? » J'ai rigolé et répondu : « Pour le bon poste, oui. » Alors que Kelly et moi marchions vers le hall de l'aile Ouest, il m'a dit : « Bon sang, le mec vous adore. Après toute une journée de travail, il va m'appeler à vingt et une heures trente pour me dire "Vous avez vu Bolton à la télé" ? » J'ai dit à Kelly de m'appeler si jamais je pouvais être utile, puis je suis parti. Une semaine avant Noël, j'ai rencontré Kushner une nouvelle fois, pendant une quarantaine de minutes, pour parler de son plan de paix pour le conflit israélo-palestinien, et à part quelques autres appels, ce mois de décembre a été calme. Bonne année !

Le 6 janvier 2018, après un maelstrom de commentaires journalistiques portant sur « Le feu et la fureur », le nouveau livre sur Trump, ce dernier a tweeté qu'il était « un génie très stable.[21] » Alors qu'une nouvelle décision présidentielle était statutairement exigée pour éventuellement remettre en vigueur les sanctions décidées avant l'accord iranien, j'ai décidé de patienter, calmement. Ils savaient très bien comment me joindre, s'il le fallait, et personne ne l'a fait. Trump a repris ce qu'il avait fait en octobre, en retardant l'application des sanctions, mais sans certifier la conformité de l'Iran avec l'accord. En d'autres termes, aucun progrès.

Et puis la Corée du Nord est revenue sur le devant de la scène à l'occasion des Jeux olympiques d'hiver organisés en Corée du Sud. Pence et Ivanka Trump étaient là pour représenter les États-Unis, en dépit des spéculations de réunions avec la délégation nord-coréenne. J'ai donné quelques interviews où j'ai applaudi Pence pour ne pas avoir laissé la Corée du Nord chanter les louanges de sa propagande ou semer la zizanie entre nous et la Corée du Sud. Pence a tweeté en réponse : « Bien dit, @AmbJohnBolton », ce que j'ai pris comme un bon signe. Bien sûr, le président sud-coréen, Moon Jae-in, était profondément investi dans sa mission de politique intérieure afin de pouvoir souligner sa « réussite », symbolisée par la présence de dirigeants nord-coréens, notamment la plus jeune sœur de Kim Jong-un, Kim Yo-jong (sanctionnée par les États-Unis pour transgression connue des droits de l'homme). En fait, Kim Yo-jong avait une mission, inviter Moon en Corée du Nord, ce qu'il a tout de suite accepté. Il est ensuite apparu que Séoul avait payé les frais de participation aux Jeux de la délégation nord-coréenne, non pas pour afficher son esprit olympique, mais pour suivre une coutume triste et bien établie. En effet, la gauche sud-coréenne était on ne peut plus fière de cette « politique du rayon de soleil », consistant, essentiellement, à être gentil avec la Corée du Nord pour obtenir la paix dans la Péninsule. À la place, cela a contribué, encore et encore, à subventionner la dictature nord-coréenne.

---

21 Tweet complet : « J'ai eu BEAUCOUP de succès en tant qu'homme d'affaires, j'ai été la star de plusieurs émissions télé et je suis devenu président des États-Unis (du premier coup). Je pense que cela fait de moi, non pas une personne intelligente, mais un génie... un génie très stable, en plus ! » (NDT).

Le 6 mars, je me suis à nouveau entretenu avec Trump. En train de patienter dans le hall de l'aile Ouest, je regardais à la télévision les journalistes lui demander pourquoi, d'après lui, la Corée du Nord était maintenant prête à négocier. Il a répondu, très fier : « Grâce à moi. » J'espérais au fond de moi qu'il réalise que la Corée du Nord craignait vraiment de le savoir prêt, contrairement à Obama, à utiliser notre puissance militaire, si nécessaire. Je suis arrivé au Bureau ovale vers seize heures quarante, une nouvelle fois assis en face d'un *Resolute desk* sans aucun papier. Trump a commencé, juste au moment où Kelly entrait : « Qui a organisé cette réunion, moi ou vous ? » Je lui ai dit que c'était moi, et il a répondu : « Ah, j'aurais juré que c'était moi. Mais je suis content que vous l'ayez fait parce que je voulais vous voir. » Tout de suite, nous avons parlé de la Corée du Nord, et je lui ai expliqué que, d'après moi, Kim Jong-un essayait de gagner du temps pour terminer les quelques tâches (peu nombreuses mais critiques) encore nécessaires pour que la Corée du Nord puisse livrer des armes nucléaires. Cela signifiait que Kim Jong-un devait être particulièrement préoccupé par une éventuelle intervention de notre puissance militaire, car il devait savoir que des sanctions économiques ne seraient pas suffisantes pour freiner ses ambitions. Je n'étais pas sûr que Trump ait réellement compris, mais j'ai également partagé des rapports indiquant que la Corée du Nord vendait des équipements de production d'armes chimiques et des produits chimiques précurseurs à la Syrie, certainement grâce au financement de l'Iran. Si cela était vrai, cette relation pouvait marquer le début d'une période charnière, aussi bien pour la Corée du Nord que pour l'Iran, et montrer à quel point Pyongyang était maintenant devenu dangereux : vendeur d'armes chimiques, et prochainement, vendeur d'armes nucléaires. J'ai insisté pour qu'il utilise cet argument afin de justifier un retrait de l'accord iranien et une approche plus dure avec la Corée du Nord. Kelly a approuvé et m'a incité à continuer de marteler mes opinions en public, ce que j'ai promis de faire.

En ce qui concerne l'accord sur le nucléaire iranien, Trump m'a dit : « Ne vous inquiétez pas. J'en sors tout de suite. Je leur ai dit qu'ils pouvaient essayer d'arranger les termes, mais je sais qu'ils ne vont rien faire. » Il a ensuite avoué à quel point il voulait virer Tillerson, en disant : « Vous savez quel est le problème. J'adorerais vous avoir ici. » Le problème, c'est qu'il pensait que ma confirmation, avec une majorité républicaine de seulement 51–49, serait difficile. « Ce fils de pute de Rand Paul va voter contre vous, et McConnell a peur d'essayer de persuader d'autres républicains, qui ont besoin de son vote pour confirmer des juges et d'autres textes. Vous en pensez quoi ? » Je lui ai dit qu'en effet, il ne fallait pas compter sur le vote de Paul, mais que cela m'étonnerait qu'il soit suivi par d'autres républicains. (Le véritable compte du Sénat, toutefois, s'est de plus en plus rapproché de 50–49, car la santé de John McCain a continué de se détériorer, évoquant ainsi la possibilité de ne jamais revenir à Washington.) Je me suis également appuyé sur des conversations passées avec des sénateurs républicains pour dire que nous pourrions amadouer une poignée de démocrates, surtout durant une année électorale. Je doutais que cela réussisse à convaincre Trump, qui m'a alors demandé : « Quel autre poste vous intéresserait ? » J'ai répondu : « conseiller à la sécurité nationale ». Kelly a alors pris la parole pour nous affirmer que ce poste ne nécessitait aucune confirmation sénatoriale, ce qui a poussé Trump à dire, avec un grand sourire : « Vraiment ? Alors je n'ai pas à m'inquiéter pour ces clowns là-bas ? » ce à quoi Kelly et moi avons répondu : « Exact ! »

Je me suis ensuite lancé dans une description de ce que je considérais comme les fonctions principales du conseiller à la sécurité nationale, à savoir s'assurer que toutes les options possibles soient à la connaissance du président et que ses décisions soient appliquées, ce que Kelly a fermement approuvé. J'ai ajouté que mon expérience en tant qu'avocat plaidant m'avait parfaitement préparé pour ce rôle, car elle me permettait à la fois, d'être impartial, au moment de présenter plusieurs options, et d'avoir mon propre avis (comme avec un client), et à quel point j'étais conscient que les décisions lui appartenaient en lui racontant, une nouvelle fois, l'anecdote avec Dean Acheson et Harry Truman. Trump et Kelly ont tous deux éclaté de rire. Trump m'a demandé ce qui, d'après moi, constituait le plus bel accomplissement de McMaster, et j'ai dit qu'être capable de rédiger une bonne stratégie de sécurité nationale durant la première année d'un nouveau président était un véritable exploit car cela n'avait pas été le cas, entre autres, durant le mandat de Bush 43. Trump m'a ensuite demandé mon avis sur le travail de Mattis et sur ce qu'il avait fait de bien. J'ai alors mentionné l'augmentation majeure du budget pour la défense que ce gouvernement venait d'obtenir par rapport aux années Obama. Je n'avais pas fini ma phrase que Trump et Kelly ont dit simultanément que cette victoire budgétaire était l'œuvre de Trump, pas de Mattis. J'ai trouvé que cela révélait à merveille l'attitude de Trump envers Mattis et son travail.

La réunion s'est terminée après environ trente-cinq minutes, Trump me disant : « OK, soyez patient, je vais vous appeler. » Kelly et moi sommes sortis du Bureau ovale, puis après quelques pas, il m'a demandé : « Avez-vous pensé à la réaction des médias si jamais vous êtes désigné ? » J'ai dit que oui, et que j'avais déjà connu ça lors de ma nomination au poste d'ambassadeur américain auprès des Nations Unies. Kelly a répondu : « Oui, c'était scandaleux, mais réfléchissez-y encore, parce qu'il est vraiment sérieux. » J'ai tellement encaissé de critiques à cause des médias, au fil des années, que je suis devenu indifférent à leurs réactions, et à l'heure actuelle, mes plaies ont cicatrisé. Comme l'a dit le Duc de Wellington (peut-être en l'empruntant à quelqu'un d'autre), mon mantra était : « Imprimez votre journal et soyez maudits. »

Je me sentais plutôt bien… jusqu'à cette soirée. Alors que j'assistais à une collecte de fonds en Virginie du Nord pour la membre républicaine du Congrès, Barbara Comstock, que j'ai rencontrée pour la première fois au ministère de la Justice, durant l'ère Reagan, j'ai entendu que Kim Jong-un avait invité Trump à le rencontrer, et qu'il avait accepté. Je suis resté sans voix, consterné par cette erreur monumentale. Qu'un président américain accorde un sommet à Kim, essentiellement en échange de rien, sans aucun signe ou quoi que ce soit évoquant une décision stratégique de renoncer aux armes nucléaires, était un cadeau inestimable pour la propagande nord-coréenne. J'ai trouvé cela pire que le jour où Madeleine Albright avait trinqué avec Kim Il-sung durant les années Clinton. Heureusement qu'aucune interview avec la Fox n'était prévue ce soir-là, en raison de la collecte de fonds. J'ai pu me calmer les nerfs. Le lendemain, Sarah Sanders semblait mettre un frein à tout cela, en disant que notre politique actuelle n'avait pas changé.

Alors que je quittais la Maison Blanche plus tôt ce mardi, cette dernière a annoncé la démission de Gary Cohn en tant que président du Conseil économique national, et son remplacement par Larry Kudlow. En février, le secrétaire du personnel de la Maison Blanche, Rob Porter, a été forcé de démissionner pour altération de renseignements personnels durant l'enquête du FBI sur ses antécédents, quelques jours avant la démission de la collaboratrice de longue date de Trump, Hope Hicks, alors directrice des communications. La saignée a continué de plus belle le 13 mars, avec d'abord le renvoi brusque de Tillerson comme ministre des Affaires étrangères, puis la nomination de Pompeo pour le remplacer ; et enfin la promotion de l'adjointe de Pompeo à la CIA, Gina Haspel, une agente de renseignements de carrière, pour lui succéder. Comme par hasard, Kushner m'a appelé le lendemain, souhaitant une nouvelle rencontre pour parler du plan de paix pour le conflit israélo-palestinien, ce que j'ai trouvé un peu trop beau pour être une pure coïncidence. Enfin, le 16 mars, Jeff Sessions en a remis une couche en renvoyant le directeur adjoint du FBI, Andrew McCabe.

Le reste du monde, cependant, continuait d'avoir des hauts et des bas. Une brigade russe s'est servie d'armes chimiques Novichok pour attaquer l'ancien espion russe Sergei Skripal et sa fille à Salisbury, en Angleterre. Après que Moscou a refusé avec dédain d'évoquer l'attaque, la Première ministre May a expulsé vingt-trois agents de renseignements russes non déclarés. Au cours d'interviews, j'ai expliqué, de manière inflexible, comment les États-Unis devaient réagir à cette attaque, un avis que je tiens toujours. J'ai donc été surpris de voir Trump féliciter Poutine pour sa « victoire » et sa réélection comme président de la Russie, malgré les conseils de McMaster, immédiatement et généreusement divulgués aux médias. Néanmoins, Trump a tout de même fini par expulser plus de soixante « diplomates » russes, dans le cadre d'un vaste plan d'action de l'OTAN visant à montrer sa solidarité avec Londres. Comme cela m'avait été confié par plusieurs membres de la Chambre des représentants m'aidant dans ma campagne de conseiller à la sécurité nationale, Trump était sur le point de décider, d'ici quelques jours, qui allait remplacer McMaster. Je serrais les dents car ce poste semblait soudainement plus complexe que jamais auparavant, mais j'étais décidé à ne pas faire marche arrière.

Le mercredi 21 mars, mon téléphone portable s'est mis à sonner alors que je progressais, malgré la neige, sur la George Washington Memorial Parkway en direction du studio de la Fox à Washington pour y faire une interview. (Le gouvernement fédéral et la majorité des écoles et des commerces de la région étant fermés). « Bonjour,

Monsieur le président », ai-je dit en décrochant, et Trump m'a répondu : « J'ai un poste pour vous, probablement le poste le plus important de toute la Maison Blanche. » Je n'ai pas eu le temps de répondre que Trump a ajouté : « Non, largement mieux que chef de cabinet », et nous avons rigolé, ce qui voulait probablement dire que Kelly était avec lui dans la pièce. « Et vous n'aurez même pas à vous soucier des démocrates au Sénat, non, non, rien de ça. Passez me voir, aujourd'hui ou demain, et nous en parlerons davantage. Je veux quelqu'un de sérieux, John, quelqu'un qui a du poids, pas un inconnu. Vous, vous êtes très bien entouré, vraiment, par toutes sortes de personnes, comme les gars du Freedom Caucus » (un groupe de républicains à la Chambre des représentants). J'ai remercié Trump puis j'ai appelé mon épouse et ma fille, Gretchen et JS (Jennifer Sarah), pour leur annoncer la nouvelle, tout en rappelant qu'avec Trump, rien n'était officiel avant une déclaration officielle, et qu'encore, ce n'était parfois pas suffisant.

J'ai rencontré Trump dans le Bureau ovale le lendemain, à seize heures, pour ce qui semblait être parti comme un autre entretien, à parler de l'Iran et de la Corée du Nord et d'autres idées qui, selon Trump, lui rappelaient sa campagne, avant qu'une série de discours ne le place, en matière de politique étrangère, dans un courant républicain commun. Je me suis alors demandé s'il était toujours décidé à me faire une offre, mais enfin, il a fini par dire, sans ambiguïté, qu'il se retirait de l'accord iranien. Il n'a quasiment rien dit sur le sommet prévu prochainement avec Kim Jong-un, une omission que j'ai eu du mal à déchiffrer. Nous avons ensuite passé le bloc de temps le plus long de cet entretien à expliquer, une nouvelle fois, comment, à mes yeux, le NSC devait fonctionner.

Bien que je n'aie pas mentionné le nom de Brent Scowcroft, le système que j'ai décrit, comme Kelly le savait très bien, était largement inspiré du travail de Scowcroft durant le gouvernement Bush 41. Premièrement, le NSC est responsable de fournir au président les différentes options disponibles ainsi que les avantages et les inconvénients de chacune. Deuxièmement, une fois qu'une décision est prise, le NSC est chargé de faire exécuter la volonté du président et de s'assurer que les bureaucraties font progresser la décision. Tout cela a trouvé écho chez Trump, et même s'il ne m'a pas directement offert le poste, il m'a dit : « Alors, vous êtes prêt à faire ça ? » Mais quand Westerhout est entrée pour dire à Trump qu'il avait une autre réunion, j'ai commencé à me dire que cet entretien, qui durait maintenant depuis une heure, allait se terminer en queue de poisson. À la place, il s'est levé, et moi aussi, évidemment, puis nous nous sommes serré la main au-dessus du *Resolute desk*. Bien qu'aucune « offre » ni « acceptation » n'ait clairement été faite, Kelly et moi savions tous deux ce qui venait d'être « signé », à la mode Trumpienne.

Étant donné les différentes expériences racontées ici, pourquoi accepter ce poste ? Parce que les États-Unis faisaient face à une situation internationale très dangereuse, et parce que je pensais savoir comment y répondre. J'avais de fortes opinions sur une variété de sujets, développées durant différents emplois gouvernementaux passés et une étude du secteur privé. Quant à Trump ? À cette heure-là, personne ne pouvait prétendre ne pas connaître les risques, mais j'étais aussi convaincu de pouvoir absorber le choc. Plusieurs autres avaient échoué, pour une raison ou une autre, mais je pensais pouvoir réussir. Avais-je raison ? Continuons de lire.

À l'extérieur du Bureau ovale, j'ai croisé le conseiller juridique de la Maison Blanche, Don McGahn, avec une pile de nominations judiciaires potentielles sous le bras, puis Kelly, avec qui j'ai parlé quelques minutes pour lui dire que j'avais la ferme intention de travailler à l'unisson avec lui, car il était clair, selon moi, que pour accomplir quoi que ce soit ici nous devions travailler ensemble, ce qu'il a immédiatement approuvé.

Je lui ai également demandé s'il avait une quelconque idée du moment où serait annoncée la nouvelle, et il m'a dit : « Demain ou en début de semaine prochaine, au plus tôt ». Par la suite, j'ai appris (comme Kelly) que seulement quelques minutes après avoir quitté le Bureau ovale, Trump avait appelé McMaster pour lui demander d'annoncer ce changement cet après-midi même.

J'arrivais dans le hall de l'aile Ouest pour récupérer ma veste lorsque la réceptionniste et un employé aux communications de la Maison Blanche m'ont dit qu'une horde de journalistes et de photographes m'attendait au niveau de la porte Nord. Ils m'ont demandé si je voulais bien prendre « l'autre sortie », par la porte sud-ouest de la Maison Blanche, sur la dix-septième rue, et marcher « derrière » le bâtiment du bureau exécutif Eisenhower afin d'esquiver la presse, ce que j'ai accepté avec plaisir. J'ai appelé Gretchen et JS à nouveau et j'ai commencé à réfléchir à ma préparation et à visualiser mes débuts à la Maison Blanche.

Je me dirigeais vers le studio de Fox News pour être interviewé dans l'émission de Martha MacCallum, lorsque Trump a tweeté :

> **Je suis heureux d'annoncer que @AmbJohnBolton sera mon nouveau conseiller à la sécurité nationale, à compter du 09/04/2018. Je remercie le général H.R. McMaster pour ses services et la qualité de son travail. C'est un homme avec lequel je resterai toujours ami. Une passation officielle aura lieu le 09/04/.**

C'est là que mon téléphone portable s'est transformé en véritable grenade, en me bombardant d'appels, d'e-mails, de tweets et de notifications.

Je venais de passer une quinzaine de jours à faire les ajustements nécessaires pour passer d'une vie privée à un emploi du temps destiné à servir le gouvernement, et le rythme était frénétique. Le lendemain, Trump m'a appelé durant la présentation du PDB[22], pour me dire : « Les journalistes vous adorent », l'annonce a eu « beaucoup d'impact », les commentaires sont « très positifs… le public vous adore », et ainsi de suite. À un moment, il a ajouté : « Certains pensent que vous êtes le méchant flic », ce à quoi j'ai répondu : « Si nous employons la technique gentil flic/méchant flic, le président est toujours le bon flic. » Trump m'a répondu : « Le problème, ce qu'ils n'ont pas réalisé, c'est qu'ils ont deux méchants flics ! » ce qui m'a fait rigoler et entendre les éclats de rire des autres personnes présentes dans le Bureau ovale pour le PDB.

Étant donné que Trump avait annoncé mes débuts pour le 9 avril, ma priorité était de passer la procédure de contrôle du bureau du Conseiller juridique de la Maison Blanche. Cela consistait à remplir de longs formulaires et à répondre aux questions des avocats du

22 « **P**resident's **D**aily **B**rief », un document présenté chaque matin au président des États-Unis et contenant un résumé d'informations classifiées en lien avec la sécurité nationale (NDT).

bureau du Conseiller juridique sur tous problèmes liés à la divulgation d'informations financières, d'éventuels conflits d'intérêts, les exigences en matière de cession d'actifs (même si je n'avais pas tant que ça à céder), la normalisation de toute relation professionnelle existante, le blocage des actions de mon PAC et de mon Super PAC durant ma période de service gouvernemental, et d'autres sujets équivalents. Un autre élément requis est ce que les baby-boomers appellent l'interview « sexe, drogue et rock'n'roll », où le piège de base est de vouloir cacher les conneries que vous avez faites dans votre vie, plutôt que de les admettre en répondant aux questions ou de manière volontaire, si elles sont plus exotiques que d'ordinaire. Depuis mon dernier emploi pour le gouvernement en tant qu'ambassadeur américain auprès des Nations Unies, de nombreux articles avaient paru sur moi dans la presse, alors j'ai bien pris soin de tout mentionner, y compris les déclarations excentriques de journalistes fainéants, biaisés et incompétents, notamment cet épisode où Maria Butina avait essayé de me recruter comme agent russe. (Je ne pense pas que les médias soient « l'ennemi du peuple », mais comme l'a dit Dwight Eisenhower en 1964, ses rangs sont remplis de « chroniqueurs et d'observateurs sensationnalistes » dont les remarques les font passer pour des intellectuels du dimanche.) Enfin, il faut aussi donner un échantillon d'urine, c'est obligatoire. Je ne risquais pas de l'oublier.

J'ai également tenté de m'entretenir avec d'anciens conseillers à la sécurité nationale, en commençant bien sûr par Kissinger, qui m'a dit : « J'ai une grande confiance en vous et je vous souhaite de réussir dans toutes vos entreprises. Vous connaissez le sujet. Vous connaissez la bureaucratie et je sais que vous êtes capable de gérer la pression inhérente à ce poste. » Enfin, et surtout, Kissinger, comme tout autre prédécesseur avec qui j'ai parlé, aussi bien républicain que démocrate, m'a offert son soutien. J'ai pu parler avec Colin Powell (qui était mon supérieur lorsqu'il était ministre des Affaires étrangères durant le premier mandat de Bush 43), Brent Scowcroft, James Jones, Condi Rice, Steve Hadley, Susan Rice, John Poindexter, et Bud McFarlane, ainsi que Bob Gates, qui était l'adjoint de Scowcroft et plus tard, ministre de la Défense. Scowcroft m'a brièvement dit : « Le monde est en pagaille, et nous sommes les seuls qui pouvons y remédier. »

J'ai aussi échangé avec d'anciens ministres des Affaires étrangères pour qui je travaillais, dont George Shultz et Jim Baker (Powell et Condi Rice, évidemment, appartenant à chaque catégorie), ainsi que Don Rumsfeld et Dick Cheney. Enfin, j'ai parlé au président George W. Bush, qui m'a très généreusement accordé de son temps, en me souhaitant « le meilleur ». Je lui ai demandé si je pouvais appeler son père, pour qui j'avais également travaillé, mais il m'a dit que cela serait actuellement « difficile », alors je lui ai demandé de lui transmettre mes salutations les plus distinguées.

Le 27 mars, j'ai déjeuné avec McMaster dans la Ward Room, le mess des officiers dans la partie de l'enceinte de la Maison Blanche gérée par la marine. Il a été courtois et coopératif dans son évaluation des enjeux, des politiques et du personnel. Quelques jours plus tard, j'ai pris le petit-déjeuner au Pentagone avec Jim Mattis. Mattis m'a montré à quel point il était habile pour gérer la presse. Il m'a salué à l'entrée en me disant qu'il avait cru entendre que j'étais « le diable incarné ». Je rêvais de répondre : « Je fais de mon mieux », mais je me suis retenu. Notre discussion s'est avérée très productive. Mattis a suggéré que lui, Pompeo et moi prenions le petit-déjeuner ensemble à la Maison Blanche une fois par semaine, afin de parcourir les questions en suspens. Bien que nous nous appelions déjà au téléphone plusieurs fois par jour, presque tous les jours, ce petit-déjeuner s'est avéré être une occasion parfaite pour discuter, seuls tous les trois, des principaux enjeux. Lorsque l'un était en déplacement, les deux autres se retrouvaient, généralement au mess des officiers, mais très souvent au ministère des Affaires étrangères ou au Pentagone.

Une fois notre petit-déjeuner terminé, Mattis m'a accompagné pour rencontrer Joe Dunford, le chef d'État-Major des armées, dont le mandat durait jusqu'en septembre 2019. J'ai rappelé à Dunford ses remarques sur le problème nucléaire nord-coréen lors du Forum d'Aspen de l'été 2018 sur la sécurité :

> Nombreuses sont les personnes qui ont décrit nos options militaires en utilisant des mots comme « inimaginable ». Je développerais cela légèrement en ajoutant que ce serait horrible et mènerait à des pertes humaines inédites pour nous tous, c'est-à-dire que toute personne née après la Deuxième Guerre mondiale n'aurait jamais connu de pertes de vies

> équivalentes à celles qui se produiraient en cas de conflit avec la Péninsule coréenne. Mais comme je l'ai dit à mes homologues, aussi bien alliés qu'adversaires, il n'est pas inimaginable d'avoir des options militaires pour répondre aux capacités nucléaires de la Corée du Nord. Ce qui est inimaginable, en revanche, pour moi, c'est de laisser planer l'éventuelle utilisation d'un missile nucléaire sur la ville de Denver, au Colorado. Le but de mon travail est de développer des options militaires qui permettront de s'assurer que cela ne se produit pas.

Dunford semblait surpris que je sois familier avec ses commentaires, mais nous avons ensuite eu une bonne conversation. Dunford avait la réputation d'être un officier militaire remarquable, et je n'avais aucune raison d'en douter, aujourd'hui ou plus tard.

Quelques jours plus tard, j'ai évoqué l'idée de petit-déjeuner à trois avec Mike Pompeo de la CIA. Il a tout de suite accepté. Lui et moi avions déjà échangé plusieurs e-mails, dont l'un disant : « J'ai vraiment hâte de lancer les opérations du cabinet de guerre en tant que co-fondateur. Je vais transmettre vos salutations au sénateur Paul. » J'ai également eu le plaisir de rencontrer son adjointe et probable successeur, Gina Haspel.

J'avais observé Trump de près durant ses quinze premiers mois de fonction, et je ne me faisais aucune illusion. Ni moi ni personne d'autre ne serait capable de le changer. Un « modèle » de conseil de sécurité nationale peut sembler correct d'un point de vue théorique, être encensé par la presse et permettre à ses membres d'être admirés, mais il serait aussi efficace qu'un aspirateur débranché si jamais il n'arrivait pas à susciter l'engagement du président actuel. J'étais donc déterminé à mettre en place un processus discipliné et rigoureux, et à ne juger mes performances qu'en fonction de son impact sur nos politiques, sans tenir compte de la façon dont il serait comparé aux gouvernements passés par des personnes extérieures.

Plusieurs décisions ont ainsi découlé de cette analyse. Tout d'abord, le personnel du NSC (environ 430 personnes à mon arrivée, 350 à mon départ) n'est pas un panel d'experts. Son ambition finale n'est pas de former des groupes de discussion ou de rédiger des formulaires de travail, mais de prendre des décisions efficaces. Une telle organisation doit être simple et directe. Je prévoyais d'éliminer plusieurs structures et positions faisant double emploi. Vu que Trump m'avait donné les pleins pouvoirs en matière de recrutement et de renvoi, j'ai agi rapidement et énergiquement, par exemple, en ne nommant qu'un seul conseiller adjoint à la sécurité nationale, plutôt que plusieurs, afin de renforcer et de simplifier l'efficacité du personnel du Conseil de sécurité nationale. J'ai d'abord attribué ce rôle essentiel à Mira Ricardel, une spécialiste de la Défense de longue date, dotée d'une forte expérience des services gouvernementaux et de cadre de direction chez Boeing, et, plus tard, au Dr Charles Kupperman, un expert de la Défense avec des qualifications similaires (y compris chez Boeing !) Ils avaient tous deux de fortes personnalités, et ils étaient sur le point d'en avoir besoin.

Le samedi précédant la fête de Pâques, à dix-huit heures trente, j'ai eu une conversation pour le moins bizarre avec Trump. Lui seul, ou presque, a parlé, en commençant par : « Rex a été atroce » et en expliquant pourquoi, mais en se concentrant essentiellement sur une de ses décisions qui nous engageait à verser 200 millions de dollars à la Syrie pour sa reconstruction. Trump n'a pas aimé ça du tout : « Je veux construire notre pays, pas celui des autres. » En tant qu'ancien membre de l'Agence des États-Unis pour le développement international, j'étais en faveur du travail de cette agence et de l'utilisation de l'aide américaine, tant que cela permettait de faire progresser des objectifs de sécurité nationale, mais je savais également que de tels engagements présentaient des avantages et des inconvénients. J'ai tenté d'en placer un mot, mais Trump a enchaîné directement puis périodiquement, en disant : « Je savais que vous comprendriez. » Il a ensuite dit : « C'est bourré de leakeurs là-bas. Vous pouvez vous débarrasser de qui vous voulez », ce que je me préparais à faire. Enfin, la conversation s'est terminée, et nous nous sommes dit : « Joyeuses Pâques ».

Trump m'a rappelé, le lundi de Pâques. Je lui ai demandé : « Comment se passe le roulement des œufs de Pâques, Monsieur le président ? » « À merveille ! » m'a-t-il dit, pendant que Sarah Sanders, ses enfants, et d'autres entraient et sortaient du Bureau ovale, avant de revenir à son monologue du samedi soir en disant : « Je veux qu'on mette fin à toutes ces horribles guerres [au Moyen-Orient]. On est en guerre contre Daech, pour le bien de pays qui sont nos ennemis », ce que j'ai pris comme une référence à la Russie, à l'Iran et la Syrie d'Assad. Il m'a dit que ses conseillers étaient séparés en deux camps, l'un prêt à rester « pour toujours », et l'autre « pour un moment ». À l'inverse, Trump m'a dit : « Je ne veux pas rester du tout ! Je n'aime pas les Kurdes. Ils ont fui l'Irak. Ils ont fui la Turquie. Le seul moment où ils ne s'enfuient pas, c'est quand nous les bombardons avec des F-18. » Il m'a demandé : « Que devrions-nous faire ? » Supposant que le jour où les enfants jouent à faire rouler les œufs de Pâques n'était peut-être pas le meilleur moment pour discuter de notre stratégie au Moyen-Orient, je lui ai dit que j'étais toujours en attente de mon habilitation de sécurité temporaire. Pompeo, qui venait d'arriver dans le Bureau ovale, lui a dit : « Donnez-nous, à John et moi, un peu de temps… », avant d'être interrompu par d'autres enfants et parents qui passaient par là. Il était clair que Trump voulait se retirer de Syrie, et en effet, lors d'une réunion au NSC (voir le chapitre 2) le lendemain, ce sont ces mêmes sentiments qu'il a exprimés. Néanmoins, de nombreuses décisions restaient à prendre, ce qui m'a donné confiance et m'a fait me dire que nous pouvions protéger les intérêts américains tout en nous assurant que la lutte contre le califat territorial de Daech s'approchait d'une issue favorable.

Le vendredi 6 avril, quelques heures avant le week-end précédant mon premier jour officiel, j'ai à nouveau rencontré Kelly et quelques autres afin d'examiner les procédures de l'aile Ouest. Je leur ai expliqué quels changements je comptais apporter au personnel du NSC et comment je prévoyais de réorganiser notre structure. Grâce à Trump, j'étais habilité à le faire, et je ne voyais aucun mal à prévenir Kelly. Il a passé le reste de notre réunion, qui a duré une heure, à expliquer comment Trump se comportait lors de réunions et d'appels téléphoniques. Le président utilise « un langage très inapproprié », a dit Kelly, ce qui était vrai, « et bien sûr, il y est autorisé », vrai également. Trump méprisait les deux présidents Bush et leurs gouvernements, ce qui m'amène à me demander s'il a complètement occulté mes dix ans de service durant ces présidences. Et Trump change d'avis constamment, selon Kelly. En écoutant tout cela, je me suis demandé si Kelly n'était pas simplement sur le point de démissionner. Il a conclu en disant poliment : « Je suis content que vous soyez ici, John. Cela fait un an que le président n'a pas de conseiller à la sécurité nationale, et il lui en faut un. »

J'ai passé le week-end à lire des documents classifiés et à me préparer pour le 9 avril. Toutefois, comme va le montrer le chapitre suivant, la crise syrienne fut impromptue et inattendue, comme la majorité des dix-sept mois qui allaient suivre. Acheson avait autrefois écrit que Roosevelt voulait remplacer Cordell Hull, le ministre des Affaires étrangères, par Edward Stettinius, ce qui avait fait écrire aux journalistes que Roosevelt « voulait continuer… à être son propre ministre des Affaires étrangères. » Acheson avait une opinion très tranchée : « Le président ne peut pas être ministre des Affaires étrangères ; il est intrinsèquement impossible de faire les deux. Ce qu'il peut faire, en revanche, et ce qui a souvent été fait de manière infructueuse, c'est empêcher qui que ce soit de devenir ministre des Affaires étrangères. » Bien qu'Acheson n'ait pas écrit ceci avec en tête le rôle de conseiller à la sécurité nationale, son point de vue était profond. Était-ce ce que Kelly essayait de me dire, avec ses derniers commentaires, avant mes débuts ? Et comme Condi Rice me l'a dit bien plus tard : « ministre des Affaires étrangères est le meilleur emploi au gouvernement, et conseiller à la sécurité nationale est le plus difficile. » Je suis sûr qu'elle a raison.

CHAPITRE 2

CARNAGE ! ET ALORS SERONT LÂCHÉS LES CHIENS DE GUERRE !

PREMIÈRE SEMAINE DE TRAVAIL À LA MAISON BLANCHE — JOUR J MOINS 2

Le samedi 7 avril 2018, les forces armées syriennes ont attaqué, à l'aide d'armes chimiques, la ville de Douma, dans le sud-est de la Syrie, et d'autres endroits à proximité. Les premiers chiffres indiquaient environ une douzaine de morts et une centaine de blessés, dont des enfants gravement malades, victimes de produits chimiques dangereux. Le chlore était probablement l'ingrédient de base de ces armes, mais des concentrations en gaz sarin, et en autres produits chimiques, ont également été remarquées. Le régime de Bachar al-Assad avait utilisé, de manière similaire, des armes chimiques, dont du sarin, un an plus tôt, le 4 avril 2017, à Khan Cheikhoun au nord-ouest de la Syrie. La seule différence est que trois jours plus tard les États-Unis avaient répondu énergiquement en lançant cinquante-neuf missiles de croisière sur le site soupçonné d'être à l'origine de l'attaque syrienne.

La dictature syrienne n'avait de toute évidence pas retenu la leçon. Cette méthode de dissuasion avait échoué, et le problème maintenant était de savoir comment répondre de manière plus appropriée. Malheureusement, un an après Khan Cheikhoun, la politique syrienne était toujours en plein désarroi et ses différents partis ne s'entendaient pas suffisamment pour établir une stratégie et des objectifs fondamentaux. En ce jour, encore, elle était en crise. Il était impératif de répondre à cette dernière attaque chimique de la Syrie, mais nous avions aussi urgemment besoin d'un concept clair pour faire progresser les intérêts américains à long terme. Toutefois, une réunion tenue au NSC la semaine précédant Douma pointait exactement dans la direction opposée : le retrait des forces américaines en Syrie. En partant, nous risquions de perdre les gains limités obtenus grâce aux politiques irako-syriennes absurdes de Barack Obama, ce qui exacerberait donc les risques encourus par son approche. Toute responsabilité associée à ce désordre politique, un an après Khan Cheikhoun, résidait en ce lieu emblématique où les décisions sont prises : le *Resolute desk* du Bureau ovale.

PREMIÈRE SEMAINE DE TRAVAIL À LA MAISON BLANCHE — JOUR J MOINS 1

Le 8 avril, à environ neuf heures, dans un style très personnel en harmonie avec notre époque, Donald J. Trump, le président des États-Unis d'Amérique a tweeté :

> **Beaucoup de morts, dont femmes et enfants, lors d'une attaque CHIMIQUE stupide en Syrie. Zone de cruauté fermée et encerclée par l'armée syrienne, la rendant complètement inaccessible au reste du monde. Le président Poutine, la Russie et l'Iran sont responsables d'avoir soutenu cet animal d'Assad. Le prix à payer...**

> **... est énorme. Ouvrir la zone immédiatement à des fins d'assistance médicale et de vérification. Un nouveau désastre humanitaire sans aucune raison. HORRIBLE !**

Quelques minutes plus tard, il tweeta à nouveau :

> **Si le président Obama avait tracé sa ligne rouge dans le sable, le désastre syrien serait terminé depuis longtemps ! Et cet animal d'Assad ne serait plus d'actualité !**

Trump fit ces déclarations, avec précision et fermeté, avant de consulter son équipe à la sécurité nationale. Le lieutenant général H. R. McMaster, mon prédécesseur en tant que conseiller à la sécurité nationale, était parti depuis vendredi après-midi, et je n'étais pas supposé commencer avant lundi. Lorsque j'ai essayé d'organiser une réunion le dimanche, les avocats de la Maison Blanche l'ont empêchée car je devais attendre lundi pour devenir un employé officiel du gouvernement. Cela a donné une nouvelle signification au mot « frustration ». Trump m'a appelé le dimanche après-midi, et nous (essentiellement lui) avons parlé pendant vingt minutes. Il m'a murmuré que se retirer du Moyen-Orient de la bonne façon était difficile, un thème répété maintes fois durant notre appel, ponctué de digressions sur d'éventuels conflits commerciaux et sur les droits de douane. Trump m'a dit qu'il venait de voir Jack Keane (un général quatre étoiles et un ancien vice-chef d'État-major des armées) sur Fox News et qu'il aimait son idée de détruire les cinq aérodromes militaires principaux de la Syrie, ce qui réduirait quasiment à néant toute la force aérienne d'Assad. Trump m'a dit : « Mon honneur est en jeu », ce qui m'a rappelé la fameuse observation de Thucydide selon laquelle « la peur, l'honneur et l'intérêt » sont les principaux éléments moteurs de la politique internationale et fondamentalement, de la guerre.

Le président français Emmanuel Macron avait déjà appelé pour dire que la France envisageait fortement de participer à une offensive militaire menée par les États-Unis. Plus tôt dans la journée, le gendre présidentiel, Jared Kushner, m'avait dit que le ministre britannique des Affaires étrangères Boris Johnson l'avait appelé, essentiellement pour transmettre le même message de la part de Londres. Ces assurances de soutien étaient rapides et encourageantes. En revanche, pourquoi un ministre étranger avait appelé Kushner était une question qui allait devoir être explorée dans les prochains jours.

Trump m'a interrogé au sujet d'un employé du NSC que je prévoyais de renvoyer, un de ses partisans depuis le début de sa campagne présidentielle. Il n'a pas été surpris quand je lui ai dit que cette personne faisait partie du problème des « fuites d'informations », et il a continué en ajoutant : « Beaucoup trop de personnes savent beaucoup trop de choses. » Cela a permis de souligner mon problème de gestion le plus pressant : faire face à la crise syrienne tout en réorientant le personnel du NSC dans une direction commune, un peu comme si je modifiais le schéma tactique d'une équipe de football en plein milieu d'un match. L'heure n'était pas à une réflexion placide, ou sinon les événements nous dépasseraient. Le dimanche, je ne pouvais « suggérer » qu'une seule mesure au personnel du NSC, qu'ils fassent tout leur possible pour vérifier tout ce qu'ils pouvaient en relation avec les actions du régime d'Assad (et si d'autres attaques étaient probables), et développer des options permettant aux États-Unis de répondre. J'ai convoqué une réunion avec le personnel du NSC à six heures quarante-cinq le lundi matin, pour évaluer notre position et les rôles éventuels joués par la Russie et l'Iran. Nous devions prendre des décisions en harmonie avec une vision plus large, ne se réduisant pas à Daech, à la Syrie et à l'Iran, et éviter de frapper machinalement comme lors d'un jeu de taupes.

PREMIÈRE SEMAINE DE TRAVAIL À LA MAISON BLANCHE — JOUR J — LUNDI

J'ai quitté mon domicile en compagnie de ma nouvelle équipe de protection des services secrets, peu avant six heures, direction la Maison Blanche dans deux SUV argentés. Une fois arrivés à l'aile Ouest, j'ai vu que John Kelly, le chef de cabinet, était déjà dans son bureau, à l'angle sud-ouest, au premier étage, au bout du couloir par rapport à mon bureau au nord-ouest du bâtiment, alors je suis passé lui dire bonjour. Au cours des huit prochains mois, nous avons tous deux pris l'habitude, quand nous étions à Washington, d'arriver vers six heures du matin, un moment idéal pour nous synchroniser avant d'entamer la journée. La réunion du personnel du NSC de six heures quarante-cinq confirma mon opinion, et apparemment celle de Trump, selon laquelle l'attaque de Douma exigeait une forte réponse militaire à court terme. Les États-Unis se sont opposés à l'utilisation par quiconque d'ADM (« armes de destruction massive ») nucléaires, chimiques ou biologiques, contrairement à nos intérêts nationaux. Qu'elles soient dans les mains d'adversaires stratégiques, d'États dissidents ou de terroristes, les ADM mettent les Américains et nos alliés en danger.

Une question déterminante, dans le débat qui s'est ensuivi, était de savoir si le fait de dissuader, à nouveau, l'utilisation d'armes de destruction massive entraînerait inévitablement une plus grande implication américaine dans la guerre civile en Syrie. Cela n'a pas été le cas. Notre intérêt vital contre les attaques à base d'armes chimiques peut être vengé sans évincer Assad, nonobstant les craintes de ceux souhaitant une forte action contre son régime et de ceux n'en voulant aucune. Avoir recours à une puissance militaire était justifié afin de dissuader Assad et beaucoup d'autres d'utiliser des armes chimiques (ou nucléaires ou biologiques), à l'avenir. D'après nous, la Syrie n'était qu'un entracte, et nous avions décidé de ne pas la laisser nous distraire de l'Iran, la véritable menace.

J'ai appelé le ministre de la Défense, Jim Mattis, à huit heures cinq. Il pensait que notre réel problème, c'était la Russie, faisant référence à l'accord mal avisé de 2014 entre Obama et Poutine visant à « éliminer » les capacités en armes chimiques de la Syrie, ce qui évidemment ne s'était pas produit. Et voilà où nous en étions à présent. Sans surprise, la Russie était déjà en train d'accuser Israël en disant qu'elle était à l'origine de l'attaque de Douma. Mattis et moi avons discuté des réponses possibles à l'attaque syrienne, en indiquant, pour sa part, qu'il proposerait des options de frappes « légères, moyennes et lourdes » au président, ce que je considérais comme la bonne approche. J'ai remarqué que, contrairement à 2017, la France et l'Angleterre étaient prêtes à se joindre à notre réponse, ce que nous avons tous deux considéré comme un plus. J'ai senti, au téléphone, que Mattis lisait un texte déjà préparé.

Par la suite, le conseiller britannique à la sécurité nationale, Sir Mark Sedwill m'a appelé pour faire suite à l'appel téléphonique de Johnson à Kushner. J'ai trouvé cela plus que symbolique que Sedwill soit mon premier interlocuteur étranger. L'un de mes principaux objectifs politiques était d'avoir des alliés en harmonie avec notre politique étrangère et nos objectifs de défense, car cela permettait de radicalement renforcer notre main. Sedwill m'a dit, évidemment, que les mesures de dissuasion avaient échoué, et qu'Assad était devenu un « adepte » en matière d'utilisation dissimulée de ses armes chimiques. J'ai compris, en écoutant Sedwill, que le point de vue probable du Royaume-Uni était de s'assurer que notre prochaine réponse serait efficace à la fois sur les plans militaire et politique, afin de démanteler les capacités chimiques d'Assad et de recréer des mesures de dissuasion. Cela me semblait juste. J'ai également pris une seconde pour évoquer l'accord sur le nucléaire iranien de 2015, même en plein milieu de la crise syrienne, en insistant sur l'éventualité, basée sur mes conversations avec Trump, d'un retrait des États-Unis. En outre, j'ai souligné que Trump ne s'était pas encore décidé, mais qu'il nous fallait d'ores et déjà considérer comment restreindre l'Iran après un retrait américain et comment préserver l'unité transatlantique. Sans aucun doute, Sedwill fut surpris d'entendre cela. En effet, ni lui ni aucun autre européen n'avaient entendu de tels propos de la part du gouvernement, avant mon arrivée, car les conseillers de Trump s'étaient presque tous opposés à un tel retrait. Il prit mon commentaire, de manière stoïque, et me dit que nous devrions parler davantage, une fois la crise actuelle résolue.

À dix heures, je suis descendu dans le complexe de la Salle de Crise, alias la *Situation Room*, pour assister à la réunion du Comité des directeurs du Conseil de sécurité nationale, un rassemblement équivalent à celui du Cabinet. (Les plus expérimentés appellent cet endroit la « Sit Room », mais les milléniaux l'appellent « Whizzer », en raison des initiales « WHSR », « White House Situation Room ».) Elle a été complètement rénovée et grandement améliorée depuis ma dernière réunion là en 2006. (Pour des raisons de sécurité ainsi que d'efficacité, j'ai lancé des rénovations supplémentaires qui ont commencé en septembre 2019.) C'est normalement moi qui préside le Comité des directeurs, mais ce jour-là, c'est le vice-président qui s'en est chargé. Il voulait probablement me faciliter la tâche pour mon premier jour. Quoi qu'il en soit, j'ai mené la discussion, comme en temps normal, et le problème ne s'est jamais représenté. Cette première séance d'une heure a permis aux ministères présents d'expliquer comment passer à l'action. J'ai vivement rappelé que notre objectif fondamental était de faire payer lourdement Assad pour avoir utilisé des armes chimiques et de recréer des structures de dissuasion pour que cela ne se reproduise pas. Nous avions besoin d'étapes politiques et économiques, ainsi que d'une attaque militaire, pour montrer que notre approche était complète et que nous étions en train de bâtir une coalition avec le Royaume-Uni et la France (les planificateurs britanniques, américains et français étaient déjà en train de parler). Nous devions considérer, non seulement une réponse immédiate, mais aussi ce que la Syrie, la Russie et l'Iran allaient faire ensuite. Nous avons longuement discuté de ce que nous savions et ne savions pas sur l'attaque syrienne et des moyens pour mieux comprendre ce qui s'était passé, et surtout savoir si le sarin, cet agent neuroplégique, avait été utilisé ou s'il s'agissait uniquement de produits chlorés. C'est là que Mattis a répété, presque mot pour mot, ce qu'il avait dit plus tôt, en ajoutant que le Pentagone proposerait une variété d'options de frappes allant de moyennes à lourdes.

Le travail sur la Syrie a continué, ce qui m'a obligé à remplir une longue série de formulaires gouvernementaux, jusqu'à environ treize heures, moment où je fus appelé au Bureau ovale. L'ambassadrice américaine auprès des Nations Unies, Nikki Haley (qui avait participé au Comité des directeurs grâce à une ligne sécurisée, depuis New York), appelait pour demander ce qu'elle devait dire au Conseil de sécurité de l'après-midi. C'est apparemment la méthode qu'elle avait apprise pour faire tout ce qui était en rapport avec le Conseil, soit en décalage complet avec le processus habituel du NSC, ce que j'ai trouvé ahurissant. Moi-même, en tant qu'ancien ambassadeur auprès de l'ONU, je me suis interrogé au sujet d'Haley et de ses performances à New York, cette dernière année et quelques ; et aujourd'hui, je voyais l'envers du décor. J'étais sûr de pouvoir discuter de cela avec Mike Pompeo, dès la confirmation de sa nomination comme ministre des Affaires étrangères. Cependant, durant les premières secondes de l'appel, Trump a demandé pourquoi l'ancien ministre des Affaires étrangères, Rex Tillerson, avait approuvé, avant son départ, le versement d'une aide financière de 500 millions de dollars à l'Afrique. J'ai supposé qu'il s'agissait du montant approuvé par le Congrès durant le processus d'allocation, mais j'ai dit que je vérifierais. Trump m'a également demandé de jeter un coup d'œil à un rapport signalant que l'Inde avait acheté un S-400, un système de défense aérienne, à la Russie, parce que, d'après l'Inde, le S-400 est supérieur au système de défense Patriot américain. Ensuite, nous en sommes arrivés à la Syrie, où Trump a affirmé qu'Haley devrait simplement dire : « Vous avez entendu la déclaration du président [via Twitter], et vous devriez l'écouter. » J'ai suggéré, une fois le Conseil de sécurité terminé, qu'Haley et les ambassadeurs britannique et français se réunissent pour répondre ensemble à la presse, à l'extérieur de la chambre du Conseil, afin de montrer un front uni. J'ai fait cela plusieurs fois, mais Haley a décliné, préférant être prise seule en photo en train de donner la déclaration du Conseil américain. Ce jour-là, j'ai compris quelque chose.

Durant l'après-midi, j'ai rencontré le personnel du NSC responsable de la question sur les armes nucléaires iraniennes, pour lui demander de se préparer, d'ici un mois, au retrait de cet accord datant de 2015. Cette option se devait d'être prête, devant Trump, le jour où il déciderait de se retirer, et je voulais être sûr qu'il l'ait. Aucune négociation en cours entre le Royaume-Uni, la France et l'Allemagne, n'était capable de « réparer » cet accord ; nous avions besoin de nous retirer et d'élaborer une stratégie efficace pour bloquer l'Iran et son envie d'armes nucléaires livrables. Il n'y avait rien de surprenant dans mes instructions car je m'étais déjà exprimé ainsi, publiquement, à maintes reprises. Pourtant, à cette seconde, j'ai senti l'air de la pièce s'alourdir car le personnel du NSC, jusqu'à ce jour, avait travaillé d'arrache-pied pour sauver cet accord.

Je suis revenu dans le Bureau ovale à seize heures quarante-cinq. Trump devait appeler Macron. Être présent lors des appels du président à des dirigeants étrangers est une pratique standard existant depuis longtemps et qui est devenue une de mes habitudes. Macron a réaffirmé, comme il l'a fait en public, que la France était bien décidée à participer à une réponse commune aux attaques chimiques (et pour laquelle, il s'est ensuite attribué tout le mérite !). Il a aussi évoqué que la Première ministre britannique, Theresa May, souhaitait agir vite. Il a également parlé de l'attaque de ce lundi contre la base aérienne syrienne de Tiyas, qui abritait des installations iraniennes, et le risque de contre-attaque iranienne, durant la planification même de nos opérations. Je me suis ensuite entretenu avec Philippe Étienne, mon homologue français et conseiller diplomatique de Macron, afin de coordonner la suite des discussions entre Trump et Macron.

Alors que j'écoutais, j'ai réalisé que si une action militaire avait lieu ce week-end, ce qui était probable, Trump ne pouvait pas être à l'étranger. Une fois l'appel terminé, je lui ai donc suggéré de ne pas se rendre au Sommet des Amériques, prévu au même moment au Pérou, et de demander à ce que ce soit Pence qui y assiste. Trump a accepté et m'a demandé de gérer cela avec Pence et Kelly. J'ai alors transmis l'information à Kelly, qui s'est mis à soupirer au nom de tous les préparatifs déjà faits. Je lui ai répondu : « Ne me détestez pas dès mon premier jour », et il a reconnu qu'un tel changement était inévitable. Je suis ensuite allé au bureau du vice-président, situé entre mon bureau et celui de Kelly pour lui expliquer la situation. Alors que nous étions en train de parler, Kelly est entré en disant que le FBI avait fouillé les bureaux de Michael Cohen, un des avocats de Trump et « facilitateur » en chef, à la recherche d'accords de non-divulgation avec Stormy Daniels… Pas exactement une affaire d'importance nationale. Néanmoins, le reste de cette semaine, durant le temps que j'ai passé avec Trump, qui a été considérable, l'affaire Cohen n'a jamais été abordée. En ma présence, aucune preuve ne pouvait suggérer que Trump avait Cohen à l'esprit, autrement que quand il répondait aux questions incessantes de la presse.

Le lundi soir, Trump a tenu un dîner semestriel avec les chefs d'état-major interarmées et les commandants de combat militaire pour discuter de questions importantes. La présence de toutes ces personnes, autour d'une même table, constituait une occasion parfaite pour leur demander leur avis sur la Syrie. Si cela n'avait pas été mon premier jour, et si la crise syrienne n'avait pas occupé toute ma journée, je me serais entretenu avec chacun d'entre eux pour en savoir plus sur leurs responsabilités respectives. Mais tout cela devrait attendre.

PREMIÈRE SEMAINE DE TRAVAIL À LA MAISON BLANCHE — MARDI

Le lendemain, à huit heures trente, Sedwill m'a appelé pour préparer le rendez-vous téléphonique entre May et Trump, prévu quelques minutes plus tard. Sedwill, une fois de plus, a insisté sur le problème du calendrier. Je me suis alors demandé si la pression politique nationale au Royaume-Uni ne pesait pas trop sur le raisonnement de May, étant donné qu'une nouvelle session parlementaire devait ouvrir le 16 avril. L'échec de l'ancien Premier ministre, David Cameron, qui n'avait pas réussi à obtenir l'approbation de la Chambre des communes pour attaquer la Syrie, bien que le régime d'Assad ait franchi la « ligne rouge » d'Obama avec ses armes chimiques, m'a frappé comme un inquiétant précédent. Évidemment, si nous agissions avant le début de la nouvelle session parlementaire, ce risque serait éliminé, me suis-je dit. Sedwill était également content de savoir que le Pentagone penchait vers une réponse militaire « lourde » plutôt que « légère », ce qui était conforme aux préférences britanniques, et à la recherche d'un cadre de travail conceptuel plus large pour la Syrie. Lorsque May et Trump se sont parlé, elle a fait écho aux commentaires de Sedwill selon lesquels il était nécessaire d'agir rapidement. Durant l'appel, Trump semblait résolu, même s'il était évident qu'il n'appréciait pas May, un sentiment que mon intuition qualifierait de réciproque. Durant cette même semaine, j'ai également parlé plusieurs fois avec mon homologue israélien, Meir Ben-Shabbat, au sujet des rapports indiquant une attaque aérienne contre la base syrienne de Tiyas, une présence iranienne en Syrie on ne peut plus menaçante.

Durant la semaine, nous avons reçu davantage d'informations sur les attaques, et j'ai passé une quantité de temps considérable à éplucher ces données, ainsi que des rames de documents classifiés sur le reste du monde. Mon habitude, lors de mes différents emplois gouvernementaux, a toujours été de consommer autant de renseignements que possible. Il m'arrivait d'être d'accord ou en désaccord avec certaines analyses ou conclusions, mais j'étais toujours prêt à absorber davantage d'informations. Selon les rapports publics, les preuves de l'utilisation d'armes chimiques par le régime d'Assad étaient de plus en plus claires. Certains spécialistes de gauche, et même quelques commentateurs de la Fox, disaient qu'il n'y avait aucune preuve. Ils avaient tort.

Le second Comité des directeurs sur la Syrie s'est tenu à treize heures trente, et une fois de plus, a largement servi de plateforme permettant à chaque institution de faire part du développement de sa planification et de ses activités, tous d'accord avec une réponse ferme. J'ai vite compris que Mattis était notre principal obstacle.

En effet, il n'avait produit aucune option pour le NSC ou pour le conseiller juridique de la Maison Blanche, Don McGahn, qui devait rédiger un texte d'opinion confirmant la légalité de tout ce que Trump finissait par décider. Grâce à une longue et malheureuse expérience, je savais ce qui était en train de se tramer. Mattis savait comment il voulait que Trump se comporte militairement, et il savait aussi que le meilleur moyen de maximiser les chances d'adoption de son point de vue était de cacher des informations aux personnes ayant le droit légitime de peser sur la décision. La simple vérité était qu'il voulait préserver ses options jusqu'à la dernière minute, s'assurer qu'elles soient posées dans la « bonne » direction, et puis taper du poing sur la table, retarder la décision et obscurcir les détails autant que possible. Voilà les tactiques employées par un bureaucrate avec de la jugeote comme Mattis pour obtenir ce qu'il veut. Le Comité des directeurs s'est terminé de manière peu concluante, bien que Mattis ait finalement donné de quoi travailler à McGahn, après une mini crise de nerfs autour de la table de la Salle de Crise. J'étais déterminé à ne plus laisser un tel obstructionnisme se produire, mais Mattis avait clairement abusé, pas suffisamment pour franchir une quelconque ligne professionnelle, mais il était en plein dessus, comme je l'ai dit à Pence et à Kelly, après la réunion.

À quinze heures, je suis allé au Bureau ovale où j'ai passé deux heures dans une sorte de « réunion » à passer d'un problème à un autre. Trump était préoccupé par la possibilité de victimes russes en Syrie, ce qui paraissait normal étant donné la forte présence militaire de la Russie dans cette région, qui avait nettement augmenté durant les années Obama. Cette inquiétude, on ne peut plus légitime, a été traitée en demandant au chef d'État-Major des armées des États-Unis d'appeler son homologue russe, Valery Guérassimov, pour le rassurer en confirmant que, quelle que soit notre action, elle ne ciblerait aucun civil ou actif russe. Ce canal de communication entre Dunford et Guérassimov a été (puis est resté) un atout considérable pour nos deux pays. En effet, il s'est montré, à plusieurs reprises, bien plus adapté que des échanges diplomatiques conventionnels pour s'assurer que Washington et Moscou comprenaient pleinement les intérêts et les intentions respectifs de chacun. Trump et Macron se sont appelés à quinze heures quarante-cinq, où ce dernier s'est clairement prononcé en faveur d'une action rapide, et allant jusqu'à menacer d'agir unilatéralement si nous tardions trop, ce qu'il avait déjà affirmé en public. Cela aurait été grotesque et potentiellement dangereux ; c'était un coup de bluff et Trump a, finalement, réussi à calmer les ardeurs du Français. Macron avait raison, cependant, d'insister pour que nous agissions rapidement, ce qui pesait lourdement sur la tendance erronée de Trump en faveur d'une action plus réfléchie. Plus les représailles étaient rapides, plus le message envoyé à Assad et aux autres serait clair. Le Pentagone ne nous avait encore envoyé aucune option et les deux dirigeants n'avaient pas évoqué de cibles spécifiques. Néanmoins, il semblait important pour Macron que des options intermédiaires soient incluses dans notre réponse, quelle qu'elle soit. Selon lui, « léger » était trop léger et « lourd » était trop agressif. Je ne comprenais pas ce qu'il voulait vraiment dire, et je me suis demandé si c'était aussi son cas, ou si c'était juste une manœuvre politique.

Tandis que je préparais Trump pour un appel, plus tard, avec le président turc Recep Tayyip Erdogan, j'ai souligné que nous avions la bonne formule : (1) une proposition d'attaque à trois angles avec la France et le Royaume-Uni, et non une simple attaque américaine unilatérale comme en 2017 ; (2) une approche complète, à base de moyens politiques, économiques, mais aussi militaires, et d'échanges efficaces expliquant ce que nous faisions et pourquoi ; et (3) un effort durable dans le temps, plutôt qu'une simple action d'un jour. Trump semblait satisfait. Il m'a également invité à « regarder la télévision » et à « parler d'Obama » autant que je voulais, ce qui pour lui étaient des « activités très positives ». En réalité, je n'avais pas envie de répondre aux médias cette semaine, et il y avait suffisamment de personnes autour de moi crevant d'envie de passer à la télé pour que tout le monde ait son compte en matière d'informations sur le gouvernement.

L'appel avec Erdogan s'est avéré être une expérience mémorable. Il était traduit par un interprète, mais il me donnait l'impression d'écouter Mussolini, en train de s'exclamer depuis son balcon romain, sauf qu'Erdogan utilisait ce ton et ce volume de voix pour parler au téléphone. C'est comme s'il nous donnait un cours de politique étrangère, debout sur le *Resolute desk* ! Erdogan semblait vouloir éviter tout engagement avec les plans d'attaques américains, mais il nous a aussi dit qu'un entretien avec Poutine était imminent. Trump a insisté pour qu'Erdogan transmette notre intention de ne blesser aucun civil russe. Le lendemain, le jeudi, Ibrahim Kalin, mon homologue turc (et aussi l'attaché de presse d'Erdogan, une combinaison pour le moins intéressante), m'a appelé pour me faire part des échanges entre Erdogan et Poutine. Ce dernier a souligné qu'il ne souhaitait voir aucune confrontation avec les États-Unis se développer en Syrie, et que chacun devait faire preuve de bon sens.

PREMIÈRE SEMAINE DE TRAVAIL À LA MAISON BLANCHE — JEUDI

À huit heures, le jeudi, Dunford a appelé pour me faire le compte rendu de sa conversation avec Guérassimov, tard la nuit dernière. Après quelques minutes obligatoires de défense du régime Assad, Guérassimov en est venu aux choses sérieuses, comprenant très bien Dunford lorsque ce dernier souligna que notre intention était de ne cibler aucun Russe. Dunford a qualifié Guérassimov de « très professionnel, très mesuré ». Dunford et moi-même avons convenu qu'il s'agissait d'un résultat positif, que j'ai transmis à Trump, plus tard dans la matinée, ainsi que les conclusions de l'entretien entre Erdogan et Poutine.

J'ai rencontré Trump et Pence à treize heures trente, dans la petite salle à manger, à quelques pas du Bureau ovale. Trump passait beaucoup de temps dans cette salle, avec une grande télévision fixée au mur en face de sa chaise, et généralement réglée sur Fox News. C'est ici que se trouvaient tous ses documents officiels et ses journaux, plutôt que sur le *Resolute desk* du Bureau ovale. Trump voulait retirer la majorité des troupes américaines de Syrie et persuader les États arabes de déployer leurs forces davantage, mais aussi de payer pour la présence américaine restante. Remplacer des forces américaines par des forces arabes ne constituait pas, pour lui, une redirection stratégique, mais plutôt un moyen de se protéger contre les critiques des partis politiques américains, en raison de ses commentaires de plus en plus francs au sujet du retrait des troupes en Syrie. Je lui ai dit que j'étudierais la question. Avec une réunion complète au NSC (le terme correct, utilisé uniquement quand le président préside la séance) prévue cet après-midi, j'ai également dit à Trump que nous étions dans une impasse, car Mattis semblait faire de son mieux pour limiter nos options. Trump a semblé perturbé, mais n'a pas réagi pour autant.

La réunion du NSC s'est tenue à quinze heures dans la Salle de Crise, puis s'est terminée, après environ soixante-quinze minutes, sans réelle conclusion. La réponse proposée par le Pentagone aux attaques chimiques syriennes fut bien plus faible que ce qu'elle aurait dû être, essentiellement parce que Mattis avait cumulé les options présentées à Trump de manière à ce qu'il n'y ait peu ou quasiment pas de choix possibles. Au lieu de trois choix (léger, moyen, et lourd), Mattis et Dunford (qui semblait faire tout sauf ce que Mattis ne voulait pas, mais qui semblait aussi perturbé par toute cette affaire) ont présenté cinq options. Je n'ai vu ces options que quelques heures avant la réunion du NSC, ce qui a rendu impossible toute analyse digne de ce nom par un membre du personnel du NSC. Les cinq options étaient classées de façon inutile, sans aucun ordre particulier. Deux étaient considérées comme à « faible risque » et trois à « haut risque ». Une seule option était considérée comme « prête à appliquer » (une de celles à « faible risque »), et une autre était classée comme partiellement prête (l'autre à « faible risque »). Dans l'ensemble, même au sein de chaque alternative, les cibles potentielles étaient organisées de façon incompréhensible ; et choisir parmi les différents éléments de chacune des cinq options aurait été encore plus chaotique. Nous n'étions plus en train d'évaluer des options en suivant une échelle logique, mais de jouer avec des pommes, des oranges, des bananes, des raisins et des poires, c'est-à-dire des « immesurables » comme disent les planificateurs d'attaques nucléaires.

Étant donné qu'il nous fallait frapper au plus vite pour souligner notre sérieux, ce que Trump avait maintenant accepté, nous n'avions plus ou peu de choix, d'autant plus que le Royaume-Uni et la France, pour des raisons qui leur étaient propres, avaient très clairement exprimé leur désir d'attaquer rapidement plutôt que tardivement. Si Trump avait insisté sur une des options « plus risquées », plusieurs jours se seraient encore écoulés, et une semaine serait passée depuis l'attaque syrienne. Si nous avions respecté les mêmes délais qu'en 2017, les représailles auraient dû avoir lieu aujourd'hui. Par ailleurs, vu que Mattis recommandait de ne frapper que les cibles liées aux attaques chimiques, les options demandées par Trump et d'autres n'étaient même pas incluses. En outre, Mattis a dit sans aucune qualification que toute victime russe déclencherait une guerre contre la Russie, sans tenir compte de nos efforts pour éviter ces dites victimes, et des conclusions de la conversation entre Dunford et Guérassimov. Durant l'attaque d'avril 2017 à coup de missiles de croisière, les États-Unis avaient frappé des cibles à une extrémité d'une base aérienne syrienne, là où aucun Russe n'était présent, alors que nous savions que des Russes étaient localisés à proximité d'une autre piste de cette même base. Personne ne semblait particulièrement se soucier d'éventuelles victimes iraniennes, alors que de plus en plus de Russes et d'Iraniens étaient maintenant présents sur le territoire syrien maintenu de main de maître par les forces d'Assad. Cette présence étrangère grandissante constituait une partie plus importante que prévu du problème stratégique lié au Moyen-Orient, et ne pas en tenir compte permettait à Assad de les utiliser comme boucliers humains. Mattis était à la recherche d'excuses l'autorisant à ne rien faire, mais il avait tort, tactiquement et stratégiquement.

En fin de compte, et même si Trump avait dit toute la semaine qu'il voulait une réponse significative, il n'en a pas donné une lui-même. Et son choix final parmi les options présentées ne couvrait aucun point stratégique central, ce que Mattis devait savoir. La raison même pour laquelle nous étions dans la Salle de Crise était que l'attaque américaine de 2017 avait échoué et ne s'était pas montrée suffisamment puissante pour dissuader Assad d'utiliser à nouveau des armes chimiques. Nous savions qu'il en avait autorisé l'utilisation, non seulement à Douma quelques jours auparavant, mais dans plusieurs autres cas depuis avril 2017, et il existait même d'autres exemples dont nous étions moins sûrs. L'attaque du 7 avril 2018 était simplement la pire de la série. Notre analyse, en 2018, aurait dû être : à quel point notre réponse doit-elle être forte pour réussir à établir un cadre dissuasif, sachant que nous avons échoué la dernière fois ? Inévitablement, d'après moi, cela aurait dû comprendre des attaques au-delà des installations hébergeant les programmes d'armes chimiques de la Syrie. Nous aurions dû détruire d'autres actifs militaires syriens, dont des sièges généraux, des avions et des hélicoptères (c.-à-d., les cibles associées à la décision d'utiliser des armes chimiques et les systèmes de livraison nécessaires pour larguer les bombes contenant les armes), et également menacer le régime lui-même, par exemple, en attaquant les palais d'Assad. Ce sont tous des points que j'ai présentés, malheureusement, sans succès. Et grâce à notre incapacité à mesurer le niveau de notre réponse, Assad, la Russie, et l'Iran pouvaient tous pousser un grand soupir de soulagement.

Mattis s'est montré implacable dans sa manière de mettre ses options inoffensives en avant. Alors que Pence essayait de m'aider, le ministre des Finances, Steven Mnuchin, est venu soutenir Mattis, même s'il ne savait manifestement pas de quoi il parlait. Nikki Haley a expliqué que, son mari étant dans la Garde nationale, il nous fallait éviter toute victime militaire. Lorsque McGahn, une nouvelle fois, demanda davantage d'informations sur les cibles, Mattis refusa carrément de les partager, alors que McGahn en demandait uniquement à des fins d'analyse juridique, et non pour planifier un bombardement, ce qui était hors de son domaine de compétences (comme l'étaient les commentaires de Mnuchin et d'Haley). J'ai trouvé cela renversant. McGahn m'a confié plus tard qu'il n'avait pas osé contester l'avis de Mattis plus fermement car il ne voulait pas perturber davantage la réunion ; et plus tard, il réussit enfin à obtenir ce dont il avait besoin pour son texte d'opinion juridique. Notre meilleure réponse, telle que formulée par Dunford, était que Trump avait décidé de frapper « le cœur de l'entreprise [des armes chimiques syriennes]. » Nous lancerions deux fois plus de missiles qu'en 2017, et en direction de cibles physiques plus nombreuses. Cela allait-il simplement se résumer à la destruction de quelques bâtiments supplémentaires ? Là était la question.

Même si le président avait choisi la frappe optimale, le processus décisionnel était purement et simplement inacceptable. Nous avons subi un stratagème bureaucratique élémentaire mis au point par un bureaucrate de base, structurant les options et les informations de manière à ce que *ses* options soient les seules acceptables. Bien sûr, Trump ne nous a pas beaucoup aidés non plus, en indiquant vaguement ce qu'il voulait, en sautant d'une question à une autre, et de manière générale, en décourageant tout effort d'avoir une discussion cohérente sur les conséquences d'un choix plutôt que d'un autre. Les médias ont fait une description fidèle de la réunion, grâce aux informations qui ont été rapidement divulguées, avec Mattis dans le rôle du « modérateur ». En réalité, l'âme de Stonewall Jackson doit certainement vivre encore en Mattis et ses acolytes. (« There stands Jackson like a stone wall[23] », comme l'a dit un général de l'armée des

23 « Restez ici, tel Jackson, comme un mur de pierres » (NDT).

États confédérés durant la première bataille de Bull Run.) Obtenir de meilleurs résultats, toutefois, exigerait de nouveaux conflits internes et une autre réunion du NSC, ce qui nous ferait perdre un temps dont nous étions déjà en manque. Il s'agissait d'une ineptie, et Mattis le savait. En effet, la Syrie avait déjà déplacé des équipements et des matériaux loin de plusieurs cibles que nous espérions détruire. J'ai été satisfait de ma performance en tant que courtier honnête, mais Mattis jouait avec des cartes truquées. Il savait bien mieux que moi comment Trump réagissait dans de telles situations. Comme me l'a souvent murmuré McGahn, durant nos différentes époques communes de service à la Maison Blanche, afin de refléter le contraste avec nos premières expériences dans ce gouvernement : « Ce n'est pas le gouvernement Bush ! »

Vers la fin de la réunion, j'ai senti que Trump voulait décider quelque chose, n'importe quoi, puis retourner au Bureau ovale, où il se sentait plus à l'aise et en contrôle de la situation. J'avais été surclassé par un opérateur expert en bureaucratie et j'étais déterminé à ce que cela n'arrive plus. Plus important encore, le pays et le président n'avaient pas été servis de manière exemplaire, et ça aussi, j'étais déterminé à ce que cela n'arrive plus. Durant les mois suivants, j'ai essayé d'accéder, de différentes façons, aux dossiers de planification militaire du Pentagone à la recherche d'événements similaires, pour obtenir plus d'informations en avance et pour réussir à rendre le processus décisionnel politico-militaire plus complet et dynamique, ce que j'ai parfois réussi, parfois non.

Après avoir quitté la Salle de Crise, nous avons indiqué à la presse que nous n'avions encore pris aucune décision *finale* et que le NSC se réunirait à nouveau, vendredi à dix-sept heures, ce qui a laissé chacun imaginer qu'aucune action militaire n'aurait encore lieu avant plusieurs jours. Mais entre nous, nous savions clairement que vendredi à dix-sept heures (soit le milieu de la nuit en Syrie), Trump s'exprimerait devant la nation pour annoncer cette attaque trilatérale. Je me suis immédiatement dirigé vers une des salles du complexe de la Salle de Crise pour une visioconférence avec Sedwill et Étienne. Je leur ai expliqué notre décision, pour que chacun puisse préparer les appels à venir entre Trump, Macron, et May. J'ai ensuite couru jusqu'au Bureau ovale, où Trump s'était d'abord entretenu avec May, à environ seize heures quarante-cinq. Elle s'est dite très satisfaite du résultat de la réunion du NSC, que les armées britanniques et françaises avaient déjà discuté. Un autre signe montrant que Mattis nous avait complètement bernés.

Alors que je patientais, dans le Bureau ovale, en attendant l'appel de Macron, Trump a entamé une tirade au sujet de Tillerson, en exprimant à quel point il le méprisait. Il est allé jusqu'à évoquer un dîner avec Tillerson et Haley. Haley, selon Trump, n'était pas d'accord avec Tillerson, qui lui a répondu : « Ne me parle plus jamais comme ça. » Et avant qu'Haley puisse dire quoi que ce soit, Tillerson a ajouté : « Tu n'es qu'une petite pute, et n'oublie jamais ça. » Dans la majorité des gouvernements, cela aurait suffi pour que Tillerson soit viré, je me demande donc s'il l'a vraiment dit. Et s'il ne l'a jamais dit, pourquoi Trump me dit-il qu'il l'a dit ? Après une telle anecdote, la discussion avec Macron s'est révélée être banale. Néanmoins, nos préparatifs s'intensifiaient bel et bien. Ce soir-là, tard, alors que je m'apprêtais à partir, Kushner est arrivé dans mon bureau pour me dire que Trump trouvait que j'avais fait « du très bon boulot ». Je ne le pensais pas, mais cela voulait probablement dire que j'étais autorisé à venir travailler ici un cinquième jour.

PREMIÈRE SEMAINE DE TRAVAIL À LA MAISON BLANCHE — VENDREDI

Le vendredi, j'ai passé plusieurs appels à différents États arabes pour évaluer s'ils étaient intéressés par l'idée de mettre sur pied un corps expéditionnaire arabe que Trump cherchait à constituer pour remplacer les troupes américaines en Syrie et en Irak. Il imaginait qu'en plus de forces armées, les Arabes paieraient aux États-Unis « nos frais + 25 % » qu'il a ensuite corrigé par « nos frais + 50 % » pour nos forces toujours présentes sur place. J'imaginais déjà leurs réactions… Toutefois, il était évident, selon moi, qu'en l'absence de contribution de la part des nations arabes, Trump procéderait quasi certainement au retrait des quelques forces américaines encore installées en Syrie, et plus tôt qu'on ne pourrait le croire. Je me suis entretenu avec le ministre des Affaires étrangères du Qatar, Mohammed bin Abdulrahman al-Thani, puis avec Cheikh Tahnoun bin Zayed al-Nahyan, mon homologue des Émirats Arabes unis, ainsi qu'avec Abbas Kamel, le directeur du service de renseignements national de l'Égypte. J'ai très clairement dit que l'idée était du président, et ils ont donc promis de prendre cette demande très au sérieux. Plus tard, j'ai transmis tout ce dossier à Pompeo, lui disant que nous allions à toute vitesse en direction de nulle part, ce qu'il a tout de suite approuvé, et ainsi c'est terminé cette discussion.

À neuf heures quinze, Kelly m'a appelé dans son bureau, disant que Trump venait d'appeler et qu'il voulait, entre autres, reconsidérer l'option d'attaque qu'il avait choisie la veille. Nous avons téléphoné à Mattis et à Dunford puis nous avons connecté Trump, qui était encore à la Résidence. « Les cibles ne me plaisent pas, a-t-il dit. Les critiques pourraient considérer cela comme du vent », soit mon argument lors de la réunion du NSC de jeudi. Par ailleurs, il était désormais « légèrement préoccupé » par le risque de « panaches de fumées toxiques » suite à l'attaque, bien que Mattis ait insisté la veille en soulignant que selon le ministère de la Défense, il n'y en aurait aucun. Trump a ajouté qu'il prévoyait de tweeter qu'une attaque avait bien été prévue, mais qu'il l'avait annulé à cause du manque de cibles pertinentes, et qu'il gardait son « doigt sur la gâchette ». J'ai failli imploser, et je peux seulement imaginer ce que Mattis et Dunford ont dû ressentir. Kelly semblait indifférent, ayant certainement vécu cette danse un nombre incalculable de fois. « Nous sommes un boxeur poids lourds, mais nos droites ne mettent KO personne ! », a répété Trump.

J'ai dit que nous aurions dû nous mettre d'accord sur une frappe plus lourde, mais il était maintenant trop tard pour changer d'avis et faire autre chose que tweeter, ce que les autres ont accepté. Trump était en colère contre l'Allemagne et prêt à quitter l'OTAN, et également déterminé à abandonner le projet Nord Stream II (un gazoduc reliant la Russie à l'Allemagne via la mer Baltique). Nord Stream II n'était pas vraiment le sujet ici, mais dès que Trump a entendu ce nom, il a demandé à Mnuchin d'y travailler sérieusement. « Ne gaspillons pas cette crise [syrienne] sur Merkel », dit-il, en référence au projet de gazoduc. Trump s'est ensuite lancé dans un discours sur les éventuelles représailles russes qui pourraient faire suite à une attaque en Syrie, comme couler un navire de la marine américaine, ce que Mattis avait pourtant qualifié de très peu probable, malgré la présence de plusieurs navires de guerre russes en Méditerranée orientale. Après plusieurs autres détails incohérents, Trump a semblé finalement décidé à passer à l'action, ce qui a permis à Kelly de rapidement ajouter : « Prenons cela comme un ordre d'exécution pour 2100 », soit l'heure maintenant prévue, ce vendredi soir, du discours de Trump annonçant l'attaque. Trump a répondu : « Exactement. » Trump qui appelle Kelly, et Kelly qui intervient me rappelle « à quel point [mon] travail [est] facilité par Kelly », comme me l'a dit McMaster la semaine précédente. Néanmoins, j'étais soulagé de voir, cette fois, que l'expérience de Kelly dans la Maison Blanche de Trump avait permis de mettre fin au chaos de cette conversation téléphonique et de prendre une décision considérée (mais inadéquate à mon goût) d'aller de l'avant.

Dieu merci, la suite de la journée s'est poursuivie sans aucun pépin, et nous avons pu commencer à contacter les législateurs principaux du Sénat et de la Chambre des représentants. Macron a appelé à nouveau pour dire, après avoir parlé à Poutine, que l'ambiance semblait calme à Moscou. Poutine s'en était tenu à une déclaration officielle selon laquelle aucune attaque à base d'armes chimiques n'avait été conduite par les forces d'Assad, mais de toute évidence, Macron et nous tous savions que Poutine mentait. Poutine avait également ajouté qu'il serait malheureux, en matière de relations publiques, si les attaques d'Assad avaient été faussement rapportées, autrement dit, Macron supposait que la Russie menait des campagnes d'influence sur la Syrie au Royaume-Uni, en France et peut-être même aux États-Unis. Après cet appel, je suis resté avec Trump dans le Bureau ovale pendant trente minutes supplémentaires. Trump m'a demandé comment tout se passait pour moi, en ajoutant : « C'est pour ce genre d'occasion que vous vous êtes tant préparé. » Comme quelques jours plus tôt, Trump a évoqué la possibilité de gracier Scooter Libby, ce que j'ai fortement encouragé. Je connaissais Libby depuis nos jours de service dans le gouvernement Bush 41 et j'ai trouvé que la façon dont il avait été traité dans l'affaire Valerie Plame était la preuve que le concept de « conseil indépendant » était profondément défectueux et injuste. Trump a signé le pardon présidentiel quelques heures plus tard. Durant l'après-midi, Stephen Miller a convoqué l'équipe de rédaction des discours du président pour parler de son discours à la nation du soir. La première version avait l'air très bien, alors vers dix-sept heures, de retour dans le Bureau ovale, Trump a parcouru ce discours, mot par mot, jusqu'à ce qu'il soit complètement satisfait. Pompeo a appelé vers quinze heures quarante et je l'ai félicité pour sa confirmation réussie de la veille. Il a demandé à Gina Haspel de dire à Trump qu'il était prêt à prendre des actions encore plus strictes envers la Syrie, ce qui était bon à savoir en cas de déblocage inattendu, dans les prochaines heures. En début de soirée, les opérations liées aux attaques étaient déjà bien avancées. En effet, vu qu'il s'agissait d'une attaque « chronométrée », certains missiles étaient lancés bien avant d'autres afin qu'ils touchent tous leurs cibles aussi simultanément que possible.

À vingt heures trente, plusieurs d'entre nous ont marché jusqu'au salon de réception des diplomates, où le discours allait être retransmis. Nous n'avons pas emprunté la colonnade, afin d'éviter de faire deviner à qui que ce soit que quelque chose était sur le point de se produire, mais plutôt la pelouse sud, ce qui nous a permis d'admirer la Maison Blanche, illuminée de nuit. Trump était au deuxième étage, dans la Résidence, et prit l'ascenseur jusqu'au rez-de-chaussée vers vingt heures quarante-cinq. Nous avons rapidement répété le discours, puis Trump s'est montré éloquent. Il a serré la main des assistants autour de lui puis est remonté dans sa résidence. Je suis retourné dans mon bureau pour ranger mes affaires et rentrer à la maison, en remarquant avec surprise que l'aile Ouest est remplie de touristes à vingt et une heures trente !

L'attaque a été quasiment parfaite. Les défenses aériennes syriennes ont répondu avec quarante missiles surface-air, dont aucun n'a touché nos missiles de croisière. Nous pensions qu'Assad avait été surpris par l'ampleur de la destruction, et il n'y a eu aucun panache de fumée chimique. Le samedi, Trump, qui était ravi, a publié un tweet, puis parlé avec May et Macron, également enchantés par le niveau des représailles et l'unité démontrée par les trois nations. Le secrétaire général des Nations Unies, Antonio Guterres, a critiqué l'attaque, car elle n'avait pas été autorisée par le Conseil de sécurité, ce qui montrait donc des signes de non-conformité avec les « lois internationales », ce que plusieurs d'entre nous ont trouvé ridicule. J'ai ensuite passé le reste de ma journée dans l'aile Ouest, au cas où du travail de dernière minute surgirait.

Avons-nous réussi à dissuader Assad ? En fin de compte, non. Après ma démission, le monde a découvert qu'Assad avait à nouveau utilisé des armes chimiques contre des civils en mai 2019, et probablement à d'autres moments. Les résultats, en bref, sont que l'attaque américaine de 2017 a produit douze mois de dissuasion, tandis que celle, plus importante, de 2018 en a donné treize. Et si l'on considère l'ensemble de la politique syrienne, et la gestion de l'hégémonie régionale croissante de l'Iran, ce débat sur la Syrie ne faisait que souligner la confusion qui allait habiter la politique américaine durant ma période de service, et au-delà. En empruntant la célèbre citation du professeur Edward Corwin, la politique syrienne est restée « une invitation au conflit ».

CHAPITRE 3

LES ÉTATS-UNIS SE RETIRENT

Le lundi suivant l'attaque syrienne, Trump et moi sommes montés, depuis la pelouse sud de la Maison Blanche, à bord du Marine One [24] (ma première expérience), jusqu'à la base aérienne Joint Base Andrews [25], où nous avons embarqué à bord d'Air Force One [26] jusqu'à Miami. Notre destination finale était à proximité d'Hialeah[27], pour un rassemblement célébrant les efforts de Trump en matière de création d'un climat professionnel positif. Le public de plus de cinq cents personnes était largement constitué d'Américains d'origines cubaine et vénézuélienne, et lorsque Trump m'a présenté, quelques jours après l'attaque syrienne, j'ai reçu une standing ovation.

---

24 Indicatif d'appel de tout aéronef (généralement un hélicoptère) du Corps des Marines transportant le président des États-Unis (NDT).

25 Base située à une vingtaine de kilomètres de la Maison Blanche (NDT).

26 Indicatif d'appel de tout aéronef (généralement un avion Boeing) de l'US Air Force transportant le président des États-Unis (NDT).

27 Ville située à une dizaine de kilomètres au nord de l'aéroport international de Miami (NDT).

Trump, évidemment surpris, a alors dit : « Vous pensez que c'est uniquement grâce à lui ? Je ne vais pas avoir d'autres choix que de le renvoyer, alors, non ? » Quelle rigolade ! Le sénateur Marco Rubio, toutefois, avait présagé cette ovation en qualifiant ma nomination comme conseiller à la sécurité nationale de la façon suivante : « C'est une mauvaise journée pour Maduro et Castro, mais c'est un grand jour pour la liberté. » Je travaillais depuis longtemps sur ces questions et la foule le savait, même si Trump ne le savait pas. Air Force One s'est ensuite dirigé jusqu'à Palm Beach, à partir d'où le cortège présidentiel nous a conduits jusqu'à Mar-a-Lago. J'ai alors continué à me préparer pour le sommet entre Trump et Abe, le Premier ministre japonais, en me focalisant presque uniquement sur le programme d'armements nucléaires de la Corée du Nord, le principal objectif du déplacement d'Abe.

Même une tâche élémentaire comme préparer Trump à la visite d'Abe s'est révélée être laborieuse, et un signe précurseur. Nous avons organisé deux réunions d'information, une portant amplement sur la Corée du Nord et la sécurité, et l'autre sur des questions commerciales et économiques, ce qui correspondait au programme des rencontres entre Abe et Trump. Bien que la première session portait sur des enjeux politiques, notre salle de réunion était remplie de personnes intéressées par les politiques commerciales et qui, après avoir pris connaissance de cette rencontre, avaient décidé de venir y assister. Trump étant en retard, j'ai proposé de commencer par une brève discussion sur les échanges commerciaux avant de continuer sur la Corée du Nord. Quelle erreur ! Trump, choqué par un commentaire disant que le Japon était notre meilleur allié, s'est mis à se plaindre à tout va de l'attaque japonaise à Pearl Harbor. À partir de là, tout est allé de mal en pis. Quelques minutes plus tard, Abe est arrivé, et la session s'est terminée. J'ai pris Kelly par le bras pour parler de cette « réunion » infructueuse, mais il m'a dit : « Tu vas être profondément frustré par ce job. » « Non, je ne vais pas l'être, tant qu'il y a un minimum de règles élémentaires. Ce n'est pas Trump qui est le problème, c'est le personnel de la Maison Blanche. » ai-je répondu. « Je n'ai pas besoin que tu me fasses la morale », a répliqué Kelly, ce à quoi j'ai ajouté : « Je ne te fais pas la morale, je te donne simplement des faits, et tu sais ce que c'est vrai. » Kelly a respiré un instant et a dit : « Nous n'aurions jamais dû les [spécialistes commerciaux] laisser entrer », et nous avons convenu de régler ce problème d'ici la prochaine fois. Mais en réalité, c'est Kelly qui avait raison et moi qui avais tort. Le problème, c'était Trump, et ça, nous ne l'avons jamais réglé.

Abe et Trump ont d'abord eu un échange face à face, après lequel leurs délégations et eux-mêmes ont été convoqués à quinze heures, dans la salle de bal blanche et or de Mar-a-Lago, qui en effet, était très blanche et très dorée. Abe m'a salué en disant : « Content que vous soyez de retour », car nous nous connaissions depuis plus de quinze ans. Comme d'habitude pour un événement de cette ampleur, la horde de journalistes s'est ruée sur nous, caméras à l'appui. Abe a expliqué que, durant son échange individuel avec Trump, tous deux avaient réussi à « forger une compréhension mutuelle ». En d'autres termes, toutes les options de réponse à la Corée du Nord étaient sur la table, notamment celles impliquant une « pression maximale » et une menace militaire totale. Bien évidemment, j'étais aussi de cet avis, même si à cet instant précis, Pompeo était en train de négocier les détails du sommet entre Trump et Kim Jong-un. D'un point de vue timing, toutefois, la venue d'Abe était parfaite pour renforcer la détermination de Trump et lui rappeler de ne faire aucun cadeau. Une fois les médias partis à contrecœur, Abe et Trump ont pu avoir une longue conversation sur la Corée du Nord avant d'aborder les questions économiques.

Tout au long de cet échange, la presse s'est emparée d'un autre sujet, tout aussi chaud. Durant les quelques heures agitées précédant l'attaque syrienne, Trump avait d'abord accepté d'imposer davantage de sanctions à la Russie. La présence de Moscou en Syrie a été cruciale pour épauler le régime d'Assad, et peut-être faciliter (ou au moins autoriser) les attaques chimiques et d'autres atrocités. Par la suite, cependant, Trump a changé d'avis. « Nous avons été clairs », m'a-t-il dit, le samedi matin, et nous pourrions « être encore plus stricts si cela était nécessaire. » Par ailleurs, le 6 avril, les États-Unis venaient juste d'imposer des sanctions supplémentaires à la Russie, comme l'exige la « loi pour contrer les adversaires des États-Unis au moyen de sanctions », que Trump détestait parce que la Russie en était la cible. Trump pensait que le fait d'admettre l'ingérence de la Russie dans la politique des États-Unis, ou de tout autre pays en Europe ou ailleurs, serait comme admettre sa collusion avec la Russie durant sa campagne de 2016. Ce point de vue était erroné, tant logiquement que politiquement. Trump aurait pu avoir une main plus forte que la Russie s'il avait attaqué ses efforts de subversion électorale, plutôt que de les ignorer, surtout considérant la fermeté et la fiabilité des mesures, comme des sanctions économiques, entreprises par son gouvernement. Enfin, en ce qui concerne Poutine, Trump n'a jamais donné son opinion, du moins pas en ma présence. Et je ne lui en ai jamais demandé une, peut-être par peur de ce je risquais d'entendre. Son avis personnel sur le dirigeant russe est resté un mystère.

J'ai tenté de le persuader de continuer à vouloir appliquer les nouvelles sanctions, mais il n'a pas mordu à l'hameçon. Je lui ai dit que Mnuchin et moi nous assurerions que le ministère du Trésor ne fasse aucune annonce. Dieu merci, vu que la majorité des hauts fonctionnaires sont on ne peut plus familiers avec les montagnes russes des décisions du gouvernement, une pause était intégrée avant l'exécution de l'approbation initiale des nouvelles sanctions par Trump. La décision finale, qu'elle soit d'appliquer ou d'annuler, devait être rendue le samedi. J'ai alors dit à Ricky Waddell, l'adjoint de McMaster, toujours en fonction, de vite annoncer la nouvelle et d'arrêter toute marche en avant. Le personnel du NSC a d'abord informé le ministère des Finances, puis tous les autres, et le Trésor a accepté de prévenir tout le monde que les sanctions étaient annulées.

Au moment des émissions politiques du dimanche matin, toutefois, Haley a dit que le ministère des Finances allait annoncer des sanctions contre la Russie ce lundi. Immédiatement, tout le monde a utilisé les drapeaux rouges et les sonnettes d'alarme. Jon Lerner, le conseiller politique d'Haley, a dit à Waddell que la mission américaine auprès des Nations Unies à New York était au courant des ordres concernant les sanctions contre la Russie, puis a ajouté : « Sa langue [à Haley] a fourché », soit un euphémisme de très haut niveau. Certes, l'attraction presque magnétique aux caméras de télévision, une maladie très fréquente dans le monde de la politique, était à l'origine du problème, mais il y avait également eu une erreur de procédé : les sanctions devaient être annoncées par le ministère des finances et personne d'autre. L'ambassadrice n'avait aucun rôle à jouer, si ce n'est, dans ce cas, voler la lumière des projecteurs. Trump m'a appelé à dix-huit heures trente pour me demander comment s'étaient passées les émissions télé du dimanche, alors je lui ai parlé de la bourde au sujet de la Russie et de ce que nous étions en train de faire pour arranger la situation. « Oui, et alors ? Vous en êtes où ? m'a dit Trump. C'est une erreur de trop. » Je lui ai raconté ce qu'Haley avait fait, et Trump a répondu : « Elle n'est plus une assistante qui vient de finir l'université, vous savez. Appelez les Russes et dites-leur. » Ce que je me suis empressé de faire, appelant l'ambassadeur de Russie aux États-Unis, Anatoly Antonov, que je connaissais depuis le gouvernement Bush 43. Je n'allais pas lui dire ce qui s'était vraiment passé, mais plutôt qu'Haley avait fait une simple erreur. Étant donné que tout le monde à Washington avait maintenant peur d'être surpris en plein échange avec des Russes, Antonov était le plus souvent seul. Alors, je l'ai invité à la Maison Blanche pour nous rencontrer, une idée que Trump a approuvée, plus tard, lors de mon rapport, car cela allait nous permettre de préparer la réunion qu'il voulait organiser avec Poutine. J'ai également contacté Pompeo pour lui parler d'Haley et des événements du jour concernant la Russie, et j'ai pu sentir au téléphone qu'il secouait la tête de désespoir.

Ce lundi, malgré le calme apparent de Moscou, la presse américaine s'est déchaînée sur l'histoire des sanctions contre les Russes. Trump a demandé à Sanders de dire aux journalistes que nous avions décidé d'imposer des sanctions sévères à la Russie et que nous étions prêts à être encore plus fermes, espérant que cela mette fin à l'hémorragie causée par les commentaires d'Haley. J'ai parlé au secrétaire d'État aux Affaires étrangères, John Sullivan, qui a admis que le ministère des Affaires étrangères était globalement responsable, et que depuis l'accident entre Tillerson et Haley, la communication était quasi inexistante entre le ministère des Affaires étrangères et notre mission auprès des Nations Unies à New York. Haley était un électron libre, ce à quoi elle s'était parfaitement habituée, communiquant directement avec Trump. J'ai raconté à Sullivan l'époque où Al Haig et Jeane Kirkpatrick échangeaient uniquement en se gueulant dessus, au début du gouvernement Reagan. Sullivan a rigolé en disant : « Au moins, ils parlaient. »

Le mardi, la presse était toujours à la pêche aux informations. Haley m'a appelé à neuf heures quarante-cinq, par peur d'être mise à l'écart : « Je ne vais pas tolérer ça. Je n'ai pas fait d'erreur. Je n'ai pas à me justifier. » Elle a refusé d'admettre qu'elle ou que la mission américaine avait été informée de la marche arrière de samedi. Je lui ai dit que je me pencherais sur ce problème, même si le dimanche, sa propre équipe admettait qu'elle s'était trompée. J'ai demandé à Waddell de vérifier à nouveau avec le ministère des Finances, qui commençait à en avoir marre d'être accusé. Ils ont répété avoir été très clairs avec tous, dès le vendredi, y compris le représentant de l'ambassadrice auprès des Nations Unies, en disant que, peu importe la décision prise par Trump, aucune annonce ne serait faite avant l'ouverture des marchés américains, le lundi matin. J'ai trouvé cela ô combien révélateur. Le ministère des Finances a également confirmé avoir appelé le samedi, comme l'avait fait le NSC, afin d'assurer le suivi. Et de toute façon, pourquoi l'ambassadrice auprès des Nations Unies aurait-elle à faire une telle annonce ? Waddell a recontacté l'assistant d'Haley, Jon Lerner, qui lui a dit : « Elle n'aurait pas dû le dire... sa langue a fourché. » Pendant ce temps, Trump rouspétait à cause de l'allure que donnaient les médias à ce qui était, sans aucun doute, un revirement politique, car il avait peur que cela le fasse passer pour un faible aux yeux de la Russie.

Ce conflit, cependant, était sur le point d'éclater sur un autre front, alors que Larry Kudlow informait la presse de l'évolution des discussions entre Trump et Abe. Sanders voulait que je me joigne à Kudlow, mais j'ai préféré refuser, pour les mêmes raisons qui m'ont fait refuser d'apparaître dans les émissions politiques du dimanche matin : je ne voyais pas l'intérêt d'être une star médiatique après seulement une semaine de travail. Durant la retransmission en direct de la prise de parole de Kudlow, quelqu'un lui a posé l'inévitable question sur les sanctions russes, ce à quoi Kudlow a répondu qu'il y avait eu un bref moment de confusion, avant de conclure en rappelant ce que Trump avait ordonné à Sanders à bord d'Air Force One. Immédiatement, Haley a envoyé un message à l'analyste de la Fox, Dana Perino : « Avec tout le respect que je leur dois, je ne me laisse pas déconcerter », et BAM, la guerre reprenait, au moins provisoirement. Grâce à cet incident, Haley a trouvé un titre de livre intéressant[28], mais avec tout le respect que je lui dois, Haley, en effet, ne s'est pas laissé déconcerter. Elle s'est juste trompée.

---

28 En 2019, Nikki Haley a écrit un livre intitulé « With All Due Respect » soit « Avec tout le respect que je vous dois » (NDT).

Après une partie de golf le mercredi matin, Trump et Abe ont partagé un déjeuner d'affaires, portant essentiellement sur des enjeux commerciaux, qui n'a pas commencé avant quinze heures. Les deux dirigeants ont tenu une conférence de presse commune, puis les deux délégations se sont attablées pour un dîner à dix-neuf heures quinze. Beaucoup de nourriture en si peu de temps. Je me suis envolé pour Washington à bord de l'avion de la Première dame, considérant ce sommet comme un vrai succès en matière de questions de fond comme la Corée du Nord.

Mon énergie, toutefois, était concentrée sur l'Iran, et la décision de renonciation aux sanctions du 12 mai, représentait une occasion en or pour mettre la pression en faveur d'un retrait. Pompeo m'avait appelé en Floride, le mardi soir, apparemment épuisé par le travail de réflexion associé à cet accord sur le nucléaire iranien. Je n'arrivais pas à savoir s'il était toujours nerveux à cause de son processus de confirmation, ce qui était tout à fait compréhensible, ou s'il était manipulé par les autres membres du ministère des Affaires étrangères, de plus en plus tendus à cause de cet éventuel retrait. Après un va-et-vient intellectuel difficile, parfois éprouvant, en pensant aux inévitables critiques que feraient les nobles d'esprit, en cas de décision de retrait, Pompeo a dit qu'il allait demander au ministère des Affaires étrangères de bien réfléchir aux étapes suivant notre retrait, une attitude à laquelle il avait catégoriquement résisté jusqu'à présent. J'ai commencé à m'inquiéter en me demandant si la nervosité évidente de Pompeo au sujet de cet accord n'allait pas encore repousser une décision. Sachant que la bureaucratie du ministère des Affaires étrangères se jetterait dans l'indécision afin de faire obstruction à la fin d'un nouvel accord vénérable pour notre monde, toute hésitation politique au niveau du gouvernement pouvait s'avérer fatale.

Trump est resté en Floride toute la semaine, mais dans mon bureau à Washington, je ne pensais qu'à l'Iran. J'ai longtemps cru que la menace nucléaire iranienne, même si elle n'est pas aussi avancée opérationnellement que celle de la Corée du Nord, était aussi dangereuse, voire davantage, en raison de l'obsession théologique révolutionnaire inspirant les hommes à sa tête. Le programme nucléaire de Téhéran (ainsi que son travail sur des armes chimiques et biologiques) et ses capacités en matière de missiles balistiques en ont fait à la fois une menace régionale et internationale. Dans un

Moyen-Orient déjà sous tension, les progrès de l'Iran dans le domaine du nucléaire ont donné envie à d'autres, comme la Turquie, l'Égypte et l'Arabie saoudite, de franchir les étapes nécessaires pour avoir leurs propres capacités d'armement nucléaire. Une preuve du phénomène de prolifération à venir. L'Iran jouit également d'une réputation douteuse de banque centrale du terrorisme international, particulièrement dans le Moyen-Orient où il soutient les groupes terroristes dotés d'armes et de fonds, et déploie ses propres capacités militaires traditionnelles à la faveur des pays étrangers partageant ses objectifs stratégiques. Et après quarante ans, la ferveur de la révolution islamique iranienne et de ses leaders politiques et militaires n'a montré aucun signe d'essoufflement.

J'ai rencontré Mark Sedwill du Royaume-Uni, puis mon homologue allemand, Jan Hecker, et enfin, j'ai longuement parlé avec le conseiller diplomatique français, Philippe Étienne. Alors que j'ai répété de nombreuses fois qu'aucune décision n'avait été prise, j'ai également fait de mon mieux pour expliquer qu'il était impossible de « réparer » cet accord, ce que le ministère des Affaires étrangères plaidait depuis maintenant plus d'un an. Pour chacun de mes trois homologues, et leur gouvernement, il s'agissait d'une nouvelle dure à entendre. C'est pourquoi je l'ai tant répété, sachant, ou du moins espérant, que Trump se retirerait de l'accord d'ici quelques semaines. Cette nouvelle allait avoir l'effet d'un coup de tonnerre et je voulais être sûr d'avoir fait tout mon possible pour éviter à nos alliés les plus proches d'être surpris. Avec les visites imminentes de Macron et de Merkel à la Maison Blanche, ils allaient avoir amplement le temps de parler de ces enjeux, mais je me devais de leur faire savoir par avance que cette fois, Trump était décidé à se retirer. Enfin, je crois.

Je m'attendais à ce que Pompeo, malgré son excès de nervosité durant mes quelques jours à Mar-a-Lago, inculque un semblant de discipline au ministère des Affaires étrangères, mais à cause de Rand Paul, sa confirmation a été plus éprouvante que prévu. Ce dernier a finalement décidé de soutenir Pompeo, s'il disait (1) que la guerre en Irak, en 2003, avait été une erreur, et (2) qu'un changement de régime (selon un tweet de Paul) était une mauvaise idée et que nous devrions nous retirer d'Afghanistan dès que possible. J'ai été désolé pour Pompeo, car je suis sûr qu'il ne s'agissait pas de ses véritables opinions. Je n'ai jamais eu à renier mon point de vue afin d'obtenir un vote, ou même le poste au NSC grâce à Trump, je n'ai donc jamais été dans une situation équivalente à celle de Pompeo. John Sullivan, du ministère des Affaires étrangères, m'a raconté, plus tard dans la journée, le récit d'un appel de courtoisie passé à Paul, à l'époque de son processus de confirmation. Paul a dit qu'il était prêt à voter Sullivan pour une seule et unique raison : « Vous ne vous appelez pas John Bolton. » Kelly aussi m'a raconté que, durant les négociations avec Pompeo, Paul lui avait dit que j'étais « la décision la plus à chier » que Trump ait prise. Kelly a répondu : « Il m'a l'air d'un mec sympa », ce qui a fait partir Paul dans une nouvelle tirade. Tout ça m'a rendu très fier.

Durant ces deux premières semaines au rythme infernal, j'ai également participé à plusieurs réunions et vidéoconférences d'ordre commercial. J'étais là en tant que partisan du libre-échange, mais je pensais, comme Trump, que beaucoup d'accords internationaux ne reflétaient pas un « libre-échange », mais plutôt un échange dirigé, et qu'en plus, ils étaient loin d'être avantageux pour les États-Unis. Je pensais notamment à la Chine qui a complètement perverti le système. Elle s'appuie sur des politiques mercantilistes dans une Organisation mondiale du commerce supposée libre, tout en s'emparant de propriétés intellectuelles américaines et en s'engageant dans des transferts technologiques forcés qui nous privent d'un capital et d'opportunités commerciales incalculables sur plusieurs décennies. Trump a compris qu'une économie nationale robuste était essentielle afin de projeter efficacement la puissance politique et militaire des États-Unis (bien que ne souhaitant pas particulièrement projeter quoi que ce soit), un précepte qui s'appliquait à la Chine et à tous les autres. Et je n'avais aucun rapport avec les procédés de décision et de sélection de l'OMC qui étaient supposés incorporer des prises de décision nationales. À ce niveau, j'étais complètement d'accord avec le représentant américain au commerce, Bob Lighthizer, un ancien collègue, à l'époque de Covington & Burling[29], où nous étions associés dans les années 70.

Cependant, toutes les décisions commerciales prises sous Trump ont été douloureuses. Il aurait pu y avoir un processus ordonné, s'appuyant sur la structure interinstitutionnelle de la NSC, coprésidé

29 Cabinet d'avocats international avec des bureaux dans plusieurs pays (NDT).

par le Conseil économique national de Kudlow, afin de développer des options politiques commerciales, mais malheureusement, il n'y avait qu'une personne qui considérait cela comme une bonne idée : moi. À la place, chaque question était abordée au cours de réunions hebdomadaires, présidées par Trump, dans la salle Roosevelt ou dans le Bureau ovale, qui ressemblait plus à une bataille de coussins dans un dortoir universitaire qu'à une session faisant partie d'un processus décisionnel minutieux, sans aucun effort interinstitutionnel préalable pour trier les problèmes et les options. Si j'avais cru à l'efficacité du yoga, c'est certainement après ces réunions que j'aurais commencé. J'ai assisté à ma première assemblée commerciale fin mai, en préparation pour un déplacement à Pékin, avec Mnuchin et Lighthizer. Avant notre départ, Trump nous a dit à la légère : « Les droits douaniers sont le meilleur ami de l'homme », mais il a rapidement enchaîné en disant à Mnuchin : « Si vous allez en Chine, c'est pour leur mettre une branlée. » Ça, j'ai aimé ! En me regardant, Trump m'a dit que la Chine appliquait rigoureusement des sanctions contre la Corée du Nord parce qu'elle ne voulait surtout pas d'une guerre commerciale contre nous, ce qui n'était que partiellement vrai : d'après moi, ces sanctions n'étaient *pas* rigoureusement appliquées par la Chine. Mnuchin et Kudlow ont prédit qu'une dépression mondialc aurait lieu si une guerre commerciale éclatait, mais Trump les a rapidement refroidis en disant : « Les Chinois se foutent complètement de nous ; ce sont des tueurs sans pitié [lorsqu'il s'agit de commerce]. » Je voyais déjà se profiler une chevauchée fantastique en cas de conflits commerciaux.

Macron est arrivé le 24 avril pour la première visite officielle du gouvernement Trump, rassasiée par une cérémonie qui a fait grande impression, même aux yeux du Français. Malheureusement pour la presse, tout s'est bien passé. Les délégations françaises et américaines étaient alignées sur la pelouse sud. Le président et la Première dame attendaient les Macron dans le salon de réception des diplomates, pendant que les orchestres militaires jouaient. J'ai demandé à Dunford le nom d'une des chansons, ce qu'il a demandé au commandant de la division militaire de Washington, mais aucun d'eux ne savait. « Une déception de plus » m'a dit Dunford, et nous avons rigolé. Le défilé militaire était très impressionnant, surtout quand le Old Guard Fife and Drum Corps[30], habillés en uniformes de guerre

30 L'un des quatre groupes musicaux de l'armée américaine (NDT).

révolutionnaire, a défilé en jouant « Yankee Doodle. » Après tant de journées d'agonie bureaucratique, cela a fait le plus grand bien.

Avant le face-à-face entre Macron et Trump dans le Bureau ovale, une horde de journalistes est arrivée, de manière désorganisée, pour la séance obligatoire de photos et de questions. Trump a qualifié l'accord iranien d'« absurde », de « ridicule », etc. Je me suis demandé si, cette fois, les gens allaient le prendre au sérieux. Une fois la presse évacuée du Bureau ovale, Trump et Macron ont parlé bien plus longtemps que prévu, essentiellement pour que Trump explique à Macron que les États-Unis se retiraient de l'accord iranien. Macron a tenté de persuader Trump de ne pas se retirer, en vain. À la place, Macron a essayé de piéger Trump au sein d'un cadre de négociation majeur des « quatre piliers » qui a été abordé lors de la réunion prolongée dans la Salle du Cabinet, après leur échange individuel. (Les quatre piliers étant : gérer le programme nucléaire iranien aujourd'hui ; le gérer demain ; le programme de missiles balistiques iranien ; et la paix et la sécurité régionale). Macron était un politicien rusé, qui essayait de tourner une défaite évidente en une visite positive de son point de vue. Parlant presque uniquement en anglais durant la réunion, il a dit, sans aucune ambiguïté, au sujet de cet accord : « Personne ne pense que cet accord est suffisant », en évoquant la possibilité de travailler pour obtenir un « nouvel accord plus complet » basé sur les quatre piliers. Durant la réunion, Trump m'a demandé mon avis sur l'accord iranien. J'ai dit que ça n'allait pas empêcher l'Iran d'utiliser des armes nucléaires et qu'il n'y avait aucun moyen de « réparer » les défauts élémentaires de l'accord. Connaissant bien Trump et son désir de faire des affaires, j'ai cité Eisenhower : « Si vous ne pouvez pas résoudre un problème, agrandissez-le. », puis ajouté que Macron semblait adopter cette approche. Voici une éventualité que nous pouvions explorer après notre retrait et la mise en place de nouvelles sanctions, ce que nous étions « complètement prêts » à faire, selon Mnuchin.

Trump, le bâtisseur, a dit : « On ne peut rien construire sur de mauvaises fondations. Kerry a signé un mauvais accord. Point. Je ne dis pas ce que je vais faire, mais si je mets un terme à cet accord, je suis prêt à en signer un nouveau. Je préfère essayer de tout résoudre plutôt que de le laisser tel quel. » Nous devrions, a-t-il dit : « signer un nouvel accord plutôt que d'en négocier un mauvais. » (Macron a ensuite dit à Trump, lors d'un appel ultérieur, qu'il avait hâte de trouver un nouvel accord, ce qui n'a pas semblé émouvoir Trump d'un brin.) La réunion a ensuite porté sur les échanges commerciaux et d'autres questions, avant de se terminer vers midi vingt-cinq pour préparer la conférence de presse commune. Là, aucun dirigeant n'a dit grand-chose de nouveau ou de différent au sujet de l'Iran, sauf Trump qui n'a pu s'empêcher de dire : « Personne ne sait ce que je vais faire… sauf vous M. le président, n'est-ce pas ? » Plus tard, le dîner officiel en tenue de soirée fut très agréable, si vous aimez manger jusqu'à vingt-deux heures trente. Même pour un tel événement, Gretchen et moi sommes rentrés avant les animations, comme l'ont fait John Kelly et sa femme, Karen, sur qui nous sommes tombés alors que nous récupérions, tous, nos attachés-cases et nos vêtements professionnels dans nos bureaux, juste avant de partir.

Les préparations nécessaires au retrait de cet accord ont passé la vitesse du son lorsque Mattis accepta notre position, le 25 avril : « Si vous décidez de vous retirer, je peux vivre avec. » Certes, nous avons vu plus enthousiaste, mais cela signalait au moins que Mattis n'était pas prêt à mourir pour cet accord. Même dans un tel contexte, Mattis a répété, chaque fois qu'il le pouvait, à quel point il était opposé à ce retrait, ce à quoi Trump a répondu, de manière résolue, quelques jours plus tard : « Je ne peux pas rester. » Avec ces mots, le retrait était plus définitif que jamais. Plus tard, dans la matinée du 25 avril, Trump m'a rappelé, une nouvelle fois, qu'il voulait que Mnuchin soit prêt à proposer « les sanctions les plus lourdes possibles », dès notre retrait. Je me suis également entretenu, ce matin-là, avec Étienne, et j'ai ressenti que Macron n'avait pas tout dit à son équipe, au sujet de son face-à-face avec Trump. À mes yeux, c'était une très bonne nouvelle, qui voulait dire que Macron avait pleinement compris ce que Trump lui avait dit : les États-Unis vont se retirer.

Le sommet du 27 avril entre Trump et Merkel a été une « visite professionnelle » plutôt qu'une « visite officielle », moins grandiose que celle de Macron. Trump et Merkel ne se sont entretenus en privé que pendant quinze minutes avant de rejoindre la Salle du Cabinet pour la réunion principale, que Trump a démarrée en accusant l'Allemagne de « nourrir la bête » (soit la Russie) à travers le projet Nord Stream II, puis en se plaignant de l'Union européenne (UE) qui, d'après lui, traitait horriblement les États-Unis. À mes yeux, il était évident que pour Trump, l'Allemagne était prisonnière de la Russie. Trump a également prononcé une phrase que j'allais par la suite entendre des milliers de fois : « l'UE, c'est la Chine en pire... et en plus petit ». Il a ensuite ajouté que l'UE était conçue de manière à profiter des États-Unis, ce que Merkel a contesté (en anglais, comme le reste de la réunion). Elle a également demandé un délai de trois à quatre mois pour imposer les droits douaniers internationaux sur l'acier et l'aluminium dont Trump avait besoin pour négocier avec l'UE. Trump a répondu qu'il ne voulait pas négocier avec l'UE. Dans ma tête, je me suis dit : « Dommage qu'il ne ressente pas la même chose pour la Corée du Nord. » Trump avait déjà abordé l'échec de l'Allemagne qui n'a pas réussi à atteindre l'objectif fixé par l'OTAN qui prévoit de consacrer deux pour cent de son PIB au budget de la défense, ce qui a donné à Trump l'occasion de décrire Merkel comme l'une des meilleures danseuses de claquettes de l'OTAN, ce qu'elle tentait de faire maintenant avec des enjeux commerciaux. Merkel a continué de demander une prolongation, même de deux mois, pour appliquer les droits douaniers, mais Trump a dit que cela serait une perte de temps, tout comme l'OTAN. Il a demandé : « Quand est-ce que l'Allemagne atteindra deux pour cent ? » et Merkel a répondu 2030, innocemment, ce qui a provoqué le sourire des autres Allemands et fait dire à Trump : « Cela fait seize mois que vous dites la même chose. » En fin de compte, Merkel a dit qu'il pouvait faire ce qu'il voulait en matière de droits douaniers, parce qu'il était un homme libre.

Ils ont ensuite mentionné l'Iran... mais sans le moindre enthousiasme. Merkel nous a demandé de rester dans l'accord, et Trump a réagi avec indifférence. Durant la conférence de presse, Trump a dit, au sujet de l'Iran : « Ils n'utiliseront plus d'armes nucléaires », et c'est à peu près tout. Le jour suivant, une nouvelle attaque présumée d'Israël sur les positions iraniennes en Syrie, a réveillé tout le monde, et surtout Mattis et les équipes du Pentagone qui avaient peur que cela déclenche des représailles iraniennes (probablement par l'intermédiaire de groupes militaires chiites en Irak) sur les forces américaines. Rien de tout ça n'est arrivé, et très honnêtement, Trump semblait impassible. Alors qu'il partageait son raisonnement sur l'Iran avec Netanyahou, Trump a dit que cet accord était basé sur des mensonges, que l'Iran se moquait des États-Unis, et qu'Israël devrait être libre de critiquer l'accord en public, ce que Netanyahou, bien sûr, était déjà très occupé à faire.

Au fil des jours, j'ai patiemment confirmé avec Mnuchin, Haley, Coats, Haspel et d'autres que tout était en faveur d'un retrait au début du mois de mai, et que nous devions tous réfléchir, dans nos domaines respectifs, aux étapes de suivi et de déploiement appropriées à une telle décision. Mnuchin a dit, en insistant, qu'il avait besoin de six mois pour réimplémenter les sanctions, ce que je n'arrivais pas à comprendre. Pourquoi les sanctions réimposées n'entreraient-elles pas en vigueur immédiatement, avec un délai de grâce minime, genre trois mois, pour permettre aux différents acteurs commerciaux d'ajuster les contrats existants et tout le nécessaire ? Voilà le genre de problème perpétuel qui a existé sous Mnuchin, en tant que ministre des Finances. Il semblait tout aussi concerné par l'atténuation de l'impact des sanctions que par leur application initiale. Pas surprenant de voir que l'Iran, la Corée du Nord et d'autres étaient si habiles pour éviter les sanctions. Grâce à l'approche de Mnuchin (qui était essentiellement la même qu'Obama), ils avaient tout le temps nécessaire pour se préparer. Pompeo était d'accord avec moi. Les sanctions devraient entrer en vigueur immédiatement. Toutefois, nous avons réussi à gagner une bataille, lorsque Mnuchin a accepté de réduire la période de « baisse de régime » de la majorité des biens et des services de 180 à 90 jours, à l'cxception du pétrole et des assurances, qu'il a maintenus à 180 jours. Évidemment, c'est le pétrole qui était, et de loin, l'enjeu économique le plus important, ainsi le « geste » de Mnuchin était peu significatif. Et nous ne parlions pas uniquement de réduire le régime des contrats existants, mais de proposer également un délai de grâce au cours duquel de nouveaux contrats pourraient être signés et mis en œuvre, sans aucune interdiction, soit un travail inutilement autodestructeur.

Pompeo, Mattis, et moi avons eu notre premier petit-déjeuner hebdomadaire au Pentagone, le lundi 2 mai à six heures du matin, au cours duquel Mattis a continué de vouloir prouver que le retrait n'était pas la solution, même s'il était évident que Trump avait déjà pris sa décision. Durant le reste de la journée, et de la semaine, et du week-end, les préparatifs à l'annonce du retrait se sont intensifiés, notamment la rédaction du document officiel de décision présidentielle, pour s'assurer qu'il n'y ait aucune faille à laquelle les partisans de l'accord puissent s'accrocher. Stephen Miller et son équipe de rédacteurs travaillaient également sur le discours de Trump, qui progressait bien. Trump avait beaucoup de choses à dire, alors le travail de rédaction a continué jusqu'à la dernière seconde, moment où le texte devait être préparé pour le téléprompteur. Je m'attendais à ce que la décision de Trump soit annoncée le 7 mai, mais Sanders m'a dit que la Première dame avait un événement programmé ce jour-là, alors nous avons reporté l'annonce au 8 mai. Voilà comment les affaires de l'État sont traitées.

Un dernier appel des plus sommaires a eu lieu le 5 mai, entre Trump et May, pour parler de l'Iran et d'autres problèmes. Le ministre des Affaires étrangères, Boris Johnson, est arrivé à Washington le dimanche soir pour approfondir quelques points. Ce même soir, Mattis m'a envoyé un document classifié chez moi, pour s'opposer une nouvelle fois au retrait, mais sans demander aucune réunion de haut niveau pour en parler. J'avais terriblement envie de lui dire que sa position serait préservée et bien documentée dans les récits historiques, mais je me suis retenu. Le Pentagone, auparavant farouche opposant à cet accord et aujourd'hui acteur en mode guérilla, ne nous avait toujours pas dit ce qu'il comptait faire opérationnellement, en cas de retrait des États-Unis. Mais cela ne nous a pas ralentis.

Après une première rencontre à Londres en 2017, j'ai vu Johnson dans mon bureau à neuf heures, ce lundi, pour parler longuement de l'Iran et de la Corée du Nord. Nous avons examiné le contenu des dernières réunions entre Trump et Macron, puis Merkel, ainsi que l'idée des « quatre piliers » de Macron ; Johnson m'a dit que le raisonnement du Royaume-Uni se situait dans la même lignée. Je lui ai alors dit que je serais heureux d'appeler cette idée « les quatre piliers de Johnson », une proposition que nous avons approuvée en rigolant. À l'instar de Macron, il a souligné à quel point Londres était pleinement au courant des imperfections de l'accord actuel, ce qui aurait surpris nombre de ses partisans, toujours à genoux devant son autel. Je lui ai expliqué pourquoi l'annonce était imminente, même si connaissant Trump, je n'étais pas assez confiant pour dire qu'elle aurait lieu le lendemain. Notre but ensuite ne serait pas de simplement devenir inactifs, mais de réappliquer l'ensemble des sanctions américaines antinucléaires que cet accord avait tourné en dérision. Notre réunion approchait de sa fin, et j'ai rappelé à Johnson ce que je lui avais dit l'été dernier, à savoir que je voulais contribuer au

Brexit, et que je le souhaitais toujours, même si nous n'avions pas eu beaucoup de temps pour en parler. J'ai ensuite contacté Sedwill pour lui résumer cette conversation, et j'ai appelé Étienne au téléphone qui s'est exclamé que Trump venait de tweeter :

> **J'annoncerai ma décision concernant l'accord sur le nucléaire iranien, demain à 14 heures, depuis la Maison Blanche.**

Aucun suspense ici. Étienne surveillait les tweets de Trump plus attentivement que je ne le faisais ! Peu étaient ceux qui doutaient du résultat de cette annonce, que j'ai confirmé à l'ambassadeur israélien, Ron Dermer, et à quelques autres, même si personne n'avait besoin d'explications.

Le Jour J, Trump a appelé le président chinois, Xi Jinping, à huit heures trente pour évoquer plusieurs points, dont la Corée du Nord. Trump a dit qu'il était sur le point de faire une annonce concernant l'Iran et a demandé, de manière presque enfantine, si Xi souhaitait savoir ce qu'il allait dire. Selon Xi, Trump semblait vraiment avoir envie de parler, et de lui dévoiler des renseignements on ne peut plus précis. Trump, qui devait penser « pourquoi pas ? », a dit, sentant qu'il pouvait se confier à Xi, qu'il se retirait de l'accord sur le nucléaire, qui était intrinsèquement défaillant, et que nous verrions par la suite ce qui se passerait. Xi a confirmé qu'il garderait l'information confidentielle en ajoutant simplement que les États-Unis étaient au courant de la position de la Chine, ce qui signifiait que Xi ne prévoyait pas d'en faire un problème bilatéral majeur. Macron a appelé Trump et lui a demandé ce qu'il prévoyait de dire sur l'Iran, mais Trump voulait être sûr que Macron allait être circonspect.

Il a averti Macron en lui disant de ne rien dire en public et en lui demandant sa parole. Macron a répondu affirmativement, pensant que l'Iran ne devrait pas se retirer de l'accord, et que la France non plus, car ils travaillaient pour conclure un nouvel accord complet, comme les deux dirigeants en avaient parlé plus tôt. Trump ne voyait pas l'Iran abandonner l'accord parce qu'ils gagnaient bien trop d'argent. Trump a avancé qu'un jour il aurait à rencontrer le président iranien, Rouhani, puis a flatté Macron en lui disant qu'il était le meilleur dirigeant d'Europe et qu'il devrait dire à Rouhani que Trump a raison.

Trump a donné son discours, sans faute, vers quatorze heures quinze. Pence, Mnuchin, Ivanka, Sanders, et moi-même étions présents. Par la suite, nous avons tous marché vers le Bureau ovale en pensant que tout s'était bien passé et que cette décision serait bien reçue. Quelques minutes après quatorze heures trente, j'ai mené une séance approfondie de questions-réponses avec les journalistes, dans la salle de presse de la Maison Blanche, qui était enregistrée, mais pas filmée, afin que les photos des journalistes soient, comme cela s'entend, du président en train de donner son discours. En conclusion, nous avions terminé.

Il a fallu un mois pour réduire l'accord iranien en pièces, ce qui montre à quel point cela est facile une fois que quelqu'un prend les choses en main. J'ai fait de mon mieux pour préparer nos alliés, le Royaume-Uni, l'Allemagne et la France à ce qui allait se passer, car ils semblaient avoir tout imaginé sauf un retrait américain. Il reste encore beaucoup de choses à faire avant de pouvoir mettre l'Iran à genoux, ou de renverser son régime, quoi qu'en dise la politique officielle de Trump, mais nous avions pris un très bon départ.

Pendant plusieurs mois après le retrait, notre but a été de donner suite à la décision de Trump et à réimposer les sanctions économiques, en adoptant des mesures visant à accroître la pression sur Téhéran et à s'assurer de sa cohérence avec le retrait de cet accord sur le nucléaire. En bref, le plan d'origine était de réappliquer toutes les anciennes sanctions suspendues par l'accord nucléaire d'Obama et de procéder à des ajustements pour supprimer toutes les failles présentes, augmenter les activités de mise en œuvre, et transformer ce processus en une campagne de « pression maximale » sur l'Iran. Le 26 juin, l'heure était venue d'organiser une nouvelle réunion du Comité des directeurs, pour voir où nous en étions, ce que nous avons fait à quatorze heures, dans la Salle de Crise. Le moment le plus intéressant de la réunion fut sans aucun doute l'énergie déployée par Mattis pour minimiser l'importance globale de l'Iran au sein de la matrice internationale de menaces des États-Unis. Il a dit, en s'appuyant sur des raisons vagues, que c'était la Russie, la Chine, et la Corée du Nord qui étaient nos menaces les plus importantes, ce après quoi j'ai été heureux de voir Pompeo et Mnuchin lui répondre directement, étant donné que l'Iran faisait partie des quatre menaces principales identifiées dans la stratégie de sécurité nationale approuvée par Trump avant mon arrivée. Mais le fantôme de Mattis protestant que l'Iran n'est pas un ennemi à prendre avec tant de sérieux allait nous hanter jusqu'à la fin 2018, date de sa démission, et au-delà. Cette réunion a été si mémorable que son contenu a été divulgué à la presse et publié le lendemain. Pendant ce temps, la devise iranienne était au plus bas.

À la mi-août 2018, puis encore en janvier 2019, je suis allé en Israël pour rencontrer Netanyahou et d'autres hauts fonctionnaires israéliens pour aborder une variété de sujets, mais surtout l'Iran. Il s'agissait d'un sujet existentiel pour Israël, et Netanyahou était devenu un des stratèges les plus fins pour faire reculer les programmes d'armements nucléaires et de missiles balistiques de l'Iran. Il avait aussi compris qu'un changement de régime était la méthode la plus probable, et de loin, pouvant altérer le comportement iranien de manière permanente. Même si ce n'était pas le but premier de la politique officielle du gouvernement Trump, cela risquait clairement de se produire suite aux effets des sanctions. Par ailleurs, étant donné les opinions des États producteurs de pétrole du Moyen-Orient, il y avait, et en réalité, depuis longtemps, un accord tacite considérant l'Iran comme une menace élémentaire pour ces pays, et en particulier pour l'Israël, bien que cela fût pour des raisons différentes. Ce consensus iranien rendait possible une nouvelle action contemporaine de résolution du conflit israélo-palestinien, ce qui, d'un point de vue stratégique, pouvait très bien bénéficier aux États-Unis. Étions-nous capables de tirer un profit opérationnel maximum de ces nouveaux rapprochements, en revanche, était une tout autre question.

Début septembre, les attaques sur l'ambassade américaine à Bagdad et sur le consulat américain à Bassora, menée sans aucun doute, selon moi, par des groupes militaires chiites agissant à la demande de l'Iran, ont révélé de nouvelles tensions au cœur du gouvernement. En effet, nombreux étaient ceux, aux ministères des Affaires étrangères et de la Défense, qui se retenaient de réagir trop énergiquement. Ce manque de volonté à contre-attaquer, qui n'entraînait une augmentation des coûts que pour les auteurs des attaques et qui, nous l'espérions, les dissuaderait à l'avenir, reflétait une gueule de bois évocatrice des politiques de l'ère Obama. Vingt mois après l'arrivée de Trump à la Maison Blanche, plusieurs nouveaux postes et politiques n'étaient toujours pas en place. Si nous étions au printemps 2017, ce problème serait compréhensible, mais aujourd'hui, en septembre 2018, cette inertie bureaucratique dans de tels domaines politiques était le résultat, pur et simple, d'une accumulation de fautes professionnelles. Le débat sur ce genre d'attaques, et l'intérêt d'y répondre, a duré pendant la totalité de mes fonctions à la Maison Blanche. Malheureusement, un obstructionnisme associé au désir impulsif de Trump, voulant à tout prix réduire la présence des troupes américaines dans cette région, nous a conduits de manière régulière et progressive, dans une direction de plus en plus passive. Il y a tant de choses que Trump détestait au sujet du gouvernement Obama, pourtant, ses opinions idiosyncrasiques ont simplement et paradoxalement renforcé les tendances bureaucratiques existantes, toutes au détriment des intérêts américains au Moyen-Orient.

J'ai également été gêné par la réticence du ministère des Finances à se concentrer sur la participation iranienne au système de messagerie financier international appelé SWIFT. Les républicains membres du Congrès étaient de plus en plus intéressés à l'idée de mettre fin à la connexion continue de l'Iran au système, mais Mnuchin et le ministère des Finances n'étaient pas d'accord. Ils étaient préoccupés et cela se comprenait. Pourtant, ils se prononçaient, invariablement, en faveur d'un statu quo politique, la marque caractéristique d'une inertie bureaucratique. La solution, la seule et l'unique, était de restreindre l'Iran, encore plus, et d'identifier des moyens de surveillance globaux, plutôt que de laisser l'Iran agir à sa guise et de continuer à utiliser des mécanismes de surveillance qui pourraient être remplacés et, pourquoi pas, améliorés avec un peu d'effort. Le personnel du NSC et moi-même avons continué à insister, principalement dans les coulisses, et avons fini par réussir, plus tard dans l'année. Toutefois, des obstacles encore plus complexes allaient se dresser devant notre politique iranienne, l'année suivante.

CHAPITRE 4

ALLER-RETOUR À SINGAPOUR

Nous avions beau être plus proches que jamais d'un retrait de ce maudit accord iranien, Trump s'est vite reconcentré sur le programme d'armement nucléaire de la Corée du Nord. Plus j'en savais et plus l'idée d'un sommet Trump–Kim me décourageait et me rendait pessimiste. Pyongyang a fait rêver les États-Unis et d'autres tant de fois, promettant de mettre un terme à son programme d'armement nucléaire en échange d'avantages économiques, que tout effort de négociation me rendait profondément sceptique. Malgré la violation répétée de ses engagements, la Corée du Nord a toujours réussi à séduire des États-Unis crédules en leur demandant de la rejoindre à la table des négociations… pour faire de nouvelles concessions et donner du temps à un proliférateur. Voilà où nous en étions ce jour-là, au point zéro, comme si nous n'avions rien appris. Pire encore, nous étions en train de légitimer Kim Jong-un, le commandant des prisons nord-coréennes, en lui offrant, sur un plateau d'argent, l'occasion de rencontrer Trump. Cela m'a rappelé la sombre remarque faite en 1935 par Winston Churchill lorsqu'il comprit l'ampleur de l'échec des politiques britanniques à l'encontre de l'Allemagne :

> Lorsque la situation était gérable, nous l'avons négligée, et aujourd'hui, qu'elle a échappé à notre contrôle, nous appliquons, trop tard, les remèdes qui auraient pu efficacement combattre ce virus. Cette histoire ne nous apprend rien de nouveau. Elle est aussi vieille que les écrits sibyllins. Elle appartient à ce catalogue, déprimant et beaucoup trop long, qui confirme que toute expérience est vaine et qu'il est impossible d'enseigner à l'humanité. Manque de prévoyance, indisposition à agir en utilisant des mesures simples et efficaces, manque de lucidité, confusion des conseillers qui attendent une urgence, ou que le gong de la préservation même du genre humain retentisse... voici les caractéristiques humaines qui constituent une répétition perpétuelle de l'Histoire.

Ayant enduré huit ans d'erreurs avec Obama, durant lesquelles j'ai toujours eu peur qu'il fasse de dangereuses concessions à laCorée du Nord, à l'instar de sa politique vis-à-vis de l'Iran, sans parler des pourparlers à six infructueux du gouvernement Bush 43 ou de l'accord-cadre raté de Clinton, j'étais malade et sidéré de voir Trump enthousiaste à l'idée de rencontrer Kim Jong-un. Pompeo m'a avoué que, depuis les premiers jours de ce gouvernement, Trump était fasciné par une éventuelle rencontre avec Kim. En effet, nous n'avions plus beaucoup d'autres options.

Le 12 avril, en plein tourbillon syrien, j'ai rencontré mon homologue sud-coréen, Chung Eui-yong, le directeur de leur Conseil national de sécurité. En mars, dans le Bureau ovale, Chung avait transmis l'invitation de Kim à Trump, qu'il avait acceptée dans la seconde. Paradoxalement, Chung m'a ensuite confié que c'est lui qui avait suggéré à Kim d'envoyer une invitation en premier ! Ce tango diplomatique était donc davantage l'œuvre de la Corée du Sud et de ses intentions d'« unification », plutôt que d'une stratégie évoluée de la part de Kim ou des États-Unis. À mes yeux, la Corée du Sud voyait notre objectif de dénucléarisation de la Corée du Nord d'une manière qui n'avait aucun lien avec les intérêts américains.

Il s'agissait d'une mise en scène risquée, je trouvais, et non d'une preuve de substance politique. J'ai insisté auprès de Chung pour qu'il n'aborde pas la dénucléarisation lors du sommet intercoréen du 27 avril. Je voulais éviter que Pyongyang ne se mette à creuser un fossé entre la Corée du Sud, le Japon et les États-Unis, une de ses stratégies diplomatiques préférées. J'ai dit à Trump qu'un niveau de coordination optimal avec Moon Jae-in était nécessaire pour éviter que la Corée du Nord ne crée une faille entre Washington et Séoul. Je souhaitais préserver l'entente entre les États-Unis et la Corée du Sud, tout en m'assurant qu'aucun quotidien ne titrerait : « Trump rejette le compromis sud-coréen » ; mais notre président semblait ne pas s'en faire.

Plus tard dans la matinée, j'ai rencontré mon homologue japonais, Shotaro Yachi, qui souhaitait que j'entende le point de vue de son pays au plus vite. Tokyo voyait la réunion imminente entre Trump et Kim d'une manière diamétralement opposée à celle de la Corée du Sud. En bref, ils étaient du même avis que moi. Yachi m'a dit que la Corée du Nord était bel et bien déterminée à obtenir des armes nucléaires et que notre dernière chance de résolution pacifique approchait. Le Japon n'était aucunement intéressé par la formule « action pour action », caractéristique des pourparlers à six, ratés, de Bush 43. Cette formule avait beau sembler raisonnable, elle ne profitait qu'à la Corée du Nord (ou aux autres proliférateurs), car, en réalité, elle alignait les avantages économiques devant Pyongyang, tout en laissant traîner le processus de démantèlement de son programme nucléaire. Les bénéfices marginaux que recevait la Corée du Nord, même sous la forme d'aides financières modestes (ou de diminution de contraintes, comme les sanctions), étaient bien supérieurs aux bénéfices marginaux que nous obtenions, avec l'élimination étape par étape de leur programme nucléaire. Kim Jong-un savait cela aussi bien que nous. À ce moment-là, le Japon voulait que le démantèlement commence immédiatement, avec un accord Trump-Kim, et qu'il ne dure pas plus de deux ans. Toutefois, j'ai clairement indiqué, en m'inspirant de notre expérience en Libye, que le démantèlement ne devrait prendre qu'entre six et neuf mois. Yachi m'a souri en réponse, mais quand Abe a rencontré Trump à Mar-a-Lago la semaine suivante (voir chapitre 3), Abe a demandé que le démantèlement ne dure pas plus de six à neuf mois ! Yachi a également souligné les cas d'enlèvements de citoyens japonais par la

Corée du Nord, au fil des années, une question qui suscite énormément d'émotions auprès de l'opinion publique japonaise et qui constitue un élément clé de la carrière politique réussie d'Abe. À Mar-a-Lago et par la suite, Trump s'est engagé à résoudre ce problème et à le rappeler, sans équivoque, à Kim Jong-un, à chacune de leurs rencontres.

Pompeo, directeur de la CIA et contact prioritaire du gouvernement pour la Corée du Nord, était déjà en train de négocier le lieu et la date de la réunion, ainsi que la perspective de libération de trois otages américains. Kim voulait que la rencontre se tienne à Pyongyang ou à Panmunjom, deux options qui, pour Pompeo et moi-même, n'étaient même pas envisageables. Pompeo voyait Genève et Singapour comme deux choix plus acceptables, mais Kim n'aimait pas prendre l'avion. De toute façon, les avions nord-coréens boiteux ne pouvaient atteindre aucune des deux villes, et Kim ne voulait pas être trop loin de Pyongyang. C'est là que j'ai commencé à rêver… Et si tout était annulé ?

À Mar-a-Lago, Abe a longuement parlé du programme nucléaire de la Corée du Nord, en insistant, autant que Yachi lors de la réunion précédente à Washington, sur le fait qu'il nous fallait un accord vraiment efficace, à l'opposé de l'accord sur le nucléaire iranien que Trump avait tant critiqué et qui, selon le gouvernement Obama, n'était même pas signé ! Bien sûr, qu'un document soit signé ou pas ne constitue rien de grave pour Pyongyang, juste un mensonge de plus, mais un mensonge qui risquait de le faire bientôt trébucher. Abe a également fait preuve de fermeté en rappelant la position datant de longues années du Japon, à savoir que lorsque nous parlions de missiles balistiques, nous devions inclure les missiles à portée courte et intermédiaire (capables de frapper certaines îles japonaises) ainsi que les missiles balistiques intercontinentaux (dont la Corée du Nord avait besoin pour menacer la zone continentale des États-Unis). Le Japon souhaitait tout autant que l'accord avec la Corée du Nord confirme leur intention de se débarrasser de leurs armes chimiques et biologiques, ce avec quoi j'étais d'accord. Trump a demandé à Abe ce qu'il pensait du déplacement de Kim pour voir Xi Jinping en Chine, et Abe a répondu que cela reflétait bien l'impact de la menace militaire implicite des États-Unis et des possibilités de livraison limitée, en raison des sanctions internationales, du pétrole venant de Chine. Abe a souligné que l'attaque américaine contre la Syrie, il y a quelques jours de cela, avait constitué un signal on ne peut plus clair pour la Corée du Nord et la Russie. Kim Jong-il, le père de Kim Jong-un, avait soudainement eu peur lorsque Bush 43 a décidé d'inclure la Corée du Nord dans l'« axe du mal », et d'utiliser sa puissance militaire pour faire pression sur Pyongyang. Je pensais qu'Abe, à travers une présentation convaincante, allait réussir à influencer Trump, mais en réalité, son impact fut limité. Les Japonais aussi avaient l'impression que Trump nécessitait un flux de rappels continus. Cela explique pourquoi Abe s'est entretenu tant de fois avec Trump, au sujet de la Corée du Nord, depuis le début du gouvernement.

Le 21 avril, la Corée du Nord a annoncé, en grande pompe, qu'elle renonçait à tout autre essai d'armes nucléaires et de missiles balistiques... parce qu'elle était déjà une puissance nucléaire. Les médias, crédules au possible, ont considéré cela comme un grand pas en avant, que Trump a qualifié de « gros progrès ». À mes yeux, il ne s'agissait que d'un autre stratagème politique. Si tous les essais étaient bel et bien terminés, Pyongyang pouvait simplement effectuer les dernières étapes nécessaires pour devenir un pays producteur d'armes et de systèmes de livraison. Chung est revenu le 24 avril, juste avant le sommet intercoréen entre Moon et Kim au niveau de la DMZ. J'ai été soulagé lorsque Chung a précisé que la Déclaration de Panmunjom ne ferait que deux pages de long. Cela signifiait que peu importe la taille du chapitre sur la dénucléarisation, rien ne pourrait être très spécifique. J'ai senti que, selon la Corée du Sud, Kim Jong-un voulait désespérément signer un accord, car la pression imposée par les sanctions était trop lourde et parce que le développement économique de son pays était sa priorité, maintenant qu'il était officiellement devenu « une puissance nucléaire ». Personnellement, je n'ai pas trouvé cette explication réconfortante. Pendant ce temps, Pompeo était en train de conclure les derniers détails concernant la rencontre entre Trump et Kim : probablement le 12 ou le 13 juin, soit à Genève, soit à Singapour.

Il ne manquait que des colombes et des branches d'olivier pour que le festival Moon-Kim du 27 avril soit complet. À part cela, il était dépourvu de toute substance. Le vendredi matin, heure de Washington, j'ai donné à Trump une copie d'un article d'opinion, écrit par

Nick Eberstadt, l'un des observateurs américains les plus perspicaces au sujet de la Corée. Dans cet article, paru dans le *New York Times*, il qualifiait ce sommet intercoréen de « diplomatie digne du cirque Pinder, où l'on peut faire croire n'importe quoi à n'importe qui. » Je savais que Trump n'allait pas le lire, mais je voulais lui montrer que les intentions de la Corée du Sud n'étaient pas toujours les mêmes que les nôtres, et que nous nous devions de bien protéger nos intérêts. Heureusement, la Déclaration de Panmunjom a été remarquablement anodine, surtout en matière d'enjeux nucléaires. Moon a appelé Trump le samedi pour lui faire part des différents échanges. Il était encore fou de joie. Kim s'était engagé en faveur d'une « dénucléarisation complète » en offrant de fermer le site d'essais nucléaires de Punggye-ri. C'était une « concession » à la flan de plus, comme le jour où ils ont détruit la tour de refroidissement du réacteur de Yongbyon, à l'époque de Kim Jong-il. Moon a fait son maximum pour que le sommet Trump-Kim soit à Panmunjom, et qu'il soit immédiatement suivi par une rencontre trilatérale entre les États-Unis et les deux Corées. En résumé, Moon voulait vraiment participer à la séance photo qui découlerait de cette réunion (comme nous allions à nouveau le voir en juin 2019). Trump a semblé comme conquis par tout ce cirque, en allant même jusqu'à suggérer que la rencontre avec Kim soit avancée à mi-mai, ce qui était impossible d'un point de vue logistique. Heureusement, Moon a admis que Kim préférait Singapour, ce qui a permis de réserver une salle. Trump a ensuite dit que Pompeo et moi allions travailler sur ces dates avec Moon, ce que j'ai trouvé rassurant.

Moon a demandé à Kim à ce que le processus de dénucléarisation soit terminé en un an, un délai que Kim a accepté, et qui était à peu de chose près celui que j'avais suggéré. Paradoxalement, dans les mois qui ont suivi, il a été plus difficile de convaincre le ministère des Affaires étrangères d'accepter un échéancier sur douze mois plutôt que de persuader Kim.

Les deux dirigeants ont évoqué comment procéder, d'un point de vue stratégique, puis Trump a demandé à Moon de préciser ce que nous pouvions demander à la Corée du Nord (des conseils d'une grande utilité). Voilà ce que j'appelle être un fin diplomate. Ainsi, peu importe ce que Moon nous conseillait de demander, Kim pouvait difficilement le refuser, et si jamais nous étions plus exigeants que Moon, au moins, il avait eu toute latitude de s'exprimer. Moon a complimenté Trump pour son leadership. En échange, Trump lui a dit de dire aux médias sud-coréens à quel point Trump était responsable de tout ça. Il s'est ensuite entretenu avec Abe, afin d'approfondir encore davantage sa stratégie en vue du sommet Trump-Kim, en tenant compte du rapport de Moon, après sa rencontre avec Kim. En contraste avec l'attitude ultra-optimiste de Moon, Abe a répété tous les points fondamentaux qu'il avait déjà indiqués à Mar-a-Lago. Ne faisant pas confiance à Kim, le Japon voulait des mesures concrètes, sans ambiguïté, non seulement au sujet du nucléaire, mais aussi des enlèvements. Abe a souligné, en s'adressant à Trump, à quel point il était plus strict qu'Obama, ce qui montre, de manière très intéressante, qu'Abe a cru qu'il était nécessaire de rappeler cela à Trump.

J'ai ensuite parlé avec Pompeo, alors en déplacement au Moyen-Orient, et qui avait écouté les appels avec Abe et Moon depuis là-bas. Je lui ai dit que l'entretien téléphonique avec Moon, en particulier, avait été digne d'une « expérience de mort imminente ». Pompeo m'a répondu en disant qu'il avait eu « une crise cardiaque en Arabie saoudite. » Après quelques pirouettes de plus, nous nous sommes finalement décidés pour une rencontre au sommet à Singapour les 12 et 13 juin. Le lundi matin, Trump m'a appelé au sujet des deux émissions de débats politiques du dimanche matin auxquelles j'avais été invité, essentiellement pour parler de la Corée du Nord. « Vous passez très bien à la télévision », m'a-t-il dit, mais j'ai compris qu'il fallait que je le félicite davantage parce qu'une « telle rencontre n'avait jamais eu lieu auparavant. » Après tout, Moon a dit qu'il allait recommander Trump comme récipiendaire du prix Nobel de la paix. Trump a ajouté, toutefois, qu'il n'avait pas aimé ma référence au « modèle libyen » pour la dénucléarisation de la Corée du Nord, en raison de la mort de Mouammar Kadhafi, durant le Printemps arabe, sept ans après avoir accepté la dénucléarisation. J'ai tenté d'expliquer que ce « modèle » de non-prolifération consistait à supprimer complètement le programme nucléaire libyen, et qu'il n'avait rien à voir avec la disparition imprévisible de Kadhafi.

L'Histoire a montré, malheureusement, que je n'ai pas réussi mon coup. Trump n'a pas réussi à comprendre que la chute de Kadhafi avait été causée par le Printemps arabe, qui a balayé toute la région à partir de 2011, et non par sa renonciation aux armes nucléaires en 2003 ! Néanmoins, Trump n'est pas le seul à avoir fait cette erreur. Nombreux sont ceux qui ont accepté cet argument fallacieux de type « post hoc, ergo propter hoc » (« à la suite de cela, donc à cause de cela[31] »), comme le montre cette phrase tirée d'un article paru en 2019 dans le *New York Times* : « Le dictateur libyen, Mouammar Kadhafi, a été tué en 2011 après avoir renoncé au programme nucléaire émergent de son pays. » Trump a tout de même terminé notre conversation en me disant : « Bon boulot. » Paradoxalement, Trump lui-même a dit, lors d'une conférence de presse, que lorsqu'il faisait référence au « modèle libyen », il évoquait la « décimation totale » de la Libye : « Ce modèle serait vraisemblablement appliqué [avec la Corée du Nord] si jamais nous ne parvenions pas à un accord. » Quelques minutes après ces remarques, le vice-président m'a félicité en me tapant la main et en me disant : « Il est de votre côté ! » Trump lui-même m'a dit : « Vous êtes sauvé, j'ai réparé le coup. »

Par ailleurs, les développements étaient significatifs en ce qui concernait les otages. La Corée du Nord nous indiquait de plus en plus qu'elle était prête à libérer trois prisonniers américains si jamais Pompeo venait personnellement les récupérer pour les raccompagner aux États-Unis. Lui et moi n'aimions pas l'idée d'aller jusqu'à Pyongyang, mais la libération de ces otages était suffisamment importante pour nous taire. (Trump n'y voyait aucun problème, et n'avait rien à faire de qui irait récupérer les otages.) Chung est venu me voir une troisième fois le 4 mai, pour me donner plus de renseignements sur la réunion de Panmunjom. Il a souligné avoir clairement recommandé à Kim d'accepter que le processus de dénucléarisation soit « complet, vérifiable et irréversible », ce qui était notre formulation depuis le gouvernement Bush 43, et qui allait constituer une étape rhétorique importante pour la Corée du Nord. D'après Moon, Kim semblait, à quelques semaines du sommet à Singapour, relativement « souple », mais cela n'a pas suffi pour que Kim s'engage publiquement. Moon a insisté auprès de Kim pour qu'il parvienne à signer un « super accord » avec Trump, dont les détails pourraient ensuite être travaillés à d'autres niveaux opérationnels, et en soulignant

31 Biais cognitif qui consiste à prendre pour cause ce qui n'est qu'un antécédent (NDT).

que la Corée du Nord recevrait toute une série de bénéfices *après* la dénucléarisation. Kim, d'après Chung, a dit qu'il comprenait très bien tout cela. Moon voulait s'entretenir avec Trump à Washington, entre la mi et la fin mai, avant le sommet Trump-Kim, dont les

détails étaient maintenant décidés. Plus tard ce même jour, Yachi est aussi venu dans mon bureau pour parler du sommet Moon-Kim, montrant ainsi à quel point le Japon suivait tout cela de près. Yachi tenait à neutraliser l'euphorie émanant de Séoul, même si elle ne me gagnait guère, en soulignant qu'il ne fallait pas tomber dans le piège de l'approche « action pour action » de la Corée du Nord.

Pompeo s'est envolé pour Pyongyang le mardi 8 mai. Il a récupéré les trois otages américains, avec lesquels il a atterri le jeudi, à 2 heures du matin, à la base Andrews. Trump était là pour saluer ces hommes, maintenant libres, au cours d'une cérémonie de dernière minute retransmise en direct en plein milieu de la nuit. Les trois Américains libérés étaient, de manière très compréhensible, exubérants, levant les bras au ciel en sortant de l'avion, sous la lumière des projecteurs. Stars du moment, ils ont profité de chaque seconde avec les journalistes, profitant, Dieu merci, d'une expérience bien différente en comparaison avec celle d'Otto Warmbier, brutalisé et torturé à mort. Le vol, à bord du Marine One, direction la Maison Blanche, juste au-dessus des monuments éclairés de Washington, semblait soudainement irréel. Il avait beau être 3 h 30 du matin au moment de notre atterrissage sur la pelouse sud, Trump était au septième ciel, car cet accomplissement ne pouvait être dénigré par personne, pas même par les médias les plus hostiles.

L'organisation du sommet Trump-Kim continuait rapidement. Nous étions particulièrement préoccupés par ce que la Chine pouvait faire pour influencer les Nord-Coréens, et nous suivions de près ce que certains intervenants chinois incontournables comme Yang Jiechi, l'ancien ambassadeur de Chine à Washington durant les années Bush 43, ancien ministre des Affaires étrangères et aujourd'hui conseiller d'État (un poste supérieur, dans le système chinois, à celui de ministre des Affaires étrangères), pouvaient dire à leurs homologues et au public. Je me demandais si Pékin n'était pas en train de préparer la scène pour blâmer les États-Unis en cas d'échec des pourparlers, en avertissant Kim Jong-un que les extrémistes nord-coréens étaient en train de le critiquer pour avoir relâché des otages américains sans aucune « réciprocité » de la part des États-Unis. Dans un tel contexte, le consensus politique absent en Corée du Nord et sa forte résistance militaire ont fait que les négociations étaient remises en question avant même d'avoir commencé. La réponse ? Encore plus de concessions préalables de la part des États-Unis. Il s'agissait là d'une des plus vieilles tactiques décrites dans le manuel du bon communiste : effrayer des Occidentaux crédules avec des histoires de scission entre les « modérés » et les « extrémistes » pour qu'ils acceptent de réconforter les « modérés » sous la menace de résultats inacceptables. Chung m'a avoué être inquiet depuis la dernière annonce nord-coréenne. En effet, la « fermeture » du site d'essais nucléaires de Punggye-ri n'allait finalement pouvoir être observée que par des journalistes, et non par des experts nucléaires, comme cela avait précédemment promis. Tant qu'à faire, Pyongyang aurait dû inviter la famille Simpson. Alors que cette manigance était plutôt en train de « détruire » que de « construire » un éventuel accord, le fantôme de Grigori Potemkine était, sans aucun doute, en train de fêter son retour sur la scène de la pertinence.

Durant la semaine suivante, Chung et moi étions constamment au téléphone, à préparer la visite de Moon Jae-in à Washington et le sommet Trump-Kim à Singapour. Nous avons longuement parlé de la pseudo-fermeture du site de Punggye-ri, qui n'était rien d'autre qu'un coup de bluff, en raison, tout d'abord, de l'absence d'équipes d'inspections américaines ou internationales, notamment pour examiner les tunnels et les installations souterrains avant la préparation à la fermeture ou à la détonation des galeries d'accès aux tunnels. En empêchant ces inspections, la Corée du Nord camouflait des informations essentielles. Les experts nucléaires de la police scientifique auraient pu, comme cela est normalement autorisé, extrapoler des conclusions significatives quant à la taille et la portée du programme d'armement nucléaire, ainsi qu'au sujet de l'emplacement des autres goulags nucléaires nord-coréens que nous voulions exposer et inspecter, etc. Nous avions découvert, grâce à l'expérience de l'AIEA[32] en Irak en 1991 et par la suite (avec laquelle j'avais été personnellement concerné durant le gouvernement Bush 41), que des quantités énormes d'informations pouvaient être efficacement dissimulées

32 Agence internationale de l'énergie atomique (NDT).

sans inspection adéquate et répétée sur site, avant, durant et après la dénucléarisation. Les mesures de surveillance qui ont suivi, comme le prélèvement d'échantillons de sol par l'AIEA à l'extérieur des galeries d'accès, ne pouvaient pas remplacer les inspections des montagnes autour de Punggye-ri, et cela, la Corée du Nord l'avait très

bien compris. Cette mascarade a été la preuve, non pas de la bonne foi de Pyongyang, mais de son indéniable mauvaise foi. Même CNN a plus tard comparé l'approche nord-coréenne à un truand qui « piétinerait sur une scène de crime. » Chung pensait pouvoir soulever cette question lors de la prochaine réunion intercoréenne, à Panmunjom, plus tard cette même semaine, mais la Corée du Nord l'a annulé à la dernière minute, un autre stratagème digne de Pyongyang. Ils ont ensuite formellement menacé d'annuler le sommet Trump-Kim, à cause d'un exercice militaire américano-sud-coréen annuel appelé « Max Thunder. » Il s'agissait d'un énième stratagème de propagande, qui allait, en réalité, en plus d'une série de réclamations concernant ces exercices militaires (absolument vitaux pour notre préparation commune), influencer Trump au-delà des attentes les plus folles de la Corée du Nord.

J'ai partagé cette éruption nord-coréenne avec Trump à 18 h 30, heure à laquelle il a donné notre communiqué de presse officiel : « Peu importe ce qu'ils décident, cela me va. S'ils veulent que l'on se rencontre, cela me va. Et s'ils préfèrent que l'on ne se rencontre pas, cela me va aussi. Je comprendrai parfaitement. » J'ai rappelé vers 19 heures. J'avais longuement écouté Trump critiquer l'exercice militaire américano-sud-coréen : cela faisait un an qu'il y était opposé, il ne comprenait pas pourquoi cela coûtait tant et pourquoi il fallait qu'il soit si provocateur, et qui plus est, il n'aimait pas voler à bord d'un B52- depuis Guam pour y participer, etc., etc., etc. Je n'arrivais pas à croire que la raison justifiant ces exercices (être prêt en cas d'attaque nord-coréenne) n'avait pas encore été expliquée. Si c'était le cas, elle était carrément ressortie par l'autre oreille. Toutes les forces militaires compétentes s'entraînent fréquemment, notamment au sein d'alliance. L'entraînement en commun est vital. Il permet aux pays alliés de ne pas se mettre de bâtons dans les roues, en temps de crise. « Combattre ce soir » était le slogan de l'USFK, les forces américano-sino-coréennes. Il reflétait le but de sa mission qui était de dissuader et de vaincre l'agression. Avec une préparation militaire diminuée, le slogan se serait transformé en « Combattre dans un mois », et franchement, ça ne l'aurait pas fait. Toutefois, j'ai progressivement réalisé que Trump, quelles que soient les raisons, ne voulait pas entendre parler de cet exercice. Il était offensant pour Kim Jong-un et trop cher pour nous. Affaire classée.

Pendant ce temps, nous étions en train de travailler sur un des derniers éléments logistiques de Singapour. Pompeo a suggéré que lui, Kelly et moi soyons toujours aux côtés de Trump lors d'échanges avec Kim, ce que Kelly et moi avons tout de suite accepté. Je me suis également demandé si nous allions apparaître comme une équipe soudée, étant donné les explosions quotidiennes auxquelles nous étions tous devenus insensibles dans la Maison Blanche de Trump. Un de ces étranges épisodes a eu lieu à la mi-mai, lorsque Kelly Sadler, membre de l'équipe de communication de la Maison Blanche, a fait des remarques désobligeantes sur John McCain. Ses commentaires, rejetant McCain et son vote concernant la nomination de Gina Haspel comme directrice de la CIA, car il était « en train de mourir, de toute façon », ont été divulgués à la presse, ce qui a créé un véritable orage médiatique. Trump voulait promouvoir Sadler, pendant que d'autres voulaient qu'elle soit virée, ou au moins qu'elle s'excuse en public pour son insensibilité. Sadler a refusé et s'en est tirée saine et sauve parce que Trump, qui méprisait McCain, l'a laissé faire. Sadler a transformé son insensibilité en arme à feu, en accusant les autres de divulgations d'informations, une tactique offensive fréquente dans la Maison Blanche de Trump. Au cours d'une réunion dans le Bureau ovale, Trump l'a récompensée en la prenant dans ses bras et en lui donnant un baiser. Bien que cette débâcle fût loin d'être mon problème, je suis allé voir Kelly, un jour, en me disant qu'une personne ô combien rationnelle pouvait facilement obtenir une excuse de la part d'une employée insolente. Après une brève discussion, rien que nous deux dans son bureau, Kelly m'a dit : « Tu ne peux pas imaginer à quel point j'ai hâte de partir. C'est un lieu de travail malsain. Tu vas vite le comprendre. » Il était le premier à voir Trump le matin et le dernier à le voir le soir, et je pouvais seulement deviner le nombre d'erreurs qu'il avait déjouées durant sa prise de fonction. Kelly a attaqué la presse, à juste titre, selon moi, et m'a dit : « Ils vont aussi te tomber dessus », et je n'en doutais pas.

La Corée du Nord a continué de menacer d'annuler le sommet Trump-Kim et s'en est même prise à moi, me critiquant en citant mon nom. Mais bon, rien de nouveau à cela, déjà en 2002, sous Bush 43, la Corée du Nord m'avait fait l'honneur de me traiter de « raclure ». Ils m'ont critiqué pour avoir cité le modèle de dénucléarisation libyen (je me suis d'ailleurs demandé s'ils n'avaient pas une source à l'intérieur de la Maison Blanche qui avait vu la réaction de Trump), en disant : « Nous avons déjà mis en exergue la qualité du travail de Bolton par le passé, et nous ne cachons pas nos sentiments de dégoût à son encontre. » Bien sûr, il était évident que pour tous ceux assis de notre côté de la table des négociations, la Corée du Nord était en train de dénoncer le concept même de « dénucléarisation complète, vérifiable et irréversible. » La Corée du Sud est restée préoccupée par les efforts de la Corée du Nord visant à réduire les exercices militaires communs. Même Moon et son gouvernement à l'eau de rose avaient pleinement compris que ces exercices étaient essentiels à la sécurité sud-coréenne, et ils avaient peur que Pyongyang vise ainsi à creuser un fossé entre Séoul et Washington. Chung a dit que la Corée du Nord tentait clairement de nous diviser, Trump et moi, en indiquant que lors de la réunion Moon-Kim du 27 avril, plusieurs représentants nord-coréens avaient posé des questions sur mon rôle dans le sommet Trump-Kim. Une fois de plus, je me suis senti honoré. Néanmoins, le plus important est que la Corée du Nord a continué de dénoncer les exercices militaires communs, en attaquant maintenant Moon : « Les autorités sud-coréennes actuelles ont clairement prouvé qu'elles constituaient un groupe ignorant et incompétent. » Ce genre d'attaques était la méthode, pas très subtile, employée par la Corée du Nord pour intimider Moon et le faire agir au nom de Pyongyang en nous mettant la pression ; une manigance que nous étions déterminés à faire échouer.

Plus sérieusement, le chef de cabinet de Kim n'est pas arrivé à Singapour, comme prévu, le 17 mai. Les préparatifs utiles au dirigeant nord-coréen paranoïaque ont été fabuleux, même s'ils ont été éclipsés par ce qu'il aura fallu pour qu'un président américain fasse un tel voyage. Retarder le travail préparatoire pouvait entraîner le report ou même l'annulation de la réunion. Le lundi 21 avril, aucune équipe préparatoire nord-coréenne n'était là. Il n'y a donc eu aucune réunion avec notre équipe à Singapour. Trump a commencé à se demander ce qu'il se passait, en me disant : « Je veux partir [de Singapour] avant qu'ils ne partent », ce qui semblait prometteur. Il m'a raconté que lorsqu'il avait une aventure avec une femme, il voulait toujours être le premier à initier la rupture. Il ne voulait jamais l'inverse. (« Comme c'est révélateur », m'a dit Kelly lorsque je lui ai raconté l'anecdote, plus tard.) La question suivante était donc : quand annuler Singapour ? Au moment de l'arrivée de Moon Jae-in ou de son départ ? J'ai conseillé à Trump d'agir tout de suite, car attendre le départ de Moon aurait ressemblé à une critique, un peu trop explicite, et largement inutile. Trump a accepté en disant : « Il se peut que je tweete ce soir. » À la demande de Trump, j'ai parlé avec Pence et Kelly, qui ont tous deux accepté qu'il se jette sur Twitter. J'ai rapporté cela à Trump, qui a alors commencé à dicter son tweet. Après plusieurs versions (retapées de manière appropriée par Westerhout), voilà ce que son tweet a donné :

> **Étant donné le dialogue changeant avec la Corée du Nord au sujet de sa dénucléarisation, j'ai demandé à mes représentants d'annoncer à la Corée du Nord l'annulation de la réunion du 12 juin à Singapour. Tandis que j'ai hâte de rencontrer Kim Jong-un et de négocier avec lui, espérons que nous aurons une autre chance à l'avenir. Pendant ce temps, j'apprécie grandement la libération des trois Américains qui sont désormais chez eux avec leurs familles.**

Quelques minutes plus tard, un autre tweet était publié :

> **Je suis déçu que la Chine ait été incapable de faire le nécessaire, surtout à la frontière [soit la mise en application des sanctions], pour nous aider à obtenir la paix.**

Le Bureau ovale était alors rempli d'employés, qui étaient là pour préparer Trump à un dîner avec plusieurs gouverneurs d'États. En partant, Trump a dit qu'il twitterait probablement après dîner vers « 8 ou 9 heures du soir ». Je suis retourné dans mon bureau pour mettre Pompeo au courant, ce à quoi il a répondu : « J'ai compris, passons à la stratégie. » Je suis allé dans le bureau de Pence pour lui parler des tweets. Nous étions alors quasiment sûrs que Trump annulerait Singapour ce soir-là. Mais le lendemain matin, à notre réveil, aucun tweet n'avait été publié. Par la suite, Trump a expliqué à Kelly que la veille, son portable n'avait plus de batterie. Mais il m'a ensuite dit qu'il voulait donner une chance à Moon de s'exprimer avant d'annuler. C'est donc avec un manque évident d'enthousiasme que j'ai rencontré Chung et ses collègues pour un petit-déjeuner, dans le mess des officiers, afin de parler de la réunion Moon-Trump, programmée plus tard dans la journée. La Corée du Sud était toujours décidée à ce que Moon soit à Singapour, prêt pour une réunion trilatérale après le sommet Trump-Kim.

Nous avons discuté d'un autre sujet important : la déclaration de la « fin de la guerre de Corée ». À l'origine, je pensais que la « déclaration de la fin de la guerre » était une idée nord-coréenne, mais j'ai ensuite commencé à suspecter qu'elle était de Moon, et qu'elle émanait et soutenait ses rêves de réunification ; soit une autre raison de ne pas y croire. En substance, la « fin de la guerre » ne reposait sur aucun raisonnement, si ce n'est que d'un point de vue politique, elle paraissait séduisante. Avec la possibilité que rien n'émerge de Singapour, nous risquions de légitimer Kim Jong-un, non seulement en l'autorisant à rencontrer un président américain, mais aussi en laissant un vague « sommet pour la paix » saboter les sanctions économiques, suggérant que la Corée du Nord n'était plus dangereuse, et pas uniquement en matière d'armes nucléaires. J'étais déterminé à écarter tout ce qui était juridiquement contraignant, et à réduire les dommages causés par tous les documents répréhensibles que Trump pourrait accepter. Je craignais que Moon ne vende ses mauvaises idées à Trump, mais après tout, je ne pouvais pas l'en empêcher.

J'ai marché jusqu'à la Blair House[33] pour rencontrer Pompeo, avant notre réunion de 10 heures avec Moon, le ministre des Affaires étrangères Kang Kyung-wha, et Chung. Comme à son habitude, Moon était optimiste à propos de Singapour, et après une heure, je suis retourné à la Maison Blanche (Pompeo s'est dirigé vers le ministère des Affaires étrangères) pour dire à Trump tout ce dont nous avions parlé. J'ai alors assisté à une des réunions d'information proposées chaque semaine à Trump par Coats, le directeur du renseignement national, par Haspel, la directrice de la CIA, et par les intervenants les accompagnant. À mes yeux, ces réunions d'information n'étaient pas très utiles, tout comme la communauté du

33 Résidence des invités officiels du président des États-Unis lors de leur séjour à Washington (NDT).

renseignement, qui passait l'essentiel de son temps à écouter Trump, plutôt qu'à lui fournir des informations. J'ai essayé, à plusieurs reprises, d'améliorer la transmission de renseignements jusqu'à Trump, mais j'ai échoué de manière répétée. C'était comme ça et je ne pouvais pas y faire grand-chose. Lorsque je suis revenu de la Blair House, Trump était en train de dire aux intervenants qu'il avait écrit des tweets la nuit précédente annonçant l'annulation de Singapour, mais avait finalement conclu qu'il pouvait attendre un peu plus longtemps « car il y avait encore une chance pour que tout se matérialise », et il ne voulait donc pas annuler « avant la dernière minute absolue ». Nous étions si proches d'une annulation. Ça m'a rendu malade.

Moon est arrivé, et les deux dirigeants ont ensuite salué la horde de journalistes dans le Bureau ovale. Les nombreuses questions, surtout sur la Chine, ont raccourci la durée du face-à-face Moon-Trump. Une fois les deux dirigeants entrés dans la salle du cabinet, Trump a commencé en disant qu'il y avait environ 25 % de chances pour que le sommet de Singapour ait lieu, ce qu'il a, selon moi, aussi dit en privé à Moon. En réponse, Moon a souligné qu'il était en faveur d'un processus de dénucléarisation complet, vérifiable et irréversible, et que, d'après lui, il y avait « zéro pour cent de chance » pour que Singapour n'ait pas lieu. Trump a eu peur de paraître « trop anxieux », mais Moon s'est empressé de le rassurer en lui disant que c'était bien la Corée du Nord qui était nerveuse, car rien de tel ne s'était jamais produit auparavant. Trump a dit qu'il voulait une réunion structurée à Singapour, ce qui m'a choqué (et qui n'a pas eu lieu une seule fois). Il a demandé pourquoi aucun expert n'avait été autorisé à visiter Punggye-ri, et nous avons expliqué que de nombreux observateurs, moi y compris, pensaient que Kim s'était engagé verbalement à fermer le site sans vraiment comprendre ce qu'il voulait dire.

Comme si l'ambiance n'était pas encore suffisamment chaotique, Nick Ayers, le chef de cabinet du vice-président, a appelé tard le soir pour dire que le vice-ministre nord-coréen des Affaires étrangères, Choe Son-hui, avait lancé une attaque virulente contre Pence, en le qualifiant de « débile politique » et en menaçant d'entamer une guerre nucléaire en raison des dernières remarques de Pence dans un entretien avec Martha McCallum, sur la Fox. Pence s'est joint à la conférence téléphonique, pour me suggérer de tout raconter à Trump, ce que j'ai immédiatement fait. Après avoir rapidement obtenu puis examiné la déclaration complète de Pyongyang, j'ai contacté Trump à 22 heures. Je lui ai expliqué la situation et suggéré de demander des excuses, en impliquant, au minimum, d'annuler Singapour sans attendre. La nuit portant conseil, Trump a préféré attendre, ce que j'ai transmis à Pence (et ce que Trump a également fait). J'ai ensuite appelé Pompeo à 22 h 25 pour le mettre au courant, et lui suggérer de se joindre à nous le lendemain. En tant que vice-président, Pence a toujours conservé de fortes opinions sur la sécurité nationale. Il les avait développées durant ses années de service à la Chambre des représentants, et je l'ai toujours considéré comme un allié. Au même moment, il a suivi l'exemple d'autres vice-présidents, en restant circonspect dans sa défense de politiques au sujet desquelles ils ne connaissaient pas l'opinion de Trump. Je respectais les difficultés inhérentes à son travail, en pensant que c'est lors de conversations intimes avec Trump qu'il montrait son meilleur visage.

Je suis arrivé encore plus tôt que d'habitude le lendemain, pour voir ce que disait la presse asiatique des critiques nord-coréennes, mais sans rien noter de particulier sur les États-Unis, probablement en raison de l'heure de l'annonce. J'ai dit à Kelly ce qui s'était passé et que nous avions un rendez-vous téléphonique à 8 heures, avec Trump, depuis la Résidence. Ayers est entré en disant que, selon lui et Pence, Singapour devait être annulé ; Kelly a approuvé, tout comme Pompeo, qui venait d'arriver. Nous étions tous réunis autour du haut-parleur, pour appeler Trump. J'ai donné une description complète des critiques nord-coréennes au sujet de Pence, et des titres de la presse internationale et américaine. Trump m'a demandé de lui lire le texte complet du vice-ministre des Affaires étrangères, Choe Son Hui, ce que j'ai fait. « Mon Dieu », a dit Trump, « c'est du costaud ». Nous avons tous convenu qu'une déclaration si virulente ne pouvait pas être transmise sans l'approbation expresse de Kim Jong-un ; il ne s'agissait pas d'un représentant renégat en train de se défouler. Nos critiques auraient été rapides pour nous dire de ne pas nous emballer parce qu'après tout, la Corée du Nord s'exprimait fréquemment de façon incendiaire. Cela était vrai. Mais ce qui était également vrai est que les gouvernements américains passés avaient simplement accepté la rhétorique nord-coréenne sans imposer de conséquences. Il fallait que cela s'arrête, et l'heure était venue.

Trump n'a pas hésité à annuler le sommet de Singapour. Il nous a dicté une lettre, qui après plusieurs itérations ressemblait vraiment à une lettre écrite par Trump. La version finale, légèrement corrigée, a été annoncée au public vers 9 h 45, juste avant deux tweets présidentiels. Nous avons également rédigé un communiqué qu'il a pu lire lors d'une cérémonie de signature d'une loi déjà programmée pour ce matin, en soulignant que la « pression maximale » exercée sur la Corée du Nord continuerait. J'ai appelé le ministre singapourien des Affaires étrangères, Vivian Balakrishnan, pour lui dire ce qui se passait, alors qu'il était en pleine escale à Dubaï. Il a pris la nouvelle de manière très courtoise, comme il y a quelques semaines, lorsqu'il a appris que Singapour avait « gagné » le droit d'organiser le sommet Trump-Kim. Les Sud-Coréens, en revanche, ont été moins courtois. Chung m'a appelé en fin de matinée pour me dire que cette annulation était une humiliation politique pour Moon, juste après son retour de Washington, un voyage qui avait soulevé de très fortes attentes pour la Corée du Sud. J'ai dit à Chung de lire attentivement la déclaration de Choe Son-hui au sujet du vice-président américain, mais cela n'a pas suffi à le calmer, ni Moon, qui m'a envoyé une version adoucie des remarques de Chung. Yachi m'a dit, à l'inverse, que lui et le Japon étaient très soulagés de voir Singapour annuler. Pendant que ce feuilleton se déroulait, la Corée du Nord nous proposait son propre spectacle : une version Potemkine de la « fermeture » du site de Punggye-ri.

Ce soir même, moins de douze heures après avoir annoncé l'annulation de Singapour, le toit s'est effondré. Trump est tombé sur un communiqué à peine moins belligérant, provenant d'un autre responsable du ministère nord-coréen des Affaires étrangères, pour nous ordonner de remettre la réunion du 12 juin au programme. Il s'agissait, à mes yeux, d'une grave erreur. Un aveu indiquant que Trump voulait désespérément cette réunion, ce que les médias ont qualifié de « diplomatie surprenante » et ce qui a eu le don de rendre nerveux nos alliés internationaux. Bien sûr, les journalistes ne savaient pas que nous avions failli annuler Singapour le lundi, juste avant la marche arrière de Trump. En ramenant cette réunion à la vie, Pompeo a pris l'initiative de parler à Kim Yong-chol (son homologue durant les négociations États-Unis–Corée du Nord lorsqu'il était directeur de la CIA), et a décidé que ce Kim viendrait à New York pour de plus amples préparatifs. Pompeo, Kelly, et moi étions d'accord pour demander une déclaration officielle de Kim Jong-un, lui-même, plutôt que de se contenter de commentaires faits par des représentants du ministère des Affaires étrangères, et que nous devrions décaler Singapour d'un mois, pour prendre nos précautions. Nous avons appelé Trump vers 8 h 50 pour lui faire ces recommandations, mais il n'a rien voulu savoir. À la place, il était en extase devant la lettre « extrêmement chaleureuse » qu'il venait de recevoir de la part de la Corée du Nord. Il ne voulait pas risquer de « perdre la dynamique » que nous avions maintenant. J'étais tenté de répondre : « Quelle dynamique ?! », mais je me suis abstenu. Puis il a ajouté : « C'est une grande victoire. Si nous signons un accord, ce sera l'un des plus grands accords de l'histoire. Je veux que lui [Kim] et la Corée du Nord aient beaucoup de succès. » Déprimant. Nous étions à deux doigts d'échapper à ce piège.

Le samedi, nous avons appris à notre grande et collective surprise que Moon et Kim s'étaient entretenus pendant deux heures, plus tôt cette journée, à la DMZ. Le ministre des Affaires étrangères, Kang, a dit à Pompeo que c'est Kim qui avait demandé cette réunion et que Moon, de manière très prévisible, avait tout de suite accepté. Chung m'a également informé, en me disant qu'il n'était pas allé à la DMZ, mais que tout s'était bien passé, et que les deux dirigeants avaient réaffirmé leur accord en faveur d'un processus complet, vérifiable et irréversible de dénucléarisation. Kim a dit à Moon qu'il s'attendait à conclure un « accord complet » à Singapour, et que la Corée du Nord s'y préparait intensément. Kim a été quelque peu surpris par la décision de Trump de « suspendre » la réunion, et il a été soulagé d'apprendre que les États-Unis avaient changé d'avis. Moon a insisté sur le fait que les États-Unis n'accepteraient pas l'approche « action pour action », mais a ensuite fait demi-tour en sous-entendant essentiellement qu'il pourrait y avoir des compensations politiques américaines si jamais la Corée du Nord démontrait des progrès substantiels en matière de dénucléarisation. Cela montrait, d'après moi, pourquoi il fallait arrêter de demander à Moon de négocier pour nous.

En même temps, j'ai eu peur que certains employés du ministère des Affaires étrangères ne s'engagent, de manière prévisible et rapide, en faveur d'une approche ratée comme les pourparlers à six, sans même remarquer les différences avec notre approche actuelle. Pendant ce temps, Trump était occupé à tweeter qu'il n'y avait aucune division au sein de son équipe :

Contrairement à ce que le New York Times, ce journal failli et corrompu, aimerait vous faire croire, il n'y a AUCUN désaccord au sein du gouvernement Trump en matière de communication et de négociation avec la Corée du Nord… Et s'il y en avait, cela ne serait pas important. @nytimes s'est planté avec moi depuis le début !

Le jour suivant, à la DMZ, la Corée du Nord, menée de manière toujours aussi aimable par Choe Son Hui, a refusé, au cours de discussions bilatérales avec les États-Unis, que le mot « dénucléarisation » soit utilisé durant le sommet Trump-Kim. Malheureusement, j'étais en territoire familier et ce n'était qu'une question de temps avant que le ministère des Affaires étrangères ne se serre la ceinture, sans parler de Trump, qui avait si hâte de « réussir » à Singapour. Nous étions presque constamment en contact avec nos homologues sud-coréens, et le rythme de nos préparatifs accélérait grandement. Abe et les Japonais étaient aussi en train de déverser leurs flux de remarques, espérant pouvoir contrôler Trump et lui faire respecter ses précédents engagements. Abe a dit à Trump, lors du Memorial Day, que sa façon de gérer le sommet était complètement différente de celle des autres présidents américains, et que Kim ne s'attendait pas du tout à ce qu'il ose annuler la réunion. Trump, selon Abe, était désormais en position de force, et comptait bien ne pas refaire les erreurs de ses prédécesseurs. Abe a mis la pression sur Trump pour qu'il défende, non seulement notre concept de dénucléarisation, mais aussi les opinions de longue date du Japon, le démantèlement des programmes d'armement biologiques et chimiques de Pyongyang, ainsi que leurs missiles balistiques, quelle qu'en soit la portée.

J'ai discuté de l'état de la situation avec Trump, le jour suivant Memorial Day, et Trump a dit, de manière prévisible : « On ne peut pas laisser une bande de colombes diriger la délégation. Dites-le à Pompeo. Il va falloir que je prenne le contrôle de cet accord. Nous devons parler de dénucléarisation [dans le communiqué de Singapour], il faut l'avoir. » Il a ensuite ajouté : « Appelez le

leader de la délégation. Je le veux au bout du fil. ». Nous avons agi rapidement, et avons réussi à parler à un responsable du service extérieur des États-Unis, à Séoul. Après quelques plaisanteries, Trump a dit : « C'est moi qui vais conclure cet accord… La dénucléarisation n'est pas négociable, et vous devez le leur dire. Vous devez dire "dénucléarisation", sans aucune marge de manœuvre. » Trump a indiqué qu'il ne voulait pas un « gros programme officiel » ni « d'autres formalités ». Et voilà. Quelques minutes plus tard, Pompeo a appelé, en colère que Trump ait directement appelé la délégation. Je lui ai expliqué ce qui s'était passé, notamment la faiblesse du langage utilisé dans la première version du communiqué. « Je suis on ne peut plus d'accord », m'a dit Pompeo, ce qui voulait dire que nous devions parler de « dénucléarisation ». Toutefois, il n'avait apparemment pas réalisé que les négociateurs du ministère des Affaires étrangères n'étaient pas « on ne peut plus » d'accord avec nous en matière de négociations. Pompeo m'a ensuite dit que Trump voulait inviter Kim Yong-chol dans le Bureau ovale, ce que Trump considérait comme une idée de « génie ». Nous pensions tous deux qu'il s'agissait d'une erreur, tout comme Kelly, lorsque je lui ai résumé la situation, malgré la résignation de Pompeo. À ce moment-là, je me suis demandé s'il ne valait pas mieux que j'oublie la Corée du Nord et que je laisse Trump s'occuper de tout, plutôt que de toujours mener des combats d'arrière-garde et de prévoir ses revirements politiques. D'autre part, nous faisions face à un régime bizarre, équipé d'armes nucléaires, et j'hésitais donc à rebrousser chemin ou à abandonner.

Trump, d'un point de vue personnel, semblait toujours indécis au sujet de Singapour. Alors que nous parlions stratégie au moment où Pompeo partait à New York pour rencontrer Kim Yong-chol, Trump a fait du va-et-vient avant de finalement conclure : « Je préférerais l'avoir [Singapour] que ne pas l'avoir. Mais si l'on n'ajoute pas la dénucléarisation au programme, alors nous ne pouvons rien faire d'autre. » Il a ajouté : « [si le sommet ne se fait pas] j'imposerai des droits de douane majeurs [soit il parlait de sanctions, soit il faisait référence à la Chine, pas à la Corée du Nord]. J'ai décidé de les retarder pour l'instant, mais ils sont prêts. » Et enfin est venu le but ultime : « Je veux y aller. Ce sera du grand spectacle. » Personne n'a parlé de l'éventuelle venue de Kim Yong-chol à la Maison Blanche, et Pompeo et moi-même nous sommes regardés, en sortant du Bureau ovale, d'un air qui semblait vouloir dire que nous l'avions encore échappé belle. Malheureusement, cela n'a pas suffi pour ce Kim, qui, selon les dires de Pompeo, à Kelly et à moi-même, peu après 9 heures du soir, était « prêt à tout pour rencontrer Trump » et lui donner une lettre de la part de Kim Jong-un. Kim Yong-chol s'est également montré très tenace sur tout ce qui touchait aux questions substantielles. La seule bonne nouvelle était que tout d'un coup, Moon ne nous était plus utile, et que nous n'étions plus intéressés par un sommet trilatéral. Il s'agissait d'une réunion entre nous, et nous n'avions plus besoin des Sud-Coréens. Nous avons appelé Trump, Pompeo a parlé du dîner, et puis Kim Yong-chol a dit qu'il souhaitait lui donner une lettre de la part de Kim Jong-un. « Très élégant, s'est exclamé Trump, faisons-le ! » Kelly et moi-même avons expliqué pourquoi nous y étions opposés, mais en vain. Aucun de ces arguments, l'impact politique potentiel ou le profil de Kim Yong-chol lui-même (un tueur impitoyable, très probablement responsable de la torture imposée à Otto Warmbier), n'a entamé son enthousiasme. Nous avons essayé plus tard, avec l'accord du vice-président, de déplacer la réunion au moins en dehors du Bureau ovale, mais cela n'a pas fonctionné. J'ai réussi à mettre la main sur une photo de Bill Clinton, dans le Bureau ovale, avec deux généraux nord-coréens, pour montrer que Pyongyang avait déjà joué à ce jeu auparavant, mais là encore, cela n'a pas marché.

Le personnel du service de sécurité diplomatique du ministère des Affaires étrangères a conduit Kim Yong-chol depuis New York pour une réunion à 13 heures, dans le Bureau ovale, avec Trump. Nous avons rencontré Trump afin de lui donner des instructions, et Pence a une nouvelle fois essayé de le persuader de tenir la réunion ailleurs, comme la salle de réception des diplomates. Mais Trump n'écoutait pas. En fait, il a même commencé à se laisser tenter par l'idée de montrer la chambre de Lincoln à Kim Yong-chol, une option dont nous avons aussi essayé de le dissuader. Je suis allé chercher l'interprète américain et j'ai marché jusqu'à l'entrée sud de la Résidence, où Kelly était déjà en train d'attendre les Nord-Coréens, pour les escorter jusqu'au Bureau ovale. Pendant que nous étions là, un agent du service secret m'a dit que le président me voulait dans le Bureau ovale. J'ai été surpris, mais on ne peut plus stupéfait lorsque j'y suis arrivé et que je suis tombé sur Pence, qui m'a dit que finalement, ni lui ni moi n'assisterions à la réunion avec Kim. Je pouvais sentir, en voyant Pence et Ayers qu'ils étaient choqués, et Ayers a dit que Trump voulait « que cela soit une petite réunion », avec uniquement Trump, Pompeo, et l'interprète du côté américain, puis Kim et ses interprètes du leur. Le nombre de personnes présentes pour écouter Trump serait donc maintenu à son strict minimum. À ce moment-là, Trump était au bord de la frénésie, empilant les cadeaux traditionnels de la Maison Blanche (comme des menottes). Une boîte était légèrement plissée, alors Trump a dit à Madeleine Westerhout assez durement : « Vous avez ruiné celle-là, allez en prendre une autre. » Il a ensuite réprimandé le photographe officiel de la Maison Blanche, qui ne pouvait rester que quelques instants durant la présence de Kim Yong-chol. Je n'avais jamais vu Trump si retourné. Pence m'a dit : « Pourquoi ne viens-tu pas me voir dans mon bureau ? », ce qui était une offre généreuse. En effet, aucun de nous deux ne pensait que la remise de lettres de Kim Jong-un ne durerait plus que quelques minutes. J'étais toujours sidéré d'être exclu de la réunion, mais pas plus que Pence, qui est toutefois resté stoïque.

Kim Yong-chol est arrivé à 13 h 15, et Kelly l'a escorté jusqu'au Bureau ovale, le long de la colonnade. Kelly nous a dit plus tard que Kim semblait très nerveux, et qu'au moment d'entrer dans l'aile Ouest, il s'est souvenu d'avoir laissé la lettre de Kim Jong-un dans la voiture. L'interprète nord-coréen a dû courir pour la récupérer. Difficile d'imaginer Kim Yong-chol, en train de réfléchir à une explication valide pour dire au « Grand successeur » qu'il avait oublié sa lettre. Dans le bureau du vice-président, nous avons regardé la télévision, alors que la presse, installée sur la pelouse sud, essayait désespérément de voir ce qui se passait à l'intérieur. Le temps est passé, c'est le moins que l'on puisse dire. L'ambiance s'est allégée, l'espace d'un instant, lorsque Don McGahn est venu nous voir pour nous dire que les cadeaux de Trump entraînaient quasiment tous des infractions, et qu'il devrait renoncer à ces sanctions rétroactivement. Comme McGahn l'a fréquemment dit, ce n'était pas la Maison Blanche de Bush. La réunion s'est finalement terminée à 14 h 45. Trump et Pompeo sont ensuite sortis du Bureau ovale avec Kim Yong-chol et l'ont accompagné jusqu'à l'allée où se trouvaient ses voitures. Trump a ensuite parlé à la presse sur son chemin de retour vers le Bureau ovale.

Dès que nous avons vu que Kim avait quitté le Bureau ovale, Pence et moi y sommes allés, et Kelly m'a donné l'original et une traduction élémentaire de la lettre de Kim Jong-un, disant : « Il s'agit de la seule copie. » La lettre était une succession interminable de superlatifs, probablement écrite par un secrétaire nord-coréen du ministère pour l'agitation et la propagande, mais Trump l'a adorée. Voilà le début de la bromance entre Trump et Kim. La Première famille se préparait à aller à Camp David pour le week-end, tous prêts à monter à bord du Marine One. Trump m'a souri et m'a fait un signe du pouce, alors qu'il partait du Bureau ovale.

Nous autres sommes retournés dans le bureau de Pence, où Kelly et Pompeo nous ont fait un compte rendu. Kim Yong-chol n'avait rien dit de nouveau ou de différent sur les intentions de la Corée du Nord. Ils voulaient clairement obtenir quelques assurances politiques avant de s'engager dans un processus de dénucléarisation, et Trump semblait disposé à leur donner exactement cela. Étonnamment, comme dans les autres discussions avec la Corée du Nord, les sanctions économiques ont semblé secondaires. Cela signifiait probablement que la Corée du Nord était plus effrayée par la puissance militaire américaine que par la pression financière, et que ces sanctions n'étaient pas aussi efficaces que nous le pensions.

Kelly a dit qu'après une telle réunion, la Corée du Nord pouvait se faire n'importe quelle opinion sur les prochaines décisions de Trump. Le président a dit qu'il était prêt à réduire les exercices militaires américano-sino-coréens en se lançant dans un monologue décrivant à quel point ils étaient chers et provocants. Nous étions alors probablement au plus bas, car la Corée du Nord venait d'entendre, de la bouche du Commandant en chef des États-Unis d'Amérique, que nos capacités militaires sur la péninsule étaient négociables, malgré nos premiers refus. Il s'agissait d'une concession qui pouvait contrarier Moon Jae-in et les défenseurs de la politique du « rayon de soleil », dont les calculs reposaient sur une forte présence américaine. En effet, pour de nombreux experts, c'est cette présence américaine qui a permis à la gauche sud-coréenne de s'embarquer dans ce fantasme politique du rayon de soleil. Si jamais nous quittions la Corée du Sud, ils seraient alors seuls et ressentiraient vite les effets de leur naïveté, une éventualité qu'ils craignaient eux-mêmes, à mon avis. Nous avions beau être au bord d'un précipice, je pensais pouvoir en éloigner Trump, et m'assurer qu'aucun véritable dégât n'avait été fait.

Comment cette réunion a-t-elle pu durer une heure et quinze minutes ? L'interprétation consécutive est une réponse, mais en fait, n'importe quelle réunion avec Trump peut durer autant ou plus longtemps. « Je suis un parleur », l'ai-je entendu dire plusieurs fois durant l'exercice de mes fonctions. « J'aime parler ».

Et maintenant ? Que faire ? Kelly a dit que selon lui, Trump était prêt à ce que rien d'intéressant ne se produise à Singapour. J'ai trouvé cela optimiste ! Nous avons évoqué la possibilité d'établir un échéancier pour montrer que nous ne comptions pas jouer à « réunion ou pas réunion » jusqu'à la fin de nos vies, pendant que la Corée du Nord continuait tranquillement à développer et/ou à fabriquer des composants nucléaires et des missiles balistiques. Nous avons conclu vers 15 h 45 et je suis retourné dans mon bureau. À ma grande surprise, vers 16 h 10, mon téléphone a sonné et une voix a dit : « Ici le standard téléphonique de Camp David ». Première fois de ma vie que j'étais salué ainsi. L'opérateur m'a dit que le président souhaitait me parler. « La lettre était très amicale, vous ne trouvez pas ? » m'a-t-il demandé. J'étais d'accord, mais j'ai aussi ajouté qu'elle était « sans substance ». « C'est un processus », a répondu Trump. « Je viens à peine de comprendre cela. Nous allons organiser une réunion qui servira uniquement à faire connaissance, et ensuite nous verrons bien. Cela prendra plus longtemps que ce que j'avais pensé. » De mon côté, j'ai insisté sur le fait qu'aucun allègement des sanctions ni aucune déclaration de « fin de la guerre de Corée » ne devait être annoncé avant une dénucléarisation complète, vérifiable, et irréversible, ce qui a toujours été la politique de ce gouvernement. Une analyse et un conseil que Trump semblait prêt à écouter, ce jour-là. J'ai ajouté qu'il était acceptable de laisser les discussions se dérouler au fil du temps, mais avec une exception majeure. L'horloge tourne toujours en faveur du proliférateur, et laisser passer le temps était depuis toujours un des éléments fondamentaux de la stratégie nord-coréenne. Le temps était un luxe que malheureusement nous n'avions pas, et cela aussi, Trump semblait l'accepter. « C'était pas mal du tout », a-t-il conclu, avant de raccrocher. En fait, Trump a obtenu exactement ce qu'il voulait de la part de la presse, avec en gros titre à la une : « Le sommet du 12 juin à Singapour est toujours d'actualité ».

Durant le week-end, j'ai raconté à Chung comment s'était passée la réunion avec Kim Yong-chol, et il m'a répondu que Moon était ravi du résultat. Répétant involontairement les paroles de Trump, Chung m'a également dit que nous faisions face à un « processus », et pas seulement à une réunion à Singapour. Voilà exactement le genre de réaction que je craignais. Pendant ce temps dans la DMZ, lors des discussions bilatérales entre États-Unis et Corée du Nord,

Pyongyang a rejeté notre projet d'approche pour Singapour. Le ministère des Affaires étrangères, face à un tel rejet, a voulu offrir un compromis, ce qui revenait à dire : « Vous n'aimez pas celui-là ? Alors que pensez-vous de celui-ci ? » Et si la Corée du Nord n'aimait pas « celui-ci », les négociateurs du ministère des Affaires étrangères en auraient probablement proposé « un autre », jusqu'à ce que l'un d'entre eux réussisse à faire sourire les Nord-Coréens. J'avais déjà vu cela tant de fois. Heureusement, Pompeo était du même avis que moi. Nous n'avions pas à fournir une autre version. Il nous suffisait d'attendre que Pyongyang réponde à la première. La Corée du Nord a finalement commenté verbalement notre projet d'approche, en ajoutant qu'une version écrite serait transmise le lendemain. N'est-ce pas ironique ? Vouloir se démener pour satisfaire quelqu'un alors qu'il suffit d'attendre sa réponse. J'ai également proposé (en insistant un peu) que les négociations se poursuivent à Singapour, pour voir si les Nord-Coréens étaient aussi confiants que dans la DMZ. Après quelques désaccords, avec la délégation américaine plutôt qu'avec la Corée du Nord, nous avons finalement réussi à obtenir cela. Même Chung était d'accord. Il était temps que ce festival ambulant arrive à Singapour.

J'ai ensuite décidé de confronter les spéculations grandissantes de la presse, selon lesquelles j'étais écarté de toutes discussions liées à la Corée du Nord et que je n'irai pas à Singapour. J'ai dit à Kelly : « Je connais ce cirque, tu sais », et je pensais que mon exclusion de la réunion avec Kim Yong-chol n'était pas un accident. Kelly m'a avoué qu'il avait été « surpris » de ne pas me voir quand il est arrivé dans le Bureau ovale avec Kim en remorque. Je lui ai expliqué ce que Pence avait dit et pourquoi nous étions allés dans le bureau du vice-président sans demander directement à Trump pourquoi nous n'étions pas conviés. Kelly a ajouté qu'il n'avait pas prévu de rester pour la réunion, mais que Trump le lui avait demandé. Je lui ai aussi fait part des rumeurs disant que je n'irais pas à Singapour et qui signifiaient, si elles étaient fondées, que je ne pouvais plus faire mon travail et que je n'aurais pas d'autres choix que de démissionner. Kelly a répondu : « J'aurai été surpris que tu réagisses autrement », en ajoutant qu'il parlerait à Trump, ce que j'ai considéré comme un premier pas en avant. Plus tard ce même matin, Kelly m'a rapporté que selon Trump, mon absence durant la réunion avec Kim Yong-chol ne « voulait absolument rien dire » et que ma présence serait demandée durant chaque réunion à Singapour. Cela a eu le don de me satisfaire... pour le moment.

Immédiatement après son déjeuner avec Trump, ce 4 juin, Mattis est venu dans mon bureau pour parler du sommet Trump-Kim. Il m'a tout d'abord dit à quel point le manque de fermeté de notre position vis-à-vis du programme nucléaire nord-coréen l'inquiétait, avant de me demander, vu les spéculations de la presse, si j'allais à Singapour. Quand j'ai dit « Oui », Mattis a répondu « Super ! » Il m'a ensuite expliqué avec certitude que, d'après son analyse, le Japon et d'autres nations importantes de la région soutiendraient ma décision de ne lever aucune sanction avant la fin du processus de dénucléarisation. Cette conversation, une fois terminée, m'a fait réfléchir car, pour la première fois, Mattis semblait incertain et nerveux. Quelques jours plus tard, Ayers m'a dit, sans que je comprenne pourquoi, que Trump avait passé, d'après ce qu'il avait entendu, l'essentiel de son déjeuner avec Mattis, à se plaindre de lui (entre autres pour être un démocrate) d'une manière « encore jamais vue auparavant ». Mattis devait savoir ce que cela voulait dire. Voilà une autre affaire qu'il allait falloir suivre.

Le mardi 5 juin, Pompeo et moi avons déjeuné avec Trump. L'un des sujets abordés a été le désir ininterrompu de Moon d'être présent à Singapour, une information à la une des journaux asiatiques, suite à des fuites émanant de Corée du Sud. Pompeo et moi avions expliqué à nos homologues à Séoul ce que nous en pensions, mais cela n'avait pas suffi. La mauvaise nouvelle du jour est que Trump semblait complètement hypnotisé par l'éventualité qu'il puisse dire, un jour, qu'il avait mis fin à la guerre de Corée. J'étais prêt à partager cette promesse avec la Corée du Nord, à un moment adapté, mais il ne fallait surtout pas la donner gratuitement, ce que Trump était sur le point de faire. Pour lui, ces détails n'étaient pas importants. Il considérait cela comme un « geste », un score médiatique positif, sans aucune conséquence internationale. Une fois le déjeuner terminé, Pompeo et moi sommes retournés à mon bureau. Nous avons décidé de développer quelque chose à offrir en alternative, mais aucune bonne idée ne nous est venue. Je savais que le Japon serait particulièrement perturbé par une promesse de ce genre, alors j'avais hâte d'entendre ce que Yachi allait me dire durant un énième déplacement à Washington, cet après-midi-là.

J'en ai également profité pour demander à Pompeo, compte tenu des rumeurs dans les journaux, s'il y avait un problème entre nous. Il m'a répondu d'un non catégorique, en me rappelant à quel point, il y avait seulement quelques jours, je l'avais aidé à empêcher un ambassadeur américain errant de prendre rendez-vous avec Trump directement, sans lui demander sa permission. Pompeo m'a avoué qu'à ce moment-là, il s'est dit : « Que Dieu bénisse John », ce à quoi nous avons tous deux rigolé. Me cachait-il quelque chose ? Difficile à dire, mais en apparence, tout semblait clair. Lorsque Pompeo et moi nous sommes revus le lendemain matin, au petit-déjeuner, dans le mess des officiers (Mattis étant une nouvelle fois à l'étranger), nous nous sommes demandé ce qu'il fallait exiger de la Corée du Nord en échange d'un communiqué promettant « la fin de la guerre », comme, par exemple, une déclaration référentielle de leurs programmes d'armement nucléaire et de missiles balistiques. Je me doutais que la Corée du Nord n'accepterait pas, et qu'elle n'approuverait d'ailleurs aucune de nos propositions, mais cela nous éviterait au moins d'offrir « la fin de la guerre », sur un plateau d'argent, en échange de rien.

Plus tard, ce même jour, le Premier ministre japonais, Abe, s'est brièvement arrêté à Washington, en route pour le sommet annuel du G7, tenu cette année à La Malbaie dans la région de Charlevoix au Canada, afin de rappeler à Trump, une nouvelle fois, de ne faire aucun cadeau. Abe a souligné que les Nord-Coréens sont « des survivants ». Il a aussi ajouté : « Leur existence, tout entière, repose sur leur système. Ce sont des politiciens très coriaces, très rusés… s'ils ne réalisent pas la gravité du moment et s'ils considèrent cela comme une simple réunion, alors ils feront comme ils ont toujours fait. » Les deux dirigeants ont eu une bonne conversation, tant qu'il s'agissait de Pyongyang, mais en matière de commerce, les discussions n'étaient pas aussi amicales. Trump était depuis longtemps insatisfait par certaines injustices commerciales, d'autant plus que les États-Unis avaient accepté de défendre le Japon : « Nous vous défendons, par traité. Nous vous défendons, mais vous n'avez pas à nous défendre. Nos négociateurs ont fait un mauvais boulot, n'est-ce pas, John ? » a-t-il dit en se tournant vers moi. « Nous vous défendrons, même sans traité », a continué Trump, avant d'ajouter : « Ce n'est pas juste. »

Notre attention, qui portait sur la rencontre avec Kim Jong-un, a subitement bifurqué vers le sommet du G7. Il s'est avéré que la route menant à Singapour était faite avec les ruines de Charlevoix. Les réunions comme celles du G7 et les autres rassemblements internationaux majeurs ont été mis en place à une époque de l'histoire où ils étaient nécessaires. À plusieurs reprises, ils ont même été très efficaces, mais aujourd'hui, ils ne sont pas plus dignes qu'une sortie au cinéma avec une boîte de pop-corn. Pourquoi sont-ils encore là alors ? Parce qu'ils sont encore là. Point.

Le 8 juin, Trump et le Marine One étaient plus d'une heure en retard, au départ de la Maison Blanche, en direction de la base Andrews. Air Force One a ensuite atterri sur la base des forces canadiennes à Saguenay-Bagotville, à partir d'où un hélicoptère nous a conduits jusqu'à l'emplacement du sommet, le Manoir Fairmont à La Malbaie, au Québec, toujours une heure en retard. La région semblait belle, située au milieu de nulle part, bien que cela n'ait pas été un facteur déterminant puisque, comme d'habitude, nous n'avons vu que l'intérieur de l'hôtel où les sept dirigeants gouvernementaux et leurs délégations sont restés. Trump est arrivé, décidé à inviter la Russie à rejoindre le G7, duquel elle avait été expulsée en 2014 après l'invasion et l'annexion de la Crimée. Il s'est trouvé un allié en la personne du nouveau Premier ministre italien, Giuseppe Conte, en fonction depuis moins d'une semaine. Conte avait été nommé en raison d'une coalition populiste gauche-droite inhabituelle, qui avait fait de la politique italienne l'une des plus instables en Europe. La plénière du G7 a démarré de façon controversée. Trump était assiégé pour ses politiques commerciales, jusqu'à ce qu'il renvoie l'ascenseur, en disant que le G7 devait abolir tous les droits de douane, toutes les barrières économiques non liées à ces droits, et toutes les subventions. Cela a eu le don de mettre les Européens sur silencieux, surtout ceux qui n'avaient pas l'intention de suivre sa politique. La discussion a vraiment montré l'hypocrisie généralisée qui existe dans ces réunions sur le commerce international, où le libre-échange, invariablement, profite à tous, mais pas aux secteurs nationaux privilégiés comme les fermiers en France et au Japon, sans parler de ceux aux États-Unis et au Canada.

Trump a eu deux entretiens bilatéraux avec le Canadien, Trudeau, puis avec Macron, où les conversations sur le commerce bilatéral ont été tout sauf amiables. Trump n'appréciait pas vraiment Trudeau ou Macron, mais il les tolérait. Il se distrayait en croisant le fer avec eux puis en plaisantant quelques secondes après. J'imagine qu'ils comprenaient son jeu, et qu'ils répondaient de manière amicale parce que leurs intérêts principaux en valaient la chandelle. Trump s'est plaint auprès de chacun, à juste titre, de la Chine, qui ne respectait pas les règles applicables en matière de commerce international et qui s'en était tiré depuis bien trop longtemps. Avec le Canada, Trump voulait ratifier le nouvel accord de libre-échange nord-américain (ALENA), ce qui satisferait majoritairement ses objectifs économiques avec le Mexique et le Canada. Avec la France, Trump voulait se rapprocher de sa véritable cible : l'UE. Comme d'habitude, il a commencé en disant : « L'UE, c'est la Chine en pire… et en plus petit. » Trump s'est également plaint de la Chine et de beaucoup d'autres membres de l'OMC qui se présentaient comme des pays « en développement » afin de bénéficier d'avantages économiques. Il s'agissait d'un domaine, parmi beaucoup d'autres, où l'OMC sortirait vainqueur d'une réforme complète, ce que les autres États du G7 ont proclamé soutenir, mais sans jamais vraiment approfondir la question. Trump a conclu sa réunion avec Macron en disant : « Vous savez, John s'est préparé toute sa vie pour ce travail. Quand il passait sur Fox TV, il avait vraiment l'air d'un génie, et aujourd'hui, il doit prendre des décisions difficiles, ce qui n'était pas le cas à la télé, mais il fait un super boulot. » Les Français ont adoré. Et moi aussi, pour être honnête.

Comme tout sommet du G7 qui se respecte, les discussions ont été suivies par un dîner luxueux puis un spectacle proposé par le Cirque du Soleil. Mais je ne suis pas resté pour m'amuser, car je n'avais qu'une chose en tête : préparer Singapour. Malheureusement, là aussi comme dans tout bon sommet du G7, les « sherpas », c'est-à-dire les hauts fonctionnaires responsables de la substance du sommet, ne voulaient rien entendre d'autre qu'un communiqué final traditionnel. Les Européens adorent jouer avec ces communiqués (et avec nos nerfs), en forçant les États-Unis à prendre une décision déplaisante : compromettre un principe politique fondamental ou apparaître « isolé » des autres. Pour la majorité des diplomates professionnels, être isolé est pire qu'être mort, compromettre un principe paraît donc raisonnable en comparaison. Une autre éventualité inenvisageable pour les Européens était de ne pas avoir de communiqué final. En effet, s'il n'y a pas de communiqué final, cela veut peut-être dire que le sommet n'a jamais eu lieu, et mon Dieu, cela serait terrible pour l'humanité. Ainsi, plutôt que d'admirer le Cirque du Soleil, les autres dirigeants ont commencé à harceler Trump, en se plaignant que le sherpa américain était trop « extrême ». L'ambiance du dîner aussi a été nourrie de contestations, avec quelques échanges d'insultes, entre Trump qui voulait réinviter la Russie au G7 et plusieurs dirigeants opposés à cette idée peu réfléchie. Vu que le G7 avait été créé dans les années 70 comme un forum de discussions des questions économiques, la majorité du travail revenait au président du Conseil économique national, Larry Kudlow. Le sherpa américain et son équipe spécialisée en économie internationale faisaient tous leurs rapports auprès de Kudlow et moi-même.

Trump aurait dû dire : « Donnons tout ça aux sherpas, et laissons-les travailler toute la nuit ! » À la place, il s'est dit que conclure une affaire était sa spécialité et que, lui et les autres dirigeants, devaient se rassembler dans un salon et négocier entre eux. À ce moment-là, Kudlow s'était joint au groupe, en espérant se lier d'amitié avec les dirigeants européens pour résoudre certains problèmes économiques internationaux. Kelly, sentant le danger, a envoyé quelqu'un me chercher vers 22 h 30. À mon arrivée, Kelly m'a dit en sortant : « C'est un désastre », un constat qui, après quelques minutes d'observation, était on ne peut plus évident. Les dirigeants étaient assis sur des canapés en velours et des chaises luxueuses, avec plusieurs douzaines d'assistants autour d'eux. Rien de positif ne pouvait sortir de là. Trump lui-même semblait très fatigué, tout comme beaucoup d'autres, pour être honnête. Mais pas Macron et Trudeau, et encore moins leurs assistants, qui étaient en train de mettre le paquet pour placer leurs intérêts politiques en avant des nôtres. J'avais une impression de déjà-vu. Au fil des années, j'avais été impliqué dans des tonnes de débâcles pseudo-politiques ultra-lentes de la sorte. J'ai tenté d'évaluer si Trump voulait vraiment un communiqué du G7 et s'il était donc décidé à faire d'autres concessions, ou s'il y était complètement indifférent. Je n'y arrivais pas, mais Trump (qui n'avait pas pris la peine de se préparer) ne savait pas vraiment ce qui était en jeu ici. Avant mon arrivée, Trump et Kudlow avaient déjà fait plusieurs concessions en cadeaux. Je suis intervenu sur un point, pour m'opposer à une idée de l'Allemagne sur l'OMC, mais personne ne semblait comprendre quels étaient les différents problèmes, ce qui m'a fait me dire que Trump n'était pas le seul à ignorer l'ampleur et la profondeur du travail des sherpas. Enfin, vers 23 heures, les dirigeants ont accepté de laisser les sherpas continuer leur travail comme des grands, ce qu'ils ont consciencieusement fait jusqu'à 5 h 30 du matin, le samedi. Si cela avait été moi, j'aurais dit : « Pourquoi se fatiguer ? Partons sans communiqué », ce qui aurait probablement laissé l'Europe et le Canada sur leur faim. Mais comme Jim Baker me l'aurait rappelé, je n'étais pas « le gars qui a été élu ».

J'ai retrouvé Kudlow et notre sherpa vers 7 h 20, et ils m'ont confirmé que la situation n'avait pas vraiment évolué. Étant donné que Trump s'était couché tard, nous n'avons pas pu organiser de réunion d'information avant la reprise du programme du G7. L'idée de quitter Charlevoix sans communiqué ne me dérangeait toujours pas, mais je voulais m'assurer que Trump était conscient des conséquences. En réalité, nous n'avons jamais eu cette conversation. À la place, j'ai suggéré d'avancer l'heure de notre départ du Canada à 10 h 30, histoire de forcer une décision. Nous avions déjà prévu de partir largement avant la fin du G7 pour arriver à Singapour le dimanche soir à une heure raisonnable, et je suggérais simplement de partir un peu plus tôt. Mon idée était que Trump aurait le temps (et le calme) nécessaire pour décider comment gérer le communiqué, dès que nous serions loin de l'ambiance surchauffée du sommet. Kelly et Kudlow ont accepté. Trump était déjà désintéressé, fatigué et en retard pour un petit-déjeuner sur l'égalité des sexes. En apprenant ce départ anticipé, les Européens, qui avaient d'autres plans, sont descendus avant que nous ne puissions le faire sortir de la pièce. La désormais fameuse photo (prise par l'Allemagne) montre que nous n'avons pas réussi.

On se serait cru dans un mauvais film de poursuite. Une perte de temps sans nom, mais qui n'a pas empêché les discussions de continuer, avec Kudlow et moi en train de gérer les négociations. Nous n'avons obtenu que des broutilles (comme la suppression d'une disposition européenne selon laquelle l'Iran était en conformité avec l'accord sur le nucléaire, ce qui n'était pas vrai). Dans l'ensemble, la seule chose que nous avons produite, ce sont des émissions de dioxyde de carbone contribuant au réchauffement climatique, un enjeu important, si l'on en croit les Européens. Malgré le désintérêt manifeste de Trump, nous avons réussi à approuver un document final. Il ne nous restait plus qu'une conférence de presse avant de monter à bord du Marine One, direction la base militaire de Saguenay-Bagotville, en laissant derrière nous Kudlow, pour gérer les derniers détails. Nous avons contacté Pompeo, puis Air Force One s'est envolé pour Singapour, douze fuseaux horaires plus loin, avec une escale de ravitaillement sur la base de l'OTAN de la baie de Souda, en Crète. Nous en avions enfin terminé avec le G7, ou du moins c'est ce que je croyais.

Trump était ravi de pouvoir enfin rencontrer Kim Jong-un. Une fois en l'air, j'ai expliqué à Pompeo ce qui s'était passé à Charlevoix. J'ai essayé de dormir un peu afin de me préparer au décalage horaire et je me suis réveillé le dimanche, heure de Grèce, peu de temps avant l'atterrissage sur la baie de Souda. À part pour POTUS, Air Force One n'est pas conçu pour offrir une expérience de voyage luxueuse. Il n'y a aucun siège complètement inclinable et de nombreuses personnes dorment simplement sur le sol. Alors que je dormais, Trump a envoyé deux tweets exprimant qu'il ne soutenait plus le communiqué du G7, une première ! Il a piqué une colère en apprenant que Trudeau avait utilisé sa conférence de presse de clôture pour marquer des points contre lui. Trump s'était montré courtois avec Trudeau durant son point presse, et il était furieux que Trudeau n'ait pas rendu la pareille. Ce communiqué aura fait des dommages collatéraux. Personne ne m'a réveillé, et quand j'ai ouvert les yeux, je ne me rappelais évidemment pas ces tweets, qui ont dominé l'actualité jusqu'à notre atterrissage à Singapour. J'ai appelé Kudlow pour avoir sa version des faits, et il m'a dit que tout s'était terminé en bonne et due forme, à part la conférence de presse de Trudeau. À cette seconde-là, notre défi était de savoir ce que Kudlow devait dire dans les émissions politiques télé du dimanche. Les conseils de Trump ont été on ne peut plus clairs : « Casse Trudeau. Ne dis rien sur les autres. Trudeau est le genre de gars qui fait les choses "dans le dos". » Trump souhaitait aussi aborder la rencontre imminente avec Kim Jong-un, mais en précisant que le rejet du communiqué du G7 montrait notre nouvel état d'esprit : « Terminé les conneries ». Un point qu'il était très judicieux de rappeler, j'ai pensé. De toute évidence, Trump voulait que Kudlow et Peter Navarro (un assistant du président, que j'avais briefé), ainsi que Lindsey Graham (lui aussi briefé) se déchaînent. Navarro a dit : « Il y a une place pour lui en enfer » en parlant de Trudeau et de la façon dont il avait traité Trump. Navarro a été sévèrement critiqué, mais il a dit exactement ce que Trump voulait qu'il dise.

Ayant l'air plus fatigué que jamais, comme s'il n'avait pas fermé l'œil du vol, Trump était maintenant obsédé par l'envie de regarder les reportages des médias sur l'arrivée de Kim Jong-un à Singapour, et de savoir quel accueil la presse allait lui réserver le dimanche soir. Une fois Air Force One posé, Trump a décidé qu'il ne voulait pas attendre mardi pour rencontre Kim. Il voulait le voir lundi. Et j'étais d'accord. Nous avions prévu de laisser une journée à Trump pour qu'il puisse se préparer et récupérer du jet lag avant de se retrouver face à face avec Kim, mais nous savions aussi que moins nous passions de temps à Singapour, moins nous ferions de concessions. Si nous pouvions partir de Singapour tout en ayant évité un désastre complet, nous serions alors en mesure de relancer la situation. Le lundi, Trump a rencontré le Premier ministre singapourien, Lee Hsien Loong, au Palais Istana, l'ancienne résidence des gouverneurs généraux britanniques et aujourd'hui, résidence et bureau principal du Premier ministre. Pompeo et moi étions avec Trump dans « la bête » (le surnom informel de la limousine présidentielle) et nous l'avons trouvé de mauvaise humeur. Il pensait, en effet, que les négociations avec Kim étaient vouées à l'échec, en raison de la pression exercée par la Chine. Trump et Lee se sont entretenus seuls, avant que Lee propose un déjeuner de travail. Le ministre singapourien des Affaires étrangères, Balakrishnan, revenait de Pyongyang où il s'était préparé pour ce sommet et il nous a dit que la Corée du Nord n'était pas affaiblie économiquement parlant et que selon lui, il s'agissait bien d'une puissance nucléaire. Trump a répondu qu'il avait fait un long vol pour une réunion qui allait être courte. Balakrishnan a ajouté que les États-Unis avaient déjà fait trois concessions : premièrement, en proposant cette réunion, un « cadeau » dont tout le monde était conscient sauf Trump ; deuxièmement, en compliquant tout retour en arrière vers une campagne de « pression maximale », un point là aussi évident pour tous sauf Trump ; et troisièmement, en laissant la Chine manœuvrer à sa guise, car nous étions absorbés par la Corée du Nord alors que c'était la Chine qui était le pion le plus stratégique. Balakrishnan a été très convaincant, et Trump ne pouvait pas faire semblant de sourire après avoir entendu tout ça.

Après le déjeuner, de retour à notre hôtel, Pompeo nous a fait un résumé de l'état des négociations avec la Corée du Nord, qui étaient au point mort, pour ne pas dire dans une impasse. Pour Trump, tout ce sommet n'était « qu'un exercice publicitaire ». Kelly m'a dit, pendant que Trump était parti saluer le personnel de l'ambassade américaine à Singapour, que « la psychologie de cette réunion est que Trump veut quitter les lieux prématurément pour montrer à Kim Jong-un qu'il n'est pas là pour rigoler. » J'ai approuvé, en commençant à espérer que nous pourrions réussir à éviter toute concession majeure. Une fois de retour de l'ambassade, Trump nous a dit, à Sanders, Kelly et à moi, qu'il était prêt à signer un communiqué dépourvu de toute substance, à faire sa conférence de presse de victoire, et à mettre les voiles. Trump s'est plaint des autres entretiens de Kim Jong-un, avec la Chine et la Russie, dont le but était de nous déstabiliser. Toutefois, il a aussi ajouté que Singapour serait « un grand succès, peu importe ce qui s'y passe » et que « nous n'avions plus qu'à appliquer davantage de sanctions, y compris contre la Chine pour avoir ouvert sa frontière. Kim nous prend tous pour des cons. Nous avons trois cents sanctions de plus que nous pouvons imposer d'ici vendredi. » Cela a complètement désordonné notre organisation logistique (même si elle n'était pas vraiment ordonnée non plus depuis notre départ du Canada), alors Kelly et moi lui avons dit que nous reviendrons dans la soirée avec plusieurs options. Trump s'est ensuite entretenu avec Moon Jae-in, qui voulait toujours venir à Singapour. Toutefois, il aurait dû être évident pour Moon qu'aucune discussion trilatérale n'allait avoir lieu… il n'était même pas dans le bon pays. Nous avons également montré à Trump la courte vidéo de « recrutement » faite par le personnel du NSC et d'autres employés pour appâter Kim en promettant à Pyongyang des avantages économiques considérables si jamais il abandonnait ses armes nucléaires. Trump a accepté de la montrer à Kim le mardi (et il l'a également fait diffuser plus tard, durant sa conférence de presse de clôture).

Les négociations avec la Corée du Nord ont continué toute la journée, jusqu'à soi-disant être à deux doigts d'un accord. Peu de temps après, j'ai examiné, en compagnie d'agents des ministères des Affaires étrangères, de la Défense et du NSC, ce qui était marqué comme le « texte de 18 heures ». Je leur ai dit catégoriquement que je ne recommanderai pas à Trump de le signer. Pompeo et d'autres responsables du ministère des Affaires étrangères sont arrivés, et nous nous sommes réunis dans la salle réservée au personnel de la Maison Blanche, pour discuter du texte. J'ai à nouveau expliqué pourquoi je refusais de le signer, et cela même si les désaccords en matière de langage étaient résolus en faveur des États-Unis, ce qui s'annonçait très improbable. La Corée du Nord ne voulait pas entendre parler de processus de dénucléarisation complet, vérifiable et irréversible, alors que ses dirigeants l'avaient accepté tant de fois auparavant. Ils n'étaient pas seulement en désaccord avec quelques « mots magiques », mais avec le concept, dans sa totalité, ce qui, à mes yeux, rendait ce sommet complètement inutile. J'ai dit que sans quelque chose de concret en retour, il fallait éviter tout langage sur la fin de la guerre. Pompeo est devenu de plus en plus nerveux, comme lors de cet appel à Mar-a-Lago, en avril, pour parler de l'accord iranien. J'ai insisté sur le fait que les démocrates du Congrès allaient nous en faire voir de toutes les couleurs si jamais nous signions ce texte... parce que c'est ce qu'ils font toujours, et que les républicains du Congrès, aussi, nous tueraient parce qu'ils savent que ce texte est incohérent avec ce que nous croyons tous. Pompeo ne défendait pas le langage que je critiquais, et il comprenait très bien qu'il valait mieux ne rien signer plutôt que de signer un mauvais document. Mais Pompeo savait quelque chose de très important : Trump voulait signer quelque chose. Il semblait incapable d'admettre, au moins devant les employés du ministère des Affaires étrangères, ce que nous savions tous deux, à savoir qu'il nous avait dirigés, lentement mais sûrement, dans un cul-de-sac où nous faisions des concessions, les unes après les autres, sans rien obtenir en retour. Voilà donc où nous étions. Un moment crucial, quelques options, mais aucune de bonne.

Après une seconde ou deux de silence, soudainement, comme si un clin d'œil discret avait été échangé entre chacun, tout le monde est sorti, ne laissant que Pompeo et moi dans la pièce. Après quelques minutes de va-et-vient, nous avons accepté d'insister pour inclure des références à notre concept de dénucléarisation ainsi qu'à la résolution 1718 du Conseil de sécurité (exigeant que la Corée du Nord ne conduise plus aucun essai d'arme nucléaire ou de missile balistique), pour ajouter de nouveaux paragraphes sur la question des enlèvements de Japonais, et pour obtenir des garanties concernant le rapatriement des restes humains américains datant de la guerre de Corée. Si cela ne marchait pas, nous passerions alors à un communiqué très bref, dont la qualité principale serait sa brièveté. Pompeo et moi avons expliqué cela aux agents des ministères des Affaires étrangères, de la Défense et du NSC, tous sachant qu'ils s'apprêtaient à négocier pendant de longues heures. Trump était déjà au lit depuis longtemps, et honnêtement, tant mieux pour lui. Il a réussi à dormir jusqu'au mardi matin.

Le directeur principal du NSC en Asie, Matt Pottinger, m'a réveillé à 1 heure du matin, pour me dire que les négociations étaient au point mort (sans surprise), et que Pompeo et Kim Yong-chol allaient se rencontrer à 7 heures du matin à l'hôtel Capella, l'emplacement choisi pour la réunion Trump-Kim qui allait suivre, afin de voir ce qui pouvait être fait. Trump a finalement émergé vers 8 heures, et nous sommes partis vers le *Capella*. Trump s'est déclaré satisfait du « communiqué express » que nous avions rédigé, ce qui m'a surpris, car son contenu était à des années-lumière de promettre la fin de la guerre de Corée. En fait, il ne disait pas grand-chose. Nous l'avions encore échappé belle. Pendant tout ce temps, Trump était en train de préparer un tweet sur une victoire 5-4 à la Cour suprême dans le cadre d'une affaire électorale en Ohio, et un autre pour souhaiter un prompt rétablissement à Kudlow, qui venait d'avoir une crise cardiaque, Dieu soit loué, légère, probablement due au G7.

Enfin, l'heure était à la cérémonie d'arrivée et au sommet Trump-Kim, puis à leur face-à-face, suivi par l'entrée de Kim Jong-un et de quatre assistants dans la grande salle où la rencontre allait se tenir. Il a serré la main des membres de la délégation américaine, y compris celle de votre humble serviteur, puis nous nous sommes assis et avons laissé la presse prendre des photos, pendant ce qui a semblé être une éternité. Lorsque la horde a finalement quitté les lieux, Kim s'est mis à spéculer (avec l'aide d'interprètes) sur toutes les histoires que la presse allait se mettre à imaginer, et Trump a enchaîné en se plaignant de l'incroyable malhonnêteté des médias. Trump a dit que le face-à-face avait été très positif, et qu'il s'attendait à ce que les deux dirigeants se contactent directement au téléphone, par la suite. Kim a fait la distinction, en souriant, entre Trump et ses trois prédécesseurs qui, selon lui, n'ont pas eu le leadership nécessaire pour organiser un tel sommet. Trump, alors légèrement fier de lui, a ajouté qu'Obama s'était préparé à faire de graves erreurs avec la Corée du Nord, avant même de parler ; une allusion à leur première rencontre (probablement durant la transition). Trump a ensuite dit avoir tout de suite senti que lui et Kim allaient bien s'entendre. En réponse, Kim a demandé à Trump ce qu'il avait pensé de lui, et

Trump a dit qu'il adorait cette question. Il a trouvé que Kim était très intelligent, assez secret, une très bonne personne, on ne peut plus sincère, dotée d'une personnalité remarquable. Kim a ajouté qu'en politique, les gens sont des acteurs.

Trump avait raison sur un point. Kim Jong-un savait exactement ce qu'il faisait lorsqu'il a demandé à Trump son opinion sur lui. Il s'agissait d'une question faite pour susciter une réponse positive, ou prendre le risque de mettre fin à la réunion avant qu'elle ait commencé. En posant une question apparemment naïve ou simpliste, Kim a placé le fardeau et la responsabilité de la réponse sur l'autre personne. C'est ainsi que Trump a mordu à l'hameçon.

Kim a affirmé, sans équivoque, qu'il était dévoué à la dénucléarisation de la péninsule coréenne. Il savait très bien que nombreux étaient ceux qui doutaient de sa sincérité, mais ceux-ci faisaient l'erreur de le juger, non pas en fonction de ses déclarations, mais en s'appuyant sur les actions de ses prédécesseurs. Lui, il était différent. Trump a admis que Kim avait réussi à tout changer. Kim a toutefois arboré le discours nord-coréen traditionnel, vieux de plusieurs décennies, accusant les politiques hostiles des anciens gouvernements américains pour justifier l'historique politique conflictuel entre les États-Unis et la Corée du Nord. Il a dit que si lui et Trump avaient pu se rencontrer fréquemment, ils auraient réussi à dissiper les malentendus et à accélérer le processus de dénucléarisation. J'avais déjà entendu tout cela auparavant, mais pas Trump, qui a approuvé l'évaluation de Kim, en notant qu'il y avait des personnes très militantes du côté américain, surtout en ce qui concernait les critiques de Kim des anciens gouvernements américains. Fait intéressant, Trump a dit qu'il demanderait au Sénat d'approuver tout accord sur le nucléaire signé avec la Corée du Nord, une approche positivement opposée à celle d'Obama qui avait refusé de demander la ratification de l'accord sur le nucléaire iranien. À ce moment-là, Pompeo m'a mis son carnet de notes sous les yeux, sur lequel était écrit : « Il nous prend vraiment pour des cons. » Et j'étais d'accord. Kim a promis qu'il n'y aurait plus d'essais nucléaires, et que leur programme nucléaire serait démantelé de manière irréversible.

Enfin est venu le piège que nous attendions tous. Une excuse perfectionnée par Joseph Staline durant ses sommets en temps de guerre, lorsque les « extrémistes » ont été découverts pour la première fois dans le Politburo[34] soviétique. Kim a « avoué » qu'il faisait face à des obstacles politiques intérieurs difficilement surmontables, à cause d'extrémistes nord-coréens, tout comme il y a des extrémistes aux États-Unis. Kim a dit, en restant sérieux, en plus, qu'il avait besoin d'être davantage soutenu en Corée du Nord, puis il s'est attardé sur l'exercice militaire américano-sino-coréen qui, selon lui, tapait sur les nerfs de tout le monde. Kim voulait que l'on réduise l'ampleur de l'exercice ou qu'on le supprime complètement. Il a dit qu'il avait déjà évoqué l'exercice militaire avec Moon lors de leur premier sommet (celui qui a produit la déclaration de Panmunjom), et que Moon lui avait répondu que les États-Unis étaient les seuls à pouvoir prendre une telle décision. Trump a répondu exactement ce que je craignais, en réitérant à Kim le même refrain, selon lequel cet exercice était provocant, une perte de temps et d'argent. Il a alors dit qu'il allait déroger à ses généraux, qui étaient incapables de signer un accord, et décider qu'il n'y aurait plus d'exercice, tant que les deux nations continueraient de négocier en bonne foi. Il a dit avec un grand sourire que grâce à Kim, les États-Unis venaient d'économiser beaucoup d'argent. Kim aussi arborait un grand sourire, en rigolant de temps en temps avec Kim Yong-chol. Tu m'étonnes. Il y avait vraiment de quoi se marrer ! Les articles de la presse américaine qui ont suivi ont profité de fuites, évidemment en provenance du ministère de la Défense, pour dire que Mattis était mécontent de ne pas avoir été consulté avant que Trump ne fasse une telle concession. Sans blague ! Kelly, Pompeo, et moi aussi, nous étions mécontents… et pourtant, nous étions assis à quelques mètres de là ! Trump a ajouté que depuis son premier jour à la Maison Blanche, il savait intuitivement que, pour lui, conclure ou négocier des accords, comme dans le cadre de ce sommet, allait être facile. Trump a demandé à Kelly et à Pompeo s'ils étaient d'accord, ce à quoi chacun a répondu oui. Dieu merci, il ne m'a pas demandé à moi. Kim a dit que les extrémistes nord-coréens allaient être impressionnés par la décision de Trump d'annuler l'exercice, et que de nouvelles étapes pourraient être convenues lors de la prochaine phase des négociations. Il a plaisanté en disant qu'il n'y aurait plus de comparaison entre la taille de leur bouton nucléaire respectif, car en acceptant de

34 « Bureau politique » en russe, organe suprême du Comité central du Parti communiste de l'Union soviétique (NDT).

fermer un centre d'essais de missiles, les États-Unis n'étaient plus sous la menace de la Corée du Nord.

La réunion a continué et Kim s'est félicité, ainsi que Trump, pour tout ce qu'ils avaient accompli en seulement une heure. Trump a acquiescé en ajoutant que personne d'autre n'aurait pu réussir cela. Puis ils ont ri ensemble. Trump a ensuite pointé Kim du doigt en disant que tout dépendait de lui. Kim a approuvé en disant qu'il agissait à sa manière, et que lui et Trump s'entendraient bien. Trump en a remis une couche sur l'exercice militaire, en critiquant à nouveau ses généraux, dont il remettait les décisions en question afin de donner le point à Kim, aujourd'hui. Une nouvelle fois, Kim a rigolé. Trump s'est rappelé que six mois auparavant, il appelait Kim le « petit homme fusée », et il a alors demandé à Kim s'il savait qui était Elton John. Il pensait qu'« homme fusée » était un compliment. Kim a continué de rire. À ce moment, Trump a demandé que l'on joue la version coréenne de la vidéo de « recrutement », que les Nord-Coréens ont regardée très attentivement sur les iPads que nous leur avions donnés.

Une fois terminée, Trump et Kim étaient prêts à signer une déclaration commune aussi vite que possible, mais des incohérences en matière de traduction ont obligé tout le monde à patienter, et ainsi la conversation a continué. Kim a répété qu'ils avaient eu une très bonne discussion, et qu'il était ravi que Trump accepte de poursuivre l'approche « action pour action ». Bizarrement, j'avais raté le passage où Trump faisait cette concession. Il s'agissait, en effet, de « mots magiques », ceux que je voulais éviter à tout prix, mais ceux que Kim pensait pouvoir placer en douce. Kim a demandé si le retrait des sanctions de l'ONU était la prochaine étape, et Trump a répondu qu'il y était ouvert et qu'il allait y réfléchir, en faisant remarquer que nous avions littéralement des centaines de sanctions prêtes à être annoncées. Pompeo et moi n'avions aucune idée de ce qu'il voulait dire. Trump a vraiment distribué des bonbons aux Nord-Coréens.

Kim était optimiste à l'idée de rapidement progresser, et il s'est demandé comment leurs prédécesseurs avaient pu en être si incapables. Trump a répondu du tac au tac en disant qu'ils s'étaient montrés stupides. Kim a approuvé en disant qu'il aura fallu des dirigeants de sa stature et de celle de Trump pour accomplir tout cela.

Puis soudainement, grand moment délicat. Kim a regardé de l'autre côté de la table et nous a demandé à nous ce que nous pensions de cette déclaration. Trump a demandé à Pompeo de se lancer, et Pompeo a dit que seuls deux dirigeants de leur calibre pouvaient se mettre d'accord en ce jour historique. Trump a répondu sans hésiter, que les États-Unis auraient été incapables de signer un accord avec Tillerson, qui était aussi chaleureux qu'un bloc de granit.

Heureusement, Kim a changé de sujet pour parler du rapatriement des restes humains américains, et je n'ai pas eu à parler. Une nouvelle fois, je l'avais échappé belle. Les photographes officiels de chaque nation sont alors rentrés, et la réunion s'est terminée vers 11 h 10. Après un bref arrêt dans une des salles annexes pour que Trump puisse admirer les incroyables moyens mis en place pour retransmettre l'événement en direct à la télévision, notre déjeuner de travail a commencé vers 11 h 30. Une nouvelle horde de journalistes est vite entrée puis vite sortie, ce qui a fait dire à Kim : « On se croirait à Disneyland. » Enfin, lui et moi étions d'accord. Ce déjeuner a commencé de façon légère, avec Kim décrivant sa visite, la veille, du casino et du complexe hôtelier de Sheldon Adelson, le Marina Bay Sands, un des éléments incontournables de la vie nocturne à Singapour. Kim et Trump ont abordé plusieurs sujets : le golf, Dennis Rodman, et la victoire de l'équipe de football féminine des États-Unis contre la Corée du Nord, lors des Jeux olympiques de 2016.

Puis tout d'un coup, Trump s'est tourné vers moi en disant : « John, auparavant, était un faucon. Mais aujourd'hui, c'est une colombe. Quelque chose à ajouter après ça ? » Dieu merci, tout le monde a rigolé. Faisant de mon mieux pour rester sérieux, j'ai répondu : « Le président a été élu, en grande partie, car il est différent des autres politiciens. Il aime perturber. J'ai hâte de visiter Pyongyang. Je suis sûr que cela sera très intéressant. »

Pour une raison ou une autre, Kim a cru que je plaisantais, et a ajouté : « Vous serez accueilli chaleureusement. Vous allez peut-être trouver cette question difficile, mais… me faites-vous confiance ? »

Bon sang, encore une question piège, le genre de question qu'il était très bon pour poser. Je ne pouvais évidemment pas dire la vérité ni mentir, alors je m'en suis sorti en disant : « Le président, grâce à ses années d'expérience dans le monde des affaires, a développé un sens très pointu des gens avec lesquels il choisit de travailler. S'il vous fait confiance, alors nous le suivrons. »

Trump a ajouté que j'étais toujours sur Fox News, à vouloir la guerre avec la Russie, la Chine, et la Corée du Nord, mais qu'à la télé, tout était très différent. Cela a fait éclater de rire les Nord-Coréens. Kim a continué : « J'ai souvent entendu l'ambassadeur Bolton dire de mauvaises choses sur nous. Plus tard, il faut absolument que nous prenions une photo ensemble pour que je puisse montrer aux extrémistes que vous n'êtes pas si méchant que ça. »

« Est-ce que je peux aller à Yongbyon[35] ? », ai-je demandé. MDR.

Trump a dit : « John croit vraiment à ce que nous faisons ici, je peux vous le promettre », histoire de montrer à quel point la vérité peut être manipulée.

J'ai ajouté : « M. le président, je suis ravi d'entendre que vous regardez Fox News », et tout le monde s'est mis à rire. (Trump m'a dit durant le vol retour vers Washington : « Je vous ai à nouveau hissé au statut d'interlocuteur valable. » Exactement ce dont j'avais besoin.)

Le déjeuner s'est terminé peu de temps après, vers 12 h 30, mais nous étions toujours coincés parce que les déclarations communes n'étaient pas encore prêtes. Trump et Kim ont décidé d'aller prendre l'air, en marchant dans le jardin de l'hôtel, ce qui n'a rien produit de significatif à part des images passant en boucle à la télévision. Enfin, l'heure de la cérémonie des signatures était venue. La délégation nord-coréenne a été très impressionnante. Ils frappaient tous des mains, fort et parfaitement à l'unisson, par exemple, chaque fois que Kim disait ou faisait quelque chose à souligner, ce qui était en contraste net avec la performance tragique de la délégation américaine. Trump avait plusieurs interviews en face-à-face avant l'événement médiatique principal, peu après 16 heures, où il a fait jouer, à la surprise de tous, notre vidéo de « recrutement ». La présence médiatique était extraordinaire, et enfin, nous étions autorisés à rentrer à Washington, mon souhait le plus sincère, avant que quelque chose ne parte de travers. Peu après le décollage d'Air Force One, Trump

35 Ville située à 100 kilomètres au nord de Pyongyang, où se trouve la majorité des installations nucléaires de la Corée du Nord (NDT).

a appelé Moon puis Abe pour les briefer.(Pompeo était resté à Singapour, car il devait ensuite partir pour Séoul, Pékin, et Tokyo afin de fournir des comptes rendus plus détaillés de ce qui s'était passé.)
gapour, car il devait ensuite partir pour Séoul, Pékin, et Tokyo afin de fournir des comptes rendus plus détaillés de ce qui s'était passé.)
Trump a dit à Moon que le sommet s'était passé à merveille, et ils ont ensuite évoqué leur accomplissement de manière dithyrambique. Trump a demandé à Moon, un peu tardivement, comment l'accord allait être mis en œuvre, en répétant ce qu'il avait dit durant la conférence de presse, et en ajoutant qu'il n'avait pas fermé l'œil pendant vingt-sept heures d'affilée. Un détail que Kelly et moi savions pertinemment faux. Moon a souligné, comme l'ont fait les représentants de Séoul lors de déclarations publiques, que Kim s'était clairement engagé en faveur de la dénucléarisation. Plutôt que de faire le rabat-joie, Abe a exprimé sa gratitude, en remerciant Trump d'avoir mentionné le problème des enlèvements durant son face-à-face avec Kim. Trump a dit que, selon lui, Kim voulait signer un accord, et qu'il était temps d'en conclure un.

J'ai aussi passé quelques appels informatifs, notamment à Pence pour discuter des « jeux de guerre[36] », un point que les républicains du Congrès étaient déjà en train de critiquer. Pompeo, coincé à Singapour parce que son avion avait des problèmes mécaniques, m'a dit que Mattis l'avait appelé et que cette concession le rendait très inquiet. Pompeo et moi avons convenu que nous deux, Mattis, et Dunford devions nous rencontrer, une fois de retour à Washington, pour réfléchir sérieusement à ce que nous devions faire pour éviter toute dégradation risquée du niveau de préparation militaire des États-Unis sur la péninsule.

Notre approche était : « Avant de faire quoi que ce soit, assieds-toi là », jusqu'à ce que nous ayons évalué ce qui était nécessaire. En effet, toute action ou déclaration prématurée allait se montrer risquée, comme l'a prouvé la réaction de Trump, alors que nous étions dans son bureau à bord d'Air Force One, en train de regarder Fox News. Un journaliste, dont la source était un porte-parole anonyme du Pentagone, a dit que la planification des exercices militaires continuait comme à son habitude, ce qui a fait que Trump s'est cogné la tête contre le toit de l'avion. Trump voulait que j'appelle Mattis dans la

36 Surnom donné aux exercices militaires américano-sino-coréens (NDT).

foulée pour lui dire de tout arrêter, mais à la place, j'ai contacté Mira Ricardel, également à bord d'Air Force One, pour lui dire d'appeler le Pentagone et de s'assurer que personne ne déclare quoi que ce soit en public, jusqu'à nouvel ordre.

Nous avons atterri à la base Andrews, quelques minutes après 5 h 30 du matin, le mercredi 13 juin, et Trump est monté à bord du cortège présidentiel qui l'a conduit jusqu'à la Maison Blanche. Mon équipe du service secret a emprunté le périphérique autour de Washington pour me conduire chez moi, où j'ai remarqué que Trump venait de tweeter :

> **À peine atterri. Un long voyage, mais tout le monde peut se sentir encore plus en sécurité que le jour où j'ai pris mes fonctions. La Corée du Nord ne constitue plus une menace nucléaire. Rencontrer Kim Jong-un a été une expérience intéressante et très positive. L'avenir s'annonce prometteur pour la Corée du Nord !**

Impossible de l'arrêter. J'ai parlé avec Yachi, le lendemain, et les Japonais, d'après mon évaluation, étaient clairement perturbés par le déséquilibre entre ce que nous avions cédé et ce que nous avions obtenu. J'ai essayé de le calmer, mais la vérité était que le résultat de Singapour était suffisamment ambigu pour nous obliger à réexaminer la situation ou à prendre le risque de rapidement perdre le contrôle des événements. Le Japon et la Corée du Sud étaient aussi confus l'un que l'autre par l'approche que Trump a semblé prendre durant ses conversations avec Moon et Abe, en disant notamment que Moon allait avoir la responsabilité de « conclure » l'accord sur le nucléaire. Ils voulaient savoir ce que le président avait exactement à l'esprit en disant cela. Ni Pompeo ni moi n'en avions la moindre idée, mais nous étions tous les deux sûrs que Trump non plus ne le savait pas. En fait, j'étais en train de revenir sur mon premier point de vue. Je me demandais si le fait d'impliquer davantage la Corée du Sud dans la dénucléarisation n'allait pas compliquer les choses, et si cela allait nous permettre d'éviter un effondrement total de notre politique de non-prolifération nucléaire et de notre stratégie de dissuasion traditionnelle sur la péninsule et plus globalement, en Asie orientale.

Je me suis également entretenu avec Mattis au sujet des « jeux de guerre » pour lui expliquer comment, selon moi, nous devions maintenant procéder. Mattis m'a dit que ses homologues japonais et sud-coréen l'avaient déjà appelé et qu'ils étaient pour le moins inquiets. Il m'a également dit, ce que je n'avais encore jamais entendu, que six mois plus tôt, Trump avait failli annuler cet exercice parce que la Russie et la Chine s'en étaient plaintes. Le moins que l'on puisse dire, c'est que j'ai trouvé cette information troublante. Dunford ayant compilé une liste d'exercices potentiellement affectés, nous avons décidé de nous rencontrer à Washington. Mais je n'allais pas m'en tirer aussi facilement. Plus tard ce jour-là, Mattis est venu me dire qu'il voulait rédiger un communiqué de presse. Peu importe son contenu, nous risquions, à mon avis, une autre tirade présidentielle, dont la substance déplairait, sans aucun doute, à Mattis. Pourquoi lancer les dés ? Probablement parce qu'il s'agissait d'un stratagème bureaucratique de la part du ministère de la Défense. En effet, si le Pentagone pouvait produire suffisamment de remue-ménage au sein du Congrès, il ne serait alors plus responsable de la dégradation de notre niveau de préparation militaire en Corée du Sud. Il s'agissait, toutefois, d'une stratégie risquée, qui pouvait pousser Trump à interdire ces exercices de manière encore plus radicale et rigoureuse. En fin de compte, Mattis a accepté que son ministère reste silencieux, mais cela a demandé du travail.

Pompeo, Mattis, et moi nous sommes retrouvés pour le petit-déjeuner, dans le mess des officiers, le lundi 18 juin, avec en main la liste d'exercices de Dunford. Mattis a avancé que le niveau de préparation commençait à se dégrader dès qu'un exercice était annulé, et qu'au fil du temps, ce déclin allait s'aggraver. Nous étions tous préoccupés par l'objectif, à court et à long terme, de maintenir l'excellence de notre niveau de préparation dans la péninsule. Avec la rotation déjà programmée des différents grades et le remplacement des agents plus expérimentés par de jeunes nouveaux, le manque d'exercices allait se montrer déterminant. Cette discussion a permis d'entourer le 1er septembre comme une date clé sur notre calendrier.

Mattis avait peur que l'annulation d'un nombre d'exercices insignifiants mette Trump en colère, mais je trouvais qu'il était ridicule de vouloir en annuler trop d'un coup, de provoquer des conflits inutiles avec les républicains du Capitole et de faire empirer les choses. Nous avons finalement accepté que le Pentagone déclare que les deux exercices les plus importants de l'année seraient « suspendus », ce que nous considérions comme un mot-clé bien plus adapté (et moins risqué) qu'« annulés ». Globalement, toutefois, et en nous rappelant que les Chinois avaient suggéré à Pompeo, à Pékin, de faire le forcing pendant deux mois afin de progresser avec Pyongyang, nous avons choisi de nous donner jusqu'au 1er septembre pour évaluer si les négociations étaient productives… ou pas.

Durant le reste de la semaine suivant notre retour de Singapour, Trump a été euphorique. Le vendredi, lors d'une réunion d'information, il s'est exclamé : « Jamais de la vie, je n'aurais réussi à faire ça avec McMaster et Tillerson. Pompeo fait du super boulot. Et ce gars-là aussi ! », en me pointant du doigt. Trump était ravi qu'il n'y ait plus de jeux de guerre et doublement ravi que ses efforts d'annulation aient été ignorés par le passé. Autrement, il « n'aurait rien eu à donner en échange ! » Trump a également dit que Kim Jong-un a « quelque chose de vicieux en lui », et que son avenir pourrait être « fulgurant », en se rappelant d'un regard irrité que Kim Jong-un avait lancé à un des représentants durant les discussions. Trump avait passé la semaine à signer des notes, des photos et des articles de journaux pour Kim Jong-un et à se remémorer la chaleur de leurs échanges à Singapour, qui, décidément, ne se dissipait pas assez rapidement pour moi.

Trump a mentionné un point important à la fin juin, en évoquant la division potentielle entre les États-Unis et Moon Jae-in, ce qui nous préoccupait de plus en plus. Ayant bien observé Moon en pleine action, Trump a fini par comprendre que Moon avait des objectifs différents des nôtres. En effet, tout gouvernement donne la priorité à ses intérêts nationaux. Pour Moon, cela voulait probablement dire que l'harmonie des relations intercoréennes était plus importante que la dénucléarisation. Par ailleurs, à l'approche des élections de mi-mandat, Trump ne voulait que des bonnes nouvelles en rapport avec la Corée du Nord. Pour ce faire, il voulait que la Corée du Sud calme le jeu en matière de réunification avec la Corée du Nord, pour mettre en avant la dénucléarisation qui était bel et bien la priorité des États-Unis. Un constat qui a toujours parfaitement correspondu aux intérêts américains. Que cela soit gravé à l'esprit de Trump nous a offert, au moins, une rambarde de sécurité nous empêchant de complètement perdre le sens des réalités. Trump ne voulait que des bonnes nouvelles avant les élections, et cela m'inquiétait car, évidemment, cela était impossible à garantir. Je me posais également des questions au sujet de Pompeo qui était prêt à tout sauf à être le porteur de mauvaises nouvelles, un rôle qu'il était trop facile d'éviter en faisant des concessions à la Corée du Nord.

Pompeo a programmé un nouveau voyage vers Pyongyang le 6 juillet, ce qui ressemblait comme deux gouttes d'eau à un désir diplomatique d'en finir au plus vite avec la Corée du Nord. Je me faisais aussi un sang d'encre en pensant au ministère des Affaires étrangères qui devait être si heureux d'apprendre la reprise des négociations, car, comme dans les pourparlers à six, chaque nouvelle réunion était une occasion unique de faire des concessions. En effet, le ministère des Affaires étrangères était en train de préparer des tableaux de « positions de repli » pour la délégation américaine, avant même d'être assis en face de vrais Nord-Coréens, pas les tendres que nous avions rencontrés à Singapour. J'ai lourdement insisté auprès de Pompeo pour qu'il ne fasse aucune négociation trop sérieuse avant que Pyongyang ne s'engage à fournir une déclaration de référence complète de leurs programmes d'armement nucléaire et de missiles balistiques. En matière de maîtrise des armements, il s'agissait d'un document classique, pas du tout d'un document confidentiel garantissant notre succès. Une des techniques les plus élémentaires en espionnage était que les négociateurs comparent ce qui était déclaré et ce qui était déjà connu des capacités d'armement d'un adversaire. Ainsi, ces comparaisons constituaient l'équivalent d'un test de la bonne volonté des négociateurs, et dans le cas de la Corée du Nord, un moyen de vérifier à quel point leur engagement en faveur de la dénucléarisation était sincère. Si un pays sous-estimait ces actifs nucléaires de manière trop grossière, les négociateurs pouvaient alors se préparer à des négociations… très sérieuses. J'ai souvent dit que : « Contrairement à beaucoup de personnes, je fais confiance aux Nord-Coréens. Ils ne me déçoivent jamais. » J'ai aussi expliqué à Pompeo ce que les experts en non-prolifération du NSC et de la communauté du renseignement ont tous confirmé : si les Nord-Coréens voulaient vraiment et réellement renoncer à leurs armes de destruction massive, ils seraient prêts à coopérer en mettant en marche les mesures de désarmement (un autre test de leur sérieux), qui pourraient toutes être terminées en un an ou moins.

Les employés du ministère des Affaires étrangères souhaitaient que la période de désarmement soit plus longue. Autant se tirer une balle dans le pied. Pompeo, non plus, n'était pas emballé par l'idée d'un processus de dénucléarisation rapide. Peut-être qu'il imaginait déjà la Corée du Nord en train de résister, et lui avec une migraine, devant annoncer la mauvaise nouvelle à Trump, qui n'en voulait aucune avant les élections.

Pompeo est parti pour Pyongyang après le feu d'artifice du 4 juillet, depuis le National Mall, qu'il a admiré depuis le ministère des Affaires étrangères, alors qu'il était en train d'organiser la traditionnelle réception des ambassadeurs étrangers. Il a appelé Washington le vendredi soir à 18 h 30 (samedi matin en Corée du Nord) pour nous parler, à Trump, Kelly, et moi. Pompeo nous a dit qu'il s'était entretenu avec Kim Yong-chol au cours de deux réunions « incroyablement frustrantes » et ne produisant « quasiment aucun progrès ». Pompeo avait d'autres réunions de programmées ce samedi. Il a rappelé Washington à 17 h 15 pour dire qu'il avait vu Kim Yong-chol, à nouveau, mais toujours pas Kim Jong Un, ce qui en disait long sur le nom de la personne à qui la Corée du Nord voulait parler. (Chung, le Sud-Coréen, m'a dit quelques jours plus tard que son gouvernement aussi avait été surpris et déçu par l'absence de Kim Jong-un.) Une fois Pompeo loin de Pyongyang, la Corée du Nord a décrit les discussions comme « regrettables », ponctuées par une « demande de dénucléarisation unilatérale digne d'un gangster. » Euh... et les bonnes nouvelles ? Pompeo a dit que la Corée du Nord voulait des « garanties de sécurité » avant de parler dénucléarisation, et qu'il n'y aurait pas de « vérification » avant la fin de la dénucléarisation, ce qui signifiait aucune déclaration de référence, et donc aucune comparaison avant/après significative. À mes yeux, nous étions toujours au point zéro.

Trump a approuvé en disant : « Cette histoire de "mise en confiance", c'est vraiment des conneries. » Sans aucun doute, la remarque la plus pertinente qu'il ait faite au sujet de Pyongyang, ces derniers mois. Pompeo a ajouté : « Encore une stratégie pour affaiblir les sanctions, c'est vraiment une manœuvre dilatoire de base », ce qui était correct. Mais il fallait des bonnes nouvelles alors Pompeo a fait référence à un passage d'un communiqué de presse nord-coréen disant, à quelques mots près, que Kim Jong-un « avait toujours confiance en Trump. » Lors des deux appels téléphoniques de vendredi et samedi, Trump a demandé quel était l'impact de la Chine sur la Corée du Nord. Pompeo a minimisé l'influence de la Chine, alors que Trump l'imaginait beaucoup plus importante. D'après moi, l'évaluation de Pompeo était plus juste, même s'il ne fallait pas rater une miette des actions de la Chine. Puis Trump s'est lancé dans un de ses monologues dont il a le secret, disant qu'il ne comprenait pas pourquoi nous avions pris part à la guerre de Corée et pourquoi une partie de nos troupes étaient toujours sur la péninsule, et pourquoi, évidemment, ces jeux de guerre... etc. « On va se faire avoir, je le sens gros comme une maison », a dit Trump. En se tournant vers la Corée du Nord, il a ajouté : « Tout ça, c'est une perte de temps. En bref, ils nous disent qu'ils ne veulent pas dénucléariser », ce qui était on ne peut plus vrai. Jusqu'à la fin de l'appel, Trump n'a pas semblé réaliser que Pompeo n'avait pas vu Kim Jong-un. Il a demandé à Pompeo s'il avait pu donner le CD « Rocket man » d'Elton John qu'il avait signé exprès. Mais Pompeo n'avait pas pu. Pendant plusieurs mois, donner ce CD à Kim est resté une priorité élevée. Une fois l'appel avec Trump terminé, Pompeo m'a rappelé à part pour discuter des réponses à donner à la presse au Japon, où son avion s'était arrêté pour faire le plein. Le seul détail qui m'a surpris au sujet de la Corée du Nord, c'est avec quelle rapidité ils sont redevenus eux-mêmes (c'est-à-dire difficiles) après Singapour. Ils n'ont pas perdu une seconde.

Trump souhaitait évidemment noyer la mauvaise nouvelle, surtout le manque de preuves du sérieux de la Corée du Nord en matière de dénucléarisation. En effet, il ne fallait surtout pas qu'elle devienne publique en pleine campagne électorale. Alors, à la place, il a insisté sur le fait que la Corée du Nord ne procédait à aucun essai de missiles ou d'armes nucléaires. J'ai essayé d'expliquer que le temps qui passe était en faveur de la Corée du Nord, comme c'est généralement le cas avec les proliférateurs. Selon toute probabilité, la Corée du Nord était en train de déplacer ses armes, ses missiles, et ses installations de production en des lieux modernes et plus sûrs, comme elle le faisait depuis plusieurs décennies, et de continuer à produire des armes et des systèmes de livraison, en concluant que jusqu'à présent (au pire), leurs programmes d'essais avaient accompli tous leurs objectifs. C'était clairement ce que pensait le Japon, et ce que ses représentants m'ont répété plusieurs fois, comme dans un appel téléphonique avec Yachi le 20 juillet. Peut-être même que Pyongyang stockait des armes dans d'autres pays. Cela n'a pas dérangé Trump, qui a simplement dit : « Ah… ils font ça depuis des années. » Exactement, et c'est là qu'était le problème ! Mais à la place, une fois de plus, il s'est laissé hypnotiser par le contraste entre les ambitions de réunification de la Corée du Sud et notre objectif de dénucléarisation. Il a alors décidé de ne pas signer l'accord KORUS[37] avant que Séoul ne démontre qu'elle continuait d'appliquer des sanctions strictes contre Pyongyang. Il pensait peut-être pouvoir utiliser le KORUS comme outil de négociation, mais en réalité, la signature de l'accord n'a été que très légèrement retardée (jusqu'au 24 septembre 2018). Toutefois, il n'était pas possible d'ignorer plus longtemps les risques associés à la Corée du Nord, et notamment parce que Trump pensait que c'était la Chine qui se cachait derrière le comportement récalcitrant de Pyongyang. Il devait imaginer qu'en répondant aux problèmes économiques avec la Chine, tout allait se remettre en place. Si oui, alors il était en plein rêve.

Le vendredi 27 juillet, j'ai organisé une réunion avec le Comité des directeurs pour discuter de ce qui s'était passé à Singapour, et nous avons tous dit de manière unanime : « Pas grand-chose ». Pompeo a été catégorique en ajoutant que la Corée du Nord n'avait rien effectué de concret en faveur de la dénucléarisation et qu'il n'y avait « aucune chance de succès ». Mon avis, au mot près. Nous étions tous d'accord pour resserrer les sanctions, tant sur les plans diplomatique et économique que militaire. Ni Mattis, ni Pompeo, ni moi n'avons évoqué notre date butoir du 1er septembre, mais avec seulement cinq semaines devant nous, je l'avais certainement à l'esprit.

L'approche de la Corée du Nord, elle, était différente. Début août, Kim a envoyé une de ses fameuses « lettres d'amour » à Trump, notamment pour se plaindre du manque de progrès effectué depuis Singapour et pour suggérer qu'ils se rencontrent à nouveau, prochainement. Pompeo et moi étions d'accord. Il était hors de question d'organiser une telle réunion, surtout avant les élections de novembre. Sous une telle pression politique, qui sait ce que Trump serait

37 Accord de libre-échange entre les États-Unis et la Corée du Sud (Korea-US, KORUS) (NDT).

capable de concéder ? Nous avons aussi convenu que la meilleure réponse possible était de dire que Pompeo était prêt à revenir à Pyongyang, à tout moment. Lorsque j'ai montré la lettre de Kim Jong-un à Trump et que je lui ai fait part de nos recommandations, il s'est immédiatement exclamé : « Il faut que je rencontre Kim Jong-un. Nous devrions l'inviter à la Maison Blanche. » Une idée catastrophique dont l'impact pouvait être dramatique, à mon avis. À la place, j'ai suggéré une rencontre à New York, au moment de l'ouverture de la nouvelle session de l'Assemblée générale des Nations Unies. Mais Trump ne voulait rien entendre : « Non, il y a trop de choses là-bas. » À ce moment-là, d'autres nous avaient rejoints dans le Bureau ovale, dont Kelly, à qui j'ai ensuite chuchoté : « Impossible qu'il rencontre Kim à nouveau. » Kelly était complètement d'accord. Pompeo, alors en déplacement en Asie, a appelé en fin d'après-midi. Je lui ai expliqué ce qui s'était passé, et il a répondu : « Ah, j'aurais payé pour voir ta tronche lorsque POTUS a dit qu'il voulait une visite officielle à la Maison Blanche ! » Cela aurait été difficile, ai-je dit, parce qu'il aurait d'abord fallu me décoller la tête qui était scotchée au *Resolute Desk*. Trump a envoyé un tweet à Kim, cet après-midi : « Merci pour votre gentille lettre. J'ai hâte de vous voir prochainement ! » Même si cela était risqué, nous avons rédigé une lettre, que Trump a signée le lendemain, offrant Pompeo à Pyongyang. Trump a dit qu'il n'aimait pas l'idée et qu'il trouvait que cela était insultant pour Kim : « Je ne suis pas d'accord avec vous et Pompeo. Ce n'est pas honnête envers Kim Jong-un, et j'espère que cela ne va pas tout ruiner », alors qu'il signait le bas de la lettre et écrivait de sa propre main : « J'ai hâte de vous voir prochainement ! » Au moins, il l'avait signée.

Malgré nos préparatifs pour le voyage de Pompeo en Corée du Nord, prévu pour la fin août, les Nord-Coréens nous ont avertis, juste avant son départ pour Pyongyang, qu'il ne rencontrerait pas Kim Jong-un durant ce déplacement, et que sans nouvelles propositions, dont la déclaration de fin de la guerre, il ne devrait même pas prendre la peine de venir. En résumé, ils venaient de nous dire que la dénucléarisation ne serait même pas abordée durant ces réunions. Toutefois, Pompeo a décidé d'ignorer les menaces, en tweetant qu'il avait hâte de rencontrer Kim Jong-un. À notre grande surprise, Trump a dit à Pompeo de ne pas y aller. Pence et Pompeo ont commencé à répondre, en disant que ce voyage était nécessaire, mais ici, c'était Trump qui décidait comment envoyer un message.

Il est donc revenu à ce qu'il connaît le mieux, Twitter, et, comme tant de fois auparavant, il a commencé à dicter un tweet. « Que pensez-vous de ça, John ? » m'a-t-il demandé, ce à quoi j'ai immédiatement répondu : « Je suis d'accord. Mike ne devrait jamais aller à Pyongyang dans un tel contexte. » Pence a admis qu'il fallait nous montrer forts plutôt que faibles, et en quelques minutes, les tweets ont été envoyés :

> J'ai demandé au ministre des Affaires étrangères de ne pas aller en Corée du Nord, car je pense que nous ne progressons pas suffisamment en matière de dénucléarisation sur la péninsule coréenne…

> … Par ailleurs, la difficulté de notre position économique avec la Chine me fait me dire que Pékin ne nous aide pas autant que par le passé à faire avancer le processus de dénucléarisation (malgré les sanctions de l'ONU déjà en place)…

> … Le ministre des Affaires étrangères, Pompeo, a hâte d'aller en Corée du Nord, dans un futur proche, très probablement après l'amélioration de notre relation commerciale avec la Chine. D'ici là, je tiens à envoyer mes salutations et mon respect le plus sincère au président Kim. J'ai hâte de le revoir prochainement.

J'étais aux anges. Nous l'avions encore échappé belle. Peu de temps après, j'ai parlé avec Pompeo, qui avait finalement fini par accepter la décision de Trump. Quelques jours plus tard, Trump lui-même a dit : « Les sanctions devraient être aussi fortes que possible. Ne les laissez pas respirer. Appliquez davantage de sanctions. »

Trump se demandait toujours ce que Xi Jinping pouvait bien dire à Kim Jong-un. Je lui ai dit que la seule chose que je savais, c'est que ce qu'il lui disait n'était pas en notre faveur. J'ai donné à Trump un document d'une page, imaginant ce que je Xi pouvait dire, que j'avais rédigé en m'appuyant uniquement sur mes spéculations, basées sur plusieurs années passées au cœur de ces questions.

J'espérais que cela le réveille ou le fasse réfléchir. J'avais déjà tout essayé alors je n'avais rien à perdre. Trump a lu mon « script », mais il n'y a pas réagi. Au moins, il savait ce qui, d'après moi, était la réalité de notre situation. Voici la retranscription de ma version des « commentaires » de Xi à Kim :

> « Écoute, Jong-un, tu ne peux pas faire confiance à Trump, peu importe le nombre de gentilles lettres qu'il t'écrit. Il est en train d'essayer de te berner, comme tous les hommes d'affaires capitalistes. Ne te laisse pas avoir. Tu veux savoir ce que Trump veut vraiment ? Transformer la Corée du Nord en Corée du Sud. Trump, Pompeo et Bolton, ils sont tous pareils. S'ils te parlent différemment, c'est uniquement pour t'embrouiller. Les Américains ont une mémoire très courte. Ils sont erratiques, inconsistants, et nous ne pouvons pas leur faire confiance. Quant à Moon Jae-in, il est comme eux, mais en pire. Car il veut la paix. Nous pouvons faire tout ce que nous voulons avec Moon, mais les Américains savent ce que le pouvoir représente.
>
> Voilà pourquoi, toi et moi, nous devons rester soudés. C'est le seul moyen pour que tu puisses conserver tes programmes d'armement nucléaire, obtenir un vrai soutien financier, et garder le pouvoir. Si tu continues à négocier avec les Américains, tu vas rapidement te retrouver pendu à un arbre, dans Pyongyang, et ça, je te le garantis. Serrons-nous les coudes.
>
> Tout ce que tu as à faire, c'est de continuer à cacher tes armes nucléaires, tes missiles et tes usines de production. Nos amis en Iran continueront de tester tes missiles, comme ils l'ont fait depuis deux décennies. En échange, tu pourras leur construire des têtes nucléaires dans tes installations souterraines cachées. De mon côté, je vais acheter davantage de pétrole iranien et augmenter nos investissements en capitaux là-bas pour compenser les sanctions américaines. Après ça, l'Iran fera exactement tout ce que je veux.
>
> De ton côté, continue de leurrer les Américains en leur rendant les os de leurs soldats. Je trouve ça presque émouvant de les voir s'attacher à ce genre de détails. Même chose avec le Japon. Fais-leur cadeau des corps des personnes que

ton père a kidnappées. Abe se mettra à pleurer en public, et après, il t'enverra des valises remplies de billets de cent dollars.

Aujourd'hui, je suis en pleine guerre commerciale avec Trump. Ses mesures affectent l'économie chinoise, et si ce conflit continue, cela pourrait nous faire vraiment mal. Heureusement, Trump est entouré de conseillers de Wall Street qui ont une mémoire aussi courte que tous les Américains et qui, mentalement, sont aussi faibles que Moon Jae-in. Je signerai un papier pour acheter davantage de leurs précieuses graines de soja et quelques innovations technologiques (que je volerais ensuite, et que je vendrais moins cher à leurs propres consommateurs), et grâce à ça, ils nous lâcheront la grappe pendant un moment.

Je t'expliquerai tout ça plus en détail lors de notre rencontre du mois prochain. Je te proposerai aussi plusieurs enveloppes d'aides que même le Japon ne pourra pas égaler. Je n'enfreindrai aucune sanction de l'ONU parce que je n'aurai pas à le faire. Je proposerai des fournitures et des formes d'assistance que les sanctions ne couvrent pas, et je dirai à la police des frontières, là-haut, de ne pas faire trop attention aux véhicules qui y circulent. Tout ira bien. Non seulement tu pourras conserver tes armes nucléaires, mais d'ici peu, la Corée du Sud te mangera dans la main.

Pense au long terme, Jong-un. Quand notre époque sera racontée dans les livres d'histoire, tu voudras être du côté des gagnants, c'est-à-dire celui de la Chine. Les Américains ne sont pas nos amis. »

Le 29 août, sans raison apparente, Mattis et Dunford ont tenu une conférence de presse désastreuse, durant laquelle un journaliste a interrogé Mattis sur le niveau de préparation des forces américaines en Corée, étant donné la suspension des jeux de guerre. Il a donné une réponse longue, confuse et qui, en substance, et en toute honnêteté, révélait une division au sein du camp Trump. Sans surprise, Trump s'est mis en colère et s'est mis à déballer tout ce qu'il pensait de Mattis, des généraux, des jeux de guerre, etc. Je suis intervenu en disant que Mattis était actuellement en train de clarifier la situation, mais Trump voulait tweeter, ce qu'il a fait plus tard :

COMMUNIQUÉ DE LA MAISON BLANCHE

Le président Donald J. Trump pense sincèrement que la Corée du Nord subit la pression exercée par la Chine, à cause des conflits économiques avec le gouvernement chinois. En parallèle, nous savons aussi que la Chine fournit à la Corée du Nord...

... un soutien considérable, dont de l'argent, du carburant, de l'engrais et différents autres produits, ce qui ne nous aide pas ! Néanmoins, le président pense avoir une relation très amicale et chaleureuse avec Kim Jong-un, et qu'il n'y a, à l'heure actuelle, aucune raison de dépenser...

... beaucoup d'argent en exercices militaires américano-sino-coréens. Par ailleurs, le président peut décider, s'il le souhaite, de donner l'ordre immédiat de redémarrer ces exercices communs avec la Corée du Sud et le Japon. Si tel est le cas, ils seront plus spectaculaires que jamais auparavant. Quant aux conflits économiques entre les États-Unis et la Chine, et nos autres...

... différences, ils seront résolus à temps par le président Trump et le grand président Xi Jinping. Le lien qui les unit reste on ne peut plus solide.

J'ai trouvé cela majoritairement risible, mais au moins, cela ne compromettait pas nos positions élémentaires. Dans le dictionnaire de la Maison Blanche de Trump, il s'agissait d'une victoire, une bonne journée au bureau. Le lendemain, la Chine a critiqué les tweets. Nous progressions ! Le 30 août, Mattis nous a dit, à Pompeo et moi durant notre petit-déjeuner hebdomadaire au mess des officiers, qu'il regrettait avoir organisé cette conférence de presse, et je me disais qu'il n'était pas près de vouloir en tenir une nouvelle.

Moon et Trump se sont parlé le 4 septembre. Trump s'est plaint en se demandant, ô ciel, comment la réunion de Singapour avait pu être si phénoménale, comment pouvait-il avoir réussi à développer une telle amitié avec Kim, et tout d'un coup, plus aucun accord. Il se demandait ce qui avait bien pu se passer. La réponse était simple. La réunion de Singapour n'avait pas été « phénoménale » du tout, sauf pour les Nord-Coréens, Kim Jong-un n'était pas devenu ami avec ses ennemis, et il n'y avait jamais eu de véritable accord. À part cela… Moon était toujours en train de chanter les mérites de la politique du rayon de soleil, en disant que Kim était entièrement dévoué à l'amélioration des relations avec les États-Unis et à la progression de la dénucléarisation, mais qu'il était entouré de personnes malpolies comme Kim Yong-chol et d'autres. Une supposition très intéressante (pour ne pas dire naïve), j'ai trouvé. Moon a suggéré à Trump de rencontrer Kim Jong-un à nouveau. Exactement ce dont nous avions besoin. Moon insistait toujours pour avoir son propre sommet avec Kim, à la mi-septembre, probablement pour des raisons politiques intérieures.

Le 10 septembre, Pompeo, Kelly, et moi avons donné à Trump une nouvelle lettre en provenance de Kim Jong-un, qu'il a lue dans le Bureau ovale, en commentant simultanément : « Quelle lettre adorable » … « C'est vraiment une lettre très gentille » … « Écoutez ce qu'il dit sur moi », puis en relisant les passages élogieux, à voix haute, les uns après les autres. Comme Kelly et moi l'avons dit plus tard, c'est comme si cette lettre avait été écrite par Ivan Pavlov lui-même afin de stimuler exactement les nerfs responsables de l'amour-propre de Trump. Trump voulait rencontrer Kim, point, et il ne voulait rien entendre d'autre, ce qui explique probablement pourquoi il n'a pas été intéressé par mon opinion sur l'inutilité d'une nouvelle rencontre.

« John…, il y a beaucoup d'hostilité en vous, m'a-t-il dit.

– Évidemment que je suis hostile, ai-je répondu. La lettre est écrite par le dictateur d'un pays de merde. Il y a quelques semaines, il a accepté de rencontrer Pompeo. Il ne mérite pas d'autre réunion avec vous avant d'avoir respecté son enwgagement.

– Vraiment, il y a beaucoup d'hostilité en vous, m'a-t-il répété.

– Oui, c'est moi qui en ai le plus, mais vous en avez beaucoup aussi, ai-je continué. »

Nous avons continué ainsi jusqu'à ce que tout d'un coup, Trump annonce : « Je veux une réunion la première semaine après les élections, et Mike devrait appeler aujourd'hui pour mettre cela au point.

Vous pouvez dire que la lettre [de Kim] est très gentille, et que le président a beaucoup d'affection pour le président Kim. Dites aussi que je veux publier la lettre parce que le public a besoin de voir l'authenticité de notre relation, et que je souhaite organiser une réunion après les élections. Où aimerait-il que l'on se rencontre ? »

En sortant du Bureau ovale, Kelly m'a dit : « Désolé que la réunion ait été si dure pour toi », pendant que Pompeo, lui, semblait découragé. Mais personnellement, j'étais emballé par le résultat. Après tout, nous venions de gagner un délai de cinq semaines avant une éventuelle rencontre Trump-Kim, ce qui, dans Trumpworld, était une éternité où tout pouvait se passer. Acceptons cette réponse et allons-nous-en vite !

Nous avions un autre problème très significatif et continu. Trump désirait inlassablement retirer nos forces militaires de la péninsule coréenne, ce qui correspondait à son plan général de réduction de la présence des forces américaines dans le monde. Le 1er septembre s'est terminé aussi vite qu'il est arrivé. Mattis a réaffirmé, début octobre, à quel point notre niveau de préparation militaire dans la péninsule l'inquiétait. Lui et Dunford allaient devoir témoigner au Congrès, après le 1er janvier, durant le processus budgétaire, et je me disais qu'il était peu probable que ce problème ne refasse pas surface alors. À la mi-octobre, Pompeo a réussi à obtenir une rencontre avec Kim Jong-un, où ce dernier s'est longuement plaint de nos sanctions économiques, mais sans offrir aucune nouvelle idée. Le principal résultat de cette réunion était de relancer les discussions de travail, ce que je considérais comme inévitable, mais aussi comme une mauvaise nouvelle. Voilà où le train des concessions américaines allait commencer à avancer à toute vapeur. Mais au moins, nous avions survécu aux élections de mi-mandat du mois de novembre, sans désastre majeur, et nous pouvions désormais regarder l'avenir et la nouvelle vague d'enthousiasme de Trump pour Kim Jong-un.

CHAPITRE 5

HAUTS ET BAS DURANT TROIS SOMMETS À BRUXELLES, LONDRES ET HELSINKI

En juillet, trois sommets successifs ont eu lieu, un mois seulement après la rencontre à Singapour avec Kim Jong-un : une réunion de l'OTAN à Bruxelles prévue depuis longtemps avec nos partenaires de l'alliance la plus importante des États-Unis ; une rencontre entre Trump et Theresa May à Londres, une discussion bilatérale sur nos « relations uniques » ; et un face-à-face entre Trump et Poutine à Helsinki, en terrain neutre, pour rencontrer notre adversaire d'autrefois et d'aujourd'hui : la Russie. Avant de quitter Washington, Trump m'a dit : « Alors, j'ai l'OTAN, j'ai le Royaume-Uni, apparemment en pleine tourmente… et j'ai Poutine. Franchement, Poutine semble le plus facile d'entre tous. Qui l'aurait cru ? Hein ? Qui l'aurait cru ? » Très bonne question. Comme je l'ai réalisé durant ce mois de juillet très occupé, au cas où je ne l'avais pas compris plus tôt, Trump n'était pas en train de suivre une stratégie internationale grandiose, ni même une trajectoire cohérente. Son raisonnement s'appuyait sur un archipel de réflexions isolées (comme des transactions immobilières individuelles), ce qui nous laissait, à nous autres, la « liberté » de discerner (ou de créer) la politique du gouvernement. Cela a eu ses avantages et ses inconvénients.

Après Singapour, j'ai voyagé dans plusieurs capitales européennes pour me préparer pour ces sommets. L'un d'eux faisait halte à Moscou, une escale riche en complications. Lorsque j'ai dit à Trump que je voulais y aller pour préparer le terrain, avant son voyage, il m'a répondu : « Et vous devez aller en Russie pour ça ? Un coup de fil ne suffirait pas ? » En fin de compte, après avoir expliqué pourquoi l'étude des problématiques faciliterait nos préparations, il n'a pas accepté, mais il n'a pas protesté non plus. Peu après, j'ai demandé à Kelly pourquoi Trump se plaignait de la sorte, et il m'a dit : « C'est évident ! Il a peur que tu le mettes au second plan. » Une telle supposition serait absurde de la part d'un président autre que Trump, et même si cela était flatteur, si c'était vrai, cela pouvait aussi s'avérer dangereux. Qu'étais-je exactement supposé faire maintenant afin de résoudre ce problème ? Malheureusement, je n'ai pas trouvé la bonne réponse.

Trump souhaitait vraiment que Poutine vienne jusqu'à Washington, un voyage que les Russes n'avaient pas du tout l'intention de faire. Nous avons alors étudié Helsinki et Vienne comme lieux de rencontre possibles. La Russie voulait Vienne, et nous voulions Helsinki, mais en fait Trump n'était pas tant que ça en faveur de la capitale finlandaise. « La Finlande n'est-elle pas une sorte de région satellite de la Russie », a-t-il questionné. (Plus tard dans la matinée, Trump a demandé à Kelly si la Finlande faisait partie de la Russie.) J'ai tenté de lui expliquer l'Histoire de la Finlande, sans grande réussite, puisqu'après quelques minutes, Trump a dit que lui aussi voulait Vienne. « Peu importe ce qu'ils [les Russes] veulent. Dites-leur que nous voulons la même chose. » Toutefois, après une longue étude de notre positionnement politique optimale, nous nous sommes mis d'accord sur Helsinki.

J'ai atterri à l'aéroport Vnoukovo de Moscou le mardi 26 juin, avant de rejoindre la résidence Spaso, depuis longtemps le lieu de résidence de l'ambassadeur des États-Unis à Moscou. Jon Huntsman[38] avait organisé un petit-déjeuner avec les grands esprits et dirigeants

38 Ambassadeur des États-Unis à Moscou entre 2017 et 2019 (NDT).

russes, y compris l'ancien ministre des Affaires étrangères, Igor Ivanov, avec qui j'avais travaillé durant le gouvernement Bush 43, ainsi que des représentants du NSC et de l'ambassade. Malgré tout ce que les Russes avaient lu sur Trump, l'idée d'améliorer les relations avec les États-Unis les rendait quasi unanimement tous pessimistes. Ils pensaient que l'opinion des Américains, que ce soit le Congrès ou le grand public, sur la Russie n'avait pas changé. Et ils n'avaient pas tort. J'ai insisté sur l'histoire d'ingérence électorale, sachant que la plupart des personnes présentes en informeraient immédiatement leurs contacts au Kremlin et en dehors. Je voulais que tout le monde soit au courant.

Huntsman et notre délégation sont ensuite allés jusqu'aux bureaux du Conseil de sécurité de la Fédération russe, sur Staraya Plochtchad, la vieille place à côté du Kremlin, pour rencontrer nos homologues. Mon adversaire direct, Nikolaï Patrouchev, le secrétaire du conseil, était en déplacement à l'étranger, mais les deux équipes étaient suffisamment au complet pour répondre à l'ensemble des questions, sur l'Iran ou la maîtrise des armements, que Poutine et Trump aborderaient ensemble par la suite. Poutine lui-même avait été secrétaire du Conseil de sécurité russe, pendant une brève période, et Patrouchev, à l'instar de Poutine, était un ancien du KGB (et du FSB[39], son successeur, le bureau responsable de la gestion des affaires de sécurité et de renseignements intérieurs), et avait succédé à Poutine, en 1999, comme directeur du FSB. D'après les dires, Patrouchev était toujours très proche de Poutine. Pas étonnant, vu leurs expériences communes. Nous avons déjeuné avec le ministre russe des Affaires étrangères, Sergei Lavrov, à la résidence Osobnyak, une propriété appartenant, à l'époque prérévolutionnaire, à un industriel fortuné qui avait sympathisé avec les bolcheviques, et où j'ai séjourné plusieurs fois. J'ai continué d'insister sur le problème d'ingérence électorale, que Lavrov a esquivé en disant que, bien qu'il ne puisse pas exclure l'influence de pirates informatiques, le gouvernement russe n'avait rien à voir avec cela.

Depuis Osobnyak, nous avons rejoint le Kremlin pour rencontrer Poutine à 14 h 30. Nous sommes arrivés en avance, et pendant que nous patientons, le ministre de la Défense, Sergei Shoygu,

39 Service fédéral de sécurité nationale (NDT).

accompagné par une sorte de délégation militaire, est venu nous saluer (pour ensuite assister à la réunion avec Poutine). Nous avons ensuite été escortés dans la salle où l'événement allait se tenir. J'aurais juré qu'il s'agissait de la même pièce où j'avais rencontré Poutine pour la première fois en octobre 2001, alors que j'accompagnais ministre de la Défense, Donald Rumsfeld, immédiatement après les attaques du 11 septembre. La salle était immense, peinte en blanc et bleu, avec des ornements en or, et une table de conférence blanche et bleue impressionnante. La horde de journalistes était déjà présente, prête à prendre des photos de Poutine, lors de son entrée à l'autre bout de la pièce (et il s'agissait vraiment de *l'autre bout* de la pièce). Comme l'ont expliqué les agents protocolaires russes, j'ai attendu au centre de la pièce que Poutine vienne me saluer, jusqu'à ce que nous nous serrions la main, en face des caméras. Il semblait très à l'aise et confiant, bien plus que dans mes souvenirs de notre première rencontre en 2001. J'ai également salué Lavrov, Shoygu, et Yuri Ushakov (conseiller diplomatique de Poutine et ancien ambassadeur aux États-Unis), puis nous nous sommes assis à cette table de conférence très élégante. La presse russe a ensuite raconté (de manière inexacte) que contrairement à son habitude, Poutine avait été à l'heure. En effet, il était réputé pour faire attendre ses invités, y compris le pape et la reine d'Angleterre. Je n'ai pas vu l'intérêt de les corriger.

Face aux médias présents, Poutine a commencé en constatant le déclin des relations américano-russes, notamment à cause des politiques intérieures américaines. Je n'ai pas mordu à l'hameçon. Poutine ayant l'avantage du terrain, je ne risquais pas de l'affronter en public. Étant donné que la Russie était en train d'accueillir la Coupe du monde de football 2018 et que les États-Unis (avec le Mexique et le Canada) venaient de remporter l'organisation de l'édition 2026, j'ai simplement répondu que j'avais hâte qu'il nous explique comment organiser une coupe du monde réussie. Les journalistes ont ensuite quitté la pièce, de manière très disciplinée, et nous nous sommes mis au travail.

Le style de Poutine, au moins au début, était de lire sur des cartes et de faire des pauses pour l'interprète. Mais très fréquemment, il posait les cartes pour dire quelque chose comme : « Dites bien ça au président Trump. » Ushakov, Shoygu, et Lavrov n'ont rien dit de la réunion, à part pour répondre aux questions de Poutine, tout comme notre délégation (l'ambassadeur Huntsman, la directrice principale du NSC en Europe et en Russie — Fiona Hill, le directeur du NSC en Russie — Joe Wang, et notre interprète). Poutine s'est exprimé pendant quasiment quarante-cinq minutes, interprétation consécutive incluse, principalement au sujet du programme russe de maîtrise des armements (les capacités du bouclier antimissile américain, le Traité sur les FNI, le Traité New Start de réduction des armes stratégiques, et la prolifération des armes de destruction massive). Quand mon tour est venu, j'ai dit qu'il existait deux approches conceptuelles en matière de maîtrise des armements et que nous devions en choisir une : négociations entre adversaires pour se limiter l'un l'autre, ou négociations entre concurrents pour réduire les activités pouvant entraîner des problèmes. J'ai pris comme exemple de cette dernière approche, le retrait des États-Unis, en 2001, du Traité ABM relatif à la limitation des systèmes contre les missiles balistiques, ce qui a eu le don de lancer Poutine dans un monologue sur Bob Gates et Condi Rice et pourquoi, d'après lui, ils avaient berné la Russie sur ce coup-là. J'ai répondu que Poutine avait occulté une grande partie de l'Histoire entre 2001 et 2003, où nous avons aussi suggéré à Moscou de se retirer du traité ABM afin de coopérer mutuellement sur nos capacités antimissiles nationales, ce que Poutine avait refusé (sans grande surprise, avais-je supposé, car à l'époque, leur technologie antimissile était efficace, et pas la nôtre !) Jusqu'à présent, la maîtrise des armements n'était pas un sujet fréquemment abordé dans le gouvernement Trump. Cela promettait donc de longues conversations avant que Trump et moi soyons prêts à répondre.

Puis nous en sommes arrivés à la Syrie, et Poutine a demandé, en faisant référence à notre envie de retrait des forces iraniennes, qui allait bien accomplir cela. C'est un de ces moments où Poutine m'a pointé du doigt en me disant de bien dire à Trump que les Russes n'ont pas besoin d'Iraniens en Syrie, et que leur présence là-bas ne constitue aucun avantage pour la Russie. L'Iran poursuivait ses propres ambitions, notamment au Liban et avec les chiites, qui n'avaient rien à voir avec les objectifs russes, et qui leur causaient des problèmes, à eux et Assad. Le but de la Russie, selon Poutine, était de consolider l'État syrien afin de prévenir tout chaos, comme en Afghanistan, où l'Iran avait des objectifs encore plus vastes. Alors que la Russie voulait aussi que l'Iran se retire de Syrie, Poutine pensait qu'il ne pouvait pas garantir l'intégralité de ce retrait, et il ne voulait pas que la Russie fasse des promesses impossibles à tenir. Et si jamais les Iraniens se retiraient, qui protégerait les forces syriennes contre d'autres agressions de grande ampleur ? Les puissances occidentales ? Poutine n'avait aucune intention d'ordonner à la Russie de remplacer les forces iraniennes dans le conflit interne en Syrie, pendant que l'Iran se reposait tranquillement en disant : « Allez-y, battez-vous en Syrie. » Il voulait que les États-Unis et la Russie se comprennent parfaitement au sujet de la Syrie, en examinant plusieurs aspects des dispositions militaires américaines et russes sur place, et très particulièrement au niveau de la zone d'exclusion d'Al-Tanf (à proximité de la zone frontalière partagée par la Syrie, la Jordanie et l'Irak). Poutine a affirmé, très confiant, en empruntant une fameuse réplique de la propagande russe, que près de 5 000 « locaux », voisins de la base d'Al-Tanf, étaient en fait des combattants du groupe État islamique, apparemment prêts à suivre les recommandations américaines, mais tout aussi prêts à nous trahir par la suite. (Poutine a même dit que les combattants du groupe État islamique étaient prêts à nous lécher une certaine partie de notre anatomie, mais son interprète ne l'a pas traduit ainsi.) J'ai trouvé que cet échange sur la situation en Syrie était le plus intéressant de toute la réunion. Poutine a aussi clairement souligné que l'opposition syrienne ne constituait pas un allié fiable pour nous, et que leur loyauté pouvait s'envoler du jour au lendemain. À la place, il a insisté pour que nous fassions avancer le processus de paix en Syrie. J'ai répondu que nos priorités étaient de détruire l'État islamique et de pousser l'ensemble des forces iraniennes à se retirer. Non, nous n'étions pas en train de participer à la guerre civile de la Syrie, mais de nous concentrer sur notre priorité : l'Iran.

Poutine a ensuite parlé de l'Ukraine, de manière radicale, en évoquant en détail les aspects militaires et politiques du conflit entre ce pays et la Russie. Adoptant un ton plus offensif, il a ajouté que les ventes d'armes américaines à l'Ukraine étaient illégales, et que ces transactions n'étaient pas le meilleur moyen de résoudre le problème. Il a même refusé de parler de la Crimée, l'écartant simplement en disant que cela faisait maintenant partie de l'Histoire. Puis il a surenchéri, dans ce que j'ai considéré comme le second moment le plus intéressant de la réunion, en ajoutant qu'Obama lui avait clairement dit en 2014 que si la Russie n'allait pas plus loin que l'annexion de la Crimée, le conflit avec l'Ukraine serait alors résolu. Mais pour une raison que j'ignore, Obama a changé d'avis et nous sommes arrivés dans l'impasse où nous sommes aujourd'hui. À l'approche de la quatre-vingt-dixième minute de la réunion, sentant sa fin venir, j'ai répondu en disant que si nos avis sur l'Ukraine divergeaient tant, nous n'avions plus qu'à être d'accord sur le fait que nous étions en désaccord, car le temps nécessaire pour répondre à chaque question en détail était maintenant écoulé.

Poutine a aussi soulevé le sujet de la Corée du Nord, en indiquant que la Russie soutenait l'approche « action pour action » que Pyongyang voulait, mais pour être honnête, ce problème ne semblait pas l'intéresser tant que ça. Il s'est ensuite moqué de notre retrait de l'accord sur le nucléaire iranien, en se demandant, maintenant que les États-Unis se sont retirés, que va-t-il se passer si l'Iran se retire ? Israël, d'après lui, ne pouvait mener aucune offensive militaire isolée contre l'Iran, car elle ne possédait pas les ressources ou les capacités nécessaires, surtout si les autres nations arabes décidaient de soutenir l'Iran, ce qui était absurde. J'ai répondu que l'Iran n'était pas en conformité avec l'accord, que le réacteur détruit en Syrie par Israël en 2007 constituait un lien entre l'Iran et la Corée du Nord, et que nous observions attentivement, encore aujourd'hui, toute preuve de coopération entre les deux proliférateurs. Dans tous les cas, les sanctions réimposées à l'Iran avaient déjà eu un lourd impact, aussi bien en matière de politique intérieure que de menaces internationales. Étant donné que Trump était toujours euphorique en pensant à la Corée du Nord, j'ai simplement fait part des conseils donnés par Xi Jinping, à savoir accélérer les négociations.

Poutine n'a rien dit sur l'affaire d'ingérence électorale, mais je l'ai fait ! J'ai insisté en disant que cette question était encore plus intéressante aujourd'hui qu'auparavant à cause de l'imminence des élections de mi-mandat 2018. Tous les membres du Congrès en quête de réélection, et tous leurs opposants, ont été affectés personnellement par ce problème, qu'il n'avait pas vraiment apprécié en 2016, à cause de l'attention qu'ont provoquées ces allégations au niveau présidentiel. J'ai ajouté que pour Trump, il était politiquement toxique de rencontrer Poutine, mais qu'il était prêt à le faire pour protéger les intérêts américains, indépendamment des conséquences politiques, et pour voir si notre relation pouvait progresser. Après quelques plaisanteries de clôture, la réunion de quasiment quatre-vingt-dix minutes s'est terminée. Poutine m'a frappé comme un dirigeant parfaitement en contrôle de la situation, calme et confiant, indépendamment des obstacles économiques et politiques auxquels la Russie pouvait alors faire face. Il connaissait les priorités de Moscou en matière de sécurité nationale sur le bout des doigts. Une chose est claire. Je n'avais pas hâte de le laisser seul dans une pièce avec Trump.

Bruxelles

Au fil des années, les sommets de l'OTAN étaient des événements importants pour l'alliance. Durant les deux dernières décennies, toutefois, ces rassemblements sont devenus annuels, et donc moins passionnants… jusqu'au sommet de l'OTAN à Bruxelles, en 2017, évidemment. Trump avait commencé très fort en ne faisant aucune référence à l'article 5 emblématique du Traité de l'Atlantique nord, selon lequel « les parties conviennent qu'une attaque militaire contre l'une ou plusieurs d'entre elles, survenant en Europe ou en Amérique du Nord, sera considérée comme une attaque dirigée contre toutes les parties. » Cette disposition est en réalité moins contraignante que ne laisse entendre sa réputation, car chaque membre de l'alliance ou partie est libre de prendre « telle action qu'elle jugera nécessaire ». Elle n'avait été invoquée qu'à une seule reprise, après les attaques du 11 septembre sur New York et Washington. Néanmoins, l'OTAN constituait une structure de dissuasion efficace, empêchant l'Armée rouge, pendant plusieurs décennies, de transpercer la trouée de Fulda, en Allemagne, et de s'engouffrer en Europe occidentale. Bien sûr, les États-Unis étaient, de loin, le contributeur militaire le plus important. Il s'agissait de notre alliance, car elle nous bénéficiait à nous principalement. Le but n'était pas de proposer à l'Europe de se défendre en louant nos forces armées, mais de défendre l'Europe occidentale car, d'un point de vue stratégique, cela était dans le plus grand intérêt des États-Unis. Dernier bastion durant la guerre froide contre l'expansionnisme soviétique, l'OTAN a représenté la coalition politico-militaire la plus efficace de l'Histoire.

L'OTAN avait-il des problèmes ? Bien sûr. Ce n'est pas pour rien qu'Henry Kissinger a rédigé son fameux travail, en 1965, intitulé :

The Troubled Partnership: A Reappraisal of the Atlantic Alliance[40]. La liste des défaillances de l'OTAN était longue, dont notamment la décision malavisée par plusieurs États européens de ne plus se considérer responsables de leur propre défense, après l'effondrement de l'Union soviétique en 1991. Durant le mandat du président Clinton, les États-Unis aussi ont été témoins de leur propre déclin militaire, car Clinton et beaucoup d'autres considéraient l'effondrement du communisme comme « la fin de l'histoire », en se permettant de sabrer les budgets de la défense pour privilégier les programmes de bien-être nationaux, intéressants sur le plan politique. L'illusion que représentait ce « dividende pour la paix » ne s'est jamais vraiment achevée en Europe. Mais aux États-Unis, elle s'est évanouie soudainement après les attaques terroristes du 11 septembre, à New York et Washington, effectuées par des islamistes. Depuis plusieurs décennies, les experts en sécurité nationale débattent de l'OTAN et de son avenir, en insistant sur la mise en place d'un programme post-guerre froide plus vaste. Barack Obama a critiqué les membres de l'OTAN qu'il a qualifiés de « profiteurs », n'investissant que peu dans leurs propres budgets de défense. Mais comme à son habitude, Obama n'a fait qu'honorer le monde de ses belles paroles, sans rien faire pour les concrétiser.

Trump, lors de son premier sommet avec l'OTAN en 2017, s'est plaint que trop d'Alliés n'avaient pas respecté les engagements collectifs faits en 2014, à Cardiff, au pays de Galles, consistant à consacrer 2 % de leur PIB au « budget de la défense » d'ici 2024, ce qui signifiait, pour la plupart des Européens : « Défense en Europe ». Dans ce lot, l'Allemagne était un des pires contrevenants, consacrant seulement 1,2 % de son PIB à son budget de défense, et constamment sous la pression des démocrates socialistes et d'autres partis de gauche pour dépenser encore moins. Trump, de son côté, a toujours critiqué l'Allemagne de manière impitoyable, malgré les origines allemandes de son père... ou peut-être à cause d'elles. Durant les discussions préalables à l'attaque syrienne du mois d'avril, Trump a demandé à Macron pourquoi l'Allemagne ne souhaitait pas se joindre aux représailles militaires contre le régime Assad. Très bonne question. Une question sans réponse, à part celles impliquant les intérêts politiques intérieurs allemands. Alors Trump a continué

40 Un partenariat en difficulté : réévaluation de l'alliance atlantique (NDT).

de plus belle. D'abord, en critiquant l'Allemagne qui, selon lui, était un partenaire épouvantable dans le cadre de l'OTAN, puis en l'attaquant en disant qu'avec le projet du gazoduc Nord Stream II, l'Allemagne allait payer des revenus substantiels à la Russie, l'adversaire de l'OTAN. Trump a qualifié l'OTAN d'organisation « obsolète » durant la campagne 2016, mais a ajouté, en avril 2017, que le problème avait été « résolu » durant sa présidence. Son échec remarquable de 2017 (ne pas mentionner l'article 5) a même surpris ses principaux conseillers, car il avait soi-disant supprimé lui-même toute référence à cet article dans un discours. Info ou intox, le sommet 2017 a ouvert la voie à la crise potentielle que nous allions affronter en 2018.

Cette tempête avait commencé à mijoter bien avant mon arrivée dans l'aile Ouest. Mais aujourd'hui, elle était en plein au-dessus de nous. Trump avait raison quand il parlait du partage du fardeau, tout comme Obama, une convergence d'opinions qui aurait pu ébranler la confiance de Trump si jamais il y avait prêté attention. Le problème des États-Unis, en matière de crédibilité, de détermination et de gestion de l'alliance, était le vitriol si souvent utilisé par Trump pour exprimer son mécontentement vis-à-vis des Alliés, lorsqu'ils ne réussissaient pas à atteindre les objectifs, ou dans certains cas, lorsque les atteindre ne semblait même pas les intéresser. En réalité, depuis la fin de la guerre froide, les présidents qui ont précédé Trump n'avaient pas réussi, non plus, à ce que l'alliance fasse respecter le partage du fardeau de la défense. Je croyais fermement cela, surtout durant Clinton et Obama. Les États-Unis ne dépensaient pas suffisamment au nom de leur défense, indépendamment de ce que faisaient ou ne faisaient pas les Alliés. S'il ne s'agissait que d'une simple critique du style de Trump, ce que cela semblait être pour de nombreux experts, cela ne serait alors qu'une trivialité. Personnellement, je n'ai jamais hésité à être direct, même avec nos amis internationaux les plus proches, et je peux vous avouer qu'eux, non plus, n'hésitent pas à nous dire ce qu'ils pensent, surtout au sujet des défaillances américaines. En fait, ce n'est pas le franc-parler de Trump qui a dérangé ses propres conseillers et les membres de l'OTAN, mais son hostilité à peine voilée.

Trump a demandé à appeler le secrétaire général de l'OTAN, Jens Stoltenberg, à 9 heures, le vendredi 29 juin, quelques semaines seulement avant le sommet. Durant notre échange préalable, dans le Bureau ovale, Trump m'a affirmé qu'il allait dire à Stoltenberg que les États-Unis allaient réduire leur « contribution » à l'OTAN, à hauteur de celle de l'Allemagne, et lui demander d'en informer les autres membres, avant le sommet des 11 et 12 juillet. (Ici, nous faisons face à un problème de nomenclature chronique. L'engagement signé à Cardiff ne parle pas de « contributions » faites à l'OTAN, mais de dépenses de défense cumulées. Trump avait-il compris cela, et utilisait-il le mot « contribution » de travers, je ne l'ai jamais su. Mais en disant qu'il allait réduire la « contribution » américaine à hauteur de celle de l'Allemagne, il impliquait que les États-Unis allaient réduire leurs dépenses de défense d'environ 75 %, [4 % du PIB à cette époque], ce qui, selon moi, n'était pas son ambition. Ajoutant à la confusion, l'OTAN dispose d'un fonds commun servant à payer les frais opérationnels, et autres, de son quartier général, soit environ 2,5 milliards de dollars par an. Ainsi, les membres font *bel et bien* des « contributions » à ce fonds, mais ses dépenses ne font pas référence à ce que Trump voulait démontrer. Appliquant ma dernière suggestion, j'ai réussi à persuader l'Allemagne d'accroître sa contribution au fonds commun, et les États-Unis de réduire la leur, proportionnellement, même si cela n'a pas été en vigueur avant décembre 2019.)

Avec Stoltenberg au téléphone, Trump a dit qu'il avait hérité d'un système économique délabré et que l'OTAN se comportait de manière monstrueuse, en autorisant l'Espagne (il venait de rencontrer le roi) à n'investir que 0,9 % de son PIB dans sa défense. Revenant à l'Allemagne, Trump a été ravi d'entendre Stoltenberg dire qu'il pensait aussi que les Allemands devaient payer davantage, ce qui, en toute franchise, était un des leitmotive de Stoltenberg. Il insistait régulièrement pour que les membres de l'OTAN fassent les efforts de planification nécessaires pour honorer les engagements faits à Cardiff d'ici 2024, voire avant. Trump a enchaîné, en disant que les États-Unis payaient 80–90 % des frais de l'OTAN, un chiffre dont nous ignorions tous deux la source. Les dépenses de défense américaines cumulées (mondialement) représentaient légèrement plus que 70 % de toutes les dépenses de défense de l'ensemble des membres de l'OTAN, mais évidemment, l'essentiel des dépenses américaines correspondait à des programmes internationaux ou à d'autres régions spécifiques. Par la suite, Trump a aussi avoué que, selon lui, les États-Unis payaient en réalité 100 % des frais opérationnels de l'OTAN. La source de ce chiffre, aussi, était inconnue. Il a ensuite dit à Stoltenberg qu'à partir de ce jour, les États-Unis, compte tenu des disparités flagrantes en matière de paiements à l'OTAN, ne paieraient plus un centime de plus que l'Allemagne. Trump a admis que Stoltenberg le félicitait régulièrement pour ses efforts visant à accroître les dépenses des Alliés européens au nom de l'OTAN. Toutefois, il a aussi ajouté que cette tendance à la hausse n'était due qu'à la crainte des Alliés de voir Trump demander le retrait de l'OTAN des États-Unis. Trump a encore insisté sur le fait que nous ne pouvions plus continuer à supporter une telle répartition disproportionnée de ce fardeau économique. Stoltenberg a dit qu'il était complètement d'accord avec Trump et que la situation était injuste, mais il a protesté en disant qu'après plusieurs années de déclin, les dépenses de l'OTAN étaient maintenant à la hausse. Trump a répondu à Stoltenberg en lui disant de bien dire tout cela aux médias, et en lui recommandant de me parler pour discuter des moyens qui permettraient aux États-Unis de ne plus « contribuer » au paiement actuel et injustifié des frais de l'OTAN, qui n'aidaient pas les États-Unis. Jusqu'à présent, d'après Trump, les États-Unis avaient été dirigés par des idiots, mais plus maintenant. Les Européens ne nous appréciaient pas et ils nous entubaient dès qu'il s'agissait de commerce. Nous ne paierions donc plus pour leurs privilèges, mais uniquement ce que payait l'Allemagne. Et ainsi de suite, cela a continué. Trump a conclu en disant qu'il protestait officiellement.

Stoltenberg m'a appelé vers 10 heures. J'ai demandé au personnel du NSC et de la Salle de Crise de sortir, afin d'être le plus honnête possible avec Stoltenberg. Je lui ai offert mon évaluation, en lui disant que l'« axe d'adultes », désormais largement absent et adoré par les médias américains, avait tellement frustré Trump qu'il était, aujourd'hui, on ne peut plus déterminé à passer à l'action et à faire ce qu'il voulait dans certains domaines clés, indépendamment de ce que ses conseillers actuels lui disaient. J'ai ajouté que nous étions tous clairement au courant de ce qui pouvait éventuellement se produire au sommet de l'OTAN. Il était inutile d'imaginer des mesures minimes ou palliatives qui pourraient calmer ses ambitions. Voici un projet auquel Trump pensait maintenant depuis longtemps, et qu'il voulait mener à sa façon. Stoltenberg a semblé ne pas réaliser à quel point la situation était grave, mais après trente minutes d'agression verbale quasi ininterrompue par Trump, d'abord, puis par moi, il a finalement compris. Notre ambassadrice auprès de l'OTAN, Kay Bailey Hutchison, m'a appelé vers midi, et je lui ai fait un résumé de l'appel entre Trump et Stoltenberg. J'ai dit que nous nous ferions tous du tort, si jamais nous faisions comme si cet appel n'avait jamais eu lieu et si nous reprenions nos affaires habituelles.

Plus tard, ce même jour, j'ai briefé Pompeo. Plutôt que de se laisser absorber par le problème avec l'OTAN, il m'a suggéré de persuader Trump, ensemble, qu'avec tant d'autres batailles sur notre chemin (notamment la campagne de confirmation de Kavanaugh à la Cour suprême), nous ne pouvions pas surcharger les républicains avec d'autres problèmes contentieux. Il n'y avait que cinquante et un sénateurs républicains, et nous ne voulions pas en perdre un seul à cause de menaces à l'OTAN. Pompeo et moi étions d'accord pour présenter cette option à Trump, rien que nous deux, sans aucun général, pour éviter que Trump croie encore que l'« axe d'adultes » allait faire bloc contre lui. Kelly a immédiatement approuvé notre stratégie, tout comme Mattis, qui a aussi trouvé que la participation de Dunford n'était pas nécessaire. J'ai également prévenu McGahn, qui était tellement concentré par la confirmation de Kavanaugh qu'il était plus que ravi d'être le « plan B », si jamais Pompeo et moi échouions.

Nous avons rencontré Trump le lundi 2 juillet, et cela s'est avéré plus court et plus facile que ce que j'avais prévu. Nous avons expliqué notre raisonnement et pourquoi, étant donné l'importance de la nomination de Kavanaugh, il valait mieux éviter de disperser nos forces dans trop de batailles, et simplement insister pour que les dépenses de défense des autres membres de l'OTAN passent à 2 % de leur PIB. Trump a accepté sans vraiment débattre. Toutefois, au cours des jours qui ont suivi, il m'a redemandé pourquoi nous ne nous retirerions pas tout simplement et complètement de l'OTAN, soit exactement ce que nous avions essayé d'empêcher. En clair, nous avions encore du pain sur la planche. Une des solutions existantes, afin de réduire la probabilité de confrontation avec nos Alliés à Bruxelles, et donc la possibilité de retrait de l'OTAN, était d'accélérer les négociations jusqu'à l'inévitable communiqué final. Oui, encore un communiqué que personne ne lirait, une semaine seulement après un accord soi-disant mémorable. J'ai insisté auprès d'Hutchison pour que nous finalisions le communiqué avant même l'arrivée des dirigeants à Bruxelles, afin de minimiser le risque de débâcle comme lors du G7. Une grande nouveauté pour l'OTAN, et une source de protestations pour de nombreuses nations, comme la France, qui — *quelle surprise !* — profitait, de la fin de ces réunions internationales, pour mettre la pression sur d'autres membres, en leur lançant cette menace diplomatique tant redoutée : soyez d'accord avec nous ou il n'y aura aucun communiqué final ! Une conclusion que j'ai toujours considérée comme la bienvenue. Toutefois, l'OTAN allait devoir changer d'attitude pour pouvoir mettre la main, en avance, sur le document final. Finalement, nous avons réussi, mais seulement après des discussions acharnées.

Pendant ce temps, le lundi 9 juillet, Trump s'est mis à tweeter :

> **Les États-Unis contribuent bien plus à l'OTAN que tout autre pays. Cela n'est ni juste ni acceptable. Bien que les contributions de ces pays aient augmenté depuis ma prise de fonction, ils doivent faire davantage. L'Allemagne est à 1 %, les États-Unis à 4 %, et l'OTAN bénéficie…**

> **… à l'Europe bien plus qu'aux États-Unis. D'après certains, les États-Unis paient 90 % des frais de l'OTAN, alors que d'autres pays sont loin des 2 % qu'ils s'étaient engagés à atteindre. En plus de cela, l'Union européenne dispose d'un surplus économique de 151 millions avec les États-Unis, avec d'importantes barrières commerciales limitées aux marchandises américaines. JE DIS NON !**

Ces tweets ont répété ce que Trump a dit à Stoltenberg et à d'autres, mais c'était la première fois qu'ils étaient énoncés si clairement, en public. Et ce n'était pas la dernière fois.

Le mardi matin, nous avons embarqué à bord du Marine One, direction la base Andrews. Trump était exubérant depuis la nomination de Kavanaugh la veille. On aurait dit que les membres de sa famille avaient été tirés d'un casting, a dit Trump. Juste avant de monter à bord de l'hélicoptère, Trump a parlé à la presse assemblée, comme il le faisait régulièrement dans de telles circonstances, pour indiquer que compte tenu de la tourmente entourant l'OTAN et Londres, il se pouvait très bien que sa réunion avec Poutine « soit la plus facile de toutes. Qui l'aurait cru ? » Après avoir longuement conversé avec Trump, durant le voyage, j'ai toutefois remarqué que, pour quelque raison que ce soit, il ne semblait pas heureux. Une fois l'avion atterrit, il est monté dans « la bête » avec nos trois ambassadeurs américains à Bruxelles (un auprès de la Belgique, un auprès de l'UE et un auprès de l'OTAN), jusqu'à la résidence de notre ambassadeur bilatéral auprès de la Belgique, où il séjournait. Dans la voiture, il a laminé Hutchison pour sa prestation lors d'une interview politique, ce dimanche, au sujet de l'OTAN, en disant qu'elle parlait comme une ambassadrice du gouvernement Obama. Il a ensuite enchaîné avec le niveau inadéquat des dépenses des Alliés de l'OTAN et les restrictions économiques injustes au sein de l'UE. Je n'étais pas dans « la bête », mais je pouvais réciter son speech par cœur. Ce n'était pas un départ prometteur.

Le mercredi matin, je suis allé briefer Trump avant son petit-déjeuner avec Stoltenberg et ses conseillers. Trump est entré dans une petite salle, au deuxième étage de la résidence, où Mattis, Pompeo, Kelly, Hutchison, et moi-même attendions, puis a dit : « Je sais que je n'ai pas beaucoup de soutien dans cette pièce. » Il a ensuite refait le portrait de l'OTAN. Ce n'était pas vraiment un briefing. Stoltenberg est arrivé, la presse a pénétré dans la salle du petit-déjeuner, et Trump a fait son show : « Ils [les Alliés de l'OTAN] nous doivent beaucoup d'argent. Cela fait des décennies que ça dure. » Stoltenberg a alors expliqué que, depuis la prise de fonction de Trump, les dépenses de défense des pays de l'OTAN avaient augmenté de presque quarante milliards de dollars par an.

Trump a ensuite dit : « C'est triste de voir l'Allemagne signer une entente d'exploitation pétrolière et gazière avec la Russie. Nous sommes supposés protéger tous ces pays et qu'est-ce qu'ils font en retour, ils signent un contrat pour construire un gazoduc. Nous sommes supposés vous protéger, et vous, vous donnez tout cet argent à la Russie… L'Allemagne est entièrement contrôlée par la Russie. L'Allemagne paie à peine plus qu'un pour cent, et nous en payons quatre. Et cela dure depuis des décennies… Nous allons devoir faire quelque chose pour y remédier parce que nous n'allons plus le tolérer. L'Allemagne est la captive de la Russie. »

Une fois la presse partie, Stoltenberg a essayé de repartir sur de bonnes bases en disant qu'il était content que Trump soit venu jusqu'à Bruxelles. Mais Trump n'était pas du tout apaisé. Selon lui, l'augmentation des dépenses de défense réalisée par les pays membres de l'OTAN, c'était du foutage de gueule. Il était très mécontent de l'OTAN et très mécontent de l'Union européenne. Il s'est plaint, encore une fois, des nouveaux bâtiments de l'OTAN, en disant que les fonds auraient pu être utilisés pour acheter des tanks, et il n'avait pas tort. Malheureusement, tous les points pertinents qu'il soulevait étaient submergés par un tsunami de paroles. Il a ensuite demandé pourquoi l'OTAN n'avait pas construit un bunker à 500 millions de dollars plutôt qu'un nouveau quartier général, un bâtiment qu'il appelait une cible plutôt qu'un quartier général parce qu'il suffisait d'un tank pour le détruire. Continuant sa démonstration, il a ajouté que l'OTAN était très important pour l'Europe, mais que sa valeur n'était pas si évidente pour les États-Unis. Trump a dit qu'il était à 100 % en faveur de l'OTAN, mais que le « prix d'admission » payé par les Américains était injuste. Stoltenberg a tenté, à quelques reprises, d'en placer une, mais sans jamais aller très loin. Trump n'a pas épargné l'UE, non plus, en qualifiant Jean Claude Juncker (alors président de la Commission européenne) d'homme vicieux, qui détestait les États-Unis de tout son être. C'est Juncker qui définissait le budget de l'OTAN, a ajouté Trump, mais sans expliquer de quelle manière il y arrivait. Trump a souligné, comme lors de son appel avec Stoltenberg, qu'il voulait que le montant des contributions américaines soit réduit à hauteur de celles de l'Allemagne. Trump a réaffirmé qu'il était ami avec Stoltenberg, mais sans pouvoir s'empêcher de dire que tout le monde profitait de nous, que nous payions plus que les autres, et que ça n'allait pas durer. À ce moment-là, Mattis a essayé de prendre la parole pour défendre l'OTAN, mais Trump l'a écarté en un rien de temps.

Trump a continué en se demandant à voix haute pourquoi nous devrions participer à la troisième guerre mondiale au nom de pays qui ne paient pas leur dû, comme la Macédoine. Il a toutefois admis ensuite que ce problème ne le dérangeait pas tant que celui de l'Allemagne ; un pays riche qui ne payait pas assez. Il s'est ensuite plaint de nous, ses propres conseillers, en disant qu'il avait beau nous dire la vérité, nous ne nous rendions pas compte de l'ampleur du problème. Trump était persuadé que la seule stratégie qui pouvait réussir à faire sortir les portefeuilles des Alliés était de leur faire croire que les États-Unis allaient se retirer de l'OTAN. Une stratégie qui ne le dérangeait pas plus que ça, vu que selon lui, l'OTAN n'était pas intéressant pour les États-Unis. Une nouvelle fois, Stoltenberg a essayé d'intervenir, mais Trump a poursuivi en disant que les membres de l'OTAN ne payaient pas suffisamment, et en réitérant à quel point il avait peur que les États-Unis partent en guerre au nom de l'un de ses pays. Continuant sur le même thème, il a demandé pourquoi les États-Unis devaient protéger des pays comme l'Allemagne, et donc payer un pourcentage disproportionné des dépenses de l'OTAN. Il a ensuite demandé, de façon répétée, pourquoi les États-Unis devaient payer tant, tout en imaginant les Alliés se moquer de nous, riant à chacune de nos absences, et soulignant à quel point nous étions vraiment stupides. Nous sommes ensuite passés à l'Ukraine et à la Crimée, ce qui a poussé Trump à demander si la Russie avait beaucoup dépensé en Crimée, et que, de toute façon, il ne l'aurait pas autorisé, contrairement à Obama. Pourquoi les États-Unis devraient-ils prendre le risque de partir en guerre, s'est demandé Trump, et Stoltenberg a répondu que le cas de l'Ukraine était différent, car il ne s'agissait pas d'un pays membre de l'OTAN. Trump a eu le temps de répondre, une dernière fois, en disant que l'Ukraine était un État très corrompu. Ainsi s'est terminé ce petit-déjeuner. Il a rassuré Stoltenberg en lui disant qu'il était avec lui à 100 %, et en lui faisant remarquer qu'il s'était prononcé en faveur du renouvellement du mandat de Stoltenberg comme secrétaire général de l'OTAN. En conclusion, les Alliés devaient désormais payer, et pas sur une période de trente ans, et les dépenses des États-Unis allaient diminuer à hauteur de celles de l'Allemagne. À ce moment-là, Mattis s'est tourné vers moi en chuchotant : « C'est en train de devenir ridicule », ce après quoi Trump a ajouté qu'il allait dire au général Mattis de ne rien dépenser de plus pour l'OTAN. Stoltenberg a conclu en disant que nous étions tous d'accord sur le message fondamental de cet entretien.

Quel petit-déjeuner ! La journée pouvait-elle encore empirer ? Oui. Le cortège présidentiel nous a conduits jusqu'au quartier général de l'OTAN, ma première visite. D'un point de vue architectural, il était flamboyant, ce qui expliquait probablement son coût. Le sommet a commencé par une cérémonie d'ouverture, et, dû aux aléas du placement, je me suis retrouvé assis à côté de Jeremy Hunt, pour son deuxième jour en tant que ministre des Affaires étrangères du Royaume-Uni. En observant les dirigeants se mêler les uns aux autres pour la « photo de famille » de rigueur, il a dit : « Certains dirigeants sont doués pour papoter, et d'autres non. Il suffit d'une minute pour savoir qui ils sont », une perspective intéressante, j'ai trouvé. Après la cérémonie, la première session du Conseil de l'Atlantique nord a commencé avec une déclaration de Stoltenberg annonçant qu'un projet de communiqué et d'autres documents relatifs au sommet avaient été adoptés. Une amélioration par rapport au sommet du G7, due à nos efforts de planification. Merci beaucoup. Trump a été le premier à prendre la parole. Son discours d'ouverture, soigneusement rédigé par son équipe de rédacteurs, avec le soutien de votre humble serviteur et d'autres, était des plus banals... intentionnellement.

La première discussion bilatérale au programme de Trump était avec Merkel, qui a badiné en disant : « Nous ne sommes pas encore complètement contrôlés par la Russie. » Elle a posé une question sur la rencontre à venir avec Poutine, mais Trump a esquivé l'approche, en disant qu'il n'avait rien de prévu. À la place, il voulait encore parler des droits de douane plus élevés qu'il souhaitait appliquer sur l'importation de voitures et de camions américains (un coup dur pour l'Allemagne), et se plaindre que les droits de douane actuels des voitures américaines en Allemagne étaient quatre fois plus élevés que ceux que nous appliquions. Trump a ensuite parlé avec Macron, et l'a accusé de toujours divulguer le contenu de leurs conversations, ce que Macron a nié, avec un grand sourire au visage. Trump aussi a souri, en regardant Mattis du coin de l'œil, comme pour lui dire qu'il savait d'où venaient les fuites d'informations du côté américain. Macron a dit qu'il voulait savoir quel était l'objectif final de Trump en ce qui concernait la guerre commerciale avec la Chine et l'UE, mais Trump a dit que cela n'était pas important. Il pensait que, pour l'UE, cela allait se résumer aux droits de douane des voitures et des camions, probablement 25 %, et a enchaîné sur Jean-Claude Juncker, qui, selon lui, détestait l'Amérique.

Macron souhaitait toujours signer un « accord plus global et complet » avec l'Iran, comme ils en avaient discuté en avril, mais Trump semblait désintéressé. Après cela, le cortège présidentiel s'est redirigé vers le centre-ville de Bruxelles. Ce soir-là, j'ai donné ma place au dîner des dirigeants à Hutchison, comme un geste, pour tout ce qu'elle avait traversé. Qui plus est, j'en avais eu assez, et les choses semblaient s'être calmées.

Dans mes rêves ! J'ai quitté l'hôtel à 7 h 45, le jeudi matin, pour rencontrer Trump, mais il m'a d'abord appelé depuis la voiture pour me dire : « Êtes-vous prêts à jouer dans la cour des grands aujourd'hui ? Voilà ce que je veux dire. », ce après quoi il a dicté : « Nous respectons énormément l'OTAN, mais nous sommes traités de manière injuste. Le 1er janvier, les États membres doivent tous s'engager à payer 2 %, et soit nous pardonnerons les arriérés, soit nous nous retirerons, et nous ne défendrons pas ceux qui n'ont pas respecté leurs engagements. Tant que la Russie ne fait pas partie de l'OTAN, les États-Unis ne feront pas partie d'un OTAN dont les pays membres paient des milliards à la Russie. S'ils signent l'accord de construction du gazoduc, c'est terminé. » Ce n'était pas du Shakespeare, mais au moins le contenu était clair. Au moment où je me demandais si j'allais démissionner d'ici la fin de la journée, l'appel a été interrompu. Je me suis dit que j'avais dix minutes avant de revoir Trump pour savoir quoi faire. J'ai appelé Kelly pour lui expliquer la situation, et lui dire que, contrairement à ce qu'il avait prévu, il devait rejoindre le quartier général de l'OTAN. Tout le monde sur le pont ! Lorsque je suis arrivé à la résidence de l'ambassade, j'ai repéré l'assistant-militaire du président (qui est responsable du transport de la fameuse « mallette nucléaire » contenant les codes de tirs nucléaires) et je lui ai demandé de trouver Mattis, que je n'avais pas réussi à réveiller (heureusement que nous n'étions pas en période de guerre). Mattis, en réalité, était avec Trudeau au quartier général de l'OTAN. Déjà en veine d'humour noir, je me suis demandé si Mattis était en train de déserter notre camp. Pompeo était à la résidence, en train d'attendre, lorsque je lui ai décrit l'humeur de Trump : « Il va menacer de se retirer aujourd'hui. » Heureusement, Trump était en retard, comme d'habitude, ce qui nous a permis d'étudier la situation, et de décider que Kavanaugh était notre meilleure carte à jouer. Nous nous sommes également dit qu'il était possible de réduire la contribution américaine au budget opérationnel de l'OTAN, le fonds commun, à hauteur de celle de l'Allemagne, réduisant ainsi la part américaine actuelle de 22 à 15 %.

Trump est arrivé à 8 h 30 et nous a demandé : « Voulez-vous faire quelque chose d'historique ? » ; et a répété ce qu'il avait dit plus tôt :

« C'est terminé. Nous n'allons pas combattre un pays qu'ils paient. » Il a ensuite mentionné qu'il n'avait pas voulu de Hutchison, hier soir, au dîner, avec lui. « Vous auriez dû être présent au dîner hier soir », m'a-t-il dit. « Je tiens à ce que nous nous retirions parce que je suis très déçu », a continué Trump. Il s'est ensuite tourné vers Pompeo et a dit : « Je veux que vous arriviez à comprendre ça. »

Puis de nulle part, il a ajouté : « Keith Kellogg (le conseiller à la sécurité nationale de Pence) sait tout sur l'OTAN. Vous savez que c'est lui que je voulais comme conseiller à la sécurité nationale après McMaster. Il ne donne jamais son opinion, sauf si je la lui demande. Et il n'est pas connu parce qu'il ne passe jamais à la télé. Mais j'apprécie beaucoup John, alors je l'ai choisi. » (Comme Pompeo et moi l'avons compris plus tard, ce commentaire nous a clairement indiqué qui serait mon remplaçant si jamais je démissionnais. J'ai alors dit : « Et si tu démissionnes aussi, c'est Keith qui sera nommé comme ministre des Affaires étrangères, c'est ça ? » Et nous avons ri. Pompeo s'est arrêté, l'espace d'un instant, puis a dit : « Ou si nous démissionnons tous les deux, Keith pourrait devenir l'équivalent d'Henry Kissinger et avoir les deux postes. » Et nous avons éclaté de rire. Probablement le moment le plus mémorable de la journée.)

Avec Trump, nous avons joué l'option Kavanaugh aussi énergétiquement que possible, avant de rejoindre nos véhicules respectifs au sein du cortège présidentiel. En route vers le quartier général de l'OTAN, j'ai appelé Mattis et réussi à l'extraire d'une plénière portant apparemment sur l'Ukraine et la Géorgie qui avait déjà commencé en l'absence de Trump, pour le briefer.

À notre arrivée, Trump a rejoint sa place, entre Stoltenberg et Theresa May. (Les dirigeants étaient assis autour de la grande table du Conseil de l'Atlantique nord, par pays classés par ordre alphabétique). Trump m'a fait signe de venir et m'a dit : « Alors ? On le fait ? » Je lui ai vivement conseillé de ne pas le faire, et de plutôt démolir les États membres dont les dépenses de défense n'étaient pas adéquates, mais pas de menacer l'OTAN en évoquant notre retrait ou une réduction de la contribution américaine. J'ai conclu en lui disant : « Allez donc jusqu'à la limite, mais ne la franchissez pas. » Trump a acquiescé, mais n'a rien dit. Je suis retourné à ma place, sans savoir ce qu'il allait faire. J'avais l'impression que toute la salle nous regardait. Trump a pris la parole à 9 h 25, sans rien dire sur l'Ukraine et la Géorgie, mais en confirmant qu'il souhaitait déposer une réclamation. Il a commenté que la situation était difficile, que de nombreuses personnes aux États-Unis avaient l'impression que les pays européens ne payaient pas leur juste part, qui devrait être de 4 % (et non de 2 % comme cela avait été convenu lors de l'accord de Cardiff en 2014). Trump a affirmé que, pendant plusieurs années, les présidents américains ont participé à ces sommets et se sont plaints, puis sont repartis sans que rien ne se passe, même si nous payions 90 %. L'OTAN faisait avancer les choses d'un pas lent, et rien ne se produisait vraiment. Selon Trump, les États-Unis considéraient l'OTAN comme important, mais beaucoup plus important pour l'Europe, qui était loin de nous. Il a affirmé qu'il avait beaucoup de respect pour la chancelière Merkel, en faisant remarquer que son père était Allemand, et sa mère Écossaise. Il s'est plaint en disant que l'Allemagne ne payait que 1,2 % de son PIB, et qu'elle ne prévoyait de payer que 1,5 % d'ici 2025. Seulement cinq membres de l'OTAN sur vingt-neuf étaient en train de payer 2 %. S'il s'agissait de pays pauvres, Trump a admis qu'il pouvait comprendre, mais que dans ce cas, il s'agissait de pays riches. Les États-Unis ont confirmé qu'ils souhaitaient continuer de protéger l'Europe, a-t-il dit, mais il a ensuite bifurqué pour parler des échanges commerciaux avec l'UE, qui, selon lui, à des fins d'analyse, devaient être associés à l'OTAN. L'UE ne voulait plus accepter de produits américains, et les États-Unis ne pouvaient plus continuer à autoriser cela ; un point que seule l'Albanie a abordé lors du dîner de la veille. Cela nous a tous coincés dans la même position qui était la nôtre depuis quatre ans. Trump n'était pas d'accord avec les Européens, sur plusieurs points, comme l'immigration et le manque de contrôle frontalier de l'UE. Les personnes que l'Europe laissait entrer dans ses pays membres pouvaient très bien être des combattants ennemis, puisqu'il s'agissait essentiellement de jeunes hommes.

Et ainsi de suite Trump a continué. Il a ensuite dit qu'il avait le plus grand respect pour l'OTAN et le secrétaire général, Stoltenberg. Il s'est plaint de voir plusieurs membres de l'OTAN vouloir sanctionner la Russie, alors que l'Allemagne s'apprêtait à donner des milliards de dollars à la « bête », dans le cadre du projet Nord Stream II, ce qui était un sujet chaud aux États-Unis. La Russie était en train de nous prendre pour des idiots, selon lui, en nous proposant de payer des milliards pour un nouveau gazoduc, un projet que nous ne pouvions clairement pas accepter. Les États-Unis souhaitaient rester des partenaires de choix pour l'Europe, mais les Alliés se devaient de payer leurs parts. L'Allemagne, par exemple, pouvait payer l'objectif cible de 2 % maintenant, sans attendre 2030, a-t-il dit, en appelant Merkel, de nom, à travers l'immense chambre. Les États-Unis étaient à des milliers de kilomètres de là, a-t-il dit, et l'Allemagne, par exemple, n'offrait aucune aide à l'Ukraine. Dans tous les cas, l'Ukraine n'a pas aidé les États-Unis, elle a aidé l'Europe en servant de frontière européenne avec la Russie. Trump est revenu sur le partage du fardeau, en disant qu'il voulait que les Alliés paient le montant cible de 2 % dès aujourd'hui, ce que seulement cinq pays membres sur vingt-neuf faisaient, même parmi les pays les plus riches, même parmi des amis comme la France. Trump a ajouté qu'il ne voulait voir aucun article dans la presse, dire que tout le monde était ravi des conclusions de ce sommet. Trump était loin d'être ravi, car les États-Unis étaient en train de se faire avoir. Puis il a continué… encore… et encore.

En conclusion, Trump a dit qu'il était à 100 % avec l'OTAN, à 100 000 % même. Toutefois, les Alliés auraient à payer 2 %, d'ici le 1er janvier, ou les États-Unis se retireraient et agiraient à leur guise. Puis il a surenchéri en disant qu'il n'aimait pas le nouveau bâtiment du quartier général où nous étions tous assis, et en répétant qu'un simple obus pouvait le détruire. Trump a terminé en ajoutant qu'il était très lié à l'OTAN, mais pas à la situation actuelle. Il voulait que les membres paient ce qu'ils peuvent, et pas dans quatre ou six ans, car la situation actuelle était inacceptable pour les États-Unis. Une déposition en bonne et due forme.

Trump a fait ce que j'espérais, même si ses orteils ont franchi cette fameuse limite plusieurs fois. Néanmoins, en dépit de la stupéfaction qui avait englouti la vaste chambre du Conseil de l'Atlantique nord, Trump *a bien dit* qu'il soutenait l'OTAN, ce qui rendait ses remarques difficiles à interpréter comme une simple menace de départ. Peut-être que la fièvre avait baissé. Lorsqu'on me demande pourquoi je suis resté en fonction si longtemps, je pense à ce commentaire.

Quelques minutes plus tard, Merkel s'est approchée de Trump pour lui parler et suggérer que Stoltenberg convoque une table ronde informelle, où tout le monde pourrait réagir aux commentaires de Trump. Lors de la réunion, plusieurs gouvernements ont décrit leurs problèmes politiques intérieurs, comme si nous devions nous sentir désolés pour eux ou comme si nous n'avions aucun problème nous-mêmes. Le Premier ministre néerlandais, Mark Rutte, a fait l'une des remarques les plus significatives, en disant qu'il était d'accord avec Trump, et que, depuis sa prise de fonctions, il avait instillé un sentiment d'urgence. Selon Rutte, les Européens avaient désormais compris que le montant cible de 2 % signé par Obama n'était qu'une demande pro forma. Les temps avaient changé. En voilà un qui avait compris le message. Le prix du commentaire le plus absurde est revenu au Premier ministre tchèque, qui a dit qu'il faisait de son mieux pour payer 2 % d'ici 2024, mais que l'augmentation du PIB de son pays était telle qu'il n'était pas sûr de pouvoir augmenter indéfiniment ses dépenses de défense. Il était donc en train de nous expliquer qu'il devenait riche à une telle vitesse qu'il n'avait plus le temps de penser à la défense de son pays. Trump est intervenu, en disant qu'il avait les mêmes problèmes, mais en plus gros, à cause de la croissance économique américaine. Il a dit que la situation était injuste et insoutenable, et que quelqu'un devait y mettre fin. Les Alliés devaient se réveiller et prendre leurs responsabilités, ou alors il y aurait des problèmes. Trump a expliqué qu'à Washington, l'histoire la plus incroyable, c'était le projet Nord Stream. Tout le monde disait que l'Allemagne était à genoux devant la Russie (y compris Trump, évidemment). Comment pouvons-nous nous défendre les uns les autres contre la Russie, se demandait Trump, si les Alliés n'investissent même pas dans la défense ? Trump a ajouté qu'il appréciait particulièrement la Hongrie et l'Italie, mais qu'en ne payant pas leurs parts, ces pays contribuaient à rendre la situation intolérable pour les États-Unis. Nous protégions alors des pays avec lesquels nous n'étions pas autorisés à faire du commerce. N'ayant plus rien à ajouter, il a souligné une dernière fois que la conclusion de ce sommet se devait d'être satisfaisante, après laquelle les États-Unis seraient à nouveau un grand partenaire. Trump a avoué qu'il ne voulait pas blesser son pays en admettant à quel point nous avions été stupides, notamment en investissant dans le projet Nord Stream.

Trump était en train de négocier en temps réel avec les autres dirigeants, tous enfermés dans une pièce sans leurs discours préparés. Il fallait le voir pour le croire. Certains dirigeants ont dit qu'ils ne pouvaient pas accepter la proposition de Trump en matière de dépenses de défense parce que cela contredisait le communiqué adopté plus tôt, ce que j'ai décrit à Stoltenberg comme une grave erreur. Il a approuvé puis a tenté de mettre fin à ce problème, mais de toute évidence, la situation était au plus bas. Trudeau, le Canadien, m'a demandé : « Alors, John ? Celui-là aussi va exploser ? » J'ai répondu : « Il reste encore beaucoup de temps. Que pourrait-il se passer de pire ? », ce qui nous a fait rire. J'ai donné un bout de papier à Trump sur lequel était écrit « réduire la contribution au fonds commun ». Il l'a passé à Stoltenberg, qui est devenu blanc en le lisant. Mais au moins, il savait que cela aussi était en jeu. Après quelques derniers commentaires venant de l'auditoire, la réunion s'est terminée. Il était temps pour nous de nous retirer et de préparer la conférence de presse de clôture de Trump, ce qui s'est avéré ô combien reposant comparé à Singapour. Trump s'est contenté de donner une version positive des événements de la journée. La conclusion était donc on ne peut plus claire : les États-Unis s'attendaient à ce que les Alliés de l'OTAN respectent leurs engagements en matière de dépenses de défense. Un résultat ordinaire, mais qui a demandé des efforts extraordinaires. La présidence d'Obama était bel et bien terminée.

Avant de partir, Trump s'est arrêté un instant à la conférence des dirigeants sur l'Afghanistan pour partager quelques remarques déjà préparées, et en faisant allusion à l'esprit de groupe unique qui semblait, selon lui, se développer à l'OTAN. Toutefois, nous avons dû lui forcer la main afin de rejoindre l'aéroport, plus ou moins à l'heure prévue, et ainsi éviter tous les embouteillages dans Bruxelles. À ce moment-là, Merkel était en train de parler. Trump s'est approché pour lui dire au revoir. Elle s'est levée, comme pour lui serrer la main. Mais à la place, il l'a embrassé sur les deux joues, en proclamant : « J'adore Angela ! » Tout le monde s'est mis debout pour applaudir, et c'est sous cette ovation que nous sommes partis. Le soir même, Trump a tweeté :

> **Immense succès aujourd'hui à l'OTAN ! Plusieurs milliards de dollars supplémentaires payés par les États membres depuis mon élection. Un superbe esprit !**

Ce séjour aura été intense, mais grâce à l'OTAN, Trump partait à la rencontre de Poutine, à Helsinki, avec une alliance publiquement unie derrière lui, plutôt qu'une position encore plus difficile remettant en jeu l'avenir de l'OTAN.

Londres

Air Force One s'est envolé vers l'aéroport de Stansted à Londres, où Marine One nous attendait, direction Winfield House, la résidence de notre ambassadeur. Ensuite, le cortège présidentiel nous a conduits à notre hôtel où nous nous sommes mis en tenue de soirée, et retour à Winfield House, puis trajet en hélicoptère jusqu'au palais de Blenheim, où le Premier ministre nous avait invités à dîner. Construit pour récompenser John Churchill, duc de Marlborough, pour sa victoire en 1704 contre les armées de Louis XIV dans la guerre de Succession d'Espagne, faisant ainsi de l'Angleterre l'une des plus grandes puissances mondiales de l'époque, Blenheim était un endroit exceptionnel. Nous avons appris qu'il s'agissait du seul bâtiment britannique qualifié de « palais » qui n'appartenait pas à la famille royale. Winston Churchill, un descendant direct du premier duc, était né là. La cérémonie d'arrivée au coucher de soleil avec les troupes vêtues de rouge et l'orchestre militaire a été l'élément le plus impressionnant, tout comme la décoration intérieure de l'immense palace. Sedwill et moi nous sommes assis en bout de table avec les dirigeants et leurs épouses, le duc de Marlborough actuel, ainsi que les ambassadeurs du Royaume-Uni et des États-Unis et leurs épouses. J'aurais pu rester là un long moment, mais la météo s'aggravant, nous devions choisir entre rentrer en hélicoptère à 22 h 30 ou… attendre que le ciel s'éclaircisse à nouveau, ce qui n'était pas garanti. Allez, en route !

Le lendemain, un vendredi 13, a commencé avec quelques articles de presse faisant étalage d'une interview que Trump avait donnée à Bruxelles au journal le *Sun*, et où, pour faire court, il démolissait la stratégie Brexit de May. Je trouvais aussi que cette stratégie était en chute libre, mais il s'agissait, comme disent les Londoniens, d'une « situation légèrement délicate ». En effet, les deux dirigeants étaient sur le point de se rencontrer, supposément pour afficher l'excellente ambiance qui règne entre nos deux pays. Le Brexit était un problème existentiel pour le Royaume-Uni, mais il était également très important pour les États-Unis. La motivation principale du Brexit était de pallier la perte grandissante de contrôle frontalier résultant des mécanismes bruxellois de l'Union européenne. Les bureaucraties établissaient des règles que les parlements nationaux devaient accepter comme contraignantes, et la perte de souveraineté démocratique était de plus en plus palpable. Pour les Britanniques, paradoxalement, Bruxelles était devenu un nouveau George III : une machine oppressive, irresponsable, distante (politiquement, à défaut de physiquement) qu'une majorité d'électeurs britanniques avait rejetée en 2016, mettant fin ainsi à 43 années d'adhésion à l'UE. Toutefois, la mise en œuvre de ce résultat a été désastreuse, allant jusqu'à menacer la stabilité politique du Royaume-Uni. Nous aurions dû être beaucoup plus présents pour aider les Brexiteurs, et j'ai clairement essayé. Malheureusement, à part Trump et moi-même, personne ne semblait s'en soucier au sein du gouvernement. Quelle tragédie !

La délégation américaine est arrivée en hélicoptère à Sandhurst, l'académie militaire britannique, où le ministère de la Défense organisait un exercice commun où les forces spéciales américaines et britanniques devaient s'infiltrer et démanteler un camp terroriste. Trump a salué May en s'excusant, et elle a simplement ignoré cet incident médiatique. Cet exercice était bruyant et impressionnant, clairement suffisant pour attirer l'attention de Trump. J'ai réalisé avec aberration qu'au cours des dix-huit derniers mois, personne n'avait conduit Trump à un exercice de l'armée américaine. S'il avait vu cela plus tôt, nous aurions pu conserver les jeux de guerre sur la péninsule coréenne. Depuis Sandhurst, nouveau trajet en hélicoptère jusqu'à Chequers, la retraite de fin de semaine du Premier ministre britannique, pour participer aux principales réunions d'affaires de notre visite.

Jeremy Hunt et d'autres se sont joints à May et Sedwill. Nous avons commencé la réunion en face de la cheminée du salon principal à deux étages. Après quelques mots sur le Yémen, une obsession britannique, May s'est ensuite penchée sur la Syrie, en se demandant notamment comment gérer la présence russe sur place, et en soulignant qu'aux yeux de Poutine, seule la puissance comptait. Une formulation grâce à laquelle elle espérait clairement attirer l'attention de Trump. J'ai expliqué ce que Poutine m'avait dit il y a quelques semaines, soit pousser l'Iran à se retirer de Syrie, ce que les Britanniques ont accueilli, à juste titre, avec scepticisme. J'ai ajouté :

« Je ne suis pas en train de défendre la crédibilité de Poutine », ce à quoi May a répondu : « Cher John, voyons, nous ne nous attendions certainement pas à ça de votre part. » Fou rire généralisé.

Puis nous sommes passés à un sujet plus sérieux, le « contrat » exécuté par les Russes pour empoisonner les Skripal (un ancien agent du renseignement russe, devenu déserteur, et sa fille), ce que Sedwill a décrit comme « une attaque chimique sur une puissance nucléaire ». Trump a répondu du tac au tac : « Ah, et vous êtes une puissance nucléaire ? », ce qui, je le savais très bien, n'était pas prévu pour faire rire la galerie.

J'ai demandé à May pourquoi les Russes avaient fait ça, et Trump a cru bon de dire qu'il avait posé la même question, la veille, à Blenheim. Selon May, le but de l'attaque était de prouver que la Russie pouvait agir en toute impunité contre les dissidents et les déserteurs, afin d'intimider ceux inspirés par les mêmes idées. Elle a vivement conseillé à Trump de se rendre à Helsinki, et d'entrer dans la salle de réunion en position de force, ce que Trump a approuvé, en ajoutant que c'est Poutine qui avait demandé cette rencontre (l'opposé de la vérité), et qu'il n'allait faire aucun cadeau. (Je venais juste d'apprendre que le ministère de la Justice allait rendre publiques les inculpations de Mueller contre douze agents russes du GRU[41] pour ingérence dans les élections américaines ; une nouvelle qu'il valait mieux annoncer avant le sommet, pour laisser à Poutine le temps de la considérer.)

Durant le déjeuner de travail qui a suivi, nous avons évoqué le calvaire que semblait représenter le Brexit, l'opinion de Trump au sujet des négociations avec la Corée du Nord puis la Chine et la visite officielle de Trump en novembre 2017. Il a raconté qu'il avait été accueilli par 100 000 soldats en disant : « Jamais auparavant dans l'Histoire du monde, il n'y avait eu quelque chose de tel. » Durant la conférence de presse de clôture, Trump a fait des pieds et des mains pour éteindre les flammes causées par son interview dans le *Sun*, jusqu'à conduire la presse britannique à qualifier les discussions du jour de « renversement complet », ce à quoi cela ressemblait parfaitement. Trump a alors dit que les relations entre les États-Unis

41 Direction générale des renseignements (NDT).

et le Royaume-Uni étaient « très spéciales... encore plus spéciales que très spéciales », une nouvelle catégorie. Après être montés à bord du Marine One jusqu'à la Winfield House, nous avons pris l'hélicoptère jusqu'au château de Windsor où les Trump ont rencontré la reine Elizabeth, ce qui nous a donné droit à une nouvelle grande cérémonie avec encore plus d'uniformes rouges et d'orchestres militaires. Trump et la reine ont salué la garde d'honneur, ce après quoi, lui, elle (et FLOTUS[42]) se sont entretenus pendant une heure. Nous autres étions en train de prendre le thé et de savourer des amuse-bouches avec des membres de la famille royale, ce qui était d'un raffinement ultime, mais aussi difficile pour certains d'entre nous, encore d'humeur coloniale. Une fois l'événement terminé, nous sommes remontés à bord du Marine One, direction Stansted, où Air Force One nous a conduits jusqu'en Écosse, où nous avons déposé nos valises au Trump Turnberry.

Ce complexe de golf, avec une vue imprenable sur le Firth of Clyde, était immense. Nous étions rassemblés dehors en train d'admirer la vue, jusqu'à ce qu'un partisan de Greenpeace passe devant nous, aux commandes d'un véhicule ultraléger (un vélo avec des ailes, en fait) avec une bannière sur laquelle était inscrit : « Trump, tu ne fais pas le par. » Les agents du service secret ont vite escorté Trump à l'intérieur, ainsi que tous les autres, sauf Kelly et moi, qui, pour une raison que j'ignore, en fait, sommes restés à regarder cet étrange appareil s'approcher de plus en plus. Le service secret a finalement décidé que Kelly et moi aussi devions rentrer à l'intérieur. Il s'agissait là d'une grave infraction à la sécurité, mais qui heureusement, nous a plus divertis qu'autre chose.

Nous sommes restés au Turnberry jusqu'au dimanche. Trump a joué au golf et nous avons eu plusieurs appels avec le Premier ministre d'Israël, Netanyahou. Notre sujet de conversation principal était la dernière réunion entre Netanyahou et Poutine, et notamment leurs conclusions au sujet de la Syrie. Comme il l'avait impliqué lors de notre dernière rencontre à Moscou, Poutine a dit à Netanyahou que l'Iran devait quitter la Syrie, qu'il partageait notre objectif, mais qu'Assad avait des problèmes qui empêchaient Poutine de montrer la sortie aux Iraniens. Assad, bien évidemment, comptait sur les

---

42 Première dame des États-Unis (**F**irst **L**ady **O**f **T**he **U**nited **S**tates) (NDT).

forces iraniennes pour reprendre le contrôle d'Idleb aux dépens de l'opposition syrienne et de nombreux groupes terroristes. La situation à Idleb était un problème, certes, mais cela ne pouvait pas être une excuse pour qu'Assad importe des armes dont le seul but était de menacer Israël. Poutine a dit qu'il comprenait, mais qu'il ne pouvait rien promettre. Israël croyait, à juste titre, que les États-Unis aussi étaient préoccupés par la présence iranienne continue en Syrie, ce que Poutine comprenait également, sans être toutefois d'accord. Netanyahou a insisté auprès de Poutine pour qu'il se prononce en faveur d'une « frontière permanente » au niveau du plateau du Golan, un objectif israélien de longue date, avec la Syrie d'un côté et Israël de l'autre, ce qui, selon moi, signifiait que la force des Nations Unies chargée d'observer le dégagement n'était plus utile, au même titre que les zones de séparation, et que l'on pouvait retourner à une situation frontalière « normale ». Israël avait depuis longtemps annexé le plateau du Golan, mais il voulait que cette réalité soit reconnue par la communauté internationale. Normaliser la situation frontalière serait donc un progrès significatif. Je voyais mal Trump évoquer ce point si particulier avec Poutine, car il s'agissait d'une question qui exigeait un niveau de spécificité que Trump n'avait pas encore eu à affronter.

Air Force One a quitté l'aéroport Prestwick de Glasgow en milieu d'après-midi, le samedi 15 juillet, direction Helsinki. Trump était en train de regarder un match de la Coupe du monde de football à Moscou, pendant que j'essayais de le briefer sur les problèmes de maîtrise des armements qu'il risquait d'aborder avec Poutine. J'ai expliqué que l'œuvre d'Obama, le Traité New Start de réduction des armes stratégiques, que Trump avait critiqué durant sa campagne 2016, était un désastre et qu'il fallait éviter, à tout prix, de le prolonger pour cinq années supplémentaires, ce que Moscou souhaitait. J'ai ajouté que les sénateurs républicains avaient voté contre ce traité, en 2010, par 26 votes contre 13 ; un détail qui, je l'espérais, allait convaincre Trump. Nous avons également évoqué le Traité sur les FNI (et pourquoi je conseillais de nous en retirer) et le programme national de notre bouclier antimissile (que, selon moi, nous ne devions absolument pas négocier avec les Russes). Mais je n'ai pas réussi à aller bien loin. Alors que nous parlions, et que Trump regardait la Coupe du monde, il m'a dit, en parlant de Mattis : « Il est démocrate libéral, vous le savez, n'est-ce pas ? » Trump m'a demandé si je connaissais Mark Milley, alors chef d'État-major de l'armée de terre. Une question intéressante puisque Milley était « candidat » au poste de chef d'État-major des armées, à l'expiration du mandat de Dunford, en septembre 2019. Au Pentagone, tout le monde pensait que Mattis était déterminé à bloquer Milley. J'ai dit à Trump que pour tous postes de commandement militaire et d'État-major importants, il se devait de demander au moins trois noms au ministère de la Défense. Lorsque je suis arrivé à la Maison Blanche, Mattis ne proposait plus qu'un seul nom, ce qui, selon moi, montrait le sérieux déclin du contrôle civil des affaires militaires ; un problème que j'ai poursuivi pendant toute la durée de mes activités en tant que conseiller à la sécurité nationale, mais seulement avec un succès mitigé.

Trump et moi, nous nous sommes également demandé comment aborder les affaires d'ingérence électorale avec Poutine, surtout depuis la publication des noms des agents du GRU inculpés par Mueller. Étant donné qu'aucun traité d'extradition ne nous liait à la Russie, et que de toute façon, la « constitution » russe interdisait l'extradition, les chances de la voir nous livrer les accusés étaient infinitésimales. En conséquence, j'ai conseillé de ne pas demander aux Russes de le faire, même si beaucoup de démocrates et de républicains le suggéraient. Demander quelque chose que nous ne pouvions pas obtenir nous donnerait un sentiment d'impuissance. À la place, j'ai suggéré à Trump de dire : « J'aimerais beaucoup qu'ils viennent aux États-Unis pour prouver leur innocence », une tournure qu'il a apparemment beaucoup aimée. « Vous devriez être récompensé pour ce genre de phrases ! », a répondu Trump. Il tenait cependant à ajouter que si les hackeurs russes avaient fait un tel malheur en 2016, Obama aurait dû réagir de manière plus ferme, et il avait entièrement raison.

J'ai donné un document à Trump, que j'avais demandé au bureau du conseiller juridique de la Maison Blanche, lequel exposait nos objections aux accusations d'ingérence électorale de la Russie. Trump y a fait quelques changements, montrant ainsi à quel point ce sujet le rendait anxieux. C'est précisément pour gérer cette anxiété que j'avais demandé ce document. Trump pouvait afficher notre opposition radicale aux accusations d'ingérence électorale en donnant ce document à Poutine, et éviter ainsi toute conversation trop longue et dangereuse. En fin de compte, Trump a décidé de ne pas utiliser le document. Il voulait que ce soit moi qui aborde le sujet. J'ai dit que je le ferais, mais durant le déjeuner de travail prévu, car évidemment, ce n'est pas moi qui allais être face à face avec Poutine.

Helsinki

Nous avons atterri à Helsinki et conduit jusqu'à l'hôtel Kalastajatorppa (allez-y, prononcez-le pour voir). Le lundi matin, j'ai emprunté le tunnel reliant l'hôtel à la guest-house où séjournait Trump pour le briefer, juste avant son petit-déjeuner avec le président finlandais, Sauli Niinisto. Je connaissais ce tunnel. Je l'avais déjà emprunté en septembre 1990 avec Jim Baker, pour préparer George H. W. Bush à ses réunions avec Mikhaïl Gorbatchev, juste après l'invasion du Koweït par Saddam Hussein. Durant la journée, la télévision finlandaise a retransmis en boucle des images du sommet Bush-Gorbatchev, probablement la dernière rencontre à Helsinki entre un président américain et son homologue soviétique/russe. J'étais l'une des rares personnes dans l'entourage de Trump à même de se rappeler de ce sommet, sans parler du fait que j'y avais assisté personnellement. Durant notre brève séance de préparation, Trump s'est essentiellement plaint des dernières transgressions de Jeff Sessions, en disant : « Il a perdu la tête. » À part cela, notre discussion de fond, elle, était concentrée sur les affaires d'ingérence électorale russe. Trump est resté, comme depuis le début, réticent ou incapable d'admettre toute ingérence russe parce qu'il pensait que cela nuirait à la légitimité de son élection et à la crédibilité de l'histoire de chasse à la sorcière à son encontre.

Départ à 9 h 30, direction Mantyniemi, la résidence du président de la Finlande, pour le petit-déjeuner. Bien que nous ayons abordé de nombreux sujets, Niinisto voulait, plus que tout, nous expliquer trois choses sur la Russie. Premièrement : comment affronter Poutine. Niinisto a rappelé à Trump que Poutine était un combattant, et que Trump, s'il se sentait repoussé dans les cordes, devait donc contre-attaquer. Deuxièmement, Niinisto a insisté sur l'importance du respect pour Poutine, et que si une relation de confiance était établie, il ferait alors preuve de plus de retenue. Enfin, comme s'il le préparait pour un match de boxe, Niinisto a averti Trump de ne laisser aucune ouverture et de ne pas laisser Poutine prendre confiance. Il a fini son discours, digne d'un motivateur, avec un proverbe finlandais disant : « Un Cosaque récupère tout ce qui traîne. » Niinisto a ajouté que la Finlande disposait d'une armée de 000 280 soldats, si tous étaient appelés, pour montrer qu'en cas d'invasion, le prix humain serait élevé. Trump a demandé si la Finlande souhaitait rejoindre l'OTAN, et Niinisto a donné la réponse du Finlandais compliqué, ne disant ni oui ni non, mais en laissant la porte ouverte. Niinisto a repris son discours d'encouragement, en disant que Poutine n'était pas stupide et qu'il n'attaquerait pas un des pays membres de l'OTAN. Tandis que Poutine avait fait une erreur en entrant en conflit dans le Donbass ukrainien, Niinisto pensait que Poutine n'était pas près de renoncer à la Crimée. Trump s'en est pris à Obama, et a promis, à mon grand soulagement, de ne pas accepter un tel comportement, en soulignant que Poutine n'aurait jamais agi de la sorte s'il avait été président à l'époque.

Une fois de retour au Kalastajatorppa, nous avons eu vent du retard de l'avion de Poutine, au départ de Moscou, ce qui montrait qu'il comptait, comme avec ses autres invités, nous faire attendre. J'espérais secrètement que cela irrite suffisamment Trump pour qu'il soit encore plus intransigeant avec Poutine. Nous avons envisagé d'annuler la réunion si Poutine était trop en retard, et nous avons décidé, peu importe l'évolution de la situation, de le faire attendre à son arrivée au palais du président finlandais (le même endroit où s'était tenu le sommet en 1990).

Nous avons survécu à un face-à-face incroyablement long, d'un peu moins de deux heures. Trump est réapparu vers 16 h 15, et nous a briefés, Kelly, Pompeo, Huntsman, et moi. La conversation a essentiellement porté sur la Syrie, notamment sur l'aide humanitaire et la reconstruction (qui, selon les désirs de la Russie, devaient être financées par les États-Unis et l'Occident), et sur les modalités d'expulsion de l'Iran. Trump a dit que Poutine avait beaucoup parlé, et que lui avait écouté, un comportement inhabituel pour lui. En réalité, l'interprète américaine a ensuite dit à Fiona Hill et à Joe Wang que Poutine avait occupé 90 % du temps de parole (sans tenir compte de la traduction) ; elle a aussi dit que Trump lui avait demandé de ne pas prendre de notes, pour qu'elle ne puisse nous débriefer que de mémoire. Il était évident, selon Trump, que Poutine voulait partir de Syrie, et qu'il appréciait Netanyahou. Trump a aussi dit que Poutine n'avait pas grand-chose à faire de notre retrait de l'accord sur le nucléaire iranien, même s'il a ajouté que la Russie allait le conserver. Au moment d'évoquer les conflits économiques avec la Chine, Poutine a fait allusion à la position américaine, un peu trop stricte à son goût, et Trump a répondu qu'il n'avait pas le choix. Poutine souhaitait que les États-Unis fassent davantage d'affaires avec la Russie, en plaçant que l'UE en faisait vingt fois plus que les États-Unis. Voilà ce qu'il faut retenir de cette rencontre : ils n'ont signé aucun accord sur quoi que ce soit, fait aucune concession, et n'ont rien changé à nos politiques étrangères fondamentales. Autrement dit, j'étais ravi... et soulagé ! Pas de franc succès, mais cela ne me dérangeait pas le moins du monde, car depuis très longtemps, je considérais ce sommet comme un exercice grandeur nature destiné à « limiter les dégâts ».

Ensuite est venu le gros morceau, les affaires d'ingérence électorale, un sujet que Trump a admis avoir soulevé en premier. Malheureusement, Poutine avait déjà préparé sa réplique. Il nous « offrait » de juger, en Russie, les agents du GRU qui venaient d'être inculpés (comme c'est aimable), en citant un traité de manière très vague, et en ajoutant que les enquêteurs nommés par Mueller seraient autorisés à venir ici pour faire leur travail, à condition que nous rendions la pareille au sujet de Bill Browder, un homme d'affaires américain dont l'avocat en Russie, Sergei Magnitsky, avait été arrêté et tué par le régime Poutine. Le grand-père de Browder, Earl Browder, avait été secrétaire général du parti communiste américain pendant plusieurs années entre les années 30 et 40, et avait épousé une citoyenne soviétique. Son petit-fils, capitaliste, aujourd'hui citoyen britannique, avait connu une réussite financière remarquable en Russie, mais le meurtre de Magnitsky et les mesures prises en opposition avec ses investissements l'ont poussé à se lancer dans une campagne internationale contre Moscou. Il a persuadé le Congrès de passer une loi permettant aux États-Unis de sanctionner les auteurs de violation des droits de l'homme en Russie ; un pas que plusieurs autres pays ont emboîté. Selon Poutine, Browder avait volé 400 millions de dollars à la Russie, et les avait donnés à la campagne d'Hillary Clinton, ainsi qu'à sa fondation et à d'autres structures de l'empire galactique des Clinton ; une information qui avait rendu Trump on ne peut plus attentif. Ce n'était que du blabla, mais cela était suffisant pour exciter Trump. Je voulais atténuer son enthousiasme, au moins jusqu'à mettre la main sur le traité que Poutine venait de mentionner. Si jamais il devait avoir un piège ce jour-là, il était là. Nous sommes ensuite passés au déjeuner de travail, qui ressemblait maintenant plus à un dîner avancé.

Trump a demandé à Poutine de décrire leur face-à-face, et Poutine a dit que c'est bien Trump qui avait soulevé en premier le sujet des affaires d'ingérence électorale, et qu'il espérait pouvoir fournir une explication logique à ce problème (Dieu seul sait ce que cela voulait dire). Poutine a ajouté que nous devions promettre un monde sans cyberattaque. Bien sûr, facile. Il a poursuivi en révélant le contenu de leurs discussions sur l'Ukraine, la Syrie, l'Iran et la Corée du Nord, entrecoupé par quelques commentaires de Trump, pour ce qui a semblé être une réunion des plus calmes, comme l'avait décrit Trump plus tôt. Ils ont aussi évoqué la maîtrise des armements, mais à peine. J'ai décidé de laisser ce problème courir, car je craignais qu'un nouveau tour de parole ne soit des plus risqués. Trump a demandé si nous avions des questions, alors j'ai demandé à Poutine s'il pouvait en dire davantage sur l'avenir de la frontière de désengagement entre la Syrie et Israël signée en 1974, pour voir si nous pouvions en savoir plus sur son échange avec Netanyahou. Poutine a clarifié son propos : il ne parlait pas de véritable « frontière », mais simplement de renforcer la mise en vigueur des lignes de désengagement actuelles. Je lui ai également demandé d'en dire plus sur l'aide humanitaire et la reconstruction en Syrie, car je savais que plus Poutine parlerait de l'importance de cette aide, plus l'enthousiasme de Trump s'évaporerait. Le sujet qu'eux deux voulaient vraiment aborder était l'augmentation des échanges commerciaux avec les États-Unis et celle des investissements américains en Russie, une conversation étonnamment longue étant donné qu'il y avait si peu de choses à dire, et que le nombre de sociétés américaines prêtes à plonger dans le marasme économico-politique russe pouvait se compter sur les doigts d'une main.

Une fois le déjeuner terminé, nous avons marché jusqu'à la salle de conférence de presse de Trump et Poutine, qui a commencé vers 18 heures. Comme Kelly me l'a fait remarquer à un moment, il y avait désormais dans la salle, non pas un, mais deux assistants-militaires transportant la mallette nucléaire de son pays. Poutine a lu un communiqué tout prêt, rédigé bien avant le début de cette rencontre, mais il a tenu à dire en public que c'est bien Trump qui avait abordé le sujet des affaires d'ingérence électorale, et à répondre que : « L'État russe n'a jamais interféré et ne prévoit aucunement d'interférer dans les affaires intérieures américaines, y compris le processus électoral », comme lors de notre toute première rencontre. Fiona Hill, qui parle couramment russe, a remarqué avec intérêt son choix de mots. En effet, si l'ingérence était l'œuvre d'une « organisation non gouvernementale » ou d'une « entreprise » (même s'il n'existait pas vraiment de version indépendante de ces deux structures en Russie), quelqu'un pouvait alors dire, tout en restant très sérieux et crédible, que « l'État russe » n'était pas responsable. Nous aurions dû insister davantage sur ce point, mais une fois de plus, cela nous aurait obligés à admettre, en premier lieu et de manière explicite, qu'il y avait bien eu ingérence. Trump a, lui aussi, lu un communiqué, tout aussi anodin, et les médias ont commencé à poser leurs questions. Poutine a mentionné que Trump était resté fidèle à la position américaine bien connue selon laquelle l'annexion de la Crimée avait été illégale, mais personne n'y a prêté plus attention que cela.

Je pensais alors que nous allions enfin pouvoir respirer. Jusqu'à ce qu'un journaliste américain demande à Poutine pourquoi les Américains devraient-ils le croire lorsqu'il dément l'ingérence de la Russie dans les élections de 2016, ce à quoi Poutine a répondu : « Qu'est-ce qui vous permet de croire que le président Trump me fait confiance ou que je lui fais confiance ? Il défend les intérêts des États-Unis d'Amérique tout comme je défends les intérêts de la Fédération russe... Pouvez-vous nommer un seul fait qui prouve clairement qu'il y a eu collusion ? C'est complètement absurde. » Puis ensuite, après en avoir dit davantage sur les récentes inculpations de Mueller que ce qu'il aurait été prudent de faire, Poutine a fait référence au Traité d'entraide judiciaire de 1999. Poutine s'est trompé de nom (ou il a été mal traduit) durant la conférence de presse, mais nous avions alors déjà conclu qu'il devait s'agir du traité mentionné durant le face-à-face avec Trump. Poutine a ajouté, fidèle à sa conversation avec Trump, que Mueller pouvait très bien profiter de ce traité, mais que la Russie pouvait aussi le citer et poursuivre Bill Browder pour ses crimes présumés. La description offerte par Poutine de ce qui serait possible en vertu de ce traité était « très développée » par rapport à ce que cet accord prévoit réellement, mais au moment où nous l'avons expliqué à la presse, la propagande de Poutine avait déjà gagné de précieux points.

Plus préoccupant encore a été le moment où Poutine a dit qu'il voulait que Trump gagne les élections 2016 « car il prévoyait de normaliser les relations américano-russes », un écart de langage significatif par rapport à la position publique habituelle selon laquelle les pays n'interfèrent pas dans la politique intérieure de chacun et qu'ils sont prêts à travailler avec quiconque est élu. Un commentaire toutefois vite oublié après la réponse de Trump, vers la fin de la conférence de presse, lorsqu'il a dit : « Mes conseillers sont venus me voir... Dan Coats est venu me voir, ainsi que d'autres... et ils pensent que c'est la Russie. Ici, je suis avec le président Poutine, et il dit que ce n'est pas la Russie. Je ne dirais qu'une chose : je ne vois pas pourquoi elle le serait... mais je veux voir le serveur informatique. Cependant, j'ai foi, j'ai confiance en chacun. J'ai extrêmement confiance en mon directeur du renseignement et en son équipe, mais je dois avouer que la défense du président Poutine, aujourd'hui, a été très convaincante. » Kelly et moi étions assis l'un à côté de l'autre dans la salle, et la réponse de Trump nous a quasiment gelés sur place. Il était évident que cette plaie auto-infligée allait nécessiter des mesures correctives majeures, mais nous étions encore loin de savoir lesquelles. Immédiatement, les comptes rendus de la presse ont été catastrophiques.

Dès la fin des interviews individuelles de Trump, nous avons foncé vers l'aéroport pour monter à bord d'Air Force One, dont le départ était prévu à 20 heures. Dan Coats avait essayé de me joindre. Je l'ai rappelé immédiatement dès la fin du décollage. Il était, c'est le moins que l'on puisse, furieux. « Des ondes sismiques sont en train de traverser Washington ! » a-t-il dit. La communauté du renseignement voulait que Trump fasse immédiatement une déclaration pour éviter de discréditer toute la communauté. Coats avait déjà préparé quelque chose qui, selon lui, était nécessaire afin de la protéger. Je lui ai dit de patienter quelques minutes, le temps de parler à Kelly. Pas une seconde je n'ai senti qu'il pensait à démissionner, mais son sentiment d'urgence était palpable. J'ai raccroché et je suis parti retrouver Kelly, qui pensait qu'un communiqué pouvait s'avérer utile si jamais Coats comptait mettre en avant les efforts anti-ingérence du gouvernement Trump, qui étaient d'ores et déjà bien supérieurs à ceux d'Obama. Coats n'a pas voulu changer son communiqué, qu'il m'a lu au téléphone. Je ne pensais pas, toutes choses étant égales par ailleurs, que la situation était si grave ou si surprenante. Je ne voyais toujours aucun indice en faveur de sa démission, alors je lui ai donné le feu vert.

Les commentaires de Coats, publiés quelques instants plus tard, ont jeté de l'huile sur le feu, mais sont restés mineurs par rapport au travail de sape que la presse était en train de mener. Nous étions tous en pleine recherche sur le Traité d'assistance juridique, ce qui nous a permis de rapidement confirmer nos impressions initiales selon lesquelles Poutine avait bel et bien déformé les possibilités réelles de ce traité, aussi bien matière d'application au cas de Bill Browder qu'en relation avec les possibilités existantes pour l'équipe de Mueller. C'était un pur coup de propagande, à la soviétique. Nick Ayers a appelé pour dire que Pence voulait souligner que Trump avait répété, à deux reprises, à quel point il avait confiance dans la communauté du renseignement américain, ce que je considérais comme une très bonne idée. J'ai immédiatement dit à Trump ce que Pence comptait faire. Un comportement qu'il a approuvé et renforcé en publiant un tweet. Malgré tout, cette tempête médiatique a continué avec la même intensité. Après quelques minutes de réflexion, j'ai rédigé les quatre points que Trump devait déclarer : « (1) J'ai toujours soutenu la communauté du renseignement ; (2) il n'y a jamais eu de "collusion russe" ; (3) toute ingérence, provenant de Russie ou de tout autre pays, est inacceptable ; et (4) cela n'arrivera pas en 2018. » J'ai tapé cela et je l'ai transmis à Kelly, Sanders, Sarah Tinsley (directrice principale des communications du NSC), Miller, Bill Shine (ancien cadre supérieur à Fox News), Dan Scavino (le gourou de Trump en matière d'image sur les réseaux sociaux), ainsi qu'à d'autres, et puis enfin, vers minuit, heure finlandaise, j'ai pu faire une sieste. Nous avons atterri à la base Andrews à 21 h 15, heure de Washington, et je suis rentré à la maison.

Le lendemain, Trump a convoqué toute l'équipe principale des communications de la Maison Blanche dans le Bureau ovale. Toujours surpris par le raz-de-marée provoqué par ces paroles, Trump avait relu la transcription de la conférence de presse et a admis qu'il s'était mal exprimé. Quand il a dit : « Je ne vois pas pourquoi elle le serait », pour dire « Je ne vois pas pourquoi (la Russie) le serait », il voulait en fait dire « Je ne vois pas pourquoi elle ne le serait pas », changeant ainsi complètement le sens de la phrase. Trump était réputé comme quelqu'un ne regrettant jamais ce qu'il avait dit, même prêt à se débattre plutôt qu'à admettre une erreur. Nous étions donc tous surpris par ce dénouement. Bien sûr, cet ajustement grammatical n'a pas résolu le problème lié au reste de sa déclaration où il mettait sur un pied d'égalité les mœurs de Poutine et les opinions de la communauté du renseignement. Mais pour les gens de la presse, Trump en train de se corriger était synonyme de progrès. Stephen Miller a rédigé quelques remarques que Trump a ensuite faites en début d'après-midi.

Cette approche était loin d'être la plus facile pour tisser des liens avec la Russie, et Poutine devait être en train de rire aux éclats en réalisant ce à quoi il avait échappé à Helsinki. Condi Rice m'a appelé pour me dire qu'elle ne ferait aucun commentaire public sur Helsinki, mais elle a tout de même ajouté : « Vous savez, John, ce Poutine-là ne sait traiter les gens que de deux façons : soit en les humiliant, soit en les dominant, et vous ne pouvez pas le laisser s'en sortir avec ça. » Et j'étais d'accord. Beaucoup de personnes ont appelé, demandant la démission de différents responsables, dont Kelly, Pompeo, Coats, et moi. Et dire que j'occupais ce poste depuis à peine plus de trois mois. Tout allait vraiment très vite dans le gouvernement Trump !

CHAPITRE 6

DÉFIER LA RUSSIE

Se débarrasser du Traité sur les FNI

Depuis mes jours passés avec le gouvernement de George W. Bush, j'ai toujours voulu extraire les États-Unis du Traité sur les FNI (Forces Nucléaires à portée Intermédiaire). La tâche s'annonçait herculéenne, mais je connaissais la chanson. Autrement dit, je savais quoi faire. En effet, j'avais aidé Bush 43 à faire sortir les États-Unis du dangereux et démodé traité ABM de 1972, qui empêchait les États-Unis de mettre en place un bouclier antimissile digne de ce nom. Je n'avais pas besoin d'une courbe d'apprentissage. Et puisque l'un des objectifs tangibles d'Helsinki était d'améliorer la coopération entre les conseils de sécurité nationaux des États-Unis et de la Russie, les outils étaient déjà à portée de main. J'ai donc proposé à Nikolaï Patrouchev de me rencontrer à Genève, ce qu'il a accepté pour le 23 août.

Cela faisait des années que la Russie enfreignait le Traité sur les FNI, et que les États-Unis restaient là, à regarder sagement.

En interdisant les missiles et les lance-missiles avec une portée entre 500 et 5 500 kilomètres, le but de l'accord signé par Reagan et Gorbatchev, entre les États-Unis et l'URSS, était d'éviter toute guerre nucléaire en Europe. Au fil du temps, cependant, l'objectif fondamental du FNI était vicié par des infractions russes répétées, de nouvelles réalités stratégiques internationales, et le progrès technologique. Avant même que Trump ne prenne ses fonctions, la Russie avait déjà entamé le déploiement de missiles transgressant les interdictions du FNI, dans l'exclave de Kaliningrad en bordure de mer Baltique, posant ainsi les fondations d'une menace substantielle pour les membres européens de l'OTAN. Par ailleurs, ce traité ne contraignait aucun autre pays (à part, en théorie, les autres États successeurs de l'ancien URSS), et notamment pas les plus grandes menaces faisant face aux États-Unis et aux Alliés, ce qui pouvait avoir des conséquences à long terme encore plus sérieuses. La Chine, par exemple, avait déjà déployé la plus grande partie de ses capacités impressionnantes et croissantes de missiles dans la zone de portée interdite par le FNI, mettant ainsi en danger des Alliés des États-Unis comme le Japon et la Corée du Sud, ainsi que l'Inde et la Russie (une charmante ironie). L'Europe était menacée, d'une part, par les missiles balistiques à portée intermédiaire de l'Iran, dont le nombre ne pouvait que croître, et d'autre part, par ceux de la Corée du Nord, du Pakistan, de l'Inde, et de tous les autres pays rêvant de devenir des puissances nucléaires. Enfin, d'un point de vue technologiquc, le Traité sur les FNI était obsolète. Tandis qu'il interdisait le lancement de missiles sol-sol[43], au sein de la zone de portée intermédiaire, il n'interdisait pas le lancement de missiles mer-sol (depuis la mer) ou air-sol (depuis le ciel), capables de détruire les mêmes cibles que les missiles sol-sol interdits.

Mais en réalité, le seul détail important dans ce traité, c'est qu'il avait été signé par deux pays, et que l'un d'eux faisait ce qu'il voulait. Il n'y avait qu'un seul pays au monde bel et bien interdit de développer des missiles à portée intermédiaire : les États-Unis. Ce traité était sensé lors son adoption au milieu des années 80, mais il ne l'était plus aujourd'hui. Les temps changent, comme aiment dire les libéraux.

---

43 Le nom d'un missile est composé de l'origine de son lancement et de sa destination. Ainsi, un missile sol-sol est un missile lancé à partir d'un lanceur terrestre et à destination d'une cible terrestre (NDT).

Patrouchev et moi nous sommes rencontrés à la mission américaine auprès des Nations Unies à Genève. Avant cela, le personnel du NSC s'était largement entretenu avec le gouvernement américain au sujet des points qu'il nous fallait aborder. Pompeo et moi, de notre côté, avions parlé plusieurs fois des questions de maîtrise des armements, et il était d'accord avec l'approche que je comptais adopter avec Patrouchev. Comme à l'époque de la guerre froide, Patrouchev et moi avons commencé par la maîtrise des armements et la non-prolifération, notamment du côté de l'Iran et de la Corée du Nord. Les Russes ont adopté la même approche que Poutine, lors de notre réunion à Moscou, en se focalisant sur leur « stabilité stratégique », leur formule d'introduction préférée lorsqu'il s'agissait de critiquer notre retrait du traité ABM. Ils ont affirmé (ce qu'ils n'avaient pas fait en 2001 au moment de notre retrait) qu'un bouclier antimissile était intrinsèquement déstabilisant sur le plan stratégique, et qu'ils voulaient absolument des négociations plus détaillées entre les deux conseils de sécurité à ce sujet. Je l'ai rapidement rassuré (pour ne pas dire corrigé) en lui expliquant, une nouvelle fois, que nous nous étions retirés du traité ABM pour mieux gérer, au moins initialement, les menaces associées aux puissances nucléaires émergentes et aux lancements accidentels venant de Russie et de Chine. Patrouchev a ajouté que pour réussir, nous devions nous faire confiance, en faisant allusion au Traité sur les FNI, qui comprenait, selon lui, des « revendications de conformité contradictoires ». Encore un numéro de propagande. La Russie enfreignait le Traité sur les FNI depuis plus de 10 ans, un constat répété à maintes reprises durant le gouvernement Obama, mais en vain. Comme lors de tous traités signés par les États-Unis, les ministères de la Défense et d'État étaient envahis par des avocats. Nous ne pouvions pas transgresser un traité, même si nous le voulions !

Comme d'habitude, les Russes disposaient d'une longue liste de violations américaines présumées à propos desquelles ils voulaient discuter dans les moindres détails. Nous avions une liste encore plus longue de violations russes (réelles, cette fois), mais sur lesquelles je ne souhaitais pas perdre notre temps. Nous avons considéré, d'un point de vue purement théorique, « l'universalisation » du FNI en incluant la Chine, l'Iran et d'autres, mais les imaginer en train de détruire volontairement de grandes quantités de missiles existants (ce qui aurait été nécessaire pour être en conformité avec les termes du traité), relevait du fantasme. À la place, j'ai voulu faire comprendre que le retrait des États-Unis du FNI était une réelle possibilité, même s'il n'existait aucune position américaine officielle à ce sujet, ce qui a dû les sidérer.

J'ai également ajouté qu'il était peu probable que nous signions une extension de cinq ans du traité New START d'Obama, ce dont Moscou et la majorité des libéraux américains rêvaient secrètement. Il y avait beaucoup de raisons de ne pas succomber à la facilité d'une prolongation automatique de ce traité. La première était que pour la première fois, il fallait inviter la Chine à la table des négociations d'armements stratégiques ; une position qui a clairement pris les Russes par surprise. Nous devions aussi inclure les armes nucléaires tactiques (contrairement à New START) et les nouvelles technologies poursuivies agressivement par la Russie et la Chine (comme les planeurs hypersoniques), qui, comme je l'ai longuement expliqué, n'en étaient qu'aux premiers stades de leur conception lors de l'adoption du traité New START en 2010. Enfin, il nous fallait envisager de revenir au modèle beaucoup plus simple du traité de Moscou de 2002 (négocié par votre humble serviteur). Nous avions encore beaucoup de terrain à couvrir, mais il s'agissait d'un très bon début. Après Genève, je suis allé à Kiev pour participer aux cérémonies du jour de l'indépendance de l'Ukraine et pour me concerter avec le président Petro Poroshenko, son Premier ministre, et d'autres préposés. Je leur ai résumé les discussions sur le FNI, qui affectaient directement la planification de leur défense. Qui aurait alors cru qu'un an plus tard, l'Ukraine serait un acteur principal de la politique américaine ?

De retour à Washington, j'ai passé les mois suivants à me préparer pour notre prochaine étape dramatique : le retrait du FNI. Afin d'empêcher toute fuite d'information qui agiterait la presse et perturberait notre politique étrangère déjà en place, j'ai pensé qu'il valait mieux adopter une approche discrète, à profil bas, mais expéditive, plutôt que d'organiser des réunions sans fin avec des employés gouvernementaux qui avaient grandi au même rythme que le Traité sur les FNI et qui ne pouvaient pas supporter de le voir s'éteindre. Trump, selon moi, était partant, même si je n'ai jamais su s'il avait compris que le Traité sur les FNI ne régulait pas les armes nucléaires en tant que telles, mais leurs véhicules de livraison. Je voulais annoncer le retrait américain du FNI (ce qui aurait été un signal important pour la Chine et d'autres), ou peut-être même un retrait mutuel, avant ma prochaine réunion avec Patrouchev, à Moscou, fin octobre. En effet, mon expérience m'a appris que sans échéances les contraignant à agir, les bureaucraties sont capables de résister au changement avec une très grande ténacité et beaucoup de succès.

Nous devions aussi préparer les Alliés de l'OTAN à la fin du FNI. Beaucoup trop de dirigeants politiques européens étaient convaincus de pouvoir vivre « au-delà de l'histoire », sans qu'aucun élément extérieur ne puisse déranger leur continent satisfait. Ils devaient avoir la belle vie, mais allez-y, dites-le à la Russie et à la Chine, sans parler de tous les « amis » de l'Europe en Iran. Un exemple de la conversation que nous avions besoin d'avoir a eu lieu le 3 octobre avec le ministre allemand des Affaires étrangères, Heiko Maas. Maas, un démocrate socialiste, faisait partie de la coalition de Merkel, et soutenait, sans aucun doute, le FNI. Je n'ai pas dévoilé tout notre jeu, mais j'ai subtilement souligné que l'Europe était déjà sous une menace grandissante, étant donné que la Russie était en train de mener ses affaires en toute liberté. J'ai également expliqué pourquoi nous ne parlerions pas de « stabilité stratégique » avec Moscou, la formule utilisée par les Russes pour faire référence à ce qui leur déplaisait dans notre bouclier antimissile, mais que nous n'avions aucunement l'intention de le négocier, sans même parler de le modifier ou de l'abandonner.

La bonne nouvelle de l'année est arrivée durant mon petit-déjeuner avec Mattis (Pompeo était à l'étranger), dans le mess des officiers, quelques jours plus tard, juste après une réunion des ministres de la Défense des pays de l'OTAN. Mattis m'a dit qu'il avait longuement expliqué à ses homologues que la Russie était en violation substantielle du FNI, et qu'il pensait qu'ils avaient bien compris. Mattis a recommandé à Pompeo de répéter ces arguments durant la réunion des ministres des Affaires étrangères des pays de l'OTAN, la première semaine de décembre, en donnant à la Russie, disons, 90 jours pour être en conformité avec le traité, ou alors voir les États-Unis se retirer. Je me disais qu'il valait mieux mettre cette histoire de 90 jours au placard tout de suite, vu qu'il n'y avait aucune chance pour que la Russie redevienne conforme. Par ailleurs, le traité lui-même prévoyait, après toute annonce de retrait, une période d'attente de six mois avant la mise en vigueur officielle du retrait. Il s'agissait là d'une disposition standard commune à tous les accords internationaux, et qui était essentiellement la même que la clause invoquée en 2001 lors du retrait du traité ABM. Ainsi, grâce à cette période d'attente, nous n'avions aucune raison de donner encore plus le temps à Moscou de semer la confusion et l'incertitude entre les pays européens ; j'ai donc insisté en faveur d'une annonce imminente, et surtout du démarrage de ce compte à rebours de 180 jours.

Le 11 octobre, durant l'un de nos petits-déjeuners hebdomadaires, Mattis, Pompeo, et moi avons confirmé que nous étions toujours tous en faveur d'un retrait. Mattis, cependant, était opposé à l'idée de retrait mutuel, craignant que cela soit, pour certains, synonyme d'« équivalence morale ». Aucun d'entre nous ne voyait d'équivalence morale, mais malgré l'opinion justifiée de Mattis, je pensais qu'un retrait mutuel donnerait une raison à Trump de célébrer quelque chose qu'il pourrait annoncer comme un « succès » commun avec la Russie, ce qui réduirait peut-être la pression de faire des concessions dans d'autres domaines. Ce même après-midi, j'ai appelé le secrétaire général de l'OTAN, Stoltenberg, pour lui expliquer dans quelle direction nous allions. Il a souligné qu'il ne fallait pas donner à la Russie le plaisir de nous diviser, notamment de l'Allemagne. Bien qu'étant d'accord, je lui ai aussi expliqué, ainsi qu'à tous ceux qui écouteraient, qu'un retrait américain du FNI ne menaçait pas l'Europe. Ce qui *était* menaçant, en revanche, était la manière dont la Russie enfreignait le traité, et sa capacité à attaquer dès à présent la majeure partie de l'Europe avec des missiles non conformes au FNI. Stoltenberg a demandé ce que nous entendions exactement par « violation substantielle », et si nous n'avions vraiment plus aucun espoir de voir la Russie redevenir conforme. En matière de « violation substantielle », je pensais que Mattis avait parfaitement défini le terme « substantialité » lors de sa présentation à la réunion des ministres de la Défense. Quant à la Russie, sachant que la menace croissante représentée par les missiles chinois donnait davantage, ou au moins autant, de raisons à Moscou de conserver ses missiles, quelqu'un pensait-il vraiment que la Russie allait jeter des actifs existants uniquement parce qu'ils constituaient une infraction au traité ? Stoltenberg était optimiste, convaincu que nous allions jouer nos cartes de la bonne façon.

Le 17 octobre, la semaine précédant ma réunion avec Patrouchev à Moscou, j'ai fait un compte rendu de la situation à Trump, décrivant notre travail de recherches sur cette affaire d'ingérence, nos échanges diplomatiques préliminaires avec les Alliés de l'OTAN et d'autres, ainsi que notre date probable de retrait, fixée au 4 décembre, jour où Pompeo demanderait à la Russie d'agir en conformité, ou alors... Trump a répondu : « Pourquoi attendre si longtemps ? Pourquoi ne pouvons pas nous retirer là, tout de suite, maintenant ? » Je lui ai dit que j'étais on ne peut plus prêt. J'ai aussi expliqué qu'une fois que nous annoncerions notre intention de nous retirer, les Russes en feraient probablement de même, nous accusant de violer le traité, ce qui était faux, mais qui pourrait entraîner une série de représailles entre Moscou et Washington. À la place, j'ai suggéré : « Pourquoi ne pas proposer à Patrouchev que nos deux pays se retirent en même temps et suite à un accord mutuel ? » Cette approche pourrait éviter beaucoup de souffrance et nous permettre d'annoncer la signature d'un accord important avec la Russie. Trump, toutefois, a répondu : « Non, je ne veux pas faire ça. Je veux juste que l'on se retire. » J'aurai juré que l'idée d'un retrait mutuel séduirait Trump, mais bon, si ce n'est pas le cas, tant pis. Personnellement, je me moquais de ce que Moscou pouvait faire.

Je me suis envolé depuis la base Andrews, le samedi 20 octobre. Un vol sans encombre pendant un total de vingt minutes... moment où nous avons entendu que Trump, en réponse à une journaliste lors d'un rassemblement de campagne à Elko, dans le Nevada, avait dit que nous allions nous retirer du Traité sur les FNI. Ma première réaction a été : « Bien, au moins, tout le monde le sait. » Ce n'est pas ce que Mattis, Pompeo, et moi avions convenu en matière de planification, mais apparemment, Trump avait décidé que « maintenant » était mieux (même s'il restait encore 180 jours à patienter). J'ai immédiatement appelé Sanders à Washington, qui n'avait pas encore entendu la remarque de Trump, pour suggérer de rapidement rédiger un communiqué qui symboliserait son commentaire, ce qu'il a accepté. J'ai ensuite appelé Pompeo, qui a trouvé « horrible » que Trump ait pu faire une annonce aussi significative que le retrait du FNI en répondant simplement à la question d'un journaliste ; une des rares occasions où Pompeo a directement critiqué le comportement de Trump. Je n'étais pas d'accord, vu que tout ce qu'il avait fait, en réalité, était d'accélérer notre échéancier, ce qui m'allait complètement. Et vu que la décision avait été rendue publique, autant faire une annonce officielle de retrait et déclencher le compte à rebours de six mois. J'ai dit que nous devions également annoncer la suspension immédiate de nos obligations découlant de ce traité, et donc commencer tout de suite à rattraper notre retard sur la Russie, la Chine et d'autres pays développant des FNI à tout va. Alors que j'étais au téléphone avec le personnel du NSC durant ce vol, je leur ai dit de commencer à contacter leurs collègues aux ministères des Affaires étrangères et de la Défense et d'entamer la rédaction d'un communiqué clarifiant nos intentions. Malheureusement, pour des raisons que j'ignore encore aujourd'hui, ce communiqué n'a jamais été publié. Toutefois, je suis quasi sûr que c'est parce que Mattis, et peut-être Pompeo, n'ont pas voulu exécuter et donner d'importance à ce que Trump avait dit en public.

Après un arrêt carburant à Shannon, en Irlande, nous avons mis le cap sur Moscou, et j'ai appelé Stoltenberg le samedi matin, heure locale. À ce moment-là, il avait eu vent de la déclaration de Trump. Je lui ai expliqué ce qui s'était passé et que maintenant, il ne nous restait plus qu'à accélérer le rythme de nos rencontres avec les Alliés et d'autres, car évidemment, nous ne pouvions pas revenir sur ce que Trump avait dit ouvertement. Stoltenberg, toutefois, voulait prendre son temps, car il craignait, qu'à l'heure actuelle, l'OTAN n'adopte pas à l'unanimité une résolution de retrait. Cela me convenait puisqu'aucun d'entre nous ne s'attendait à obtenir une résolution de l'OTAN si tôt. Stoltenberg ne paniquait pas autant que d'autres Européens, mais il était clairement nerveux. Je lui ai dit que je lui ferais un compte rendu après mes entretiens avec les Russes.

Une fois atterri à Moscou, notre ambassadeur, Jon Huntsman, m'a rencontré et m'a dit que les Russes étaient tendus, et qu'ils essayaient de toucher notre corde sensible en évoquant les peurs des Européens selon lesquelles nous les abandonnions et qu'ils étaient maintenant sans défense. Je connaissais cette réplique. Elle avait déjà parcouru toute l'Europe au moment du retrait du traité ABM. Mais elle n'était pas vraie à l'époque, et elle ne l'était toujours pas aujourd'hui. Quelqu'un aurait dû dire, à l'instar d'un commandant d'armée : « Du calme dans les rangs, les Européens ! » Dans tous les cas, je ne savais toujours pas pourquoi Trump avait décidé de faire ce commentaire dans le Nevada, ni pourquoi le communiqué l'élaborant n'avait jamais été publié. De nulle part, Ricardel a entendu parler d'une réunion avec Trump, à la Résidence, à 16 heures ce dimanche, à la demande de Mattis. J'ai appelé Pompeo, qui, même après avoir parlé avec Mattis le samedi, ne comprenait pas pourquoi cette réunion était si urgente. Pompeo pensait que Mattis allait demander un retour à notre calendrier initial d'annonce du retrait. Vu que Trump avait déjà fait l'annonce, je ne voyais pas comment nous pouvions faire marche arrière, ce que Pompeo se demandait aussi. Aucun désaccord ne justifiait de nouvelles discussions avec nos Alliés. Toutefois, force est de constater que depuis les commentaires de Trump, nous étions dans une position fondamentalement différente. Pourquoi alors ne pas déposer un avis de retrait, suspendre nos obligations conventionnelles, et continuer notre marche en avant ? Pompeo m'a dit que, justement, Mattis voulait éviter ça. Je me suis alors demandé si Mattis voulait uniquement ralentir le rythme du processus de retrait ou s'il avait changé d'avis et s'il essayait maintenant de jouer la montre. J'imaginais les nobles d'esprits de Washington, déjà au téléphone avec Mattis, et j'étais intrigué par le fait qu'il organise une réunion de dernière minute, en fin de semaine, alors que j'étais à l'étranger, sans même m'appeler. J'ai demandé à Pompeo ce qu'il pensait du problème de planification de l'annonce. Il m'a répondu qu'il était agnostique à ce sujet, et qu'il pourrait bien dormir, peu importe la décision.

Ma réunion avec Patrouchev s'est tenue le lendemain au 1A Olsufyevskiy Pereulok, ce qu'il a décrit avec grande fierté comme l'ancien quartier général du Groupe Alfa des Spetsnaz (ou forces spéciales du FSB[44]) fondé par le KGB en 1974. Le Groupe Alfa était une « force d'intervention antiterroriste », ce qui, selon moi, était un clin d'œil amical aux anciennes fonctions de Patrouchev, comme directeur du FSB. Une fois de plus, notre conversation a commencé par la maîtrise des armements, où les Russes nous ont solennellement servi la doctrine officielle de la Russie selon laquelle le pays ne prévoit pas d'utiliser sa puissance militaire dans un but offensif, et que la puissance défensive est un élément clé en matière de stabilité stratégique. Patrouchev m'a expliqué pourquoi son gouvernement n'était pas en faveur de notre retrait du FNI, en faisant allusion aux critiques de certains de nos Alliés européens. En réponse, j'ai exposé

44 Service fédéral de sécurité de la fédération russe (NDT).

les différentes situations où, d'après nous, la Russie enfreignait le traité, et pourquoi les capacités de la Chine, de l'Iran et d'autres pays rendaient impossible l'universalisation, une fois envisagée, de ce traité. L'ancien ministre des Affaires étrangères, Igor Ivanov, est celui qui a fait le meilleur résumé du point de vue des Russes : « Si vous souhaitez vous retirer, allez-y, mais la Russie va rester. » Parfait, ça ira pour moi.

Nous avons ensuite eu droit à un sermon sur nos violations présumées du traité New START. Pour la seconde fois, j'ai expliqué à Patrouchev et à sa délégation qu'une prolongation du traité New START était peu probable, en raison des débats de ratification, auxquels de nombreux républicains étaient opposés, car des questions, telles que les armes nucléaires tactiques, n'y étaient même pas abordées. J'ai une nouvelle fois insisté en faveur d'un accord au format similaire à celui du traité de Moscou de 2002, qui était plus simple, plus clair et qui s'était avéré très efficace. Patrouchev n'a pas rejeté l'idée. À la place, il a souligné que le traité de 2002 était plus compliqué qu'il n'y paraissait, car il s'appuyait sur les dispositions de vérification du traité START II[45], une remarque qui n'était pas entièrement fondée, et à laquelle je n'ai pas pris le temps de répondre. Ce qui m'a frappé néanmoins est que, même si le FNI disparaissait, les Russes semblaient prêts à considérer le modèle de 2002. Et s'il y avait encore de l'espoir ?

Plus tard cet après-midi, une fois les réunions du jour terminées à l'exception du dîner organisé par le ministre des Affaires étrangères, Lavrov, à Osobnyak, j'ai appelé Ricardel pour lui demander un résumé de la réunion du dimanche avec Trump. Elle m'a dit que Mattis avait commencé par un long monologue (symbolisant essentiellement son opposition) au sujet de son plan de dix-huit mois de retrait du FNI, qui était désormais en mille morceaux. Il voulait que nous revenions là où nous étions avant la prise de parole de Trump dans le Nevada, et que nous publiions un communiqué de presse expliquant cela. Je n'arrivais toujours pas à comprendre comment nous pouvions revenir en arrière, faire semblant de nous demander

45 Trois différents traités de réduction des armes stratégiques ont été signés entre la Russie et les États-Unis : START I en 1991, START II en 1993 et NEW START en 2010 (NDT).

si nous devions quitter le traité, ou croire encore que la Russie *pouvait* redevenir conforme (ce à propos de quoi nous n'avions pas le moindre indice). Quel était le but de ce cirque ? Comme dans son commentaire, Trump a dit qu'il ne voyait aucune raison d'interrompre le retrait, mais qu'il n'était pas opposé à une annonce officielle le 4 décembre, ce qui était contradictoire et ne tenait absolument pas compte de la nouvelle réalité internationale créée par sa déclaration. Après cette réunion, Mattis, Pompeo, et Ricardel ont discuté du projet de communiqué de Mattis, qui, au mieux, brouillait les cartes, mais qui, en réalité, visait à atténuer ce que Trump avait dit. J'ai dit à Ricardel de faire de son mieux pour tuer ce projet.

J'étais complètement atterré par cette histoire, mais dans la journée du lundi, Trump a profité d'un autre de ses points presse obligatoires pour la rendre encore plus incertaine (si cela était possible), alors qu'il passait l'entrée sud pour accéder au Marine One. Il a dit d'un ton clair et déterminé : « Je mets un terme à cet accord. La Russie l'a enfreint. Alors, j'y mets fin… » Quand on lui a demandé s'il s'agissait d'une menace en direction de Poutine, Trump a répondu : « C'est une menace en direction de qui vous voulez. Cela inclut la Chine et cela inclut la Russie, ainsi que tous ceux qui veulent jouer à ce jeu. Ce jeu est terminé. » Quelque chose à ajouter ? Je ne l'ai pas réalisé à ce moment-là, mais je me suis demandé par la suite, vu que Mattis allait démissionner dans deux mois, s'il ne s'agissait pas d'une dernière tentative de sortie par la grande porte, destinée à montrer que jusqu'au bout, il s'était battu pour préserver le FNI. Toute cette affaire était une perte de temps et d'énergie, sans parler de la confusion qu'elle inspirait aussi bien à nos amis qu'à nos ennemis étrangers. Je me suis entretenu avec Pompeo plus tard dans l'après-midi, un échange durant lequel il a confirmé que Mattis ne cherchait à modifier aucune de nos politiques. Je me suis senti à l'écart et frustré, mais bien déterminé à continuer de travailler pour être sûr que ceux en opposition avec notre retrait aient le moins de temps possible pour défaire ce que Trump avait maintenant dit deux fois en public. Vers 16 heures, heure de Moscou, j'ai appelé Trump, et il m'a confirmé qu'il ne comprenait pas pourquoi tout le monde en faisait tout un plat et pourquoi Mattis trouvait cela si important. J'ai indiqué à Trump que j'allais dire aux Russes qu'il avait clairement annoncé notre retrait, ce à quoi Trump a répondu : « J'aime notre façon de faire. » C'est tout ce dont j'avais besoin.

Le lendemain, j'ai rencontré le ministre russe de la Défense, Sergei Shoygu. Ma première impression a été qu'il semblait moins concerné par le FNI que Mattis. Il a dit (par l'intermédiaire d'un interprète) que le message de Trump était sans ambiguïté aucune, et que les Russes l'avaient bien compris. Il est allé plus loin en disant que dans les circonstances actuelles, un homme raisonnable pouvait très bien comprendre que le Traité sur les FNI n'était plus d'actualité, étant donné l'émergence de la Chine et les progrès technologiques effectués depuis la signature du traité en 1987. Shoygu préférait que l'on réécrive le traité afin d'y inclure d'autres pays, plutôt que de voir notre retrait unilatéral, une décision qui, comme il l'a répété plus tard, ne profitait qu'à nos ennemis communs. En l'écoutant, il était impossible de ne pas comprendre qu'il faisait référence à la Chine. Shoygu a ajouté que ce traité avait été signé il y a bien longtemps, et notre défi actuel était que certaines technologies étaient entre les mains de pays qui ne devraient pas les posséder. Je me rappelle encore sa conclusion, quand il a admis que la période d'efficacité du traité avait expiré. Voilà la remarque la plus sensée faite par un Russe au sujet de cette affaire. Curieusement, Shoygu et Mattis ne s'étaient alors jamais rencontrés, et Pompeo et Lavrov non plus ne s'étaient jamais croisés, alors que moi, j'étais là, en train de leur parler tout le temps.

Cet après-midi, Huntsman et moi avons placé une couronne sur un pont à proximité du Kremlin, à moins de cent mètres de la cathédrale Basile-le-Bienheureux, où Boris Nemtsov a été assassiné, d'après certains, par des agents secrets du Kremlin. Nous avons ensuite placé une autre couronne sur la tombe du Soldat inconnu, le long du mur du Kremlin, une cérémonie à laquelle j'avais déjà assisté avec Donald Rumsfeld, il y a dix-huit ans, quasiment jour pour jour. Ma réunion avec Poutine a eu lieu juste après, dans la même pièce avec les mêmes décorations, le même protocole et la même table de conférence. Poutine était évidemment déterminé à exprimer, tant que les médias étaient là, à quel point il était mécontent que les États-Unis se retirent du Traité sur les FNI. Il m'a fait remarquer que l'aigle du grand sceau des États-Unis tenait une branche d'olivier dans l'une de ses serres (même s'il a oublié de noter que l'aigle tient des flèches dans l'autre serre) puis il m'a demandé si l'aigle avait mangé toutes les olives. J'ai répondu que je n'avais pas pensé à apporter de nouvelles olives avec moi. Ah, les plaisanteries à la soviétique !

Une fois la presse sortie de la pièce, Poutine m'a dit qu'il avait eu vent de mes récentes réunions et que sa délégation appréciait beaucoup nos prises de contact, et qu'il était toujours ravi de me rencontrer. Nous avons longuement exposé nos positions respectives en rapport avec le FNI, mais il y avait un point qui intéressait tout particulièrement Poutine : « Et ensuite ? », autrement dit à quoi pouvait-il désormais s'attendre de notre part en matière de déploiement en Europe ? Ayant déjà expliqué que la Russie et les États-Unis étaient les deux seuls pays liés par le FNI, j'ai répondu que, selon moi, Poutine avait déjà dit lors de notre dernière réunion que la Russie comprenait les implications stratégiques de cette évolution, c'est-à-dire le développement des capacités de la Chine en matière de missiles balistiques et de planeurs hypersoniques. Poutine a admis qu'il avait bien reconnu l'existence du défi que représentait la Chine, tout en précisant qu'il n'avait rien dit en faveur d'un retrait du FNI, même s'il était d'accord avec moi pour dire que la Russie et les États-Unis étaient les deux seuls pays à être liés par ce traité. Pour l'instant, selon lui, ce n'est pas le retrait qui était le point le plus important, mais plutôt les plans de Washington pour l'avenir. Comme j'allais le réitérer dans la conférence de presse qui suivait, je lui ai dit que les États-Unis n'avaient encore pris aucune décision en matière de déploiement. Évidemment, nos déploiements éventuels en Europe étaient ce que Poutine craignait le plus. Toutefois, il a réussi à trouver, plus tard cette semaine, un moyen d'intimider les Européens en impliquant notre retour au style conflictuel du milieu des années 80 en déployant des missiles Pershing II. Poutine a annoncé cela de la manière la plus publique qui soit, en menaçant de cibler tout pays acceptant des missiles américains non conformes aux termes du FNI. Paradoxalement, c'est *déjà ce que faisait la Russie par l'intermédiaire de ses déploiements en Kaliningrad,* ce qui était une des principales raisons pour laquelle nous avions décidé de nous retirer du traité.

Poutine a rappelé que nous étions tous deux avocats de formation et que « nous pourrions parler comme ça jusqu'à l'aube », ce qui nous a donné envie de faire d'autres blagues sur les avocats. Quant au traité New START, nous avons examiné nos positions respectives, et j'ai à nouveau énuméré les avantages d'un retour à un accord structurellement semblable au traité de Moscou. Pourquoi revivre l'agonie des négociations du New START, en ajoutant, par exemple, une clause de réduction ou de limitation des armes nucléaires tactiques ? (Même s'il s'agissait d'un point très important pour les États-Unis étant donné le nombre d'armes de ce genre que possédait la Russie) En réponse aux questions de Poutine, j'ai dit que nous n'avions aucunement l'intention de nous retirer du New START, mais que nous étions aussi certains de ne pas le prolonger de cinq ans, comme le souhaitait la Russie (ainsi que d'autres sénateurs démocrates). Heureusement, nous avons coupé court à toutes discussions interminables disant qui enfreignait, ou n'enfreignait pas, le FNI ou le New START. J'ai ainsi souligné que de tels écarts de langage montraient le pouvoir perturbateur de ces traités, car ils nous éloignaient de notre objectif principal : apaiser les tensions.

Au sujet de la Syrie, Poutine a précisé que la Russie ne nécessitait aucune présence iranienne là-bas, et que la meilleure chose qu'eux et nous pouvions faire ensemble était de pousser l'Iran à partir. Il a indiqué avoir abordé ce sujet avec Netanyahou. J'ai mentionné que depuis notre retrait de l'accord sur le nucléaire iranien, les États-Unis étaient en train de réimposer une série de sanctions à l'Iran, qui, selon nous, risquaient de faire mal, et qui n'étaient pas négociables, même en échange du départ de l'Iran. Poutine a dit qu'il comprenait notre raisonnement, et qu'il reconnaissait aussi que le peuple iranien était fatigué par le régime en place. Il m'a prévenu, toutefois, en disant que si nous déclarions une guerre économique contre l'Iran, cela consoliderait le soutien apporté à ce régime. J'ai expliqué pourquoi je n'étais pas de cet avis, et pourquoi des sanctions strictes réduiraient tout soutien au régime, qui était déjà sous d'énormes contraintes. Poutine a finalement admis que nous avions chacun nos théories pour faire face à l'Iran, et que nous verrions prochainement laquelle est la plus efficace. Faisant référence à l'Arabie saoudite et au meurtre de Khashoggi, Poutine s'est mis à plaisanter en disant que la Russie était prête à vendre des armes aux Saoudiens si nous ne le faisions pas, ce qui était on ne peut plus correct, et qui soulignait pourquoi Trump ne voulait pas renoncer à nos ventes d'armes en cours. La réunion s'est terminée à 19 h 05, après une heure et quarante-cinq minutes. (Poutine a ensuite dit à Trump, le 11 novembre, lors de la commémoration du centenaire de l'armistice de 1918, à

Paris, qu'il avait eu des conversations très intéressantes avec moi à Moscou, et que j'étais très professionnel et précis, même si je doute que cela ait eu de l'impact sur Trump.) Alors que nous nous serrions la main pour nous dire au revoir, Poutine a souri et m'a dit qu'il savait que je prévoyais de me rendre dans le Caucase.

Je suis rentré à la maison en pensant que la Russie, toujours heureuse de tout nous mettre sur le dos, surtout en ce qui concernait les Européens, ces êtres éternellement inquiets, allait mettre en place une campagne d'opposition pro forma contre notre retrait du FNI ; une mesure irritante, mais point menaçante. Je n'ai pas perçu d'efforts majeurs de propagande ou quoi que ce soit pouvant contrarier notre retrait final. Pendant ce temps, nos réunions d'information avec les Alliés de l'OTAN, à Bruxelles et dans d'autres capitales, se déroulaient bien. Revenant de Tbilissi, mon dernier arrêt, j'ai parlé avec Stoltenberg, qui m'a confié que de plus en plus d'Alliés comprenaient désormais la logique de notre position. Il a aussi dit, toutefois, que plusieurs pays refusaient toujours d'admettre les infractions russes du traité, car ils craignaient, si tout cela était vrai, d'avoir un jour à accepter des armes nucléaires sur leur territoire. Une position qui, selon moi, relevait de la folie : les Alliés de l'OTAN étaient prêts à se voiler la face et à ignorer la réalité parce qu'ils avaient peur de l'admettre et d'en souffrir les conséquences ? Pensaient-ils vraiment que ne pas l'admettre changerait quoi que ce soit à la réalité ? Beaucoup d'Alliés ont insisté pour obtenir un délai supplémentaire avant le retrait, une méthode à peine discrète visant à gagner du temps pour éventuellement l'empêcher complètement, ce qui explique pourquoi l'obstructionnisme palpable de Mattis m'inquiétait. Le 18 novembre, à Paris, jour de la commémoration du centenaire du jour de l'Armistice, j'ai rencontré Sedwill, Étienne, et Jan Hecker (notre homologue allemand) pour discuter de l'Allemagne qui désirait un délai de soixante jours supplémentaires avant notre retrait. Je n'étais pas d'accord, notamment en raison de l'envie pressante de Trump de se retirer au plus tôt, et cette question est donc restée sans réponse.

Quelques jours plus tôt, durant le sommet ASEAN[46] à Singapour, où j'accompagnais le vice-président Pence, nous avons

46 Association des nations de l'Asie du Sud-est (NDT).

participé à une discussion bilatérale improvisée avec Poutine du genre « il faut qu'on parle » dans un coin de la grande salle de conférence. Nous étions entourés par le service secret et d'autres agents de sécurité, donc beaucoup de personnes nous regardaient en même temps qu'elles partaient. Pence souhaitait aborder les affaires d'ingérence électorale russe, mais très rapidement, la conversation a pris un autre tour. Poutine a demandé s'il était toujours envisageable de rencontrer Trump au prochain sommet du G20 en Argentine, pour parler de stabilité stratégique et du traité New START, ce qui promettait d'être intéressant. Poutine semblait avoir perdu tout intérêt dans le FNI, en me disant (par le biais d'un interprète) qu'il comprenait nos arguments, notre raisonnement et pourquoi nous nous retirions du FNI, ce que j'ai pris comme la preuve que notre point de vue sur la Chine était partagé. Je lui ai dit que nous le recontacterions sans faute au sujet du G20.

L'Allemagne, de son côté, continuait à faire le forcing pour obtenir un délai. J'ai alors expliqué à Trump, le 26 novembre, qu'il valait mieux annoncer notre retrait lors de la réunion des ministres des Affaires étrangères des pays de l'OTAN plutôt que de faire don de soixante jours à l'Allemagne. La Russie était toujours en train d'intimider les Européens, alors offrir un délai constituait un risque qui ne valait tout simplement pas le coup. Trump a approuvé, en ajoutant qu'un délai de dernière minute nous ferait passer pour des faibles aux yeux des Russes. Trump avait tout compris. Le lendemain, rebelote, lorsque durant une réunion avec Trump, Mattis s'est mis à défendre la position de l'Allemagne et sa proposition de délai de soixante jours supplémentaires. À quoi jouait-il là ? J'ai insisté auprès de Trump pour qu'il mette fin à ce cirque le 4 décembre, ce à quoi il a répondu : « Je suis d'accord. John, la victoire est à vous. Nous annoncerons notre retrait le 4 décembre. » Je lui ai ensuite vivement conseillé de simultanément annoncer la suspension de nos obligations conventionnelles, en raison des « violations substantielles » russes, un concept indépendant de celui de retrait, mais qu'il était important d'ajouter, car il nous permettrait, nous aussi, de pouvoir être en « violation » du traité, dès le début du compte à rebours de 180 jours, ce que Trump a également approuvé. Kelly, également présent, a dit : « Ce sera le grand jeu, alors, Monsieur ? », ce à quoi Trump a répondu : « Oui. »

Mais évidemment, la partie n'était pas encore gagnée puisque le 1er décembre, lors du sommet du G20 à Buenos Aires, Merkel, elle aussi, en a remis une couche lors de sa discussion bilatérale avec Trump. Elle a d'abord dit qu'elle comprenait complètement à quel point la Russie avait enfreint le traité, mais elle s'est aussi plainte de l'absence de véritables discussions politiques entre la Russie et les États-Unis, ce qui était absurde vu que nous avions eu ce genre de conversations non seulement avec le gouvernement Trump, mais aussi durant les années Obama. Trump m'a demandé mon opinion, et sans hésiter, je lui ai dit de faire comme prévu et d'annoncer notre retrait le 4 décembre. Trump a ajouté qu'il ne voulait pas avoir l'air faible devant la Russie, mais que Merkel venait de promettre de se prononcer en faveur de notre décision si jamais nous lui donnions soixante jours. Après quelques minutes de va-et-vient, Trump a finalement dit qu'il était d'accord avec moi, mais qu'il donnerait, néanmoins, deux mois à Merkel, si nous pouvions alors quitter le FNI pour de bon. Pompeo et moi avons souligné qu'il ne s'agissait que de deux mois, mais Merkel a tout de même approuvé. J'ai ensuite insisté pour que, dans deux mois, les Allemands disent bien qu'ils « sont en faveur » de notre décision de retrait (et pas qu'ils « comprennent », une stratégie linguistique que Hecker avait déjà essayée avec moi), et encore une fois, Merkel a approuvé. Apparemment, c'est tout ce que je pouvais obtenir ce jour-là, mais cela restait précieux en comparaison avec la longue agonie que nous risquions d'endurer en retirant le pansement au ralenti. Nous avons étudié comment annoncer cela aux Alliés de l'OTAN et Trump a proposé de dire : « À la demande de l'Allemagne et d'autres, nous nous retirerons du Traité sur les FNI dans soixante jours. » J'ai été frappé de voir qu'il ne semblait toujours pas prendre compte de la période d'attente de 180 jours avant la mise en vigueur de notre retrait, mais il était alors trop tard pour réaborder le sujet.

L'annonce du 4 décembre s'est bien passée, et nous avons déposé un avis de retrait le 1er février 2019. Les Russes ont annoncé la suspension immédiate de toutes nouvelles négociations liées à la maîtrise des armements, un avantage additionnel imprévu et non négligeable. Le grand prêtre de la maîtrise des armements aux États-Unis m'a qualifié de « tueur à gages des accords sur les armes nucléaires », ce que j'ai pris comme un compliment. Les mois qui ont suivi n'ont pas été de tout repos, mais finalement, à 0 h 01 le vendredi 2 août, les États-Unis n'étaient officiellement plus liés au Traité sur les FNI. Un grand jour !

D'autres traités bi- et multilatéraux impliquant la Russie et les États-Unis devraient aussi être annulés, sans parler des nombreux accords multilatéraux peu judicieux que les États-Unis ont signés. Trump, par exemple, était d'ores et déjà prêt à retirer sa signature du Traité sur le commerce des armes datant d'Obama, qui n'a jamais été ratifié par le Sénat, mais auquel les groupes anti-contrôle des armes conventionnelles étaient opposés depuis longtemps, et notamment depuis mes jours en tant qu'adjoint du ministre des Affaires étrangères durant le gouvernement Bush 43. Trump a ainsi reçu une ovation lors de la convention annuelle de la NRA[47], le 26 avril 2019, à Indianapolis, lorsqu'il a retiré sa signature du traité, sur scène et devant toute l'audience.

Trump a également retiré sa signature de l'Accord de Paris sur le climat, une décision que j'approuvais. Cet accord s'est attaqué à l'impact réel du changement climatique avec autant d'efficacité qu'une série de prières en égrenant un chapelet et de quelques bougies allumées à l'église (ce que quelqu'un interdira bientôt à cause de l'empreinte carbone de toutes ces bougies). Cet accord exige simplement des signataires qu'ils fixent des objectifs nationaux, mais sans dire quels devraient être ces objectifs, et sans inclure aucun mécanisme d'application. Il s'agit de théologie déguisée en politique, un phénomène de plus en plus courant dans ces accords internationaux.

La liste de traités, de conventions, et d'accords à quitter est longue, à commencer par la Convention des Nations Unies sur le droit de la mer, ainsi que deux autres, dont il faudrait immédiatement libérer les États-Unis. Le Traité ciel ouvert de 1992 (qui n'est entré en vigueur qu'en 2002), en théorie, autorise la mise en place de vols de surveillance militaire non armés sur les territoires des plus de trente signataires, mais il a été contesté à maintes reprises depuis son instauration. Il s'est avéré être une bénédiction pour la Russie, mais il est démodé et essentiellement inutile pour les États-Unis, car nous n'avons plus besoin de survoler leur territoire.

---

47 National Rifle Association, structure dont la principale activité est de protéger le droit de posséder et de porter des armes (NDT).

Nous retirer serait, de toute évidence, dans le plus grand intérêt national, et nous permettrait, par exemple, d'empêcher la Russie de mener des vols à basse altitude au-dessus de Washington et d'autres localisations hautement sensibles. Le retrait du Traité ciel ouvert était d'actualité au moment de ma démission, et la presse indiquait que les efforts (que je soutiens toujours) allant dans ce sens se poursuivaient.

De manière similaire, se retirer du Traité d'interdiction complète des essais nucléaires devrait être une priorité, pour que les États-Unis puissent à nouveau conduire des essais nucléaires souterrains. Nous n'avons testé aucune arme nucléaire depuis 1992, et bien que nous disposions de vastes programmes visant à vérifier la sécurité et la fiabilité de notre arsenal, aucune certitude ne peut être absolue sans essais. Nous n'avons jamais ratifié le Traité d'interdiction complète des essais nucléaires, mais nous sommes pris au piège en plein flou juridique international. En effet, l'article 18 de la Convention de Vienne sur le droit des traités, vraisemblablement basé sur le « droit international coutumier », prévoit qu'un pays qui a signé un traité, sans le ratifier, doit s'abstenir d'actes qui priveraient un traité « de son objet et de son but ». Se retirer du Traité d'interdiction complète des essais nucléaires indiquerait de façon claire que les futures décisions des États-Unis en matière d'essais nucléaires s'appuieraient uniquement sur ses propres intérêts nationaux. Curieusement, les États-Unis ont signé sans jamais ratifier la convention de Vienne, et l'applicabilité du « droit international coutumier » est donc sujette à un débat enflammé. D'autres puissances nucléaires comme la Chine et l'Inde n'ont ni signé ni ratifié le traité, ce qui explique pourquoi il n'est toujours pas entré en vigueur. Les États-Unis se sont retirés d'autres traités, notamment durant le gouvernement Bush 43 où nous avons retiré notre signature du Statut de Rome établissant la Cour pénale internationale.

Protéger les élections américaines d'actes de guerre

Durant la campagne 2016, j'ai dit que les efforts russes visant à interférer dans les élections constituaient un « acte de guerre » contre nos structures constitutionnelles, mais je n'ai pu qu'observer avec consternation les comptes rendus des réunions entre Poutine et Trump au sommet du G20 2017 à Hambourg, en Allemagne, où Poutine a rejeté catégoriquement toute interférence russe.

Nous avions besoin non seulement d'un dispositif d'application des lois aux cybermenaces internationales, mais aussi de capacités militaires et clandestines substantielles. En conséquence, l'un des premiers sujets que j'ai abordés a été notre capacité à mener des cyberattaques contre nos adversaires, y compris les groupes terroristes et d'autres « acteurs non étatiques ». Un long conflit était en train de se mijoter entre ceux qui préconisaient l'approche du gouvernement Obama, et qui pensaient que les efforts de cybersécurité, à quelques rares exceptions, étaient suffisants, et ceux qui avaient un point de vue plus robuste selon lequel il était aussi crucial de pouvoir mener des cyberattaques. La stratégie d'Obama reposait sur une idée fausse selon laquelle le cyberespace était un environnement relativement bénin, voire intact, et que la meilleure approche était de survoler les problèmes et de ne pas prendre le risque d'aggraver les choses. Je ne comprenais pas comment le cyberespace pouvait être physiquement différent du reste de l'expérience humaine : un état initialement anarchique où force et détermination, soutenues par un arsenal offensif substantiel, pouvaient créer des structures dissuasives contre nos adversaires potentiels et qui, un jour, apporteraient la paix. Si, comme nous étions de plus en plus sûrs, la Russie, la Chine, la Corée du Nord, l'Iran et d'autres entraient en conflit avec nous dans le cyberespace, alors il était temps de contre-attaquer. Une telle stratégie n'était pas conçue pour accroître le nombre de conflits, mais pour le limiter. En réalité, une stratégie basée uniquement sur la défense ne garantit aux entreprises et aux autres entités privées, ainsi qu'au gouvernement américain, que plus de provocations, de conflits, et de dégâts.

Cette approche consistant à tendre la joue n'avait rien de révolutionnaire. Avant mon arrivée à l'aile Ouest, les différentes agences étaient en train de mener d'importantes discussions dans le but de modifier les normes de l'ère Obama qui gouvernaient les décisions liées au cyberespace. Dans le cadre de ces normes, l'autorité en matière de cyberattaque était centralisée de telle manière, et était si pénible sur le plan bureaucratique, que tout acte sous Obama en faveur d'une véritable cyberattaque était très rare. En mettant l'accent sur les processus plutôt que sur les politiques, Obama a interdit toute opération américaine dans le cyberespace, sans avoir rien à dire, tout en esquivant le débat public légitime que nous aurions dû avoir au sujet de ce nouveau domaine de guerre. Malheureusement, l'inertie bureaucratique, les luttes internes, et certaines questions en suspens ont paralysé le gouvernement Trump, mois après mois. Il fallait que cela change. Une de mes premières décisions a été de clarifier les différents niveaux hiérarchiques concernant le personnel du NSC chargé des questions pour la sécurité nationale et contre le terrorisme. J'ai également supprimé les rôles doublons, les ordres concurrentiels et les fiefs, pour que le personnel du NSC puisse s'exprimer d'une seule voix. Le bois mort ayant été ramassé, nous pouvions commencer à travailler, même si des luttes bureaucratiques et un obstructionnisme incroyablement frustrants nous attendaient encore.

Il nous fallait donc deux choses : premièrement, le gouvernement Trump avait besoin d'une stratégie de cybersécurité, et deuxièmement, nous devions abolir les normes de l'ère Obama et les remplacer par une structure décisionnelle plus agile et expéditive. Un travail considérable avait déjà été accompli avant mon arrivée, mais il a tout de même fallu beaucoup d'efforts pour réussir les dernières transformations bureaucratiques en route vers notre objectif final. Je me suis souvent dit que si nos bureaucrates se démenaient autant contre nos adversaires étrangers qu'entre eux-mêmes lorsque leurs « intérêts personnels » étaient en jeu, nous pourrions alors tous bien mieux dormir. Malgré tout ce travail acharné et laborieux, il aura fallu cinq mois, jusqu'au 20 septembre, pour pouvoir annoncer notre nouvelle stratégie de cybersécurité. Bien que ce soit notre détermination à mener des cyberattaques qui ait fait les gros titres, cette stratégie était complète, réfléchie, et constituait un très bon début. Même un expert en cyberespace qui avait œuvré sous Obama a dit : « Ce document montre à quoi une stratégie nationale peut ressembler lorsqu'elle touche un problème qui nous concerne tous. Il constitue un équilibre adéquat entre mesures défensives et le besoin d'imposer des conséquences aux acteurs malveillants. Qui plus est, il est évident que cette stratégie est le résultat d'un processus de développement politique soutenu sous plusieurs gouvernements. »

Remodeler la stratégie a été éprouvant, mais l'abolition des anciennes normes s'est avérée encore plus difficile. Le processus interinstitutionnel était complètement congelé. Le ministère de la Sécurité intérieure et d'autres voulaient conserver la mainmise sur le ministère de la Défense, au même titre que la communauté du renseignement. Ne voulant être supervisé par personne, ni même par la Maison Blanche, le Pentagone a adopté une approche « tout ou rien » qui n'a fait que rendre furieuses toutes les personnes impliquées. En conséquence, les positions politiques de chacun s'étaient encore plus endurcies durant les dix-huit premiers mois du gouvernement. Je me suis senti, l'espace d'un instant, comme Ulysses S. Grant[48] avant la prise de Richmond, disant : « Je propose de combattre sur cette ligne, même si cela prend tout l'été », ce qui, en réalité, était très optimiste. Mattis a affirmé plusieurs fois que nous ne pourrions mener aucune cyberattaque avant les élections de novembre (ce qu'il savait très bien être ma plus haute priorité) si son point de vue ne l'emportait pas, ce qui était presque une procédure opérationnelle standard pour lui : souligner que notre demande est trop urgente, proposer un calendrier convenant à ses propres intérêts, et si son opinion n'est pas sérieusement considérée, prédire l'apocalypse.

Nous devions passer à l'action. Le 7 août, j'ai lancé une réunion du comité des directeurs en disant qu'après dix-neuf mois et des douzaines de réunions improductives avec le personnel des niveaux inférieurs, le gouvernement Trump avait échoué dans sa tentative de remplacement des normes d'Obama. Nous disposions maintenant d'un projet de mémorandum présidentiel qui donnait davantage de flexibilité et de discrétion aux décideurs politiques, mais qui n'excluait pas pour autant les opinions de ceux légitimement concernés par les enjeux. J'ai alors déclaré que s'il y avait encore des dissidents, je les mettrais en face du président afin de prendre une décision ; une remarque qui a attiré l'attention de tout le monde. Toutefois, comme dans de nombreuses réunions de cabinet de ce genre, plusieurs « directeurs » ne pouvaient s'exprimer qu'à partir de notes préparées, comptant sur l'aide de leurs équipes. Je me suis dit qu'il fallait créer une règle selon laquelle un sujet ne devrait pas être abordé dans ces réunions s'il n'était pas assez important pour exiger une compréhension totale de la part des ministres du Cabinet. Mattis voulait encore ajouter des modifications, mais Gina Haspel, Sue Gordon (l'adjointe de Dan Coats), et Jeff Sessions (ainsi que le FBI) trouvaient tous que le projet de texte était bien tel quel. Pompeo et Mnuchin n'ont pas dit grand-chose, mais ils ne l'ont pas refusé non plus.

---

48 18e président des États-Unis (NDT).

Malheureusement, Mattis ne voulait pas ou ne pouvait pas expliquer pourquoi il voulait ces changements. Durant la première année du gouvernement, j'ai entendu dire que chaque réunion avait un modèle commun : Mattis ferait bloc, Tillerson accepterait, tous les autres acquiesceraient sans rien dire de significatif, et la réunion se terminerait. Cela fonctionnait peut-être comme ça auparavant, mais pas avec moi. J'ai conclu la réunion en disant que nous avions un large consensus quant à la marche à suivre (même si Mattis n'était pas d'accord), et que j'espérais que nous allions rapidement pouvoir finaliser le projet de mémorandum sur notre décision.

Mattis est vite parti, mais les avocats du ministère de la Défense et d'autres sont restés là et ont confirmé que nous étions très proches d'une décision à laquelle le ministère pourrait survivre, à l'exception de Mattis. Durant les prochains jours de négociations détaillées, Mattis est resté inflexible et le projet a été ralenti par certains éléments de la communauté du renseignement, qui était jalouse du niveau d'autorité de l'Agence nationale de sécurité. Cela a fait apparaître une tension de longue date, presque existentielle, entre la CIA et le Pentagone. Néanmoins, j'ai dit à Trump que nous progressions. Le 15 août, après un nombre de retards bureaucratiques trop pénibles et inexplicables pour s'en rappeler, Trump a finalement signé notre directive : nous pouvions enfin passer à l'acte. En premier lieu, nous nous sommes penchés sur les affaires liées aux élections pour rapidement créer un cadre dissuasif contre toute interférence, non seulement en 2018, mais aussi lors des prochaines élections américaines. Le but des étapes suivantes était de poser les fondations de nos cybercapacités.

Nous avons également entamé la rédaction d'un nouveau décret présidentiel, en vertu de l'autorité présidentielle existante, visant à faciliter la mise en place de sanctions contre tout effort d'interférence étranger avec nos élections. Grâce à cela, nous n'avions pas à demander une nouvelle loi, qui aurait, très certainement, été bloquée par les partisans des anciens textes. Même certains républicains, inquiets après la réaction faiblarde de Trump aux provocations russes, voulaient de nouvelles mesures législatives, mais nous leur avons patiemment expliqué pourquoi notre décret présidentiel serait, en fait, plus efficace. Fait encore plus important, rien ne garantissait que le Congrès reprenne ses esprits avant les élections de 2018, et nous avions besoin d'agir vite. Le 12 septembre, discutant avec d'autres personnes, dans une petite salle à manger, au sujet de la barrière entre les États-Unis et le Mexique, j'ai expliqué à Trump le pourquoi du comment de ce décret présidentiel : il s'agissait d'un moyen de montrer notre diligence, de réfuter les critiques à l'encontre du gouvernement pour son manque d'agressivité lorsqu'il s'agit de protéger l'intégrité de nos élections, et enfin, de contenir toute action irréfléchie de la part du Congrès. Il m'a demandé : « De qui est cette idée ? » J'ai dit qu'elle était de moi, ce à quoi il a répondu : « Ah, d'accord » puis a signé le décret. Comme me l'a ensuite dit Shahira Knight, alors directrice du bureau des affaires législatives de la Maison Blanche, heureuse qu'une législation électorale ne soit plus d'actualité : « Félicitations, c'était incroyable. »

Vers la fin du mois de septembre, nous disposions d'un cadre politique relatif à la sécurité électorale déjà en place, et nous comptions dédoubler nos efforts pour protéger l'intégrité des élections de novembre 2018, même si nous nous étions déjà beaucoup concentrés sur notre défense, et pas uniquement sur la cybersécurité. Un mois seulement après mon arrivée, le 3 mai 2018, Sessions, le directeur du FBI — Wray, la ministre de la Sécurité intérieure — Kirstjen Nielsen, le directeur du renseignement national — Coats, et d'autres ont indiqué à Trump les différentes mesures en cours de développement pour accroître la sécurité lors des élections du mois de novembre. Trump voulait que les nouvelles produites par les agences opérationnelles au sujet du vaste travail accompli soient plus visibles, car les médias n'en parlaient guère. En fait, les ministères et les agences trouvaient qu'ils faisaient du bon boulot, ils savaient quelles étaient les menaces, et rien ni personne ne les empêchait de nous en défendre. Le 27 juillet s'est tenue une seconde réunion du NSC afin de réévaluer nos efforts, étant donné que les agences opérationnelles étaient toutes, selon elles-mêmes, mieux préparées qu'à la même époque de la campagne 2016, et bien plus familières avec le type de menaces existant dans leurs domaines respectifs.

Le 2 août, nous avons enchaîné avec un briefing dans la salle de presse de la Maison Blanche, incluant Coats, Nielsen, Wray, le général Paul Nakasone (directeur de l'Agence nationale de sécurité qui faisait aussi office de centre névralgique de l'agence de cybercommandement) et moi-même. Chaque responsable a raconté ce que son agence faisait, une discussion que nous aurions dû avoir plus tôt, et dont le contenu a été relativement bien reçu par la presse. L'un des intervenants a qualifié ce briefing de « tour de force » du gouvernement visant à prouver que nous étions réellement en train de faire quelque chose au sujet des affaires d'ingérence électorale. Ne pouvant pas critiquer la pertinence de ces efforts, les médias se sont donc décidés à dire que Trump suivait une politique, et que nous en suivions une autre. Malheureusement, ce n'était pas entièrement faux, vu que Trump avait refusé à maintes reprises de critiquer la Russie et qu'il nous avait rappelé, autant de fois, de ne pas l'attaquer en public.

Tout ce travail préparatoire a été essentiel, notamment parce qu'il pouvait être nécessaire au briefing du Congrès en cas de menaces particulières. Au sein du groupe limité d'agences avec des intérêts impliqués dans les cyberattaques, l'opinion était clairement divisée en matière de partage d'informations avec le Congrès et de vitesse à laquelle elles seraient divulguées à la presse. Ces questions étaient souvent très complexes, étant donné que l'un des objectifs de nos adversaires n'était pas seulement d'affecter une élection particulière, mais aussi de semer la peur et la suspicion à travers tout notre organisme politique, et donc d'ébranler la confiance des citoyens dans l'intégrité d'un système. Avec des informations incertaines et incomplètes, à partir desquelles des conclusions claires n'émergent pas tout de suite, il pourrait être risqué de les dévoiler prématurément et excessivement, car elles pourraient se transformer en munitions lors de batailles politiques contre les partisans. Selon moi, nous n'avions pas à faire le travail des agresseurs et à divulguer de fausses informations, que ce soit au Congrès ou aux équipes de campagnes sous menaces potentielles. Heureusement, les cas d'interférences étrangères ont été suffisamment réduits en 2018 pour permettre aux quelques incidents enregistrés d'être résolus avec satisfaction. Il était toutefois clair que l'instinct de « protection du postérieur » de certains responsables et bureaucraties allait devenir un réel problème si jamais les enjeux augmentaient.

En 2017, le gouvernement Trump a réalisé plusieurs avancées. Premièrement, l'imposition, en plus des mesures adoptées par Obama, de nouvelles sanctions économiques substantielles aux citoyens et entités russes, en raison de l'annexion de la Crimée, ainsi que la prolongation d'autres sanctions. Deuxièmement, la fermeture des consulats russes à San Francisco et à Seattle. Troisièmement, l'expulsion de plus d'une soixantaine d'agents du renseignement russe (agissant aux États-Unis en tant que « diplomates ») après l'attaque de Moscou sur les Skripal. Quatrièmement, l'imposition de sanctions pour violation de la loi sur le contrôle des armes chimiques et biologiques et l'élimination de la guerre, également appliquées suite à l'attaque sur les Skripal. Cinquièmement, l'imposition de sanctions à l'agence russe de recherches sur Internet, un bras des machines de cyberattaques russes. Et sixièmement, l'application de pénalités à plus de trois douzaines d'agents russes pour violation des sanctions américaines relatives à la Syrie. Tandis que de nouvelles infractions étaient découvertes, d'autres sanctions ont été imposées aux personnes et aux entités sociales impliquées.

Trump a qualifié tous ces accomplissements de « majeurs ». Cependant, ils ont également tous été synonymes d'opposition, ou au moins de protestations et de plaintes, et même de la part de Trump. Les sanctions associées à l'attaque chimique sur les Skripal en constituent un très bon exemple. Depuis le meurtre à base d'armes chimiques du demi-frère de Kim Jong-un, en Malaisie, et l'attaque chimique du régime d'Assad, ce statut était utilisé pour la première fois. Les critiques disaient que les sanctions imposées n'étaient pas assez sévères. Pourtant Trump semblait opposé à l'existence même de ces sanctions. Il les a finalement approuvées avant le sommet d'Helsinki, mais il a attendu la fin du sommet pour les annoncer. Nous avons expliqué à Trump qu'il ne s'agissait que d'une série de sanctions appartenant à un ensemble, car le statut en vigueur prévoyait des mesures encore plus strictes si jamais la nation accusée ne fournissait pas de documents prouvant l'arrêt de tout programme d'armes chimiques et/ou biologiques, y compris les résultats des vérifications de conformité effectuées par des inspecteurs internationaux. Personne ne pensait que la Russie accepterait ces conditions. Une fois Helsinki terminé, le ministère des Affaires étrangères a annoncé les sanctions, vu qu'aucune nouvelle décision n'était nécessaire. Lorsqu'il a entendu la nouvelle, Trump a voulu annuler les sanctions. Je me suis demandé si toute cette crise n'était pas causée par la dernière visite de Rand Paul à Moscou, qui a généré une couverture médiatique très significative pour lui et où les Russes ont, sans aucun doute, souligné à quel point ces sanctions les rendaient mécontents. J'ai trouvé ironique qu'un politicien libertaire comme Paul soit si préoccupé par la sensibilité aiguë du Kremlin. Juste après avoir pris connaissance de la controverse, Mnuchin m'a appelé, ainsi que Pompeo, pour nous accuser de ne pas l'avoir tenu au courant des nouvelles sanctions, ce qui était inexact puisqu'elles avaient auparavant fait l'objet d'un processus de révision du Conseil de sécurité nationale, sans recevoir aucune objection de quiconque. Quelques heures plus tard, Trump a conclu qu'il était finalement en paix avec cette décision-là, mais que nous étions encore trop durs avec Poutine. Trump a demandé à Pompeo d'appeler Lavrov et de dire « qu'un bureaucrate » avait publié les sanctions ; un appel téléphonique qui n'a peut-être jamais eu lieu.

En plus de s'opposer à ces sanctions, Trump a empêché la publication d'un communiqué anodin critiquant la Russie, le jour du dixième anniversaire de son invasion de la Géorgie, une faute directe comme on dit. La Russie l'aurait ignoré, mais les Européens ont remarqué son absence et ont commencé à douter du désir de résolution des Américains. Ce comportement était typique de Trump, qui a également bloqué, en juin 2019, un projet de communiqué, le jour du trentième anniversaire du massacre de la place Tian'anmen, et qui a aussi critiqué le ministère des Affaires étrangères pour avoir publié un communiqué de presse avant qu'il ne soit au courant. Trump semblait penser qu'il allait être plus difficile pour lui d'avoir de bonnes relations personnelles avec d'autres dirigeants étrangers, si jamais il critiquait les politiques et les actes de leurs gouvernements. Cela montre à quel point il avait du mal à distinguer les relations personnelles et celles plus officielles entre leaders. Je ne me rappelle pas de cas où la Russie et la Chine se sont retenues de critiquer les États-Unis par peur de blesser la sensibilité de nos dirigeants.

Le manque de cohérence des opinions et des décisions de Trump en rapport avec la Russie a compliqué tout notre travail, d'autant plus que les questions liées au cyberespace et aux autres enjeux s'entremêlaient souvent. Par ailleurs, il était plus facile d'évoquer les mesures de dissuasion des cyberattaques que de les mettre en place, puisque l'ensemble des cyberattaques que nous voulions entreprendre sont restées classifiées. Ainsi, les personnes directement affectées sauraient qu'elles avaient été attaquées, mais pas nécessairement par qui, à moins que nous leur disions. En conséquence, une discussion publique sur nos capacités se devait d'avoir lieu, afin de clairement annoncer à nos adversaires la fin de nos années de passivité et pour rassurer les amis des États-Unis en déclarant le début de notre marche vers le cyberespace. Fin octobre, à Washington, j'ai fait quelques remarques en public dont le but était de communiquer de façon générale comment nous avions réussi à supprimer les normes de l'ère Obama. Le général Nakasone, et d'autres représentants du gouvernement ont fait la même chose. Il s'agissait d'un exercice difficile, car il fallait être capable de déterminer les informations à partager et celles à garder classifiées. En effet, plus nous en disions, plus nos mesures de dissuasion seraient importantes dans l'esprit du public et des preneurs de décision du monde entier. Cependant et malheureusement, plus nous en disions au public, plus nous révélions d'informations sur nos capacités que d'autres pourraient utiliser pour améliorer leurs programmes de cyberattaques et de cybersécurité. Il s'agissait là évidemment d'un sujet de débat pour les futurs gouvernements. Toutefois, et, quelles que soient les fluctuations de l'attitude personnelle de Trump, nous avions réalisé une quantité de travail substantielle pour protéger les élections américaines contre la Russie et tous les autres.

CHAPITRE 7

AUCUNE PORTE DE SORTIE POUR TRUMP EN SYRIE ET EN AFGHANISTAN

La guerre des terroristes islamistes contre les États-Unis a commencé bien avant les attentats du 11 septembre 2001, et continuera bien après. Que cela vous plaise ou non, c'est la réalité. Elle ne plaisait pas à Donald Trump et il l'a ignorée. Il était opposé aux « guerres interminables » au Moyen-Orient, mais il n'avait aucun plan cohérent après le retrait des forces armées américaines et l'abandon progressif des principaux alliés régionaux. Trump aimait dire, à tort, que ça se passait « à des milliers de kilomètres ». Contrairement à lui, durant mon exercice à la Maison Blanche, j'ai essayé d'agir en tenant compte de la réalité, avec un succès mitigé.

SYRIE : LAWRENCE D'ARABIE AU BUREAU

Après nos représailles d'avril, suite aux attaques chimiques d'Assad à Douma, la Syrie est revenue indirectement sur le tapis avec l'incarcération par la Turquie du pasteur Andrew Brunson.

Pasteur évangélique apolitique, il travaillait en Turquie, où il vivait avec sa famille depuis une vingtaine d'années, avant d'être arrêté en 2016 après un coup d'État militaire avorté contre le président turc Recep Tayyip Erdogan. Brunson était une monnaie d'échange, accusé abusivement d'espionnage avec le mouvement du prédicateur islamique Fethullah Gülen qui vivait aux États-Unis. Autrefois allié d'Erdogan, Gülen était dorénavant un ennemi, dénoncé sans cesse comme terroriste. Juste après le retour de Trump d'Helsinki, Erdogan a demandé à poursuivre leur brève rencontre au sommet de l'OTAN (et plus tard de leur appel téléphonique) au sujet de Brunson et de sa « relation » avec Gülen. Erdogan a également soulevé un autre sujet de prédilection fréquemment évoqué avec Trump : la condamnation de Mehmet Atilla, un des responsables de la banque publique turque Halkbank, pour fraude, blanchiment d'argent et violations de nos sanctions contre l'Iran. Cette enquête judiciaire en cours menaçait Erdogan lui-même à cause d'allégations selon lesquelles lui et sa famille utilisaient la Halkbank à des fins personnelles, et ce d'autant plus lorsque son gendre est devenu le ministre des Finances de la Turquie. Pour Erdogan, Gülen et son « mouvement » étaient responsables des accusations contre la Halkbank. Il y voyait donc un complot contre lui, sans parler de l'enrichissement de sa famille qui lui était reproché. Il voulait que l'affaire Halkbank soit enterrée ; ce qui était improbable maintenant que les procureurs américains avaient clairement ferré les opérations frauduleuses de la banque. Finalement, Erdogan était tracassé à cause du projet de loi, au Congrès, qui aurait interrompu la vente de F-35 à la Turquie parce qu'Ankara souhaitait acquérir le système de défense antiaérienne russe S-400. Si elle se réalisait, cette acquisition aurait aussi déclenché des sanctions contre la Turquie, en vertu de la loi de 2017 imposant des sanctions contre la Russie. Erdogan avait vraiment de quoi s'inquiéter.

Toutefois, ce que voulait Trump était très limité : le retour de Brunson. Quand serait-il libéré pour rentrer aux États-Unis ? Erdogan l'avait promis, selon lui. Erdogan s'est contenté de lui dire que la procédure judiciaire turque suivait son cours et que Brunson n'était plus en détention, mais dans une résidence surveillée à Izmir. Trump a répondu qu'il pensait que cela ne lui apportait rien parce qu'il s'attendait à ce qu'Erdogan lui dise que Brunson, qui n'était qu'un pasteur local, allait rentrer au pays. Trump mit en avant son amitié avec Erdogan, mais lui a indiqué que lui-même ne parviendrait pas à régler les problèmes diplomatiques entre la Turquie et les États-Unis si Brunson ne rentrait pas en Amérique. Trump était vraiment inquiet. Après avoir fait un laïus sur Tillerson et exprimé sa perplexité à propos de Gülen (dont Trump a annoncé entendre parler pour la première fois), il a relaté, de manière incroyable (et inexacte), qu'Erdogan lui avait dit que Brunson ne rentrerait pas aux États-Unis. C'était la raison pour laquelle personne ne ferait d'affaires avec Erdogan, s'est plaint Trump, particulièrement parce que le cas de ce pasteur avait mis toute la communauté chrétienne en colère ; elle était on ne peut plus remontée. Erdogan lui a répondu que la communauté musulmane de Turquie était à bout de nerfs, mais Trump l'a interrompu pour dire que les esprits s'échauffaient, non seulement en Turquie, mais dans le monde entier, et que c'était leur droit. La tension de la conversation est ensuite retombée, autant que possible.

Trump avait fini par trouver quelqu'un qu'il aimait sanctionner, en affirmant que de « lourdes sanctions » s'ensuivraient si Brunson n'était pas rapatrié aux États-Unis. Le 2 août, le département du Trésor a sanctionné les ministres turcs de la Justice et de l'Intérieur et deux jours plus tard, en réponse, la Turquie a sanctionné leurs homologues américains, Sessions et Nielsen. Bien que nous ayons discuté de ces mesures avec Trump, il m'a dit, plus tard, ce jour-là, qu'il pensait que sanctionner des membres du gouvernement était insultant envers la Turquie. Au lieu de cela, il voulait doubler les droits de douane sur les importations d'acier en provenance de Turquie, jusqu'à 50 %, ce qui a consterné toute l'équipe du département du Trésor. En mars 2018, Trump avait imposé au monde entier des droits de douane sur l'acier et l'aluminium, pour des raisons de sécurité nationale, en vertu de l'article 232 du Trade Expansion Act, une loi méconnue très prisée dans la politique commerciale de Trump. Ces raisons de « sécurité nationale » ne pesaient pas bien lourd ; l'article 232 étant avant tout un joker protectionniste. L'utiliser à des fins de pression politique pour obtenir la libération de Brunson violait tous les usages réglementaires, quelle que soit la justesse de la cause. Bien évidemment, Trump savait que personne n'allait s'opposer à lui dans ces circonstances. En avant !

Les Turcs, inquiets devant cette escalade avec les États-Unis, voulaient une porte de sortie, du moins le pensions-nous, en essayant de monter un échange : Brunson contre l'arrêt de l'enquête sur la Halkbank. C'était au mieux inconvenant, mais Trump voulait libérer Brunson, donc Pompeo et Mnuchin ont négocié avec leurs homologues (Mnuchin parce que le Bureau de contrôle des avoirs étrangers, sous la tutelle du département du Trésor, enquêtait également sur la Halkbank). Dans une négociation tripartite, Mnuchin, Pompeo et moi-même sommes convenus que rien ne pourrait être fait sans le plein accord du procureur du District Sud de New York, où le dossier, impliquant plus de 20 milliards de dollars de sanctions contre l'Iran, était instruit. (Lors de mon mandat au ministère de la Justice, nous appelions le District Sud « le District des Affaires étrangères de New York », parce qu'il résistait très souvent au contrôle du département de la Justice, sans parler de celui de la Maison Blanche.) Plusieurs fois, Mnuchin a claironné qu'il avait obtenu un accord avec le ministre turc des Finances. C'était caractéristique : que Mnuchin soit en train de négocier avec les fraudeurs turcs ou avec le ministère chinois du Commerce, un accord était toujours en vue. Dans tous les cas, le deal tombait à l'eau dès que le département de la Justice s'en emparait, ce qui expliquait pourquoi cette voie pour obtenir la libération de Brunson n'aboutirait jamais. Pompeo a dit : « Les Turcs ne peuvent pas s'en sortir tous seuls » ; mais en fait, selon le point de vue du gouvernement américain, c'étaient justement les procureurs du département de la Justice qui rejetaient tout accord. Dans le même temps, la monnaie turque continuait de se déprécier fortement, et son marché boursier ne se portait pas beaucoup mieux.

Nous avions un problème avec de multiples négociateurs des deux côtés. Haley menait les négociations avec l'ambassadeur turc auprès des Nations Unies, ce que les Turcs ne comprenaient pas. Nous non plus. D'un ton grave, Pompeo a dit qu'il résoudrait ce problème en demandant à Haley de cesser ces contacts non autorisés avec les Turcs, ce qui contribuait à rendre encore plus confuse une situation qui l'était bien assez. Par bonheur, cela a marché cette fois. Toutefois, les tractations diplomatiques ne faisaient pas avancer le cas Brunson. Trump a laissé les négociations se poursuivre, mais son instinct concernant Erdogan s'est révélé juste : seules les pressions économiques et politiques permettraient de libérer Brunson, et là au moins Trump n'a eu aucun problème pour les exercer malgré le discours optimiste de Mnuchin. Erdogan est passé presque instantanément de meilleur pote international de Trump à cible privilégiée de toutes ses hostilités. Cela me permettait de continuer d'espérer que Vladimir Poutine, Xi Jinping, Kim Jong un ou d'autres, montreraient, en temps voulu, leurs réelles intentions à Trump, et à ce moment-là nous pourrions reconnecter nos errements politiques à la réalité. Bien évidemment, il était toujours possible que Trump se remette en mode « meilleur pote », ce qui a fini par se produire quelques mois plus tard. Paradoxalement, même si les médias dépeignaient Trump comme un antimusulman viscéral, il n'a jamais saisi – malgré l'insistance de principaux leaders alliés en Europe et au Moyen-Orient, et aussi de ses propres conseillers – qu'Erdogan lui-même était un islamiste radical. Il s'attachait à transformer la Turquie laïque de Kemal Atatürk en un État islamique. Il soutenait les Frères musulmans et d'autres radicaux au Moyen-Orient, finançant à la fois le Hamas et le Hezbollah, sans même parler de son hostilité farouche envers Israël, et il aidait l'Iran à contourner les sanctions américaines. Cela semblait insoluble.

Dans le même temps, Trump en a eu assez des tergiversations confuses de la Turquie et le 10 août, malgré une autorité juridique douteuse, il a ordonné que les droits de douane sur l'acier et l'aluminium turcs doublent, passant respectivement à 50 % et à 20 %. C'était probablement la première fois dans l'histoire que des droits de douane étaient augmentés par l'intermédiaire d'un tweet :

> **Je viens d'autoriser un doublement des droits de douane sur l'acier et l'aluminium concernant la Turquie, car sa monnaie, la livre turque, se déprécie beaucoup contre notre puissant dollar ! L'aluminium passera à 20 % et l'acier à 50 %. Nos relations avec la Turquie ne sont pas bonnes en ce moment.**

La Turquie a riposté avec ses propres droits de douane, et Trump a rétorqué en demandant encore plus de sanctions. Mnuchin a essayé de modérer Trump et ses envies de sanctions, ce qui d'après moi ne ferait que le frustrer davantage. Puis le vice-président a suggéré à Jared Kushner d'appeler le ministre turc des Finances, vu qu'ils étaient tous les deux les gendres des présidents de leurs pays respectifs. Rien de mal à cela, n'est-ce pas ? J'ai briefé Pompeo et Mnuchin sur ce « nouveau canal des gendres », et ils ont tous les deux explosé : Mnuchin, parce que le gendre turc était ministre des Finances, son homologue, et Pompeo parce que c'était un exemple supplémentaire où Kushner mener des négociations internationales qu'il n'avait pas à faire (en plus du plan de paix au Moyen-Orient qui n'était jamais vraiment prêt). J'ai toujours aimé apporter de bonnes nouvelles. Trump et Kushner allaient prendre un vol pour une levée de fonds politique aux Hamptons où Mnuchin était déjà arrivé, et Kushner m'a rappelé plus tard pour me dire que Mnuchin s'était « calmé ». Kushner m'a également confié qu'il avait dit au gendre turc qu'il faisait appel à sa capacité « personnelle », en signe d'« amitié », et qu'en aucun cas, il n'envoyait aux Turcs un signe de faiblesse. Je doute que ce soit ce que les Turcs ont cru.

Le 20 août, Trump m'a appelé d'Israël à propos de coups de feu, ce matin-là, à proximité de l'ambassade américaine à Ankara. J'avais déjà fait la lumière sur cet incident et découvert qu'il s'agissait d'une affaire criminelle locale sans aucun lien avec les États-Unis. Néanmoins, Trump se demandait si nous devions fermer l'ambassade, augmentant ainsi la tension autour de Brunson, et peut-être faire quelque chose d'autre, comme annuler les contrats des F-35 avec la Turquie. J'ai appelé Pompeo et d'autres pour les informer puis j'ai demandé au staff du Conseil de sécurité nationale qui voyageait avec moi d'envisager nos options. Pompeo pensait que nous devions déclarer l'ambassadeur de Turquie *persona non grata* et indiquait aux responsables juridiques de l'État de contacter le conseiller juridique de la Maison Blanche pour de plus amples concertations. Ses manœuvres étaient peu orthodoxes, mais nous avions consacré beaucoup d'énergie au dossier Brunson, sans pour autant avoir obtenu sa libération. Toutefois, en quelques jours, Trump a inversé le cours des choses. Il a décidé de ne rien faire aussi bien au sujet de notre ambassade que de l'ambassadeur turc. Au lieu de cela, il est revenu à son idée phare « plus de sanctions ». « Vous avez la main pour la Turquie », m'a-t-il affirmé, signifiant en fait que je devais trouver ce qu'il fallait faire. Il a réaffirmé son opinion quelques jours plus tard en disant : « Frappez-les, finissez-les. À vous de jouer », et il a dit à Angela Merkel dans un appel téléphonique qu'Erdogan était intraitable sur le problème Brunson, et que nous imposerions de sévères sanctions dans les prochains jours. Les Qatariens, qui soutenaient financièrement la Turquie, voulaient également apporter leur aide concernant Brunson, mais hélas, leurs efforts en ce sens sont restés vains.

En fait, la diplomatie ne faisait que très peu de progrès, même si les effets des sanctions et le conflit ouvert avec les États-Unis sur le cas Brunson et d'autres dossiers (tel l'achat du système de défense antiaérienne russe S-400) continuaient de ravager l'économie turque. La Turquie, qui avait un besoin urgent d'un afflux d'investissements étrangers directs, a rapidement inversé sa position, ce qui a fini par infléchir sa prise de décision. Son système judiciaire s'est de nouveau attelé à la tâche, le vendredi 12 octobre, en audience à Izmir, où Brunson était assigné à une résidence surveillée depuis juillet. Étant donné qu'en apparence, le tribunal faisait de son mieux pour le libérer, le département de la Défense a affrété un avion en Allemagne au cas où il faudrait rapatrier Brunson et sa famille. Bizarrement, le tribunal a reconnu Brunson *coupable* d'espionnage et de délits connexes (ce qui était ridicule), l'a condamné à cinq ans de prison puis a décidé, en raison du temps de détention déjà effectué et d'autres circonstances atténuantes, de le remettre en liberté. Cette issue montrait qu'un règlement politique était à l'œuvre : l'affirmation d'Erdogan, selon laquelle Brunson était un espion, s'est trouvée « vengée » pour ses propres buts politiques, mais Brunson était libre.

À 9 h 35, j'ai appelé Trump, qui était comme d'habitude dans ses appartements privés, et lui ai dit que nous étions certains à 95 % de la libération de Brunson. Trump était fou de joie. Il a immédiatement tweeté, mêlant à cela un tweet annonçant pourquoi Ivanka serait une excellente ambassadrice auprès des Nations Unies. Il voulait que l'on fasse venir Brunson immédiatement à la Maison Blanche, sans passer par le centre médical américain de Landstuhl, en Allemagne, pour des examens médicaux et d'éventuels soins. De toute façon, les délais d'acheminement de l'avion du Pentagone à Izmir impliquaient que Brunson passe la nuit en Allemagne. Par conséquent, sa visite à la Maison Blanche aurait lieu le samedi après-midi, en présence des membres du Congrès de Caroline du Nord, son État de résidence, ainsi que de sa famille et de ses amis. Après avoir vu le médecin de la Maison Blanche pour s'assurer qu'il était prêt à faire face au tourbillon qui allait s'ensuivre, Brunson et sa femme se sont rendus à l'aile Ouest. Je leur ai parlé brièvement et j'ai été surpris de constater que Brunson me suivait depuis longtemps et qu'il était presque toujours d'accord avec moi. Les Brunson sont allés dans les appartements du président, puis ont marché avec lui le long de la colonnade vers le Bureau ovale, où ceux qui s'y trouvaient les ont accueillis chaleureusement. Les journalistes sont entrés tandis que le pasteur et le président parlaient. À la fin, Brunson s'est agenouillé près de la chaise de Trump, a posé sa main sur l'épaule de Trump et a prié pour lui, ce qui, bien évidemment, a été la photo du jour. C'en était donc fini du cas Brunson, mais les relations bilatérales avec la Turquie étaient au plus bas.

Cependant, avant sa libération, les conditions en Syrie se détérioraient déjà. En septembre, nous pensions, inquiets, qu'Assad planifiait une attaque contre le gouvernorat d'Idlib. Ancien bastion de l'opposition dans le nord-ouest de la Syrie, il s'agissait dorénavant d'une zone regroupant des centaines de milliers de Syriens déplacés, des terroristes radicaux ainsi qu'une présence militaire turque ayant l'intention de dissuader toute attaque d'Assad. La Russie et l'Iran assisteraient très certainement Assad, ce qui générerait un bain de sang et provoquerait le chaos en lançant vers la Turquie des flots de réfugiés syriens. Parmi les réfugiés légitimes, des milliers de terroristes s'échapperaient, et beaucoup d'entre eux iraient en Europe, leur destination favorite. J'étais particulièrement inquiet qu'Assad utilise encore des armes chimiques, et j'ai expressément demandé au département de la Défense d'envisager une possible réponse militaire (avec l'espoir de pouvoir une fois encore compter sur la France et le Royaume-Uni), le cas échéant. Cette fois, contrairement à l'attaque du mois d'avril, je voulais être préparé. Si besoin, les représailles ne devaient pas avoir comme seul objectif de dégrader les capacités en armes chimiques de la Syrie, mais aussi d'altérer définitivement la propension d'Assad à l'utiliser. Cette fois, Mattis a laissé carte blanche aux chefs d'état-major des armées pour faire ce qu'ils jugeraient bon d'être fait ; un plan détaillé anticipait plusieurs alternatives, contraintes (par exemple, éviter rigoureusement le risque de victimes civiles) et objectifs. Contrairement au mois d'avril, j'avais le sentiment que dans le pire des cas nous étions en mesure de présenter à Trump un véritable éventail d'options.

Dans le même temps, Israël ne restait pas sans rien faire, frappant régulièrement les convois d'armements et de matériels qui pourraient être menaçants. Jérusalem avait sa propre communication avec Moscou, parce que Netanyahou ne visait pas de cibles ni de personnel russes, seulement les Iraniens et les terroristes. Le vrai problème de la Russie était ses alliés syriens, qui avaient abattu un avion de surveillance russe à la mi-septembre, ce qui avait rapidement engagé Moscou à retourner des éléments de son système de défense antiaérienne S-300 contre les Syriens, troublant grandement Israël.

En Irak, le samedi 8 septembre, des groupes de miliciens chiites, indubitablement soutenus par l'Iran, ont attaqué l'ambassade à Bagdad et notre consulat à Bassora, et l'Iran a lancé des missiles contre des cibles près d'Erbil au Kurdistan irakien. Les jours suivants, avant la date anniversaire du 11 septembre, et avec l'attaque de 2012 de notre enceinte diplomatique à Benghazi dans nos esprits, nous devions penser stratégiquement à notre réponse. Nous ne l'avons pas fait. Kelly m'a dit qu'après un rassemblement durant sa campagne, Trump lui avait « lâché », une fois encore, qu'il voulait se retirer complètement du Moyen-Orient. Les Américains tombés en Irak, aussi tragique que cela puisse paraître, pourraient accélérer le retrait, à notre détriment à long terme, ainsi que celui d'Israël et de nos alliés arabes, si nous ne l'envisagions pas avec suffisamment de précautions. Cependant, le lundi, notre « réponse » en était réduite à une possible déclaration condamnant le rôle de l'Iran dans ces attaques. Mattis s'était même opposé à cela, arguant que nous n'étions pas absolument certains que les milices chiites étaient liées à l'Iran, ce qui défiait l'entendement. Notre indécision s'est poursuivie jusqu'au mardi, lorsque Mattis a organisé une réunion dans le Bureau ovale sur cette déclaration d'un paragraphe, avec Trump, Pence, Mattis lui-même, Pompeo, Kelly et moi. Il était alors si tard que peu l'ont relevé, quoi qu'il dise. C'était l'obstructionnisme de Mattis à l'œuvre : pas de réponse cinétique, et peut-être pas, non plus, de communiqué de presse répondant aux attaques sur le personnel diplomatique et les bâtiments américains. Quelle leçon allaient tirer l'Iran et les milices chiites de notre passivité absolue ?

Comme l'on pouvait s'y attendre, il n'a fallu que quelques semaines pour que les menaces des milices chiites se reproduisent, en plus de deux autres attaques de roquettes sur le consulat de Bassora. Pompeo a décidé presque immédiatement de fermer le consulat (qui employait plus d'un millier de personnes, des employés du gouvernement et des agents contractuels) pour éviter une catastrophe comme celle de Benghazi. Cette fois, même Mattis ne pouvait nier le lien avec l'Iran. Toutefois, ironiquement, alors qu'il était toujours opposé à une réponse cinétique, il craignait que la fermeture du consulat puisse donner le signal de notre retrait d'Irak. Néanmoins, le 28 septembre, Pompeo a annoncé la fermeture du consulat.

Lorsque nous en viendrons aux événements de l'été 2019, aux tirs abattant les drones américains et autres actes belliqueux iraniens dans la région, souvenez-vous bien de ces échecs de l'exécutif à répondre aux provocations un an plus tôt.

Peu de temps après, Trump a encore changé son fusil d'épaule concernant Erdogan et la Turquie. Le dossier Brunson étant dorénavant clos depuis six semaines, les deux leaders se sont vus lors d'une rencontre bilatérale le 1er décembre lors du sommet du G20 à Buenos Aires. Ils ont essentiellement discuté de la Halkbank. Erdogan a produit un mémo du cabinet juridique représentant la Halkbank. Trump n'a rien fait d'autre que de le parcourir sommairement avant de déclarer qu'il pensait que la Halkbank était totalement innocente et qu'elle n'avait contourné aucune sanction américaine contre l'Iran. Trump a demandé s'il pouvait joindre le procureur général par intérim, Matt Whitaker, ce que j'ai éludé. Trump a alors dit à Erdogan qu'il gérerait tout ça, lui expliquant que les procureurs du District Sud n'étaient pas des hommes à lui, mais d'Obama, un problème qui serait réglé lorsqu'ils seraient remplacés par ses hommes à lui.

Bien sûr, tout cela n'avait aucun sens, car les procureurs étaient des fonctionnaires du département de la Justice qui auraient procédé de la même façon si l'enquête avait démarré dans la 8e année de la présidence Trump plutôt que dans la 8e année de la présidence Obama. C'était comme si Trump essayait de montrer qu'il avait autant d'autorité arbitraire qu'Erdogan, qui avait dit vingt ans plus tôt, en tant que maire d'Istanbul : « La démocratie c'est comme un tramway. Vous montez dedans à l'arrêt que vous souhaitez, puis vous descendez. » Trump a poursuivi en déclarant qu'il ne voulait voir rien arriver de mal à Erdogan ni à la Turquie, et qu'il veillerait fermement à cela. Erdogan s'est également plaint des forces kurdes en Syrie (ce à quoi Trump n'a rien répondu) et puis a soulevé le cas de Fethullah Gülen en demandant encore une fois qu'il soit extradé vers la Turquie. Trump a évoqué le fait que Gülen ne vivrait pas plus d'une journée s'il devait retourner en Turquie. Les Turcs ont ri, mais ont répondu que Gülen n'avait pas à s'inquiéter, car la Turquie ne pratique pas la peine de mort. Heureusement, cette rencontre bilatérale s'est terminée très peu de temps après. Rien de bon n'allait sortir de cette « romance fraternelle » avec un autre des dirigeants les plus autoritaires de ce monde.

En fait, les Européens ne pensaient déjà plus au risque d'attaque du régime d'Assad sur le gouvernorat d'Idlib, pour se focaliser sur une possible offensive turque dans le nord-est de la Syrie ; la région triangulaire à l'est de l'Euphrate, comprise entre le sud de la Turquie et l'ouest de l'Irak. Largement sous contrôle de l'opposition syrienne et dominée par des combattants kurdes, plusieurs milliers de soldats américains et d'alliés ont été déployés dans cette zone pour soutenir l'offensive continue contre le territoire du califat territorial de Daech. Démarrée sous Obama, dont la politique mal avisée en Irak a lourdement contribué à l'émergence de Daech et à son califat, l'offensive était finalement proche du succès. Elle était tout près de mettre fin à la mainmise territoriale de Daech dans l'ouest de l'Irak et dans l'est de la Syrie, même si elle n'était pas encore éradiquée. Elle bénéficiait toujours du soutien de milliers de combattants et de terroristes vivant et opérant à travers l'Irak et la Syrie sans contrôler de territoire défini.

Erdogan était prétendument intéressé par la destruction du califat, mais son véritable ennemi, c'était les Kurdes, qui étaient, selon lui, avec quelques justifications à l'appui, des alliés du Parti des travailleurs du Kurdistan, ou PKK, en Turquie. Les États-Unis considéraient d'ailleurs depuis longtemps le PKK comme un groupe terroriste. La raison pour laquelle nous étions associés à un groupe terroriste afin d'en détruire un autre trouvait son origine dans l'incapacité d'Obama à voir que l'Iran était une menace beaucoup plus sérieuse, aujourd'hui et à l'avenir. De nombreuses parties prenantes du conflit, y compris l'Iran, étaient opposées à Daech, à son intermédiaire le Hezbollah et à son quasi satellite, la Syrie. Cependant, Téhéran, contrairement à Obama, portait également son attention sur la prochaine guerre, celle qui suivrait la défaite de Daech. Tandis que le califat de Daech se réduisait, l'Iran étendait son contrôle sur la région, laissant les États-Unis avec son attelage d'alliés disparates. Cela dit, l'Amérique avait depuis longtemps soutenu les actions kurdes pour obtenir davantage d'autonomie et même d'indépendance vis-à-vis de l'Irak, et un état kurde exigerait des ajustements de ses frontières avec les États voisins. C'était compliqué, mais ce qui ne l'était pas, c'était le fort sentiment de loyauté des États-Unis envers les Kurdes qui avaient combattu avec nous contre Daech. Par ailleurs, la crainte de les abandonner serait non seulement déloyale, mais aurait aussi de sévères conséquences défavorables dans le monde entier, car le recrutement de forces alliées pourrait alors être vu comme sacrifiable.

Dans le même temps, c'était la tourmente au Pentagone. Le vendredi 7 décembre, lors de notre petit-déjeuner hebdomadaire, Mattis nous a dit, d'un ton grave, à Pompeo et à moi-même : « Messieurs, vous avez plus de capital politique que moi, aujourd'hui », ce qui n'augurait rien de bon. La nomination de Mark Miley pour succéder à Dunford en tant que chef d'état-major des armées serait annoncée le lendemain, avant le match Army-Navy, mais nous savions que cela allait arriver. Miley, alors chef d'état-major de l'armée de terre, avait impressionné Trump et gagné le poste par lui-même. Mattis avait essayé d'imposer à Trump son candidat favori, mais beaucoup de partisans de Trump pensaient que la dernière chose dont il avait besoin, c'était de Mattis comme chef d'état-major. En insistant prématurément, peut-être parce qu'il savait qu'il partirait bien avant la fin du mandat de Dunford, le 30 septembre 2019, Mattis avait lui-même ruiné sa cause. Lors de notre petit-déjeuner suivant dans le mess des officiers, le jeudi 13 décembre, l'ambiance n'était vraiment pas au beau fixe pour plusieurs raisons, mais surtout parce que nous ressentions tous, grâce à un silence rempli de certitude, que Mattis était en train d'effectuer son dernier tour de piste. Mattis et son obstructionnisme allaient partir, et ça ne me dérangeait pas du tout, mais son départ faisait partie d'une problématique presque inévitable. Aucun des trois gouvernements républicains précédents auxquels j'avais participé n'avait vécu quoi que ce soit approchant un tel remaniement de personnel au plus haut niveau.

Le 14 décembre, Trump et Erdogan se sont parlé au téléphone. J'ai briefé Trump en amont sur la situation en Syrie, et il m'a dit : « Nous devrions décamper de là », ce que je craignais qu'il dise aussi à Erdogan. Trump a commencé par dire que nous étions très proches d'une solution avec la Halkbank. Il venait de s'entretenir avec Mnuchin et Pompeo, et il m'a dit que nous allions traiter avec l'excellent gendre d'Erdogan (le ministre turc des Finances) pour lui ôter ce poids des épaules. Erdogan a été très reconnaissant, s'exprimant même en anglais. Puis il est passé au dossier syrien. Il a dit que Trump connaissait les attentes des Unités de protection du peuple, les YPG (une milice kurde syrienne faisant partie des Forces démocratiques syriennes), et de l'organisation terroriste FETO (le mouvement Gülen), qu'Erdogan avait qualifiées de menaces contre la sécurité nationale turque qui empoisonnaient les relations bilatérales entre Washington et Ankara. Néanmoins et contrairement aux faits, Erdogan s'est plaint de la formation offerte par les États-Unis aux forces de l'YPG - qui comptaient de 30 à 40 mille nouvelles recrues - et de la différence entre la volonté politique de Trump et les activités de l'armée américaine sur le terrain, qui dans son esprit lui faisait se poser beaucoup de questions. La Turquie, disait Erdogan, voulait se débarrasser de Daech et du PKK, bien que, selon moi, il employait « PKK » plutôt pour faire référence aux combattants kurdes en général.

Trump lui a dit qu'il était prêt à quitter la Syrie si la Turquie voulait se charger du reste de Daech ; la Turquie ferait le reste et nous nous retirerions tout simplement. Erdogan a donné sa parole sur ce point, mais il a ajouté que ses forces armées avaient besoin de soutien logistique. Enfin est venu le point épineux. Trump a dit qu'il me demanderait (j'écoutais l'appel téléphonique, selon l'usage habituel) de travailler immédiatement sur un plan de retrait américain, la Turquie prenant alors le leadership du combat contre Daech. Il m'a dit d'y travailler discrètement, mais que nous allions partir, car Daech était fini. Trump m'a demandé de m'exprimer, ce que j'ai fait en disant que j'avais entendu ses instructions. Lorsque l'appel s'est terminé, après encore quelques échanges sur la Halkbank, Trump a dit qu'Erdogan devait travailler avec moi sur le volet militaire (en me disant de faire du bon travail) et avec Mnuchin sur le dossier Halkbank. Erdogan a remercié Trump en lui disant qu'il était un dirigeant très pragmatique. Peu de temps après, Trump a suggéré que nous rédigions une déclaration stipulant que nous avions gagné le combat contre Daech, que nous avions rempli notre mission en Syrie et que nous nous retirions. Il ne faisait aucun doute dans mon esprit que Trump utilisait le retrait de Syrie comme une promesse de campagne, comme pour l'Afghanistan, car il était déterminé à dire qu'il avait tenu parole. J'ai appelé Mattis, peu après, pour le briefer ; inutile de dire qu'il n'était pas emballé.

Pour moi, il s'agissait d'une crise personnelle. Je voyais le retrait de Syrie comme une énorme erreur, à la fois à cause des menaces persistantes de Daech et du fait que l'influence réelle de l'Iran ne cesserait de s'intensifier. Dès le mois de juin, j'avais plaidé auprès de Pompeo et Mattis pour l'arrêt de notre politique au coup par coup, en Syrie, consistant à ne considérer qu'une zone à la fois (par exemple, Manbij, Idlib, la zone d'exclusion au Sud-Ouest, etc.), et de penser à plus grande échelle. L'essentiel du califat territorial de Daech ayant disparu (bien que la menace de Daech elle-même soit loin d'être anéantie), penser à plus grande échelle signifiait stopper l'Iran. Maintenant, toutefois, si les États-Unis abandonnaient les Kurdes, ils devraient soit s'allier avec Assad contre la Turquie, que les Kurdes considéraient à bon droit comme la plus grande menace (renforçant ainsi Assad, le relais de l'Iran), ou bien se battre seuls, courant vers une défaite certaine, pris entre les feux d'Assad et d'Erdogan. Que faire ?

Tout d'abord, le 18 décembre, Mattis, Dunford, Coats, Haspel, Pompeo et moi (et quelques autres) nous sommes réunis dans le « Tank » du Pentagone, plutôt que dans la Salle de Crise, pour attirer moins l'attention. S'appuyant sur l'appel Trump-Erdogan, les Turcs affirmaient à qui voulait les entendre que nous laissions le nord-est de la Syrie à leurs bons soins. Les dangers potentiels sur le terrain étaient considérables, à commencer par les milliers de combattants de Daech prisonniers sous la garde des Turcs, attendant une décision les concernant. Les estimations du nombre de prisonniers variaient, en partie à cause des différentes définitions : étaient-ils des « combattants terroristes étrangers », c'est-à-dire d'origine extérieure au Moyen-Orient ? Ou des combattants d'origine extérieure à la Syrie et à l'Irak ? Ou tout simplement des locaux ? Quel que soit ce nombre, nous ne voulions pas qu'ils partent en masse aux États-Unis ou en Europe. À la mi-décembre, Trump a suggéré d'amener les prisonniers de Daech du nord-est de la Syrie à Guantánamo, mais Mattis s'y est opposé. Trump a alors insisté pour que les autres pays reprennent leurs ressortissants des camps kurdes, ce qui était loin d'être déraisonnable, mais ce à quoi les gouvernements étrangers se montraient très réticents, car ils ne voulaient pas que les terroristes rentrent chez eux. Personne ne l'a fait, mais cette résistance ne contribuait pas à une grande solution. Les événements ont continué de se succéder, mais nous n'avons pas réussi à résoudre le problème avant mon départ de la Maison Blanche.

Finalement, combien de temps exactement faudrait-il aux États-Unis et aux forces coalisées pour quitter ce théâtre d'opérations en bon ordre et en toute sécurité ? Les planificateurs de Dunford ont estimé qu'il faudrait 120 jours ; cela n'allait certainement pas se faire en 48 heures. J'ai demandé à maintenir la zone d'exclusion d'Al-Tanf, située en territoire syrien à la jonction des trois frontières syrienne, jordanienne et irakienne ; pas dans le nord-est de la Syrie, que les forces américaines tenaient. Le contrôle d'Al-Tanf neutralisait un point de passage frontalier clé sur la route entre Bagdad et Damas, ce qui forçait l'Iran et les autres à passer d'Irak en Syrie, à un passage plus éloigné au nord. Étonnamment, Mattis était sceptique sur la valeur d'Al-Tanf, probablement parce qu'il était focalisé sur Daech plutôt que sur l'Iran, qui était ma principale préoccupation. Personnellement, je suis resté concentré sur Al-Tanf durant tout mon mandat de conseiller à la sécurité nationale. De plus, pourquoi abandonner un territoire sans aucune contrepartie ?

Comme nous en avons convenu, Mattis, Dunford, Pompeo et moi avons appelé nos Alliés pour les préparer à ce qui allait se passer, car nous ne recevions aucun signe de soutien. Philippe Étienne m'a dit que Macron voudrait certainement s'entretenir avec Trump au sujet de cette décision, ce qui ne m'a pas surpris. D'autres réactions étaient également prévisibles. J'étais dans le Bureau ovale cet après-midi-là lorsque l'appel de Macron a eu lieu, et il n'était pas content. Trump l'a balayé d'un revers de main en lui disant que nous en avions terminé avec Daech et que la Turquie et la Syrie s'occuperaient du reste. Macron lui a répondu que la Turquie était focalisée sur ses attaques contre les Kurdes et qu'elle transigerait avec Daech. Il a plaidé auprès de Trump contre le retrait en lui disant que nous gagnerions dans un laps de temps très court et que nous devions finir le travail. Trump acceptant de consulter ses conseillers à nouveau, il m'a demandé de parler avec les hommes de Macron (ce que j'avais déjà fait), et a dit à Mattis et Dunford qu'ils devaient rencontrer leurs homologues. Presque immédiatement, Mattis a appelé pour dire que la ministre française de la Défense, Florence Parly, n'était pas du tout contente de la décision de Trump. L'ambassadeur israélien, Ron Dermer, m'a dit que c'était la pire journée qu'il ait connue jusqu'à présent sous l'Administration Trump.

Le lendemain, mercredi 19 décembre, Mattis, Pompeo et moi-même prenions notre petit-déjeuner hebdomadaire dans le mess des officiers, dont l'ambiance était dominée par notre discussion sur la Syrie, sans oublier notre longue discussion de la veille au Pentagone. De nombreux articles étaient sortis dans la presse, remplis d'inexactitudes qui, d'après moi, venaient largement du Pentagone par le biais d'alliés au Congrès. Plus tard dans la journée,

Trump a tweeté une vidéo avec ses propres explications, et la Maison Blanche a été submergée d'appels de la presse et du Congrès. Ces appels, autres que ceux du NSC, ciblaient une fois encore le mur à la frontière mexicaine et les sujets liés à l'immigration. Les républicains au Congrès étaient presque unanimement opposés à la décision de Trump concernant la Syrie. Mais ils affirmaient pour la plupart vouloir éviter les médias, une inhibition que ne partageaient pas les démocrates. Cependant, l'acquiescement des républicains aux politiques de sécurité nationale erronées n'a pas aidé le pays, ni finalement le parti. J'ai fait part à Trump de la réaction négative du site web *The Hill* mais il n'y a pas cru, se fiant probablement à Rand Paul, qui lui assurait qu'il représentait la véritable base du parti. Comme si cela ne suffisait pas, la Turquie avait arrêté un membre de la Garde de l'armée nationale du Texas en service sur la base aérienne d'Incirlik, près d'Adana (ce problème, contrairement au cas Brunson, a été vite résolu).

Le jeudi, Trump a compris qu'il se faisait descendre en flammes par les médias au sujet du retrait de la Syrie, ce qui était un petit échantillon de ce qui arriverait s'il lançait le retrait complet d'Afghanistan. Nous en avons conclu qu'il n'était pas avisé de fixer une date butoir pour le retrait, mais nous avons souligné qu'il devrait être réalisé de manière « ordonnée » – une bouée sauvetage que nous a offerte l'armée turque en cadeau. Ses chefs savaient parfaitement bien qu'ils devaient tenir des discussions entre militaires au sujet d'un transfert ordonné du pouvoir dans une région, pour ainsi non gouvernée, avant que la passation proposée par Trump puisse réussir. Ces échanges prendraient du temps, et de fait la délégation américaine ne se préparait à partir pour Ankara que le lundi suivant, la veille de Noël.

Cet après-midi-là, j'ai appris que Mattis était seul avec Trump dans le Bureau ovale, et qu'une cérémonie officielle de signature de loi préalablement programmée traînait en longueur. Alors que nous parlions, Mattis est sorti, immédiatement suivi de Trump. J'ai su instantanément qu'il se passait quelque chose. Mattis semblait étonné de me voir attendre là, mais il m'a serré la main sans le laisser paraître. Trump a dit : « John, venez par ici. », ce que j'ai fait. Nous nous sommes retrouvés tous les deux dans le Bureau ovale. « Il nous quitte, m'a dit Trump. Je ne l'ai jamais vraiment aimé. »

Après la cérémonie de signature officielle, Trump et moi avons parlé pendant environ vingt minutes sur la manière de gérer le départ de Mattis. Trump voulait publier un tweet avant que la machine des relations publiques de Mattis se mette en branle. Mattis avait remis à Trump une longue lettre expliquant pourquoi il partait, indéniablement écrite pour être communiquée au grand public, et que Trump n'avait pas lue. Il l'avait simplement posée sur le *Resolute* desk d'où elle avait été ensuite déplacée, au moment de la cérémonie de signature officielle. Lorsque nous l'avons retrouvée, j'ai lu avec surprise que Mattis voulait conserver son poste jusqu'à la fin février, passant le temps restant de son mandat comme secrétaire de la Défense à témoigner devant le Congrès et à s'exprimer à la réunion des ministres de la Défense des pays de l'OTAN, en février. Encore plus surprenant pour Trump, étant donné la teneur de ses conversations avec Mattis, était la substance de la lettre, qui rejetait la politique de Trump. J'ai expliqué à Trump que le calendrier était complètement intenable, bien que je ne sois pas sûr qu'il l'ait complètement imprimé. Cependant, il exprimait de plus en plus son désamour pour Mattis. « J'ai créé un monstre quand je l'ai surnommé le "chien fou" », m'a dit Trump, ce qui, au moins, était partiellement correct. (Le vrai surnom de Mattis était le "chaos".) Je suis retourné à mon bureau et j'ai appelé Pompeo à 17 h 20, et à ce moment-là, le tweet de Trump était publié et la déferlante de la presse concernant Mattis arrivait. Pompeo m'a dit que Mattis, en chemin vers la Maison Blanche, s'était arrêté au département d'État pour lui remettre une copie de sa lettre de démission, où il lui a dit : « Le président ne m'accorde plus aucune attention. C'est sa façon de dire qu'il ne veut plus de moi. Il est temps que je parte. » J'ai pensé que tout cela était vrai, et Pompeo était d'accord avec moi.

Bien sûr, tout ce remue-ménage autour de Mattis affectait les dossiers syrien et afghan, particulièrement parce que, selon Mattis, l'ordre de retrait des forces américaines de Syrie proclamé par Trump était le facteur déterminant de sa démission. Néanmoins, la question de sa succession restait posée. Le samedi, deux jours après la réunion de Mattis dans le Bureau ovale, Trump m'a dit vers 18 h 15 qu'il n'allait pas attendre le mois de février pour officialiser le départ de Mattis et qu'il avait décidé de nommer le secrétaire adjoint à la Défense, Pat Shanahan, comme secrétaire à la Défense par intérim. (À ce stade, Trump était tiraillé entre nommer Shanahan comme secrétaire à plein temps ou bien nommer le général à la retraite,

Jack Keane, comme secrétaire par intérim.) De plus, Trump voulait maintenant que Mattis s'en aille immédiatement, sans même venir au Pentagone le lundi. Je lui ai signalé que c'était presque Noël, et Trump m'a dit : « Noël, c'est pas avant mardi. On devrait le virer aujourd'hui. »

Le dimanche 23 décembre, j'ai parlé avec Trump juste avant un appel d'Erdogan à 10 heures. Trump venait de conclure « une bonne conversation » avec Shanahan, au cours de laquelle il avait trouvé ce dernier « très impressionnant ». Trump se demandait pourquoi il n'avait pas été aussi impressionné lors de leurs précédentes rencontres. Il a répondu à sa propre interrogation, et j'ai été d'accord avec lui sur ce point, en disant que Shanahan « avait été placardisé là-bas [au Pentagone] par Mattis », et en ajoutant « il vous adore, vous et Pompeo. » Une date de départ au 1er janvier laisserait toutefois Mattis en place jusqu'au 31 décembre, et Trump continuait de gronder qu'il voulait qu'il parte immédiatement. Je lui ai dit que je verrais ce qui pourrait être fait et j'ai immédiatement appelé Shanahan, qui était en famille à Seattle. Je lui ai suggéré que, Noël ou pas Noël, il devait songer à regagner Washington immédiatement. J'ai également appelé Dunford. Je l'ai joint alors qu'il atterrissait à la base aérienne de Bagram en Afghanistan. Je lui ai relaté ce qui s'était passé avec Erdogan en Syrie, et avec Mattis, ce qu'il a apprécié, parce que personne d'autre ne lui avait relayé les news du Pentagone. Je lui ai assuré que Trump voulait qu'il reste le chef d'état-major des armées, ce que j'avais un peu embelli, tout en espérant que ce soit vrai et approprié pour apaiser toutes les inquiétudes du bouleversement causé par Mattis. Pour l'instant au moins, nous semblions avoir retrouvé un semblant de stabilité.

Mais ce n'était pas le cas de la Syrie. Pendant le week-end, Trump a voulu parler une nouvelle fois avec Erdogan au sujet de deux points : premièrement, qu'il n'attaque pas les troupes américaines en Syrie, et deuxièmement, qu'il attaque bien Daech et non pas les Kurdes ; ces deux points étaient légitimes, mais il était un peu tard pour les faire respecter après sa conversation téléphonique antérieure avec Erdogan, et la publicité qui en avait découlé. Ainsi, après les salutations et les remarques préliminaires, Trump a dit que, premièrement, il voulait qu'Erdogan se débarrasse de Daech, et qu'il apporterait son assistance si la Turquie en avait besoin. Deuxièmement, il a insisté pour qu'Erdogan ne s'en prenne pas aux

Kurdes et qu'ils ne les tuent pas, en soulignant qu'ils étaient appréciés de beaucoup de gens pour avoir combattu à nos côtés contre Daech pendant des années. La Turquie et les Kurdes devraient combattre ensemble ce qui restait des forces de Daech. Trump a reconnu qu'une telle stratégie serait un changement pour Erdogan, mais il a encore une fois mis en avant à quel point les Kurdes étaient soutenus aux États-Unis. Trump en est ensuite venu à ce qu'il pensait être l'élément décisif : la perspective d'un surplus d'échanges commerciaux entre les États-Unis et la Turquie. Erdogan s'est donné beaucoup de mal pour dire qu'il portait les Kurdes dans son cœur et vice versa, mais il a ajouté que les YPG-PYD-PKK (trois groupes kurdes en Turquie et en Syrie, neuf initiales qu'Erdogan a débitées à toute allure comme s'il épelait son propre nom) manipulaient les Kurdes et qu'ils ne les représentaient pas. Il a mentionné que son gouvernement avait des parlementaires et des ministres kurdes, que les Kurdes avaient une grande affection pour lui et qu'il était le seul dirigeant qui pouvait tenir de grandes réunions dans les régions kurdes. Il n'avait aucune intention de tuer quiconque à l'exception des terroristes. Nous avions déjà entendu ce discours, c'était la propagande habituelle du régime d'Erdogan.

Des rassemblements ! Quoi de plus séduisant pour Trump ! À ce moment-là, s'apercevant qu'il se faisait piéger sur les Kurdes – ceux qu'Erdogan projetait d'éliminer contre ceux qui adoraient venir écouter Trump, une distinction que nous ne comptions pas expliquer à Erdogan – Trump m'a demandé ce que je pensais des commentaires d'Erdogan. Sur le coup, je lui ai dit que nous devions nous en remettre aux discussions à venir entre nos militaires respectifs, pour distinguer les terroristes des non-terroristes. Mon sentiment était qu'analyser cette question ne nous mènerait nulle part, et donc ne ferait que reporter notre retrait de Syrie.

La veille de Noël et le jour de Noël ont été tranquilles. À 21 heures 45, le soir de Noël, mon détachement du service secret et moi-même sommes partis à la base aérienne Andrews, où, sous d'extraordinaires conditions de sécurité, Trump, la Première dame et un petit groupe d'accompagnateurs sont montés à bord d'Air Force One pour se rendre en Irak (huit fuseaux horaires de plus que Washington). Après un somme, je me suis réveillé à temps pour voir que la nouvelle de ce voyage n'avait pas fuité et que la sécurité était suffisante pour que nous puissions continuer jusqu'à notre destination : la base aérienne d'Al-Asad. Là, nous devions rencontrer, entre autres, le Premier ministre irakien Adel Abdel Mahdi et plusieurs hauts fonctionnaires de premier plan. Trump, lui aussi, s'est réveillé « tôt », même s'il était déjà l'après-midi, en Irak. Nous avons alors passé un bon bout de temps à bavarder dans son bureau avec le petit nombre d'entre nous qui était réveillé. Nous avons balayé un spectre de sujets allant de ce qu'il allait dire à l'armée et aux corps de Marines à Al-Asad jusqu'au discours de janvier sur l'état de l'Union en passant par les vœux de nouvel an à Xi Jinping et la question de savoir si Trump devait recevoir le prix Nobel de la paix. Trump a également évoqué la rumeur politique largement répandue selon laquelle il allait écarter Pence du ticket présidentiel de 2020 au profit de Nikki Haley, en me demandant ce que j'en pensais. Les potins de la Maison Blanche disant qu'Ivanka et Kushner étaient favorables à ce choix allaient bon train, ce qui collait avec le fait qu'Haley avait quitté son poste d'ambassadrice auprès des Nations Unies en décembre 2018. Cela lui permettait de faire campagne dans le pays avant d'être nommée vice-présidente sur le ticket en 2020. L'argument politique en faveur d'Haley était qu'elle pourrait faire revenir les votes des femmes que Trump s'étaient aliénés. En revanche, il se disait que les évangélistes qui soutenaient Pence n'avaient nulle part où aller en 2020, et que leurs voix n'étaient pas en péril si Haley prenait sa place. Je lui ai expliqué que se débarrasser de quelqu'un de loyal était une mauvaise idée et que cela risquait de lui aliéner des gens dont il avait besoin (qui pourraient rester à la maison, même s'ils ne votaient pas pour l'adversaire de Trump) sans que le remplacement génère nécessairement un soutien nouveau. Cela m'a semblé être aussi l'avis de Trump.

Nous avons atterri à Al-Asad à environ 19 heures, heure locale, dans le noir presque complet et sous la plus haute sécurité possible. Nous avons quitté Air Force One dans des Humvees lourdement armés pour nous diriger vers la tente où les commandants des forces armées nous attendaient. Alors que nous roulions, il est devenu clair que nous n'étions pas certains qu'Abdel Mahdi vienne. Pour des raisons de sécurité, il n'avait été prévenu qu'au dernier moment, mais nous avons su qu'un avion était en vol, au départ de Bagdad. La seule question était de savoir si Abdel Mahdi était dedans ou non ! Pour accueillir le président et la première dame, sous la tente affublée de drapeaux et dressée de tables entourées de chaises, étaient présents le lieutenant général de l'armée de terre, Paul LaCamera ; le commandant de l'opération Inherent Resolve[49] (en Irak et en Syrie) ; le brigadier général de l'armée de l'air, Dan Cain (surnommé « Raisin' ») ; le commandant en second et plusieurs autres personnes. Je voulais qu'il y ait un peu plus d'« Inherent Resolve » dans le gouvernement, donc j'ai pris LaCamera à part pour lui demander expressément de souligner la menace que représentait l'Iran en Syrie, en plus de tout ce qu'il avait prévu de dire.

Si je devais choisir un moment précis dans le temps qui a sauvé la présence militaire américaine en Syrie (au moins durant la fin de mon exercice à la Maison Blanche), cela serait celui-ci : assis sous la tente, à cette table de conférence de fortune, avec le président et la première dame aux places d'honneur, et nous autres sur les côtés, après le passage obligé devant la meute des journalistes du voyage. La presse est partie vers 20 heures, et LaCamera et ses collègues ont commencé ce qu'ils, j'en suis sûr, pensaient n'être qu'un briefing habituel où ils allaient parler et le président écouter. Quelle surprise les attendait ! LaCamera n'était pas allé plus loin que « nous devons quitter la Syrie comme deux et deux font quatre » lorsque Trump l'a interrompu avec des questions et des commentaires. À un moment donné, LaCamera a dit : « Je peux protéger nos intérêts en Syrie durant le retrait, et je peux le faire d'ici. » Trump a ajouté qu'il avait dit à Erdogan de ne pas attaquer les forces américaines en Syrie, et LaCamera et Caine ont expliqué ce qu'ils étaient en train de faire contre Daech, lorsque Trump leur a demandé : « Pouvez-vous leur mettre une branlée et les dégager d'ici ? » Ils ont tous les deux répondu : « Yes, sir », et Trump leur a dit : « Voici mon ordre : dégagez-les. » LaCamera s'est mis à expliquer que les États-Unis avaient cherché à construire un « partenariat » au fil des années, mais Trump l'a interrompu pour dire qu'il avait donné des délais supplémentaires pour défaire Daech et qu'il en avait assez de donner des rallonges. Il a alors demandé : « Que pouvons-nous faire pour protéger les Kurdes ? » et je suis intervenu pour dire aux commandants que le ^résident avait dit expressément à Erdogan qu'il ne voulait qu'aucun mal ne soit fait aux Kurdes qui nous avait aidés en Syrie. LaCamera et Caine ont expliqué qu'ils pouvaient en finir avec le califat territorial de Daech dans les deux ou quatre prochaines semaines.

49 Détermination inhérente (NDT).

« Faites-le, vous avez le feu vert pour ça », a dit Trump, en leur demandant pourquoi Mattis et les autres n'avaient pas pu finir le job depuis un an et demi. Trump a commencé à se dire qu'il entendait beaucoup de ces informations pour la première fois, ce qui pouvait être vrai ou pas, mais qui restait son point de vue.

Alors que la discussion avançait, LaCamera a signalé que la base d'Al-Asad était cruciale pour maintenir la pression sur l'Iran. Trump a demandé, perplexe : « Rester en Irak met plus de pression sur l'Iran ? » L'ambassadeur américain en Irak, Douglas Silliman, a répondu : « Oui », catégoriquement, et LaCamera et les autres ont acquiescé. Trump a commencé à tirer la réunion vers une conclusion en affirmant qu'il voulait « un retrait brutal » de Syrie et qu'il voyait la présence durable américaine en Irak comme un « élément central » pour plusieurs raisons. Je me suis décidé à forcer ma chance en demandant à LaCamera et à Caine quelle était la valeur de la zone d'exclusion d'Al-Tanf. LaCamera a répondu : « Je n'en ai pas encore discuté avec mes supérieurs », au moment où je l'ai interrompu, en pointant le président du doigt, et que je lui ai dit : « C'est le moment ! » LaCamera, à son crédit, s'est vite repris et a dit que nous devions nous maintenir à Al-Tanf. Trump a répondu : « OK ! Nous déciderons du calendrier plus tard. » Trump et la Première dame sont partis peu après sous la tente du mess pour rencontrer les membres du service, pendant que Stephen Miller, Sarah Sanders et moi sommes restés avec LaCamera, Caine et les autres commandants pour rédiger une déclaration que nous pourrions rendre publique. Nous avons écrit que le président et les commandants « ont discuté d'un retrait de Syrie massif, délibéré et ordonné des États-Unis et des forces coalisées, et de l'importance de la présence durable américaine en Irak pour prévenir la résurgence de la menace territoriale de Daech et pour protéger les intérêts américains ».

Nous sommes tous tombés d'accord pour dire qu'il s'agissait d'un résumé fidèle de la réunion.

J'avais trouvé la conclusion de cette réunion fantastique, non pas parce que nous avions trouvé une décision finale concernant l'activité militaire américaine en Syrie, mais parce que Trump en était sorti avec une appréciation très différente de ce que nous faisions et pourquoi cela important. Combien cela durerait était une autre question, mais j'avais prévu d'agir alors que ses souvenirs étaient encore frais. Et pourquoi les conseillers de Trump ne l'avaient-ils pas amené en Irak ou en Afghanistan plus tôt ? Nous avions tous échoué collectivement sur ce sujet.

Au moment où nous avons terminé de rédiger la déclaration, il était clair que le Premier ministre Abdel Mahdi n'allait pas venir, une grosse erreur de sa part. Ses conseillers l'avaient convaincu qu'il était malvenu pour le Premier ministre irakien de rencontrer le président des États-Unis sur une base américaine, en dépit du fait que nos bâtiments se trouvaient au beau milieu d'une base irakienne (qui avait d'ailleurs été à nous autrefois). Au lieu de se rencontrer, ils ont eu un bon entretien téléphonique, et Trump a invité Abdel Mahdi à la Maison Blanche, un signe positif. Nous avons roulé jusqu'à un hangar, où Trump s'est adressé aux soldats. Il a été reçu avec enthousiasme. Même les Américains insensibles à notre pays et indifférents à sa grandeur auront été touchés par l'enthousiasme, l'optimisme et la détermination de nos militaires, même au milieu du désert irakien. C'était véritablement l'« inherent resolve », la détermination inhérente de l'Amérique dans sa chair. Cette réunion s'est terminée vers 22 h 25 et notre file de véhicules s'est remise en route dans le noir vers Air Force One pour s'envoler vers la base aérienne de Ramstein en Allemagne pour faire le plein.

J'ai appelé Pompeo pour lui relater la visite en Irak puis j'ai parlé à Shanahan et Dunford (qui était en Pologne, ayant quitté Al-Asad, la veille au soir). Nous avons atterri à Ramstein à 1 h 45, heure allemande. Là, nous avons rencontré les commandants américains puis nous nous sommes rendus dans un hangar garni d'une foule de soldats attendant d'accueillir le commandant en chef (à deux heures du matin !). Trump serra des mains et prit des selfies avec de nombreux soldats le long de la cordelette que la base avait installée. Puis, de retour dans Air Force One, nouveau départ pour Andrews où nous avons atterri à 5 heures du matin le 27 décembre, avec seulement 20 minutes de retard par rapport à l'horaire prévu.

Trump m'a appelé plus tard dans l'après-midi pour m'exhorter à mettre en œuvre très rapidement le « plan de deux semaines » pour en finir avec le califat territorial de Daech en Syrie. Je lui ai dit que j'avais entendu « de deux à quatre semaines » des bouches mêmes de LaCamera et Caine, ce qu'il n'a pas contesté, mais il m'a quand même dit : « Appelez-le “le plan de deux semaines”. » J'ai briefé

Dunford plus en détail, remarquant presque aussitôt après le départ de Mattis, que Dunford était capable de gérer l'éventail de priorités confuses, parfois contradictoires, que Trump avait pour la Syrie (se retirer, écraser Daech, protéger les Kurdes, décider comment gérer Al-Tanf, ne pas relâcher les prisonniers, garder la pression sur l'Iran). Ils s'agissaient d'explosions présidentielles, de commentaires à l'emporte-pièce, de réactions impulsives, et non d'une stratégie cohérente et construite. Ces éléments étaient dispersés et nous devions nous débrouiller pour les relier les uns aux autres et parvenir à un résultat satisfaisant. Ce que Dunford et moi craignions, ainsi que beaucoup d'autres, c'était un retour de Daech dans des régions qu'elle avait anciennement contrôlé, menaçant ainsi, encore une fois, d'en faire des bases à partir desquelles elle pourrait lancer des attaques terroristes contre l'Amérique et l'Europe.

Je voulais aussi minimiser tout gain potentiel pour l'Iran, une chose que Mattis n'avait jamais, semble-t-il priorisée et que Dunford comprenait beaucoup mieux. Lui et moi avons discuté d'un plan pour accommoder toutes ces priorités. Ce plan était difficile, mais bien supérieur au style de Mattis, qui avait changé de cap, passant d'une présence en Syrie d'une durée indéfinie, à l'exécution du souhait du président : se retirer immédiatement. Étant donné qu'Erdogan semblait penser qu'un « bon Kurde est un Kurde mort », malgré ses grandes déclarations d'intention, Dunford pensait que l'objectif militaire immédiat de la Turquie en Syrie était d'expulser les Kurdes de la zone longeant la frontière turco-syrienne, puis de déplacer des centaines de milliers de réfugiés syriens de la Turquie vers des zones frontalières, maintenant dépeuplées, de l'autre côté de la frontière. Il a suggéré de créer une force de supervision sous la responsabilité de l'OTAN, soutenue par le service américain du renseignement, de la surveillance et de la reconnaissance ; par une couverture aérienne ; et par une cellule d'urgence, capable d'intervenir si jamais les éléments de la force de supervision se trouvaient en difficulté, avec un minimum de forces américaines sur le terrain. J'ai été également content lorsque Dunford s'est aussitôt rallié à l'idée de garder des forces américaines à Al-Tanf, ce que ne voulait pas Mattis. Peut-être y avait-il moyen d'aller plus loin.

Dunford a proposé de se joindre au voyage en Turquie que je planifiais, puis il est resté ensuite pour parler aux militaires. J'étais d'accord avec ça. De cette façon, les Turcs entendraient le message d'un gouvernement américain uni ; cela réduisait d'autant leur possibilité d'exploiter des divergences parmi les différents acteurs américains, éternel ressort favori des gouvernements étrangers. J'ai briefé Pompeo sur ces discussions en lui disant que nous avions empêché une très mauvaise issue en Syrie et que nous travaillions désormais à construire quelque chose d'adéquat et de réalisable. Pompeo voulait être sûr que le représentant du département d'État pour le dossier syrien soit présent aux réunions concernant la Turquie, ce que j'ai accepté à reculons, parce que Pompeo lui-même m'avait dit deux jours avant Noël que Jim Jeffrey, un ancien ambassadeur américain en Turquie, « n'avait aucune sympathie pour les Kurdes, et voyait toujours la Turquie comme un partenaire fiable de l'OTAN ». C'était là des signes évidents de « clientélisme », un mal récurrent du département d'État où le point de vue étranger devient plus important que celui des États-Unis. Pompeo, Shanahan et moi nous sommes mis d'accord pour rédiger une « déclaration de principes » d'une page sur la Syrie pour éviter les incompréhensions, ce que le département de la Défense trouvait particulièrement important.

Le chef de la majorité au Sénat, Mitch McConnell, m'a appelé le 4 janvier, alors que j'étais en partance pour Israël, ma première étape avant la Turquie, pour me dire : « Je pensais à vous », à propos de la Syrie et de l'Afghanistan, en relevant que les derniers développements avaient évoqué « un haut niveau d'alerte » au Sénat. Je lui ai dit que l'objectif principal de ma visite était de mettre en œuvre exactement ce que nous allions faire en Syrie. Donc, le 6 janvier à l'hôtel King David à Jérusalem, lors d'une réunion officielle avec la presse qui voyageait avec moi, j'ai annoncé : « Nous souhaitons que ceux qui ont combattu à nos côtés en Syrie, dans l'opposition, particulièrement les Kurdes, mais aussi tous ceux qui ont combattu avec nous, ne soient pas mis en danger par le retrait de la coalition. C'est un point sur lequel le président a été très clair lors de sa conversation avec le président turc Erdogan. » C'était factuellement ce que Trump avait dit, et c'était toujours correct lorsque je l'ai déclaré en Israël. Plus tard dans la journée, heure de Washington, lorsqu'un journaliste a interrogé Trump sur mes commentaires alors qu'il montait à bord du Marine One pour se rendre à Camp David, il a répondu : « John Bolton est en ce moment même sur place, comme vous le savez. Et j'ai deux très grandes stars avec moi. John

Bolton fait un super boulot, et Mike Pompeo aussi fait un super boulot. Ils sont très forts et ils travaillent dur... On va avoir de très bons résultats. » Il est également vrai, bien sûr, que Trump a encore changé d'avis quand la Turquie a fait marche arrière après avoir lu cela et d'autres commentaires que j'ai faits à Jérusalem, lors d'une rencontre avec le Premier ministre Netanyahou. Voilà où nous en étions au départ de cette visite.

Trump m'a appelé le 6 janvier à environ 23 h 45. Il m'a dit : « Vous êtes réveillé, n'est-ce pas ? » ce qu'assurément je n'étais pas. Quelqu'un lui a dit que les Turcs étaient mécontents de certains de mes commentaires rapportés dans la presse. Bien évidemment, je n'avais rien dit que Trump n'ait pas dit à Erdogan. Néanmoins, Trump a dit plusieurs fois durant ce bref appel : « Ma base veut partir [de la Syrie] », ce qui voulait dire que ma visite en Turquie serait certainement très fun. En fait, le lendemain, alors que nous étions dans un vol au départ de Jérusalem, notre ambassade à Ankara a entendu dire qu'Erdogan était si irrité qu'il était à deux doigts d'annuler la rencontre avec moi. Dans les cercles diplomatiques, cela a été perçu comme un affront, mais je l'ai vu comme une preuve que notre politique en Syrie tapait dans le mille, du point de vue des États-Unis, bien sûr, pas de celui de la Turquie.

Après mon arrivée à Ankara à 16 h 35, heure locale, Pompeo m'a appelé pour me signaler que Trump n'était pas content d'un article paru dans le *New York Times* contenant plus d'erreurs que d'habitude, qui énumérait les contradictions de notre politique syrienne, et qui citait des déclarations des membres du gouvernement. Bien sûr, beaucoup de ces contradictions venaient de Trump lui-même, et Pompeo a reconnu que certaines de ses déclarations dénotaient par rapport aux miennes (comme de dire que nous n'allions pas permettre à la Turquie de « massacrer les Kurdes », ce qui n'avait pas reçu une très grande attention de la part des médias, mais qui avait très certainement irrité les Turcs). Nous avons convenu que notre ambassade ne devait pas demander de réunion avec Erdogan, et que nous avions peut-être atteint ce moment fatidique, que nous savions inévitable, où le désir de Trump de quitter la Syrie serait brisé par sa déclaration sur la protection des Kurdes. Voilà quelque chose qu'Erdogan ne tolérerait pas. Trump m'a appelé environ une heure plus tard. Il n'a pas apprécié les publications sur les désaccords internes au sein de l'Administration, mais il tenait davantage à savoir si le département de la Défense continuait de travailler activement sur le « plan de deux semaines » pour écraser le califat de Daech. J'ai insisté pour qu'il appelle Shanahan, afin de le rassurer, et je lui ai dit que j'allais bientôt rencontrer Dunford à Ankara, et que je le verrais lui-même dans la foulée.

Paradoxalement, le lendemain, le *Washington Post* a malheureusement publié que Trump et moi étions sur la même page du dossier syrien – « malheureusement », car le *Post* contredisait son propre article dans son édition de la veille. Toute cette couverture confuse de la presse écrite révèle, tout à la fois, les incohérences intellectuelles de Trump et celles des publications basées sur des sources de second et troisième niveaux ; des incohérences exacerbées par un président qui passait une partie disproportionnée de son temps à regarder ce que la presse disait de son Administration. Il est difficile au-delà de toute description de poursuivre une politique complexe dans une partie conflictuelle du monde, quand cette politique est sujette à des modifications instantanées dues à la perception du patron des informations, inexactes et souvent obsolètes, relatées par des journalistes qui n'ont pas à cœur de défendre, en premier lieu, les meilleurs intérêts de l'Administration. C'était comme rédiger une politique fédérale dans un flipper, plutôt que dans l'aile Ouest de la Maison Blanche.

Pendant ce temps, contrairement à la déclaration de principes, Jim Jeffrey a fait circuler une carte avec un code de couleurs montrant les parties du nord-est de la Syrie qu'il proposait à la Turquie de s'emparer et les parties que les Kurdes pouvaient conserver. Dunford n'aimait pas du tout ce que la carte montrait. J'ai demandé si notre objectif ne devrait pas être de maintenir la Turquie entièrement de son côté de la frontière avec la Syrie, à l'est de l'Euphrate, et Dunford a répondu que c'était assurément sa position. J'ai ajouté que je voulais voir le nord-est de la Syrie comme il était à ce moment-là, mais sans la présence des troupes américaines ; je savais que cela serait sans doute « mission impossible », mais je pensais que même si nous ne pouvions pas l'atteindre, cela devait au moins être notre objectif. Dunford était d'accord. À ce stade, Jeffrey s'est finalement rallié, et nous avons rédigé la déclaration de principes que nous allions donner aux Turcs. J'ai ajouté une phrase supplémentaire pour bien préciser que nous ne voulions pas voir les Kurdes maltraités ni souffrir parce que nous n'acceptions pas la présence turque, militaire ou non, dans le nord-est de la Syrie. Dunford et Jeffrey étaient d'accord avec cette déclaration, qui, en plus de la carte et des développements qui ont suivi après mon départ de la Maison Blanche, n'a aujourd'hui qu'un intérêt purement historique.

Sans surprise, Erdogan nous a fait savoir qu'il allait annuler sa réunion avec moi parce qu'il devait faire un discours au parlement. Comme nous l'avons appris plus tard, le discours d'Erdogan était une attaque planifiée contre ce que j'avais présenté comme étant la position des États-Unis. L'opinion d'Erdogan, elle, n'avait pas bougé d'un iota. Il voulait toujours que la Turquie ait carte blanche dans le nord-est de la Syrie, ce que nous ne pouvions pas accepter si nous voulions empêcher des représailles contre les Kurdes. Erdogan a essentiellement prononcé un discours de campagne (juste avant des élections législatives et présidentielles, dans lesquelles les soutiens d'Erdogan s'en sortiraient très mal) qui n'annonçait « aucune concession », et qu'il n'était « pas possible… de faire de compromis ». Sur le chemin du retour, j'ai briefé Pompeo au sujet des réunions en Turquie. Nous avons réalisé ensemble que nos points de vue sur les Kurdes étaient « inconciliables » avec celles de la Turquie et que les Turcs devaient être « très prudents ». Pompeo m'a dit que le ministre turc des Affaires étrangères, Mevlüt Çavuşoğlu, avait essayé de le joindre et qu'il prévoyait de lui dire : « Vous avez le choix. Soit vous nous avez, nous, sur votre frontière, soit vous aurez des Russes et des Iraniens [qui très certainement viendraient se positionner dans le nord-est de la Syrie après notre retrait]. Vous choisissez. » Je lui ai dit que cela me paraissait juste.

Ensuite, j'ai appelé Trump pour lui faire mon rapport. Il pensait que les Turcs étaient prêts depuis des mois au moment où ils ont franchi la frontière syrienne. Voilà pourquoi il voulait partir, en premier lieu, avant que la Turquie n'attaque les Kurdes avec nos hommes toujours sur place. Il a ajouté : « Erdogan se fiche de Daech », ce qui était vrai, puis il a dit que les États-Unis seraient toujours en mesure de frapper Daech, même après avoir quitté la Syrie, ce qui était également vrai. Trump était concentré sur son discours du soir portant sur le mur à la frontière mexicaine, le premier de son mandat en direct du Bureau ovale, et il a ajouté : « Ne montrez aucune faiblesse, ni quoi que ce soit », comme s'il ne comprenait pas que je lui décrivais des choses qui s'étaient déjà réalisées. « Nous ne voulons pas être engagés dans une guerre civile.

Ce sont des ennemis naturels. Les Turcs et les Kurdes se battent depuis de nombreuses années. Nous n'allons pas nous engager dans une guerre civile, mais nous allons anéantir Daech. »

Entre-temps, j'ai appris que, selon Dunford, le commandement militaire turc avait beaucoup moins envie d'aller en Syrie qu'Erdogan et il cherchait des raisons pouvant leur éviter de conduire des opérations militaires au sud de leur frontière, tout en disant simultanément qu'ils protégeaient la Turquie des attaques terroristes. Pour eux, m'a relaté Dunford : « C'est notre frontière mexicaine sous stéroïdes. » Dunford avait fait évoluer la déclaration de principes de manière cohérente, en proposant une zone tampon de vingt à trente kilomètres, hors de laquelle les armes lourdes des Kurdes devaient être déplacées, et qui seraient supervisées par une force internationale constituée majoritairement par des alliés de l'OTAN, qui s'assureraient qu'il n'y aurait aucune incursion kurde en Turquie, et vice versa, comme nous en avions parlé plus tôt à Washington. Les États-Unis continueraient de fournir une couverture aérienne et des services de recherche et de secours pour la force internationale, qui, selon Dunford et moi, nous permettraient de garder le contrôle de l'espace aérien au-dessus du nord-est de la Syrie. Dunford ne l'a pas souligné, mais le fait de rester à Al-Asad en Irak, suite aux consignes de Trump, nous permettait, le cas échéant, de retourner dans le nord-est de la Syrie, rapidement et en force, pour supprimer toute réapparition terroriste éventuelle de la part de Daech. Vu que selon moi, la priorité numéro un d'Erdogan était sa politique intérieure, cet arrangement pouvait être suffisant. Nous devions maintenant convaincre les Européens, mais c'était un problème auquel il faudrait répondre plus tard. Tandis que nous jouions de cette corde, ou que nous imaginions une meilleure idée, ce qui aurait pu prendre des mois, nous avions une très bonne raison de maintenir des forces américaines à l'est de l'Euphrate.

Concernant les Kurdes, Jeffrey devait présenter l'idée à leur commandant, le général Mazloum Abdi, pour voir sa réaction. Dunford était fataliste. Il pensait que les options de Mazloum étaient limitées, et qu'il aurait aussi besoin, dorénavant, d'une certaine assurance. J'ai alors parlé avec Pompeo, qui pensait que c'était la bonne approche et que les autres acteurs régionaux la soutiendraient. Les pays arabes n'avaient aucune sympathie pour la Turquie, et leurs ressources financières pouvaient faciliter la participation des Alliés de l'OTAN à une force de supervision internationale. Obtenir un partage des tâches plus équitable avec nos Alliés, et l'OTAN en particulier, était un cheval de bataille récurrent pour Trump, et à juste titre. Lors de la guerre du Golfe de 1990-1991, George H. W. Bush avait financé nos efforts de guerre en sollicitant les contributions des bénéficiaires de la région, comme le Koweït et l'Arabie saoudite, et d'autres, ainsi que des bénéficiaires plus distants comme le Japon. Cela a été fait avec un peu de gêne, mais cela a fonctionné, et personne n'a été embarrassé. Il n'y avait aucune raison pour que ça ne marche pas encore une fois.

J'ai continué d'expliquer cette approche à Trump. Le 9 janvier, parlant d'un autre sujet dans le Bureau ovale, Dunford a fait une présentation plus détaillée expliquant pourquoi une force internationale située dans une zone tampon au sud de la Turquie était faisable, et nous permettait de nous retirer sans mettre en danger les Kurdes, les autres alliés anti-Daech, et évidemment, notre réputation internationale. Dunford était maintenant un fervent défenseur de notre maintien à Al-Tanf, ce que le roi de Jordanie, Abdallah II, avait également réclamé à Pompeo lors dc sa visite, en lui expliquant que plus nous restions à Al-Tanf, plus la Jordanie était protégée contre le risque d'expansion du conflit syrien de l'autre côté de la frontière, jusque dans son pays. Trump était ravi que le « plan de deux à quatre semaines » soit mis en œuvre, même s'il espérait toujours avoir des résultats en deux semaines, ce qui n'allait pas se produire. Il semblait satisfait, mais cela ne l'a pas empêché de faire un long monologue sur l'échec de Mattis en Afghanistan et en Syrie. Il s'est ensuite demandé pourquoi, après avoir fait la guerre de Corée dans les années 1950, nous étions toujours là-bas, et il a terminé en critiquant l'ingratitude de plusieurs de nos Alliés qui vivaient à nos crochets. Je tiens à préciser que j'ai discuté plusieurs fois avec Trump de la partition « temporaire » de la péninsule coréenne en 1945, de l'avènement de Kim Il Sung, de la guerre de Corée et de son impact sur la guerre froide – vous voyez, ces vieux dossiers – mais, de toute évidence, je n'ai eu aucun impact. Nous avons subi ce cycle de manière répétée, toujours avec le même résultat. Tous les deux ou trois jours, quelqu'un poussait un bouton par inadvertance quelque part, et Trump répétait ses mêmes litanies.

Dunford s'est très bien défendu, et avec un minimum d'intervention de ma part, parce que je pensais qu'il était préférable, pour parvenir à un changement, de laisser Trump entendre les choses de la bouche de quelqu'un d'autre. Ceux qui étaient dans la pièce (Pence, Shanahan, Coats, Haspel, Mnuchin, Sullivan et d'autres) sont restés majoritairement silencieux. Cela a été la plus longue conversation entre Dunford et Trump, la première sans Mattis. Dunford s'est très bien comporté, et je me demandais comment les choses auraient pu tourner si Mattis n'avait pas agi comme un « général cinq étoiles », commandant tous les généraux quatre étoiles, mais comme un vrai secrétaire de la Défense, dirigeant la vaste machinerie du Pentagone. À voir Dunford jouer sa partition, il m'est apparu qu'il y avait du bon sens caché dans la proscription statutaire contre la nomination d'anciens généraux au poste de secrétaire de la Défense[50]. Ce n'était pas la crainte de voir une domination des militaires, mais plutôt le fait que ni le pôle civil ni le pôle militaire du commandement du Pentagone n'ont été très efficaces lorsqu'ils étaient dirigés par des soldats. Le rôle du secrétaire, plus étendu et inévitablement politique, ne convenant pas à quelqu'un venant de la sphère militaire, Mattis n'avait plus qu'à superviser Dunford et les autres chefs d'état-major, qui n'avaient absolument pas besoin de supervision militaire. Cela mettait également en lumière combien Mattis était peu convaincant en réunion, que ce soit dans la Salle de Crise ou dans le Bureau ovale. Il avait une réputation de guerrier intellectuel pour avoir sur lui une copie des *Pensées* de Marc-Aurèle, mais ce n'était pas un grand débatteur.

Toutes ces négociations sur notre rôle en Syrie ont été compliquées par le désir constant de Trump d'appeler Assad au sujet des otages américains. Pompeo voyait cela comme indésirable. Heureusement, la Syrie a sauvé Trump de lui-même en refusant de parler de ce sujet, même à Pompeo. Lorsque nous le lui avons rapporté, Trump a répondu avec colère : « Allez [leur] dire qu'ils vont le sentir passer, s'ils ne nous rendent pas nos otages, ça va leur faire mal. Dites-leur ça. On veut les récupérer dans une semaine à compter d'aujourd'hui, sans quoi ils n'oublieront jamais la cartouche qu'on va leur mettre. »

50 Aux États-Unis, un ancien militaire ne peut pas être nommé secrétaire de la Défense s'il n'est pas retraité depuis au moins sept ans (NDT).

Cela eut le mérite de mettre en stand-by l'appel téléphonique entre Trump et Assad. Nous n'avons donné aucune suite concernant le fait de frapper la Syrie.

Cependant, les efforts de création d'une force internationale de supervision ne progressaient pas. Un mois plus tard, le 20 février, Shanahan et Dunford ont dit que ce serait une précondition indispensable, pour les autres potentiels contributeurs à cette force, qu'il y ait au moins des forces américaines sur le terrain dans la « zone tampon » au sud de la frontière turque, avec un soutien logistique venant d'Al-Asad en Irak. Je n'avais absolument aucun problème avec cette idée, mais l'évoquer devant Trump était indubitablement délicat. Lors d'une réunion préliminaire, dans le Bureau ovale, pour préparer un appel avec Erdogan, le lendemain, j'ai dit que le Pentagone pensait qu'à moins de garder « quelques centaines » (une phrase délibérément vague) de soldats américains sur le terrain, nous ne pourrions tout simplement pas réunir une force multilatérale. Trump a réfléchi une seconde puis a donné son accord. Erdogan a dit qu'il voulait vraiment que la Turquie ait le contrôle exclusif de ce qu'il a appelé une « zone libre » dans le nord-est de la Syrie, ce qui pour moi était inacceptable. Le haut-parleur du téléphone du *Resolute desk* étant éteint, j'ai suggéré à Trump de simplement dire à Erdogan que Dunford allait mener ces négociations. Les militaires turcs seraient à Washington le lendemain, et nous devrions juste laisser les pourparlers entre militaires avoir lieu. Trump a suivi.

Ensuite, j'ai couru jusqu'à mon bureau pour annoncer la bonne nouvelle à Shanahan. Quelques heures plus tard, j'ai appelé Dunford pour m'assurer qu'il avait entendu, et il m'a dit : « Cher ambassadeur, je n'ai pas beaucoup de temps pour parler parce que nous sortons à l'instant, en l'honneur d'une cérémonie dont le but est de renommer le Pentagone le "Bolton Building" ». Il était content lui aussi et nous avons convenu que « quelques centaines » était une expression bien choisie (qui pouvait signifier jusqu'à quatre cents sans trop de licence poétique). Il ferait bien comprendre aux Turcs qu'il ne voulait pas de la présence de leurs troupes au sud de la frontière. J'ai appelé Lindsay Graham en insistant pour qu'il n'ébruite rien de façon à ce que les autres n'aient pas l'opportunité d'infléchir le cours des choses. Il m'a dit qu'il obtempérerait, se proposant d'appeler Erdogan, avec qui il avait de bonnes relations, pour apporter pleinement son soutien à la décision de Trump. Malheureusement, Sanders a publié un communiqué de presse, qui a causé beaucoup de confusion, sans le vérifier auprès de quiconque connaissant les faits. Nous devions expliquer que « quelques centaines » ne s'appliquaient qu'au nord-est de la Syrie, pas à Al-Tanf, où il pourrait y avoir environ deux cents soldats américains supplémentaires, pour un total d'au moins quatre cents. J'ai délibérément fait en sorte de ne jamais donner de chiffres plus précis, malgré la confusion des médias. Dunford m'a lui aussi confirmé qu'il avait rassuré le commandement central des États-Unis, qui s'inquiétait des articles de presse contradictoires, en me disant : « Ne t'inquiète pas, le bâtiment a été renommé en ton nom. »

Jusqu'au jour de ma démission, et avec quelques heurts occasionnels sur la route, telle a été la situation dans le nord-est de la Syrie. Le califat territorial de Daech était éliminé, mais sa menace terroriste restait encore bien vivace. Les perspectives d'une force d'observation multilatérale se sont dégradées, mais les troupes américaines étaient toujours présentes, fluctuant autour de 1 500 soldats dans tout le pays. Il était impossible de savoir combien de temps ce « statu quo » allait durer, mais Dunford allait le préserver jusqu'au 30 septembre, date de la fin de son mandat comme chef de l'État-major. La belligérance d'Erdogan restait effrénée, peut-être à cause de l'économie turque qui se dégradait et à cause de ses propres problèmes de politique intérieure. Trump a refusé d'imposer des sanctions suite à l'achat d'un S-400 par Erdogan, ignorant la grande consternation du Congrès.

Quand Trump s'est finalement fâché le 6 octobre 2019, et qu'il a de nouveau ordonné le retrait américain, j'avais quitté la Maison Blanche depuis près d'un mois. Le résultat de sa décision a été une débâcle complète pour la politique américaine et pour notre crédibilité dans le monde entier. Ce résultat ayant eu lieu neuf mois plus tôt, aurais-je pu l'éviter ? Je ne sais pas, mais les réactions politiques bipartisanes fortement négatives qu'a reçues Trump étaient entièrement prévisibles et entièrement justifiées. L'arrêter une deuxième fois aurait requis que quelqu'un se mette en travers du bus une seconde encore et trouve une alternative acceptable aux yeux de Trump. Cela ne semble pas s'être produit. Cependant, il y a eu de bonnes nouvelles : après des années d'effort, le 26 octobre, le Pentagone et la CIA ont éliminé Abou Bakr Al-Baghdadi lors d'un raid audacieux.

AFGHANISTAN : UNE DÉFENSE AVANCÉE

Fin 2018, l'Afghanistan était indubitablement un point très sensible pour Trump, un de ses principaux motifs de griefs à l'encontre de l'« axe des adultes », tant aimé des médias. Trump pensait, non sans justifications, qu'il avait donné toute latitude à Mattis pour liquider les talibans, comme le califat territorial de Daech. En Irak et en Syrie, l'objectif défini avait été réalisé (savoir si cela aurait dû être le seul et unique objectif est une autre histoire). En Afghanistan, par contre, l'objectif défini n'était pas en vue, et les choses prenaient indéniablement la mauvaise direction. Cela agaçait Trump. Il pensait qu'il avait eu raison en 2016, il pensait aussi qu'il avait eu raison après les échecs militaires en 2017 et 2018, et il voulait faire ce qu'il voulait faire. Un moment de vérité approchait.

Trump était opposé au maintien de la présence américaine en Afghanistan pour deux raisons qui étaient liées : premièrement, « mettre un terme aux guerres interminables » dans des contrées éloignées était un des thèmes de sa campagne, et deuxièmement, la mauvaise gestion persistante des affaires économiques et de sécurité déclenchait chez lui une crise de rage contre les dépenses futiles en programmes fédéraux. De plus, Trump pensait qu'il avait eu raison en Irak, et que tout le monde était maintenant d'accord avec lui. Euh, pas tout le monde.

L'argument que je mettais encore en avant, concernant les « guerres interminables », était que nous n'avions pas commencé ces guerres et que nous ne pouvions pas les terminer, rien qu'en le disant. À travers le monde musulman, les philosophies radicales qui avaient causé tant de morts et de destructions étaient idéologiques et politiques autant que religieuses. Tout comme la ferveur religieuse avait mené à des conflits humains depuis des millénaires, elle était le moteur de celui-ci, contre l'Amérique et plus généralement contre l'Occident. Il n'allait pas se terminer parce que nous en avions assez, ou bien parce que nous le trouvions gênant pour l'équilibre de notre budget. Le plus important dans ces guerres, en Afghanistan, en Irak, en Syrie ou dans n'importe quel autre pays, n'était pas de faire de ces endroits un pays où il ferait mieux vivre. Je ne suis pas un bâtisseur de nations. Je ne crois pas en ce qui est, après tout, une analyse marxiste selon laquelle un meilleur niveau de vie économique détournerait les gens du terrorisme. Il s'agissait d'empêcher l'Amérique de vivre un nouveau 11 septembre, ou même pire, un 11 septembre où les terroristes auraient des armes nucléaires, chimiques ou biologiques. Tant que la menace existait, aucun endroit ne serait suffisamment éloigné pour ne pas s'inquiéter. Après tout, les terroristes n'allaient pas venir en Amérique sur des bateaux à voile.

À l'époque où je suis arrivé, ce débat était maintes fois revenu sur le tapis. Le dossier était donc déjà très nourri. Ma première implication a eu lieu le 10 mai 2018 (la journée suivant le retour nocturne des otages de Corée), lorsque Zalmay Khalilzad, un ami que je connaissais depuis la mandature de Bush 41, et qui m'avait succédé en tant qu'ambassadeur auprès des Nations Unies en 2007, m'a rendu visite. « Zal », comme tout le monde l'appelait, un Afghan-Américain et aussi ancien ambassadeur en Afghanistan, m'a dit qu'il avait été approché par des gens prétendant parler de paix au nom de diverses factions de talibans. Il en avait parlé à d'autres dans le gouvernement des États-Unis qui pouvaient évaluer le sérieux de ces approches, mais il voulait d'abord échanger des infos avec moi au cas où cela se confirmerait vraiment ; ce qui fut le cas, comme me l'a appris Khalilzad fin juillet. Je ne voyais aucune raison pour que les contacts ne continuent pas davantage, même si je n'en attendais pas grand-chose. Alors, il est devenu dès lors un négociateur informel avec les talibans. En l'espace d'un mois, ce rôle avait évolué et Khalilzad faisait partie du nombre grandissant d'« envoyés spéciaux » du département d'État, un rôle commode qui évitait de devoir leur donnait un poste traditionnel.

Étant donné les réactions impulsives périodiques de Trump sur le prolongement de notre présence militaire en Afghanistan, le sentiment grandissant était que nous devions tenir une grande réunion avec le NSC, ou au moins organiser un briefing militaire, avant la fin de l'année. Je voulais que tout briefing ait lieu aussi longtemps que possible après les élections, mais pour des raisons que je n'ai jamais comprises, Mattis le voulait plus tôt. Il a finalement été programmé pour le 7 novembre, le lendemain des élections de mi-mandat. J'étais sûr que Trump serait mécontent de voir les républicains perdre le contrôle de la Chambre, quel que soit le résultat au Sénat. Mattis voulait-il que Trump se prononce de manière tranchée, en faveur du retrait, pour lui donner l'occasion de démissionner pour une question de principe ? Ou bien était-ce une volonté institutionnelle du Pentagone de rendre Trump pleinement responsable, et non pas les États-Unis, d'avoir échoué durant le déroulement de la guerre, et l'effondrement de la très appréciée stratégie anti-insurrectionnelle à la fois en Afghanistan et en Irak ? Pompeo était d'accord avec moi pour dire que le briefing aurait dû se tenir plus tard en novembre, mais nous ne pouvions rien y faire.

À 13 heures, le jour des élections, j'ai rencontré Khalilzad, qui pensait qu'il aurait plus de temps pour négocier avec les talibans que ce que je croyais, parce que, selon moi, Trump allait crever l'abcès, peut-être le lendemain. Pence m'a dit que Mattis défendait encore l'idée que nous faisions des progrès militaires en Afghanistan et que nous ne devions pas changer notre fusil d'épaule. Pence savait aussi bien que moi que Trump n'y croyait pas, et il y avait des preuves concrètes qui montraient que Mattis avait tort. Ici, encore une fois, ce n'était pas tant que j'étais en désaccord avec le discours de Mattis, mais plutôt que c'était frustrant de voir qu'il était déterminé à aller droit dans le mur sur l'Afghanistan (comme sur la Syrie), et qu'il n'avait aucun argument alternatif lui évitant d'avoir une « mauvaise » réponse. Kellog a assisté à la réunion Pence-Mattis et m'a dit plus tard que Mattis avait simplement répété ce qu'il disait depuis deux ans. Rien d'étonnant à ce que Trump soit frustré par ceux qu'il appelait « ses » généraux. Selon mon instinct d'avocat, c'était la meilleure façon de perdre. En vérité, je n'avais pas de meilleure réponse. C'est pourquoi je voulais plus de temps après les élections avant d'avoir ce briefing.

Le 8 novembre à 14 heures, Pence, Mattis, Dunford, Kelly, Pompeo, Coats, Haspel, moi-même et d'autres nous sommes réunis dans le Bureau ovale. Pompeo a commencé, mais Trump est rapidement intervenu : « Nous sommes en train d'être battus, et ils savent qu'ils nous battent. » Puis il s'est lâché, rageant contre l'inspecteur général spécial pour la reconstruction de l'Afghanistan, dont les rapports nous informaient de manière répétée du gaspillage de fonds publics, mais qui apportaient également des informations incroyablement précises sur la guerre, que n'importe quel autre gouvernement aurait tenues secrètes. « Je pense qu'il a raison, a affirmé Trump, mais d'après moi, c'est une honte qu'il puisse rendre de telles choses publiques. » Mentionnant Khalilzad, Trump a ajouté : « Je pense que c'est un escroc, bien qu'il faille un escroc pour ça. » Pompeo a de nouveau essayé, mais Trump a poursuivi :

« Ma stratégie [comprenez ce dont ses généraux l'avaient persuadé en 2017] était fausse, et ce n'était pas du tout ce que j'avais envie de faire. Nous avons tout perdu. Ça a été un échec total. Un gâchis. Une honte. Tous ces blessés. Je déteste en parler. » Puis Trump a évoqué la première utilisation au combat de la MOAB (« Massive Ordonnance Air Blast » ou « Mother of All Bombs », plus puissante bombe non nucléaire américaine), puis a regardé Mattis en ajoutant « sans que vous ayez été mis au courant », et en se plaignant pour la énième fois que la MOAB n'ait pas eu les effets escomptés. Comme c'était souvent le cas, Trump mêlait la vérité à de l'incompréhension et à de la malice. Mattis avait délégué l'autorité au commandant américain sur place en Afghanistan pour utiliser la MOAB, de sorte qu'une autre autorisation ne soit pas nécessaire. Ce point, tout comme les effets de la MOAB, a toujours été un sujet de conflit au sein du Pentagone. Une chose était sûre : Mattis n'allait pas gagner sur ce dossier face à Trump, qui savait ce qu'il voulait savoir, point barre. Je savais que je ne voulais pas de ce briefing.

De manière prévisible, Mattis a foncé tout droit dans son mur fétiche, en faisant les louanges des efforts des autres membres de l'OTAN.

« Nous payons pour l'OTAN, a lancé Trump.

– Daech est toujours en Afghanistan, a répliqué Mattis.

– Laissons la Russie s'occuper d'eux, a dit Trump. Nous sommes à plus de dix mille kilomètres de là, mais nous sommes toujours une cible, ils vont venir sur nos côtes, c'est ce qu'ils disent tous, a-t-il poursuivi moqueur. C'est un film d'horreur. À un moment donné, il va falloir que nous sortions de là. »

Coasts a expliqué que l'Afghanistan constituait un problème de sécurité frontalière pour les États-Unis, mais Trump n'écoutait pas. « On ne s'en sortira jamais. Ça a été fait par une personne stupide appelée George Bush, a dit Trump en s'adressant à moi. Des millions de personnes tuées, des milliers de milliards de dollars, et on n'y arrive toujours pas. Encore six mois, c'est ce qu'ils nous disaient avant, et on se fait toujours botter le cul. » Puis il s'est lancé dans son anecdote préférée, lorsque nous transportions des enseignants par hélicoptères tous les jours dans leurs écoles parce que c'était trop dangereux pour eux d'y aller par leurs propres moyens. « Ça coûte une fortune. L'inspecteur général avait raison », a-t-il dit en changeant de sujet pour mentionner un rapport sur la construction d'un « Holiday Inn d'un milliard de dollars » avant d'ajouter : « C'est de l'incompétence de notre part. Ils nous détestent et nous tirent dans le dos. Ils ont fait sauter la cervelle d'un gars, les bras, les jambes et tout [faisant référence à une attaque récente de type « green-on-blue[51] » dans laquelle un homme de la Garde nationale d'Utah a été tué]. L'Inde s'est constitué une documentation là-dessus et elle n'arrête pas d'en faire une large publicité. »

Et tout à l'avenant. « On doit ficher le camp. Ma campagne était de nous retirer. Les gens sont en colère. La base veut ce retrait. Les gens qui me soutiennent sont très intelligents, c'est pourquoi [Dean] Heller a perdu [sa réélection au Sénat dans le Nevada]. Il soutenait Hillary. » Mattis a de nouveau essayé, mais Trump a enchaîné sur la Syrie : « Je ne comprends pas pourquoi nous tuons Daech en Syrie. Pourquoi est-ce que la Russe et l'Iran ne le font pas ? Cela fait trop longtemps que je joue à ce petit jeu. Pourquoi tuons-nous Daech à la place de la Russie, de l'Iran et de l'Irak, qui est contrôlé par l'Iran ? »

Pompeo est intervenu en disant : « Si c'est ça notre ligne de conduite, nous l'exécuterons, mais nous n'en sortirons pas gagnant. »

Trump a répondu : « C'est le Viêt Nam. Et pourquoi protégeons-nous la Corée du sud de la Corée du Nord ? » Pompeo a dit : « Donnez-nous juste 90 jours », mais Trump a répondu : « Plus ça dure, et plus cela devient ma guerre. Je n'aime pas perdre des guerres. Nous ne voulons pas que cela soit notre guerre. Même si nous la gagnions, nous n'obtiendrions rien. »

Je voyais les choses venir, en effet, quand Mattis est intervenu : « C'est devenu votre guerre le jour même où vous avez pris vos fonctions. »

Trump était prêt : « J'aurais dû mettre fin à cette guerre le jour même où j'ai pris mes fonctions. » Et ça a duré et duré comme ça, et encore comme ça.

---

51 Durant la guerre d'Afghanistan, ce terme a été utilisé pour désigner une attaque de soldats ou policiers afghans contre les forces de la coalition, alors qu'ils auraient dû être à leurs côtés (NDT).

Trump a finalement demandé : « Vous avez besoin de combien de temps ?

– Jusqu'en février ou mars. Nous préparerons nos options de sortie », a répondu Pompeo.

Trump était furieux, furieux d'entendre ce que nous avions déjà entendu tant de fois : « Ils ont parfaitement réussi leur plan. » Puis il a recommencé à critiquer Khalilzad, et à demander si la signature des talibans avait une quelconque valeur. « Comment pouvons-nous sortir de là sans que nos gars se fassent tuer ? Quelle quantité d'équipement allons-nous laisser sur place ? »

Dunford s'est exprimé pour la première fois en disant : « Pas grand-chose.

– Comment sortons-nous ? a demandé Trump.

– Nous allons établir un plan », a répondu Dunford.

Je suis resté silencieux tout le temps parce que toute cette réunion était une erreur. Inévitablement, Trump a demandé : « John, qu'en pensez-vous ? » Je lui ai dit : « C'est comme si mes options étaient dans le rétroviseur », en lui expliquant une fois encore pourquoi nous devions contrer les terroristes sur leur propre terrain et pourquoi le programme d'armes nucléaires du Pakistan rendait impératif d'empêcher une base arrière taliban solide en Afghanistan, qui pourrait accélérer la chute du Pakistan aux mains des terroristes. Dunford a dit que si nous nous retirions, il craignait une attaque terroriste aux États-Unis dans un futur proche. Trump est de nouveau monté en régime : « Cinquante milliards de dollars par an », jusqu'à ce qu'il se calme et déclare à la cantonade : « Vous avez jusqu'à la Saint-Valentin. »

La plupart des participants sont sortis du Bureau ovale, les uns derrière les autres, découragés. Cependant, Pompeo et moi étions restés derrière lorsque Sanders et Bill Shine ont fait irruption pour annoncer que Jeff Session avait démissionné de son poste de procureur général, le premier de nombreux départs en fin d'année d'exercice. Un mois plus tard, Trump a nommé Bill Barr pour succéder à Sessions. Un mois plus tard également, après un nouveau rapport établissant que nous perdions du terrain face aux talibans, Trump s'est de nouveau emporté : « J'aurais dû suivre mon instinct, pas mes généraux », a-t-il dit, revenant au manque d'effet de la MOAB. Maintenant, il ne voulait plus attendre Khalilzad, mais il voulait annoncer le retrait des forces américaines avant la fin de sa deuxième année de mandature, ou même plus tôt. S'il attendait jusqu'à la troisième année, cette guerre serait devenue la sienne, tandis que s'il s'en sortait dans sa deuxième année, il pourrait toujours la reprocher à ses prédécesseurs. Je lui ai simplement dit qu'il devait savoir comment prévenir des attaques terroristes contre les États-Unis dès que nous nous retirerions. Il a répondu : « Nous dirons que nous écraserons leur pays s'ils laissent faire des attaques à partir de l'Afghanistan. » J'ai rappelé que nous avions déjà fait cela une fois, et que nous devions trouver une meilleure réponse. J'ai dit que j'avais peut-être été le seul à se soucier du Pakistan, si les talibans reprenaient le contrôle à leurs portes, mais Trump m'a interrompu pour dire qu'il s'en souciait lui aussi ; son discours devait répondre à cette question. En fait, à mesure que nous parlions, les grandes lignes du discours se dessinaient : « Nous avons fait du super boulot et tué beaucoup de mauvaises personnes. Maintenant, nous partons, même si nous laissons derrière nous une plateforme antiterrorisme. » Heureusement, le concept d'une plateforme antiterrorisme était déjà bien avancé dans la pensée du Pentagone, mais c'était loin d'être le choix numéro un.

Lors de mon petit-déjeuner habituel avec Mattis et Pompeo, cette fois le Jour du Souvenir de Pearl Harbor [le 7 décembre], j'ai suggéré d'essayer de répondre à trois questions : Est-ce que le gouvernement afghan s'effondrerait après notre départ, et si oui, en combien de temps ? Quel serait le temps de réaction, et de quelle façon réagiraient Daech, Al-Qaïda et les autres groupes terroristes, à notre retrait ? Et combien de temps faudrait-il aux différents groupes terroristes pour monter une ou des attaques contre les États-Unis ?

Nous avons programmé une autre réunion dans le Bureau ovale, le lundi, et Mattis avait à peine commencé quand Trump l'a pris à partie. Après une version somme toute écourtée de ce qu'il avait dit en préambule de la réunion, Trump a conclu : « Je veux que nous nous retirions avant le 20 janvier. Faites-le vite. » Puis Trump a évoqué ses visites à l'hôpital militaire Walter Reed, où les soldats blessés n'avaient pas eu sur Trump l'impact qu'ils ont sur la plupart des gens, c'est-à-dire une forte impression grâce à leur bravoure et leur dévouement dans leur mission. Trump avait tout bonnement été horrifié par la gravité de leurs blessures (ne se rendant pas compte que les avancées de la médecine militaire avaient sauvé beaucoup d'hommes qui seraient tout simplement morts dans les guerres précédentes). Puis nous sommes revenus à la fameuse MOAB qui n'avait pas produit les effets qu'on attendait d'elle, ainsi que d'autres refrains, dont « ce stupide discours » en août 2017 où Trump avait annoncé sa nouvelle stratégie en Afghanistan qui était de passer à l'offensive. « J'ai annoncé que vous pouviez faire tout ce que vous vouliez, a-t-il dit, le regard noir dirigé vers Mattis. Je vous ai donné carte blanche, sauf pour les armes nucléaires, et regardez ce qui s'est passé. » Trump était amer chaque fois que son discours de 2017 revenait sur le tapis, mais on se demandait comment il aurait réagi si cette stratégie avait fonctionné. Pompeo m'a dit plus tard qu'à l'époque, du haut de son perchoir à la CIA, il pensait que malheureusement Mattis avait perdu plusieurs mois en 2017 en ne faisant rien, de peur que Trump se ravise et se mette à reparler de retrait. Nous aurions très certainement pu utiliser ces mois-là aujourd'hui.

« C'est quoi une victoire en Afghanistan ? » a demandé Trump.

Mattis a répondu correctement : « Une où les États-Unis ne se font pas attaque r» Changeant finalement son fusil d'épaule, Mattis a poursuivi : « Disons plutôt que nous mettons fin à la guerre, pas que nous nous retirons. »

« OK, vous êtes prêt ? » a demandé Trump à l'assistance, mais en utilisant sa phrase favorite pour indiquer que quelque chose d'important allait s'ensuivre. « Dites que nous sommes là-bas depuis 18 ans. Que nous avons fait du bon boulot. Que si quiconque vient ici, il va être reçu comme jamais ! Voilà ce que nous disons », a-t-il ajouté, bien que Trump ait étendu alors le retrait pour inclure l'Irak, la Syrie et le Yémen. Puis Trump est revenu vers Mattis : « Je vous ai donné ce que vous demandiez. Une autorité illimitée, une liberté d'action totale. Vous perdez. Vous vous faites botter le cul. Vous avez échoué. » Cette répétition douloureuse démontre que Trump, qui rappelle perpétuellement qu'il est le seul à prendre des décisions, avait du mal à en assumer la responsabilité.

« Pouvons-nous le reporter [le retrait] afin de ne pas perdre plus d'hommes ni de diplomates ? a demandé Mattis.

– Non, nous ne pouvons pas nous le permettre, a rugi Trump. Nous avons échoué. Si cela avait tourné différemment, je ne le ferais pas. »

Abattus, nous nous sommes rendus dans le bureau de Kelly, pour envisager quoi faire ensuite. Dunford, qui était resté essentiellement silencieux, a dit qu'il n'était pas possible de rapatrier tout le monde sain et sauf dans le laps de temps voulu par Trump, et il a insisté par la suite pour organiser une autre réunion afin de nous expliquer pourquoi. Kelly, qui en avait plus qu'assez à ce stade, a dit que Trump ne se souciait que de lui-même (il pensait au moins en partie à la réticence de Trump, jusqu'à ce moment-là, de se rendre en Irak ou en Afghanistan). Mattis a alors dit à Dunford de rapatrier tous ceux de la cambrousse afghane vers quatre ou cinq bases clés, à partir desquelles ils seraient rapatriés au pays, et pour sécuriser les atterrissages et décollages des avions qui emmèneraient les hommes et le matériel, comme si un général quatre étoiles de la Marine ne pouvait concevoir cela tout seul. Honnêtement, je ne sais pas comment Kelly et Dunford se sont abstenus de dire à Mattis ce qu'il pouvait faire de son plan de retrait, mais c'était le phénomène du « général cinq étoiles » à l'œuvre. Mattis aurait dû se préoccuper de persuader Trump, pas de rentrer dans les menus détails de terrain en Afghanistan.

Ensuite, j'ai accompagné Pompeo à sa voiture à l'extérieur de l'aile Ouest, reconnaissant que la vision de Trump de l'opinion républicaine sur l'Afghanistan était totalement fausse. « Il va se ramasser politiquement, a dit Pompeo, et il le mérite. » J'en ai tiré la conclusion que les généraux étaient en plein cliché, à mener la dernière guerre, pas à gérer effectivement l'attitude de Trump, dont ils étaient en partie responsables. Étant arrivé après les autres, j'ai vu que ce qui semblait être un succès pour Mattis et ses collègues, comme le discours de 2017 sur l'Afghanistan, était, rétrospectivement, une erreur. Trump avait été poussé bien au-delà de là où il voulait aller, et maintenant il surréagissait dans la direction opposée. Le saint « axe d'adultes » des médias n'avait pas commis cette faute tout seul, mais avant que nous puissions rattraper les choses, nous devions admettre la mauvaise perception de Trump sur laquelle elle reposait. Khalilzad pourrait faire avancer le rythme de ses négociations, mais ses efforts étaient déconnectés de ce qui se passait sur le terrain dans son pays. Les deux prochains mois s'annonçaient très sombres.

Le 20 décembre, comme Pompeo me l'a dit plus tard, juste quelques heures avant sa démission, Mattis a remis à Pompeo non seulement sa lettre de démission, mais aussi d'autres documents, dont un particulièrement important. C'était un projet de déclaration publique sur les plans opérationnels de retrait d'Afghanistan, qui en gros devançait tout ce que Trump pourrait dire dans son discours de janvier sur l'état de l'Union. Stupéfait, Pompeo a dit à Mattis qu'il ne pouvait tout simplement pas rendre public un tel document et qu'il n'y avait aucun moyen de l'éditer pour le rendre acceptable. Mattis a demandé si, au moins, il me le ferait parvenir, et Pompeo lui a dit qu'il savait que je serais d'accord avec lui. Ni Pompeo ni moi ne savions à l'époque que le département de la Défense avait rédigé un « ordre d'exécution » détaillant ce que ce projet de déclaration exposait, et qu'il allait le distribuer aux commandants américains et aux ambassades du monde entier. Tout cela faisait partie du scénario de démission de Mattis. Bien évidemment, nous ne comprenions cela que vaguement dans toute cette confusion, mais cela a produit une explosion d'articles dans la presse. Cela reflétait une tactique couramment utilisée par Mattis, une tactique malveillante, qui voulait dire : « Vous voulez le retrait ? Vous l'aurez, ce retrait ! » Ils ne l'ont pas appelé le « chaos » pour rien.

Même après le départ de Mattis, Shanahan, Pompeo et moi avons continué la tradition des petits-déjeuners hebdomadaires. Le 24 janvier, réfléchissant à nos visions divergentes sur des points clés, Shanahan et moi nous sommes inquiétés de savoir si Khalilzad ne cédait pas trop, non pas parce qu'il était un piètre négociateur, mais parce qu'il s'agissait des instructions de Pompeo. Les talibans insistaient pour que le projet de déclaration États-Unis-talibans (lui-même étant un concept trouble), en cours de négociation, dise que toutes les forces étrangères (c'est-à-dire nous) se retirent d'Afghanistan. Cela ne laissait absolument aucune place pour des capacités antiterroristes, même si Trump avait dit qu'il en voulait. J'étais inquiet que le département d'État veuille tellement parvenir à un accord qu'il en perde toute largeur de vue – un problème congénital de ce département. Pompeo a désapprouvé vigoureusement, bien qu'il ait volontiers concédé que les négociations puissent capoter à tout moment, ce qui n'était pas le plus grand des compliments pour des talibans en passe de devenir des « partenaires de négociation », une expression qu'ils affectionnaient particulièrement au département d'État. Le problème majeur avec la diplomatie stratégique était que si les talibans croyaient vraiment en notre départ, rien ne les inciterait à parler sérieusement ; ils pourraient alors tout simplement attendre, comme ils l'avaient fait si souvent par le passé, et comme les Afghans aussi l'avaient fait pendant des millénaires. Comme le dit l'adage taliban : « Vous avez des montres, mais nous avons le temps ». Le petit-déjeuner s'est terminé de manière peu concluante, mais Shanahan m'a rappelé plus tard pour me dire qu'il n'était pas serein en pensant au contenu et au rythme des négociations, qui semblait s'être considérablement emballé. Pompeo voulait juste négocier un accord et annoncer un succès, rien d'autre. Cette dichotomie a caractérisé le débat interne des mois à venir.

L'état de l'Union a été reporté pendant plusieurs semaines à cause de débats acharnés et du *shutdown* partiel du gouvernement américain. Il a finalement été programmé le 5 février, et le passage clé sur l'Afghanistan a fort heureusement été bref : « En Afghanistan, mon Administration poursuit un dialogue constructif avec un certain nombre de groupes afghans, dont les talibans. À mesure que nous progresserons dans ces négociations, nous pourrons réduire notre présence militaire et nous concentrer sur la lutte antiterrorisme. » Ce commentaire n'a reçu que peu d'attention, mais il a incarné des luttes qui ont persisté jusqu'à mes derniers jours à la Maison Blanche. Au moins existait-il encore de l'espoir à ce moment-là.

CHAPITRE 8

LE CHAOS COMME MODE DE VIE

Si tu peux conserver ton courage et ta tête
quand tous les autres les perdront...

RUDYARD KIPLING, « IF »

Il m'a fallu environ un mois, après mon arrivée à la Maison Blanche de Trump, pour comprendre comment les choses fonctionnaient en interne. Les dysfonctionnements surgissaient à tout-va et se révélaient souvent au cours d'enjeux politiques que j'ai décrits tout au long de cet ouvrage.

Il y en a eu tant et tant. Durant les derniers mois de 2018 et les premiers de 2019, alors que se terminait la deuxième année du mandat de Trump (soit huit à neuf mois après mon arrivée), plusieurs problèmes et différentes personnes ont conduit le gouvernement vers des terrains inconnus.

Par exemple, début juin 2018, Kelly a essayé une nouvelle tactique sur l'agenda de Trump, qui commençait chaque jour dans le Bureau ovale, à 11 heures, par un créneau réservé au « chef de Cabinet ». Le but de cette stratégie était, selon Kelly, de minimiser les observations générales durant ses briefings bihebdomadaires. Bien sûr, ce qui retenait le plus l'attention des gens était que les journées « officielles » de Trump ne commençaient pas avant l'heure du déjeuner. Non, Trump ne flemmardait pas durant la matinée. Il passait un temps infini au téléphone dans la Résidence. Il parlait à toute sorte de gens, parfois à des membres du gouvernement (je lui parlais au téléphone avant qu'il arrive au Bureau ovale presque tous les jours pour une revue de presse dont il devait prendre connaissance ou bien à propos de laquelle je devais savoir comment réagir), mais il parlait aussi longuement à des gens qui n'appartenaient pas au gouvernement. C'était une anomalie qui le démarquait complètement des autres présidents contemporains.

À l'inverse, une journée normale pour le président George H. W. Bush, telle que décrite par son premier chef de Cabinet, l'ancien gouverneur John Sununu, commençait comme cela :

> Le président a commencé sa journée officielle par un briefing général au Bureau ovale à 8 heures. Étaient présents le président, le vice-président, le conseiller à la sécurité nationale, Brent Scowcroft, et moi. Cette réunion, le briefing quotidien du président, était tenue par la CIA et durait de dix à quinze minutes. Ensuite, toujours sur l'agenda, à 8 h 15, se trouvait une demi-heure réservée à Scowcroft pour nous présenter, ainsi qu'au président, les derniers événements de la nuit précédente, ou ceux à attendre dans la journée, en matière de politique étrangère. Ce briefing précédait un autre briefing similaire, à 8 h 45, dans lequel étaient évoqués tous les autres problèmes au-delà de la politique étrangère. Scowcroft assistait généralement aussi à ce second briefing. Ma réunion devait se terminer à 9 h 15.

Si mon approche de début de journée avait été aussi ordonnée, je me serai dit que j'étais mort et que j'avais rejoint le paradis. En fait, Trump n'avait généralement que deux briefings de Renseignement par semaine, et dans la plupart des cas, il parlait plus que les intervenants, souvent sur des sujets qui n'avaient rien à voir avec l'objet du briefing.

L'agenda de Trump était l'anomalie la plus facile à gérer. Une des plus difficiles à appréhender était son caractère vindicatif, comme on pouvait le voir lors de ses constants accès de colère contre John McCain, même après la mort de McCain alors que ce dernier ne pouvait plus lui faire aucun mal. Un autre exemple de ce trait de caractère s'est passé le 15 août, lorsque Trump a décidé de révoquer l'autorisation de sécurité de l'ancien directeur de la CIA, John Brennan. Maintenant, Brennan ne comptait plus, et durant l'exercice de ses fonctions, la CIA est devenue plus politisée que durant n'importe quelle époque de son histoire. Il a réfuté avoir eu tout comportement inapproprié, mais Trump était convaincu que Brennan était profondément impliqué dans l'utilisation abusive du processus de surveillance de la loi FISA[52], afin d'espionner sa campagne de 2016, une accusation qui était, en plus de tout, exacerbée par ses critiques constantes dans les médias au sujet de Trump.

La presse s'est emparée de cette révocation immédiatement après que Sanders l'a annoncée lors de son briefing quotidien de midi. Kelly m'a dit, ayant passé une bonne partie de son après-midi là-dessus : « Ce truc avec Brennan est en train d'exploser. C'est énorme. » Dans une conversation d'une heure, nous avons évoqué ce qui s'était passé. Kelly m'a raconté que de mi-juillet à fin juillet, il pensait avoir dissuadé Trump de retirer les autorisations de sécurité de certains membres, mais Trump y pensait encore, car ses sources favorites dans les médias martelaient sans cesse le sujet. Plus tôt dans la journée, Trump avait voulu révoquer les autorisations de sécurité d'une longue liste de noms, mais s'était finalement contenté de laisser Sanders énumérer ces noms lors d'un briefing, menaçant implicitement de révoquer ces autorisations plus tard, dans le futur. J'ai mentionné que toute cette idée avait commencé avec Rand Paul.

52 Le « Foreign Intelligence Surveillance Act » est une loi du Congrès des États-Unis datant de 1978 qui décrit les procédures adaptées en surveillance physique et électronique.

C'était largement symbolique, parce qu'avoir une autorisation de sécurité ne signifiait pas que Brennan ou n'importe qui d'autre pouvait se balader dans la CIA et lire tout ce qui pouvait les intéresser. Plus qu'une autorisation, il fallait avoir une « raison » et tout ce qui était vraiment important devait être lu dans le « tiroir » approprié.

Kelly m'a dit qu'il s'était disputé avec Trump à ce sujet. Cela n'était pas leur première confrontation, mais elle avait été plus âpre que les précédentes. Kelly a dit à Trump que ce n'était pas « présidentiel », ce qui était vrai, et il m'a dit que c'était « nixonien », ce qui était aussi vrai. « Y a-t-il déjà eu une présidence comme celle-ci ? » m'a demandé Kelly. Je lui ai assuré que non. Je pensais que Brennan était dans le collimateur pour avoir politisé la CIA, mais Trump a obscurci tout cela grâce à l'approche politique éhontée que *lui-même* a choisie. Les choses ne feraient qu'empirer si d'autres autorisations devaient être révoquées. Kelly était d'accord avec moi.

Dans ce qui était déjà une discussion personnelle intime pour nos deux, à ce moment-là, Kelly m'a montré une photo de son fils, tué en Afghanistan en 2010. Trump avait évoqué le jeune homme plus tôt dans la journée, en disant à Kelly : « Vous avez souffert la pire des choses. » Étant donné qu'à l'époque, Trump décriait les guerres en Afghanistan et en Irak, il semblait dire implicitement à Kelly que son fils était mort inutilement. « Trump se fiche de ce qui arrive à ces gars, m'a dit Kelly. Il dit que ce serait "cool" d'envahir le Venezuela. » Je n'ai dit que relativement très peu de choses lors de cette conversation, dont la teneur était essentiellement constituée des frustrations de Kelly, avec lesquelles j'étais très peu en désaccord. Je ne voyais pas comment il était possible qu'il reste jusqu'aux élections de 2020, bien que Trump ait annoncé quelques semaines plus tôt que tel serait le cas. Après avoir quitté le bureau de Kelly, je n'ai rien dit à quiconque.

Trump a généré une controverse, probablement unique dans l'histoire présidentielle, sur le concept de présence à des funérailles, en commençant par celles de Barbara Bush en avril 2018, auxquelles Trump n'a pas assisté (malgré la présence de quatre anciens présidents et de la Première dame), puis celles de John McCain, fin août. Kelly a démarré la réunion hebdomadaire du Cabinet de la Maison Blanche, le 27 août, en disant : « Je ne suis pas bien placé aujourd'hui », à cause des désaccords actuels avec Trump au sujet des drapeaux de l'administration américaine (fallait-il les mettre en berne en ce jour ?) et des services funéraires (qui y assisteraient ?). La famille McCain ne voulait pas que Trump soit présent, donc le sentiment était réciproque. Décision finale, c'est Pence qui allait mener la délégation du gouvernement à la fois durant la cérémonie de la rotonde du Capitole et pendant le service funéraire à la cathédrale nationale de Washington. Beaucoup de gens ont assisté au service funèbre, car les funérailles aussi, sont généralement propices aux relations mondaines. Parmi ceux que j'ai salués étaient George W. Bush et Madame Bush. L'ancien président m'a demandé amicalement : « Vous avez toujours du boulot, Bolton ? » « Pour l'instant », lui ai-je répondu, et nous avons ri. Quand Bush père est mort plus tard durant le sommet du G20 de Buenos Aires, Trump a déclaré un jour de deuil national, a publié un communiqué adéquat, et a parlé avec George W. et Jeb Bush dans la matinée. Lui et la Première dame ont assisté sans incident au service funèbre à la cathédrale nationale, le 5 décembre. Ce n'était pas si difficile à faire après tout.

Durant la polémique sur les funérailles de McCain, Trump a tweeté que le conseiller juridique de la Maison Blanche, Don McGahn, quitterait son poste après la bataille de validation de Brett Kavanaugh. Bien que McGahn ait souvent plaisanté avec moi : « On n'est qu'à un tweet du départ », il s'agissait d'un exemple classique illustrant la manière que Trump avait d'annoncer quelque chose qui était déjà décidé, sans laisser à McGahn la possibilité de l'annoncer en premier. J'aurais dû y prêter davantage d'attention. Comme Kelly me l'a confirmé plus tard, les tensions entre Trump et McGahn étaient devenues insoutenables à cause du témoignage (honnête) de McGahn et de sa coopération à l'enquête de Mueller. Même si les avocats extérieurs de Trump avaient approuvé le rôle de McGahn, ils étaient tous apparus comme surpris par sa sincérité. Quoi qu'il en soit, la recherche d'un remplaçant a été lancée immédiatement.

L'immigration illégale, une initiative clé de Trump, était un dossier en pleine pagaille. L'avocat de la Maison Blanche, John Eisenberg, m'a approché mi-mai 2018 pour voir si j'étais intéressé à l'idée de sauver de l'effondrement la politique vacillante de la Maison Blanche, sur l'immigration en général, et à la frontière mexicaine en particulier.

Je n'avais aucun intérêt à me mêler de cela sans la présence pleine et entière des conseillers de la Maison Blanche et du département de la Justice. Don McGahn, qui, pour d'excellentes raisons, consacrait toute son énergie aux nominations du domaine juridique, voyait le bourbier de l'immigration tel qu'il était et avait décidé de s'en tenir à l'écart. Le département de la Justice avait ses propres problèmes. Cependant, maintenant que j'étais prévenu, je gardais un œil sur le problème, tout en suivant l'exemple de McGahn.

J'ai vu ce problème de très près lors d'une réunion du Cabinet du président sur l'immigration qui s'est tenue le 9 mai, le lendemain de notre retrait de l'accord sur le nucléaire iranien. La secrétaire à la Sécurité intérieure, Kirstjen Nielsen, et Jeff Sessions devaient exposer ce que leurs départements respectifs faisaient pour fermer la frontière mexicaine, et d'autres membres du Cabinet devaient ensuite partager les dernières avancées de leurs travaux. Mais cela ne risquait pas d'être un « briefing » où Trump écouterait attentivement et montrerait son appréciation aux membres de son équipe, poserait quelques questions, puis leur donnerait une tape sur l'épaule. Non, les choses sont parties en vrille après la conclusion de Sessions, juste au moment où Nielsen prenait la parole. Trump lui a demandé pourquoi nous ne pouvions pas fermer la frontière, et Nielsen a répondu en listant toutes les difficultés auxquelles elle et son ministère étaient confrontés. Trump l'a interrompue en lui disant devant tout le Cabinet et tout l'ensemble des conseillers de la Maison Blanche, d'une voix forte : « Vous avez tort. Il est impossible que nous ne puissions pas fermer la frontière. Dites-leur que le pays est fermé. Nous n'avons pas le personnel nécessaire [comme des juges spécialisés en immigration] pour faire toutes ces choses-là. Voilà. C'est tout. C'est comme une salle de cinéma quand elle est pleine. »

Déjà, l'ambiance n'était pas bonne, mais elle est devenue encore pire. Kelly est venu au soutien de Nielsen, qui était effectivement sa protégée, mais c'était une erreur. Tout le monde savait que Nielsen avait eu le poste à la Sécurité intérieure largement grâce à Kelly, et son intervention donnait l'impression qu'elle ne pouvait pas se défendre toute seule, ce qui malheureusement s'est révélé devant un parterre complet de membres du Cabinet. Kelly et Nielsen ont essayé d'orienter les débats vers Sessions, qui semblait dire quelque chose de nouveau et de différent sur l'autorité du département de la Sécurité intérieure à la frontière. Il semblait mal à l'aise en parlant de ce problème, et il donnait l'impression de se dédire, en disant, en gros, que le département n'avait pas l'autorité qu'il venait pourtant de dire qu'il avait. Kelly a contre-attaqué : « Nous allons faire ce que le procureur général décrit comme illégal et les renvoyer [les immigrants] chez eux », et Sessions s'est noué davantage. Mais Trump en était toujours après Nielsen, et elle n'a pas eu la présence d'esprit, soit de rester silencieuse, soit de lui dire : « Nous reviendrons vers vous dans quelques jours avec une meilleure réponse. » Finalement, comme si tout le monde ne l'avait pas encore compris, Trump a déclaré : « J'ai été élu pour résoudre ce problème, et ça va me coûter ma réélection », ce qui n'était peut-être pas loin de la vérité politique. À mesure que la réunion tirait à sa fin, je me disais que ce n'était qu'une question de temps avant que Nielsen et Kelly ne démissionnent. Et, d'après de nombreux articles de presse, Nielsen était à deux doigts de démissionner dans le bureau de Kelly juste après. Ce problème était un gâchis, énorme et inutile, parce qu'il y avait beaucoup de choses qui pouvaient être faites pour renforcer la traque aux demandes d'asile frauduleuses et injustifiées aux États-Unis.

Les choses ont encore empiré le 20 juin. Dans une politique de type « tolérance zéro », Trump s'était préparé à séparer des enfants de leurs parents (ou de gens se prétendant être leurs parents, mais qui étaient souvent des trafiquants d'êtres humains) à la frontière, comme d'autres gouvernements, dont celui d'Obama, l'avaient fait avant lui. Mais sous la pression politique, Trump s'est ravisé, laissant Nielsen et Sessions sous les feux des critiques. Après la signature du décret présidentiel révoquant la « tolérance zéro », Kelly est rentré chez lui. Il m'a confirmé le lendemain que, pour lui, Trump avait « lâché Sessions et Nielsen », mais que personne n'avait de véritable plan pour la suite. Le travail sur l'immigration venait aussi se mélanger aux efforts de négociation et de ratification nécessaires pour modifier l'accord de libre-échange nord-américain (ALENA) avec le Canada et le Mexique, aux programmes d'aides étrangères en Amérique centrale, et aux éternelles guerres intestines entre les départements d'État, de la Justice, de la Sécurité intérieure, de la

Santé et des services sociaux, et à d'autres dossiers où chacun se demandait qui était responsable. Ces problèmes étaient largement dus au processus chaotique d'élaboration des politiques intérieures, un problème qui ne montrait aucun signe d'affaiblissement.

Malgré mes efforts pour rester en dehors du bourbier de l'immigration, il revenait toujours à moi. Le 4 octobre, Kushner, dorénavant impliqué dans l'immigration à cause de l'effort de révision contagieux de l'ALENA, est venu me voir. Il m'a dit que Nielsen et son département étaient en train de négocier avec le gouvernement mexicain, sans autorisation du département d'État - une procédure bien évidemment fautive. Quelques jours plus tard, un samedi, Kushner m'a appelé pour me dire que Trump lui avait suggéré de prendre en charge le portefeuille de l'immigration, une proposition qu'il a refusée parce qu'il pensait que Kelly protégeait Nielsen des conséquences de sa propre incompétence, ce qui rendait le problème insoluble. « Et pourquoi pas Bolton ? lui a demandé Trump, est-ce qu'il pourrait gérer ça ? » Kushner lui a dit qu'il doutait que cela m'intéresse, mais Trump lui a répondu : « John est excellent. Il fait avancer les choses. Il m'apporte toutes les options et tout ce qu'il faut. Vraiment très bien. Pouvez-vous lui demander s'il le ferait ? » Kushner lui a dit que, quel soit le choix de Trump, il serait en opposition avec Kelly, et Trump lui a répondu : « John n'a pas peur des combats. Je prendrai parti pour lui [plutôt que pour Kelly]. » Fantastique, ai-je pensé. Super samedi !

Le lundi matin, Columbus Day[53], j'ai rencontré Stephen Miller, le principal conseiller politique de la Maison Blanche en matière d'immigration. Alors que nous parlions, Kushner est entré et a demandé : « Puis-je me joindre à la conspiration ? » J'avais déjà envoyé un e-mail à Pompeo, qui était d'accord pour dire que les problèmes d'immigration relatifs au Mexique devaient être introduits de manière plus efficace dans la procédure du Conseil de sécurité nationale, qui, lui, était frustré depuis des mois, si ce n'est des années, par le manque de coopération du département de la Sécurité intérieure. Cette institution ne voulait tout simplement

53 Le Jour de Christophe Colomb est un jour férié, célébré le deuxième lundi d'octobre aux États-Unis (NDT).

pas de coordination. Ma vision personnelle était que l'Amérique bénéficierait beaucoup plus d'une immigration légale, contrôlée, tandis que le concept d'immigration illégale sapait le principe fondateur de la souveraineté, selon lequel, ce sont les États-Unis qui décident qui est autorisé à venir dans leur pays, et pas les candidats à l'immigration eux-mêmes. J'étais clair sur une chose : l'effort de Nielsen pour faire intervenir le Haut-Commissariat des Nations Unies pour les réfugiés, afin de nous aider à décider qui admettre, était absolument erroné. Nous pouvions difficilement céder des décisions souveraines aussi fondamentales à une organisation internationale.

Plus tard dans la semaine, après une réunion dans le Bureau ovale sans lien avec ce sujet, où étaient présents Nielsen, Pompeo et d'autres, Trump a martelé une fois encore : « Sur la frontière, nous faisons le pire boulot de tous nos gouvernements. J'ai fait campagne et c'est la frontière qui m'a fait gagner les élections. Nous avons une urgence nationale », a-t-il dit, puis il a bifurqué sur l'argent disponible dans le budget du Pentagone pour construire le mur frontalier qu'il avait tant promis. L'agitation de Trump reposait en partie sur les articles à sensation des médias qui parlaient de « caravanes d'immigrants illégaux » traversant l'Amérique centrale vers notre frontière, ce qu'il voyait comme une preuve visible qu'il ne tenait pas la promesse faite durant la campagne de 2016. Désignant Nielsen, Trump a dit : « Vous êtes en charge de la sécurité aux frontières », puis, pointant cette fois Pompeo : « Vous n'êtes pas impliqué. » C'était exactement le contraire de ce que Trump avait dit Kushner le samedi, et ça m'a convaincu de la chance que j'avais d'être impliqué le moins possible dans cet exercice. Cela a continué comme ça entre Trump et Nielsen, puis à un moment, Pompeo m'a murmuré : « Pourquoi sommes-nous encore là ? » Bonne question. Nous devions trouver une porte de sortie avant que Trump ne nous accuse de l'effondrement de sa politique aux frontières !

Cependant, d'après Kushner, cette dernière confrontation avec Nielsen avait convaincu Trump que c'était moi qui devais gérer ce problème. « Kirjsten n'est mentalement pas capable de le faire », m'a dit Kushner. Deux jours plus tard, Trump m'a dit : « Vous prenez le contrôle de la frontière sud. Je lui retire tous les dossiers. Elle est trop faible. » Trump voulait déclarer une urgence nationale et il en avait déjà parlé à John Eisenberg. « Vous avez carte blanche, m'a dit Trump. L'élément numéro un, c'est la frontière sud. Vous et moi. Le putain de boss, c'est vous ! » Quelques heures plus tard, dans le Bureau ovale, seulement avec Kelly et moi, Trump a dit : « J'ai demandé à John de prendre le contrôle de la frontière. » Cela devenait sérieux. J'ai décidé de détailler à Trump la procédure nécessaire pour résoudre les problèmes d'immigration illégale. S'il était d'accord, j'avais du pain sur la planche, sinon, j'avais par ailleurs énormément de travail.

J'ai rédigé un « plan » d'une page incluant plusieurs points : donner au département d'État la primeur de l'autorité en matière de négociations internationales, réécrire toutes les réglementations pertinentes des départements de la Sécurité intérieure et de la Justice, parcourir la nouvelle législation sur le sujet, conférer au Conseil de sécurité nationale l'autorité en matière d'élaboration de politiques, remplacer Nielsen et Sessions, entre autres choses. J'écrivais pour une seule personne, mais j'ai montré des ébauches à Pompeo, Miller, Kushner, Eisenberg et quelques autres, qui ont, dans l'ensemble, été d'accord. Dans le même temps, ce problème de caravane grandissait tellement qu'il rendait Trump de plus en plus nerveux. Trump tweetait prodigieusement, demandant que soient rédigés des décrets présidentiels pour fermer les frontières, tandis que l'ambiance à la Maison Blanche devenait de plus en plus fébrile. Le matin du 18 octobre, Pompeo et moi parlions dans mon bureau de l'affaire Khashoggi, lorsque Kelly nous a demandé à tous les deux de venir dans son bureau. Là, une grande réunion (peut-être quinze personnes) était à pied d'œuvre sur la frontière mexicaine, que Kelly nous a résumée à notre arrivée. Il a alors demandé à Nielsen de décrire son plan, dans lequel l'équipe du Haut-Commissariat des Nations Unies pour les réfugiés devait mettre en place des centres de traitement frontalier entre le Guatemala et le Mexique. Le bureau du Haut-Commissariat devra séparer les réfugiés légitimes, qui pourront ensuite entrer aux États-Unis (ou dans un autre pays), de ceux qui ne seraient pas éligibles, et qui retourneraient dans leurs pays d'origine.

Kelly a demandé à Pompeo ce qu'il en pensait, et il a répondu lentement, comme s'il ne savait pas grand-chose de ce que Nielsen racontait. Je suis intervenu (et Pompeo m'a cédé la parole avec bonheur) pour signaler que le Haut-Commissariat n'avait pas de véritable rôle dans ce genre de mission sur l'immigration ; que son budget et son personnel étaient déjà très tendus par, entre autres choses, la crise des réfugiés vénézuéliens, et que dans tous les cas, les États-Unis ne devaient pas sous-traiter aux Nations Unies des décisions relatives à l'admission sur le sol américain. Nielsen n'ayant pu répondre à ses points, j'ai continué à développer ce que devait être le rôle d'une agence aux réfugiés, pendant qu'elle perdait pied dans ses réponses. Kelly m'a demandé : « Eh bien, quel est votre plan, John ? » Bien évidemment, mon plan était une chose dont je n'avais aucunement l'intention de discuter devant une foule digne d'un stade, avant même de l'avoir montré à Trump. J'ai simplement dit : « Oui, j'ai un plan, qu'il [Trump] m'a demandé, et dont je discuterai avec lui. » Nielsen a eu comme un hoquet, elle s'est détournée de moi en disant « Oh ! » ou quelque chose comme ça. J'ai dit : « C'est exactement pour cela que je veux voir le président seul. » La conversation a serpenté pendant encore quelques minutes, jusqu'à 10 heures, lorsque j'ai dit à Kelly : « John, nous devrions rejoindre le Bureau ovale pour parler de l'Arabie saoudite », juste pour rappeler à chacun que le reste du monde existait toujours. Pompeo, Kelly et moi sommes alors sortis. Il va sans dire que cela n'avait pas été « l'engueulade pleine d'injures » que les médias crédules ont décrite ensuite.

Nous étions dans le Bureau ovale, en train de discuter de l'affaire Khashoggi avec Trump, lorsque Madeleine Westerhout est arrivée en disant que Kushner voulait faire un rapport téléphonique sur sa conversation avec le ministre mexicain des Affaires étrangères.

« Pourquoi est-ce que Jared appelle les Mexicains ? a demandé Kelly, d'une voix forte.

– Parce que je le lui ai demandé, a répondu Trump sur le même ton. Et sinon, comment allons-nous stopper ces caravanes ?

– Kirstjen Nielsen y travaille, a dit Kelly, toujours aussi fort.

– Aucun d'entre vous, bande de génies que vous êtes, n'a réussi à stopper ces caravanes », a rétorqué Trump.

C'est là que Kelly a quitté le Bureau ovale d'un pas ferme, Trump agitant la main comme pour dire « bon débarras ». Cette conversation pourrait être qualifiée d'« engueulade », mais là non plus il n'y a eu aucune injure. Kushner, maintenant sur haut-parleur, décrivait son échange téléphonique avec Luis Videgaray Caso, tandis que Pompeo écumait en silence, car Kushner faisait une fois de plus son boulot. La conversation a plus tard dérivé stérilement de nouveau, puis Pompeo et moi sommes retournés dans le bureau de Kelly. (Lors d'une conversation avec Trump, en décembre, alors qu'il réfléchissait au successeur de Kelly, Trump a reconnu que cet échange avec Kelly avait été l'« engueulade » à propos de laquelle la presse avait tiré à boulets rouges.)

Alors que plusieurs personnes déambulaient devant l'entrée du bureau de Kelly. Ce dernier nous a regardés, Pompeo et moi et a dit : « J'me barre », et il est parti. Un peu confus, je suppose, Pompeo et moi avons ensuite parlé de l'Arabie saoudite, mais il nous est alors venu à l'esprit que Kelly voulait dire plus que simplement « vous pouvez utiliser mon bureau » lorsqu'il en est sorti. J'ai ouvert la porte pour demander où était Kelly, personne ne le savait. Je suis allé dans le couloir ; je l'ai vu parler à quelqu'un ; je l'ai attiré dans la salle Roosevelt, qui était vide ; et puis j'ai fermé la porte. Cela fut notre seconde conversation intime, et même plus profonde que la première.

« J'ai commandé des hommes au combat, m'a-t-il dit, et je n'ai jamais eu affaire à des conneries pareilles, faisant référence à ce qui venait de se passer dans le Bureau ovale.

– Mais quelle est l'alternative si tu démissionnes ? lui ai-je demandé, sentant sa démission venir.

– Et si nous avions une vraie crise comme celle du 11 septembre, vu la façon dont il prend des décisions ? m'a dit Kelly.

– Penses-tu que ce sera mieux si tu pars ? Attends au moins l'élection. Si tu démissionnes maintenant, c'est toute l'élection qui pourrait mal tourner, lui ai-je dit.

– Peut-être que cela serait mieux comme ça, m'a-t-il répondu amer.

– Quoi que tu fasses, cela sera honorable, mais il n'y a rien de positif à ce que des gens comme Elizabeth Warren et Bernie Sanders gagnent en autorité, lui ai-je dit.

– Je vais aller à Arlington », m'a-t-il répondu.

J'ai présumé que c'était pour aller se recueillir sur la tombe de son fils, ce qu'il faisait lors de moments difficiles. Nous le savions, car cela se produisait très souvent.

J'ai quitté la salle Roosevelt pour le bureau de Kelly, où Pompeo attendait toujours avant d'aller parler de Khashoggi à la presse. Après son allocution à la meute journalistique, nous avons parlé dans mon bureau de ce qu'il fallait faire, Kelly étant parti. C'était sombre. « Mattis est toujours à l'étranger, le vice-président est au Mississippi à parler de liberté religieuse, et la seule à laquelle pense Mnuchin c'est de sauver son cul. Ça nous laisse juste toi et moi, m'a dit Pompeo, s'inquiétant que Kelly puisse nous quitter à tout moment. S'il [Trump] savoir qui sont les vrais guerriers, il n'y a qu'à jeter un coup d'œil [à nous]. Et Kelly en fait partie. » J'ai acquiescé. Réalisant combien ce constat était affligeant, Pompeo a dit : « Tout cela pourrait se terminer par le *Donald, Ivanka, et Jared show !* »

Au milieu de tout ça, au début d'après-midi, j'ai montré à Trump mon plan immigration d'une page. Il l'a parcouru et a dit qu'il le validait, tout en ajoutant : « Vous savez, je ne pourrai pas faire la plupart des choses qui sont là-dedans avant l'élection ». Je lui ai dit que je comprenais. Il m'a demandé s'il pouvait conserver le document, et il l'a mis dans la poche de son manteau. La balle était dans son camp. Et de mon point de vue, c'est là qu'elle est restée. Le problème d'immigration s'est poursuivi, mais principalement sans moi. J'avais présenté mes suggestions, qui auraient pu marcher, ou pas, si elles avaient été complètement mises en œuvre, alors que finalement, Trump en a appliqué des bribes ici et là. Mais il l'a fait à sa façon et à son propre rythme, ce qui était sa prérogative. Les problèmes d'immigration ont demeuré, plutôt que de former une politique cohérente.

Durant la polémique sur l'immigration, s'est produit le choc de la disparation puis de l'assassinat du journaliste saoudien Jamal Khashoggi au consulat saoudien d'Istanbul. La réaction de Trump au meurtre de Khashoggi a été saisissante, en contraste avec sa prise de décision habituelle.

Le 8 octobre, Kushner a demandé comment nous devions répondre à cette déferlante qui prenait de l'ampleur. Mon conseil aux Saoudiens a été de rendre publics les faits immédiatement, quels qu'ils soient, et d'en finir au plus vite. Kushner était d'accord, et le lendemain nous avons parlé avec le prince héritier Mohammed ben Salmane en lui indiquant que cet incident était déjà perçu comme quelque chose de très sérieux. J'ai incité le prince héritier à découvrir exactement ce qui était arrivé à Khashoggi puis à publier le rapport des faits avant que l'imagination des gens n'explose. Pompeo a fait le même constat avec lui plus tard. J'ai également proposé d'envoyer l'ambassadeur saoudien en poste à Washington, à Riyad, pour connaître les faits, avant de rentrer pour nous en informer. Cette démarche était peu orthodoxe, mais l'ambassadeur était le frère cadet du prince héritier et il était donc un interlocuteur de premier ordre pour rassurer Washington.

Contrairement à beaucoup d'autres problèmes, Trump avait déjà, pour l'essentiel ; décidé de sa réponse, disant dans une interview enregistrée pour *60 Minutes*, pour le week-end suivant, qu'il n'allait pas couper les ventes d'armes au royaume saoudien. Le samedi, lorsque nous avons accueilli chaleureusement le pasteur Brunson à la Maison Blanche, après sa libération de Turquie, j'ai suggéré à Pompeo d'aller en Arabie saoudite, plutôt que d'y envoyer un subalterne, ce qui lui a plu ainsi qu'à Trump. Personne ne pouvait dire que nous ne prenions pas ce sujet au sérieux. Trump a suggéré le 15 octobre au roi Salmane, et le roi a dit qu'il recevrait Pompeo avec plaisir. Trump était sous pression à cause des médias américains, mais cette pression a renforcé de manière inattendue, son soutien public auprès du royaume, rien de moins. Le voyage éclair de Pompeo nous donnait du temps, durant lequel les Saoudiens auraient plus de latitude pour rendre publics les faits, mais Trump ne voulait pas attendre. Les Saoudiens ont par la suite communiqué leur version des événements et ont limogé plusieurs hauts responsables. Le rapport saoudien ne satisfaisait pas la plupart des analystes, mais il reflétait un récit qui à l'évidence n'allait pas changer. Durant cette période, à travers des tweets et des déclarations, Trump soutenait la version produite par les Saoudiens et n'a jamais remis en question ni l'alliance américano-saoudienne en général, ni les ventes massives d'armes déjà négociées avec le royaume.

Face à la frénésie médiatique, Trump a décidé de diffuser une déclaration de soutien sans équivoque pour Mohammed ben Salmane, qu'il a essentiellement dictée à Pompeo. Le texte était d'une incompétence totale et risquait donc de fragiliser Trump lui-même, si jamais les faits changeaient. Il était très facile d'y apporter quelques changements éditoriaux pour plus de protection, mais Pompeo n'a accepté aucun changement, et n'a même pas voulu retenir ce projet de déclaration une journée pour le réviser. Pompeo m'a dit : « C'est ce qu'il a demandé, et je vais l'envoyer tel quel. » Une réponse caractéristique du style « Oui, Monsieur, bien reçu ! » Le lendemain, le 20 novembre, jour de mon anniversaire, Trump voulait appeler ben Salmane pour lui dire que la déclaration allait être diffusée. Il m'a dit : « Nous lui faisons une sacrée faveur », et poursuivant mot à mot : « Qu'il l'ait fait ou non, nous sommes avec l'Arabie saoudite. »

Nous nous sommes demandé si Trump allait lui-même lire cette déclaration du podium de la Maison Blanche ou s'il allait simplement publier le texte. Trump m'a dit : « Ça détournera l'attention d'Ivanka. Si je lis la déclaration en personne, ça prendra le dessus sur le truc avec Ivanka. » (Le « truc avec Ivanka », c'était un flot d'articles, selon lesquels, Ivanka avait utilisé, de manière abusive, son adresse e-mail personnelle pour gérer des affaires gouvernementales.) « Nom de Dieu, pourquoi n'a-t-elle pas changé de téléphone ? s'est plaint Trump. Quel merdier à cause de ce téléphone ! » Puis il s'est tourné vers Pompeo, revenant à son appel au prince héritier, et lui a dit : « Dites-lui que c'est incroyable, quel geste fantastique je suis en train de faire. Puis demandez-lui son opinion, et nous déciderons de ce que nous ferons. » Nous avons décidé de produire une déclaration et que Pompeo répondrait aux questions, mais il y a eu un grand débat pour savoir si le texte devait être publié avant ou après la cérémonie annuelle de grâce de la dinde de Thanksgiving. Désolé, prince héritier, mais nous avons nos priorités. (Ce même jour, j'ai rencontré le ministre turc des Affaires étrangères, une autre coïncidence.) Pompeo et Trump ont finalement tous les deux répondu aux questions, ce que Trump voulait de toute façon. Cela fut un show à la Trump dans toute sa splendeur ; c'était évident pour tout le monde sauf pour Rand Paul qui a tweeté qu'il pensait que j'avais écrit la déclaration !

En termes géopolitiques crus, l'approche de Trump était la seule qui soit sensée. Personne n'excusait le meurtre de Khashoggi, et peu doutaient de la gravité de cette faute. Que nous aimions l'Arabie saoudite ou non, la monarchie, Mohammed ben Salmane ou Khashoggi, nous avions de très puissants intérêts nationaux américains en jeu. Retirer notre soutien aurait immédiatement déclenché des actions compensatrices de la part de nos adversaires dans la région, afin d'exploiter la situation à notre détriment. Poutine me l'avait signalé sans ménagement, à Moscou (cf. chapitre 6), le 23 octobre, en me disant que la Russie pourrait vendre des armes aux Saoudiens si nous ne le faisions pas. Trump ne s'était pas entièrement basé sur la réalité géostratégique, mais plutôt sur les emplois américains générés par les ventes d'armes, et il est arrivé plus ou moins à ses fins. Cette approche correspondait exactement à la conclusion de Jeane Kirkpatrick dans son essai emblématique « Dictatorships and Double Standards[54] », où elle écrivait : « L'idéalisme libéral ne doit pas être du masochisme, et ne doit pas être incompatible avec la défense de la liberté et des intérêts nationaux. »

Les problèmes de gestion du personnel, également cruciaux pour la construction d'une politique, laissaient présager de profonds changements après les élections du Congrès de novembre 2018. Jim Mattis et son équipe, par exemple, avaient une très grande maîtrise des relations avec la presse, cultivant soigneusement sa réputation de « guerrier érudit[55] ». Une anecdote concernant Mattis, et dont j'étais sûr que les médias n'avaient pas connaissance, m'a été apprise par Trump le 25 mai, alors que Marine One revenait d'Annapolis, vers la Maison Blanche, après le discours de Trump, lors de la remise des diplômes à l'Académie navale.

---

54 « Dictatures et normes à deux vitesses » (NDT).
55 Le général Mattis était surnommé « The Warrior Monk », le moine-soldat, en raison de sa grande érudition (NDT).

Il a raconté que Mattis lui avait dit, au sujet de la présence de Trump à un débat présidentiel planifié avec Clinton, juste quelques jours, après que l'affaire *Access Hollywood* a éclaté dans la presse, que « c'était la chose la plus courageuse qu'il ait jamais vue ». Venant d'un militaire de carrière, c'était vraiment quelque chose. Bien sûr, Trump aurait pu avoir inventé tout ça, mais, dans le cas contraire, cela montrait que Mattis maîtrisait l'art de la flatterie... même avec les meilleurs.

Il ne fait aucun doute que Mattis se trouvait en difficulté à l'été 2018, et il est apparu de plus en plus affaibli à mesure que l'année s'avançait. Le dimanche 1er septembre, à environ 21 heures 45, Trump m'a appelé pour me demander si j'avais vu l'article du *New York Times* sur Mattis et me dire de « le lire attentivement ». Je lui ai répondu que c'était déjà fait. « Je n'aime pas ça, m'a dit Trump. Mattis fait toujours ce genre de chose. » Je lui ai dit que, selon moi, cet article était très injuste envers la conseillère adjointe à la Sécurité nationale, Mira Ricardel, et qu'il était inspiré par l'inimitié qu'elle lui avait suscitée, lors de ses premiers jours à la Maison Blanche, quand elle s'était opposée à ses efforts pour embaucher des démocrates ayant des opinions compatibles avec celles de Trump. « Elle a aussi empêché Rex de faire venir certains de ses associés, n'est-ce pas ? » m'a demandé Trump, ce qui était vrai aussi. « Que pensez-vous de Mattis ? » m'a demandé Trump, dans son style de management bien à lui, et dont personne ne pensait qu'il était propice à renforcer le niveau de confiance de ses subordonnés. Néanmoins, il le faisait tout le temps. Et seul un idiot n'aurait pas compris que, s'il me posait des questions à propos de Mattis, il demandait forcément aux autres ce qu'ils pensaient de moi. Je lui ai donné une réponse partielle, qui était à la fois vraie et importante. Je lui ai dit que Mattis « était bon à ne pas faire ce qu'il ne voulait pas faire » et qu'il avait « une haute opinion de sa propre opinion ». Là-dessus, Trump s'est emporté en m'expliquant qu'il ne faisait pas confiance à Mattis et qu'il en avait marre de ces perpétuels articles de presse qui montraient un Mattis se croyant plus malin que lui, Donald J. Trump. Je ne l'ai pas dit à Trump, mais il s'agissait du coup le plus dur que l'« axe d'adultes » s'était infligé à lui-même. Ils se pensaient tellement brillants qu'ils s'imaginaient pouvoir dire au monde entier combien ils étaient brillants, sans que Trump ne s'en rende compte. Pas si brillants que ça, on dirait.

Kelly est venu dans mon bureau le lendemain, en fin de matinée, pour parler de l'article en disant : « Mattis est juste en mode survie maintenant », et qu'en mettant les fuites sur le dos de Ricardel, il faisait preuve d'un culot monumental. J'ai alors expliqué la théorie du juge Larry Silberman sur l'évaluation des fuites, en demandant à Kelly : « Cui bono ? » ce qui signifie « à qui cela profite-t-il ? » En l'occurrence, cela désignait directement Mattis et ses proches comme étant la source de ces fuites. Kelly avait servi sous les ordres de Mattis dans les Marines, tout comme Joe Dunford - une remarquable coïncidence que la presse n'a jamais semblé relever et qu'aucun auteur de romans d'espionnage n'aurait pu convaincre le moindre éditeur que cela était vrai. Trump, Kelly et moi avons reparlé de cet article plus tard dans la journée, et Trump a demandé : « Mattis n'a pas aimé le retrait de l'accord avec l'Iran, n'est-ce pas ? », ce qui était un euphémisme. Peu de temps après, les spéculations concernant le remplacement de Mattis sont sérieusement revenues sur le tapis. Je me suis demandé si les fuites n'avaient pas commencé dans le Bureau ovale.

Une semaine plus tard, cependant, alors que j'étais à New York pour les festivités annuelles d'ouverture de l'Assemblée générale des Nations Unies, Kelly m'a appelé pour me dire que la Première dame voulait que Ricardel soit virée parce que son personnel se plaignait de son manque de coopération dans la préparation d'un prochain voyage de FLOTUS, en Afrique. Je trouvais cela ahurissant, et Kelly m'a dit que « personne ne savait clairement comment les choses avaient pris de telles proportions ». Puis il a qualifié le personnel de la Première dame de commères malveillantes. Personne ne m'en a rien dit de plus, et j'ai pensé que ce sujet avait disparu de lui-même. Kelly était toujours à Washington à cause de « cette affaire Rosenstein », c'est-à-dire les histoires concernant le procureur général adjoint Rod Rosenstein et s'il avait bel et bien proposé d'invoquer le 25ᵉ amendement contre Trump, ou s'il avait porté un micro dans le Bureau ovale pour rassembler des preuves à cette fin. C'était aussi une première dans l'histoire du personnel présidentiel.

Le fait d'être à New York m'a rappelé pourquoi l'ambassadeur aux Nations Unies ne devrait pas avoir de rang au Cabinet (l'approche républicaine traditionnelle). Ou s'il devait l'avoir, il fallait que le président lui rappelle qu'il n'y a qu'un seul secrétaire d'État. Haley n'a jamais eu ce rappel, et d'après tout ce que j'ai entendu, et appris de la bouche de Trump, elle et Tillerson se détestaient cordialement l'un et l'autre (enfin, peut-être pas cordialement). Une première manifestation du « problème Haley » s'est vue dans sa mauvaise gestion des sanctions contre la Russie, juste après l'attaque américaine du mois d'avril sur la Syrie. Ce problème est réapparu en juin lors du retrait des États-Unis du Conseil des droits de l'homme des Nations Unies. Trump était d'accord pour le quitter, ce que tous ses conseillers lui recommandaient, et il l'a confirmé lors d'une réunion dans le Bureau ovale avec Pompeo, Haley et moi. Trump a alors demandé à Haley : « Comment ça se passe ? » et elle a répondu en faisant référence à des négociations commerciales avec la Chine, ce qui ne ressortait absolument pas de ses responsabilités. Après une longue harangue de Trump, incluant toutes ses répliques favorites (« l'UE, c'est la Chine en pire… et en plus petit »), Haley l'a interrogé sur un voyage en Inde qu'elle voulait faire pour rendre visite au Dalaï-lama. Le but de ce voyage n'était pas clair, si ce n'était pour faire une séance photo avec le Dalaï-lama, ce qui est toujours bon pour un aspirant politicien. Mais le champ de mines dans lequel elle s'était embourbée en soulevant le problème commercial avec la Chine témoignait d'une piètre vision politique. Une fois que Trump s'est demandé de quel œil la Chine verrait Haley en compagnie du Dalaï-lama, ce voyage était définitivement mort. Cet épisode a confirmé à Pompeo jusqu'à quel point Trump avait laissé Haley dériver, et pourquoi cela devait cesser. Quoi qu'il en soit, le 19 juin, nous nous sommes retirés du Conseil des droits de l'homme.

Remplacer des membres importants du gouvernement sur le départ pouvait aussi être ardu, particulièrement au moment où l'on se rapprochait du mi-mandat de Trump. Choisir le successeur d'Haley était un parfait exemple de ce genre de marathon. Après s'être entretenue seule avec Trump, Ivanka et Kushner sur une affaire « purement personnelle », Haley a dit à Kelly (mais pas à Pompeo ni à moi), le 9 octobre, qu'elle démissionnait, bien que cette démission ne soit devenue effective que le 31 décembre après un interminable baroud d'honneur. Peu d'observateurs doutaient encore que l'édition 2024 de la course à la nomination présidentielle républicaine avait commencé. Dans une déclaration à vous couper le souffle, assise près du président dans le Bureau ovale, Haley a écarté toute candidature en 2020, juste pour rappeler à tout le monde qu'elle était disponible : « Non, je ne suis pas candidate pour 2020… Je peux vous promettre que ce que je ferai, c'est de faire campagne pour cet homme. » Beaucoup ont pensé qu'elle postulait, à la place, pour remplacer Pence comme bras droit de Trump pour 2020, soutenue par Kushner et Ivanka, ce qui n'était pas une vaine spéculation.

Un prérequis de Trump pour succéder à Haley était que ce soit une femme. La première candidate favorite, Dina Powell, avait déjà servi le NSC et semblait, vu qu'elle était la préférée de la famille, être assurée d'avoir le poste. Cependant, une très forte opposition s'est développée, et la campagne de recrutement s'est très vite mise en quête d'autres candidates. Depuis le début, Pompeo et moi étions d'accord sur le fait que l'ambassadeur auprès des Nations Unies ne pouvait pas avoir de rang au Cabinet, mais nous devions d'abord en persuader Trump. Il a répondu que Powell « serait bien dépannée » si elle avait ce statut, ce qui m'a laissé sans voix. Si quelqu'un avait besoin de ce genre d'aide, il fallait qu'il se cherche un autre travail. En plus du problème de statut, Pompeo et moi avons envisagé, pendant plusieurs semaines, d'autres candidates possibles, et nous en avons parlé avec certaines d'entre elles pour savoir si elles étaient intéressées. Une fois le tri fini, nous en avons tous les deux conclu que l'ambassadrice au Canada, Kelly Craft, était le choix le plus logique. En plus d'être qualifiée, Craft faisait déjà partie du gouvernement, elle avait été pleinement approuvée et avait reçu les autorisations de sécurité appropriées. Elle était donc prête à assumer rapidement de nouvelles responsabilités.

Pendant ce temps, la Maison Blanche est tombée en mode conspirationniste, tandis que tout un chacun avait une opinion sur la successeuse d'Haley. Je n'ai jamais vécu une période où tant de gens me disaient de ne pas avoir confiance en d'autres personnes. Peut-être qu'ils avaient tous raison. Les choix politiques internes étaient byzantins et la plupart se développait dans les médias. Les candidates montaient et chutaient, se présentaient et se retiraient, et puis se représentaient à nouveau, touchaient au but, ou bien étaient vraiment choisies, pour finalement voir un élément les mettre hors course et nous renvoyer à la case départ. Même lorsque Pompeo et moi pensions que Trump s'était décidé sur une candidate, nous avions souvent tort. Comme Pompeo l'a dit au sommet du G20, en novembre : « Vous ne pouvez pas le laisser seul une minute. » C'était comme se trouver dans un labyrinthe de miroirs. À mesure que les semaines passaient, je me demandais si nous aurions une candidate nommée en temps et en heure pour qu'elle puisse être confirmée avant la fin du long rappel de trois mois d'Haley, le 31 décembre.

En fait, nous n'avons trouvé personne. Pas avant le 22 février, dans le Bureau ovale, lorsque Trump m'a appelé en milieu d'après-midi, et que lui et Kelly Craft se sont « officiellement » serré la main. J'étais enchanté, tout comme Pompeo, mais consterné que nous ayons perdu presque cinq mois sur un choix qui aurait pu être résolu simplement en quelques jours après l'annonce d'Haley. Trump a dit à Craft : « C'est le meilleur poste dans l'Administration après le mien », ce qui pour moi n'était pas loin d'être faux. Nous en avions terminé, du moins avec les délibérations du pouvoir exécutif. Presque cinq mois de procédure.

Alors que les problèmes de Mattis se multipliaient, les spéculations se tournaient désormais vers Kelly et s'il n'allait pas finir par en avoir marre. Pompeo m'a dit : « Si Mattis s'en va, Kelly s'en ira aussi », ce qui était logique. Nous avions dépassé le stade de dysfonctionnement du personnel, mais cela signifiait qu'un changement majeur attendait la Maison Blanche. Les problèmes interminables de Nielsen avec Trump semblaient également indiquer son départ prématuré, une autre raison de partir pour Kelly, mais elle s'est accrochée. De fait, Nielsen est restée jusqu'en avril 2019, probablement bien après le départ qu'elle aurait dû prendre pour son propre bien. Kelly et Kushner, eux, ne s'entendaient plus bien depuis la polémique concernant l'autorisation de sécurité de Kushner.

Kelly, aussi, avait ses propres problèmes, pas différents de ceux que j'avais moi-même rencontrés, avec le secrétaire du Trésor, Mnuchin, un confident de Trump. En juillet 2018, par exemple, Mnuchin faisait sans arrêt des histoires à propos d'une publication dans la presse qui annonçait qu'il voulait instaurer de nouvelles sanctions contre une banque russe, qui avait facilité les transactions financières internationales de la Corée du Nord. Trump était d'accord pour appliquer ces sanctions, mais il ne voulait pas de communiqué de presse, afin d'éviter de potentielles réactions négatives à Moscou et à Pyongyang. Mnuchin avait peur de se faire étriller par le Congrès, qui lui reprocherait de couvrir la Russie, s'il ne faisait pas quelque chose. Je pense qu'il était à cran, et quelques jours plus tard, Trump a accepté de produire un communiqué. Exaspéré, Kelly m'a dit que la préoccupation numéro un de Mnuchin était de n'être exposé à aucun risque qui soit, nonobstant son désir démesuré d'assister aux réunions du Bureau ovale et de voyager autour du monde. Quelques jours plus tôt, Kelly et moi avions évoqué à quel point Mnuchin faisait tout pour s'immiscer dans des réunions où il n'avait aucun rôle, allant même jusqu'à appeler Trump pour se faire inviter. Kelly m'a dit qu'il était sûr que Mnuchin passait largement moins de la moitié de son temps à son bureau, au département du Trésor, car il était avide d'aller aux réunions de la Maison Blanche ou de participer aux déplacements présidentiels. « Dans son département, ils reconnaissent à peine son visage », a lancé Kelly dédaigneusement.

Pendant ce temps, les efforts de longue haleine de Mattis visant à virer Ricardel, combinés aux efforts clandestins du personnel de la Première dame, ont finalement abouti. J'étais à Paris pour des réunions préliminaires avant l'arrivée de Trump, pour le centenaire de l'Armistice du 11 novembre 1918. Dans la soirée du 9 novembre, alors que je partais dîner avec mes homologues britannique, français et allemand, Kelly m'a appelé d'Air Force One, qui s'approchait de Paris. Nous étions sur des téléphones non sécurisés, donc nous n'avons pas pu parler librement avant minuit, lorsque Kelly m'a dit que le bureau de la Première dame essayait toujours de faire virer Ricardel. « Je n'ai rien à voir avec ça », m'a promis Kelly.

Le samedi, je suis allé à la résidence de l'ambassadeur américain, où Trump séjournait, pour le briefer avant sa rencontre bilatérale avec Macron. Il faisait mauvais temps et Kelly et moi avions envisagé de nous rendre, comme prévu, au Monument américain de Château-Thierry et au cimetière américain du bois Belleau, situé tout près, où étaient enterrés de nombreux soldats américains, morts durant la Première Guerre mondiale. L'équipe de Marine One nous a dit qu'il était imprudent, en raison de la mauvaise visibilité, de se rendre au cimetière en hélico. La couverture nuageuse n'était pas trop basse pour un vol de Marines en mode combat, mais faire voyager POTUS était évidemment une tout autre histoire. Si nous avions recours au cortège présidentiel, cela pourrait prendre entre 90 et 120 minutes aller, idem pour le retour, le tout sur des petites routes. Si une urgence devait se produire, rapatrier le président à toute vitesse devenait incertain, et ce risque était tout simplement inacceptable. Annuler cette visite était donc une décision facile à prendre, mais très difficile à proposer pour un ancien Marine comme Kelly, qui était celui qui avait suggéré d'aller au bois Belleau (une bataille emblématique dans l'histoire du Corps des Marines). Trump était d'accord, et nous avons décidé que d'autres se rendraient à sa place, en voiture, au cimetière. Au moment où la réunion se terminait et que nous nous préparions à partir pour le palais de l'Élysée pour rencontrer Macron, Trump nous a pris à part, moi et Kelly, et nous a dit : « Trouvez un autre poste à Mira. Le personnel de Melania est sur le sentier de la guerre. » Kelly et moi supposions qu'il lui fallait une position équivalente ailleurs dans l'Administration, dans un endroit plus calme à Washington.

La presse a tourné l'annulation de la visite au cimetière en une histoire, selon laquelle, Trump avait eu peur de la pluie, et a pris plaisir à souligner que d'autres chefs d'État s'y étaient rendus toute la journée. Bien évidemment, aucun d'entre eux n'était le président des États-Unis, mais la presse ne comprenait pas que les règles des présidents américains soient différentes des règles des 190 autres chefs d'État qui ne commandent pas la plus grande force militaire du monde. Trump a réprimandé Kelly, injustement, marquant ainsi un moment décisif pouvant mettre fin à son service à la Maison Blanche. Trump a été mécontent durant tout le voyage (« Il est dans une déprime royale » comme l'a dit Sanders) à cause des résultats décevants aux élections, et rien n'a arrangé les choses. Le reste de la visite à Paris a été similaire. Macron a ouvert leur réunion bilatérale en parlant d'une « armée européenne », comme il l'avait fait plus tôt publiquement, ce qu'un grand nombre d'autres Américains étaient pleinement préparés à accepter pour ces Européens ingrats, mais pas nous. Macron a presque insulté Trump dans son discours du 11 novembre à l'Arc de Triomphe, en disant : « Le patriotisme est le contraire exact du nationalisme. Le nationalisme trahit le patriotisme quand il dit : "Nos intérêts d'abord et qu'importent les autres !" » Trump m'a dit qu'il n'avait pas entendu la rebuffade parce que son oreillette s'était coupée à ce moment critique.

Après Paris, j'ai pris l'avion pour les Émirats arabes unis puis pour Singapour afin de soutenir le déplacement du vice-président au sommet annuel de l'Association des nations de l'Asie du Sud-Est. Le 14 novembre, à 2 h 20, Ricardel m'a appelé pour me dire qu'un article du *Wall Street Journal*, dont les détails provenaient vraisemblablement d'une source inamicale, annonçait qu'elle était sur le point d'être virée. L'article en question comportait aussi des spéculations concernant les évictions de Kelly et de Nielsen, donc j'ai immédiatement appelé la Maison Blanche, pour parler à Trump (Singapour ayant treize fuseaux horaires d'avance sur Washington) et à d'autres afin de savoir ce qu'il se passait. Dans l'entrefaite, un tweet incroyable est sorti du « bureau de la Première dame » selon lequel Ricardel ne méritait plus de travailler à la Maison Blanche. Il s'agit là de quelque chose sans précédent. J'étais encore en train de digérer ça lorsque Trump m'a rappelé vers 5 h 30 pour me demander : « C'est quoi ce truc en provenance de la Première dame ? » Et il a demandé à Westhout de lui montrait le tweet, afin de le lire pour la première fois. « Mais putain, a-t-il hurlé. Comment peuvent-ils sortir ça sans me le montrer ? » Bonne question, ai-je pensé. « Laissez-moi gérer ça », a conclu Trump. Plus tard, Trump a convoqué Ricardel et le personnel de FLOTUS dans le Bureau ovale, où ils ont exposé leurs versions du voyage de FLOTUS en Afrique, voyage que Ricardel avait essayé d'empêcher de dérailler à cause de l'ignorance et de l'insensibilité du personnel de la Première dame. Ricardel n'avait, en fait, jamais rencontré la Première dame ; toutes les critiques venaient de son personnel. Trump était à juste titre irrité par ce tweet en provenance du « bureau de la Première dame », et pour lequel les membres de son personnel ont dénié toute responsabilité. « Cette déclaration c'est de la merde », a dit Trump, très justement.

J'ai parlé de Ricardel à Pence lors d'un déjeuner privé que nous avons eu tous les deux. « Elle est fantastique », m'a-t-il dit, et il m'a promis de la soutenir totalement. Kelly m'a appelé plus tard dans la journée pour me dire que Trump lui avait demandé, après la réunion dans le Bureau ovale, de « lui trouver un point de chute… nous devons la garder dans l'Administration », et qu'il lui avait dit

« qu'elle n'était pas une mauvaise personne », malgré les allégations du personnel de FLOTUS.

Kelly a poursuivi : « Paris a été un désastre complet », et a ajouté que Trump s'était plaint non-stop durant le vol retour vers Washington, à bord d'Air Force One, et même après. Il n'a pas arrêté de ressasser ce qui s'était mal passé, en plus d'exiger le renvoi de Mattis et Nielsen, principalement à cause du problème de la frontière mexicaine. Kelly m'a dit qu'il avait « tiré Trump de plusieurs mauvais pas », mais qu'il n'était pas du tout sûr de ce qu'il adviendrait prochainement. Je lui ai dit de me tenir au courant, et il m'a simplement dit : « OK, mon pote », ce qui m'indiquait qu'il n'avait plus beaucoup d'amis à la Maison Blanche. Trump a publié une déclaration, le lendemain, disant que Ricardel serait mutée sur un nouveau poste dans le gouvernement, bien que nous ne l'ayons pas encore fixé. Malheureusement, l'atmosphère avait été tellement polluée par le personnel de FLOTUS que Ricardel avait purement et simplement décidé de son propre chef de quitter l'Administration et de rejoindre le secteur privé. Pour moi, tout cela était déplorable, et extrêmement injuste envers Ricardel.

Après presque neuf mois, j'ai pu faire ma propre évaluation du Conseil de sécurité nationale. En substance, nous étions en conformité avec la norme « ne pas nuire ». Nous n'avions approuvé aucun mauvais accord et nous en avions quitté plusieurs que nos prédécesseurs nous avaient laissés en cadeaux (notamment l'accord sur le nucléaire iranien et le Traité sur les forces nucléaires à portée intermédiaire). Mais je sentais la tourmente arriver sur d'autres fronts.

Alors que les élections de novembre approchaient, les machines à rumeurs tournaient à plein régime. Depuis l'annonce des résultats, décevants, et le jour de l'Armistice, trop nuageux, les rumeurs s'interrogeant sur le successeur de Kelly circulaient constamment. La théorie la plus persistante était que Trump allait choisir Nick Ayers, le chef de Cabinet de Pence. Passer d'un poste, sous les ordres du vice-président, à un autre, sous les ordres du président, était pour le moins inhabituel. Cependant, Jim Baker était passé de directeur de campagne de George H. W. Bush en 1980 à directeur de Cabinet de Reagan à la Maison Blanche. Les compétences politiques d'Ayers faisaient de lui un choix logique (si Kelly décidait de partir) pour un président en quête de réélection. Mais la vraie question était de savoir si Ayers voulait ce poste. Il a cherché d'avance à définir les termes du rôle, et Trump semblait disposé à le faire, mais il s'est rétracté sur certains points clés ou bien écartait complètement le concept même de description de poste pour cause d'infaisabilité. Bien qu'Ayers ait été tenté par le job, son expérience des deux années précédentes l'avait convaincu que, sans une feuille de papier à laquelle se référer en cas de crise, le jeu n'en valait pas la chandelle. Bien sûr, une nouvelle question se posait alors : cette feuille de papier aurait-elle eu une quelconque valeur ? Mais cette question restera à jamais sans réponse.

Tandis que le personnel frémissait, Mattis bouillonnait de l'intérieur. Néanmoins, je m'attendais fortement à ce qu'Ayers soit nommé pour succéder à Kelly, vraisemblablement le lundi 10 décembre 2018. Kelly m'a dit, ce matin-là, à 6 h 30, une de nos dernières conversations matinales, qu'après avoir travaillé deux jours directement avec Trump à titre d'essai, Ayers en avait tout simplement conclu que ça ne marcherait pas. Kelly aussi était convaincu que Trump prévoyait de mettre Haley à la place de Pence comme candidate à la vice-présidence pour 2020, ce qui aurait mis Ayers dans une position impossible. Quoi qu'il en soit, nous en étions revenus à la case départ, et le monde entier le savait. La seule bonne nouvelle, en ce 10 décembre, était que Pat Cipollone était le nouveau conseiller juridique de la Maison Blanche, mieux vaut tard que jamais. Le départ de Mattis est vite devenu de notoriété publique.

Beaucoup de candidats, de l'intérieur comme de l'extérieur, briguaient le poste de chef de Cabinet, mais Trump a tweeté, le 14 décembre, que Mick Mulvaney, le directeur du Bureau de la gestion et du budget, serait le chef de Cabinet par intérim, dès le départ de Kelly. Kushner est venu cet après-midi-là pour dire que cette décision l'enchantait et que la partie « par intérim » du titre n'était qu'une façade. Comme je l'ai compris plus tard, les conditions inhérentes à ce poste n'ont pas entraîné de réelles négociations entre Trump et Mulvaney. Cette décision me semblait donc surprenante et impulsive. Pompeo pensait, pour ainsi dire, que Mulvaney ferait tout ce qu'Ivanka et Kushner lui demanderaient, ce qui d'un point de vue philosophique, nous inquiétait tous les deux. La passation de pouvoir entre Kelly et Mulvaney a été effective le 2 janvier.

Dans une interview d'octobre 2019, en plein milieu de la crise de destitution « ukrainienne », Kelly m'a confié qu'il avait dit à Trump : « Quoi que vous fassiez – et nous étions toujours dans la procédure de recrutement de mon remplaçant – j'ai dit quoi que vous fassiez, n'embauchez pas un béni-oui-oui, quelqu'un qui ne vous dira pas la vérité – ne faites pas cela. Parce que si vous le faites, je pense que vous serez destitué. » Trump a catégoriquement démenti que Kelly lui ait fait une telle déclaration : « John Kelly ne m'a jamais dit cela, il ne m'a jamais rien dit de tel. S'il m'avait dit cela, je l'aurais jeté hors de mon bureau. Il veut juste revenir au cœur de l'action comme le ferait n'importe qui d'autre. » Et Stephanie Grisham, précédemment une des Furies de la Première dame, maintenant porte-parole de la Maison Blanche, a déclaré de façon solennelle : « J'ai travaillé avec John Kelly, et il était trop peu qualifié pour saisir le génie de notre grand président. » Ces propos en disent long sur les personnes qui les ont tenus.

Avec le départ de Kelly et la désignation de Mulvaney, toutes les actions efficaces en matière de gestion du Bureau exécutif du président ont cessé. La stratégie de politique intérieure et la stratégie politique, tout court, qui n'ont jamais été des points forts, ont quasi disparu. Les décisions concernant le personnel se sont encore dégradées et le chaos général s'est aggravé. La crise ukrainienne a suivi, et beaucoup de preuves ont démontré que l'hypothèse de Kelly était entièrement correcte.

CHAPITRE 9

LE VENEZUELA, LIBRE

Le régime illégitime du Venezuela, l'un des plus répressifs de l'hémisphère occidental, constituait une opportunité pour le gouvernement Trump. Mais cela exigeait une détermination ferme et une pression maximale sans relâche. Nous n'avons pas satisfait à ces exigences. Le président a trop hésité et tergiversé, en exacerbant les désaccords internes de l'Administration plutôt que de les résoudre, et en empêchant, constamment, nos efforts de mener à bien une politique. Nous n'avons jamais été complètement sûrs du succès que nous avions apporté à l'opposition vénézuélienne afin de remplacer Nicolas Maduro, l'héritier d'Hugo Chavez. En réalité, c'était presque l'opposé. Les adversaires de Maduro ont agi en janvier 2019 parce qu'après avoir essayé et échoué pendant des années, ils ont fortement ressenti que ce serait leur dernière chance d'être libres. Les États-Unis sont intervenus parce qu'il était dans notre intérêt national de le faire. Ça l'est toujours, et la lutte continue.

Après les actions infructueuses visant à évincer Maduro, le gouvernement Trump n'a pas hésité à dire publiquement, et en détail, combien l'opposition avait été proche d'écarter Maduro, et ce qui n'avait pas fonctionné. De nombreux articles de presse ont repris des détails de ce que nous avions continuellement entendu, et qui sont évoqués dans ce texte. Ce n'était vraiment pas une situation normale avec des discussions et des échanges diplomatiques, et nous avons entendu la même chose de la part de nombreux membres du Congrès et de citoyens américains, particulièrement des membres des communautés cubo-américaine et vénézuelo-américaine, en Floride. Un jour, lorsque le Venezuela sera de nouveau libre, les nombreux militants de l'opposition seront libres de raconter leur histoire publiquement. En attendant, nous n'avons que la mémoire de gens comme moi qui ont la chance de pouvoir la raconter pour eux.

L'Histoire du Venezuela comprend vingt ans d'opportunités manquées, étant donné l'opposition, vaste et très soutenue, au régime Chavez-Maduro. Le 4 août, peu après mon arrivée comme conseiller à la sécurité nationale, Maduro a été attaqué par deux drones, alors qu'il s'exprimait durant une cérémonie de remise de récompenses militaires. Tandis que l'attaque a échoué, elle a montré une vigoureuse dissidence au sein de l'armée. Et l'image cocasse de militaires prenant vigoureusement la fuite au bruit de l'explosion, malgré la propagande du régime, nous montrait la « loyauté » de l'armée envers Maduro.

Le régime autocratique de Maduro était une menace, à cause des liens avec Cuba et des ouvertures que cela offrait à la Russie, à la Chine et à l'Iran. La menace provenant de Moscou était indéniable, à la fois sur les plans militaire et financier. La Russie avait consenti à des dépenses considérables pour renforcer Maduro, dominer l'industrie pétrolière et gazière et imposer des coûts aux États-Unis. Pékin n'était pas loin derrière. Trump avait bien vu cela. Après un appel, lors du Nouvel An 2019, avec le président égyptien Abdel Fattah al-Sissi, il m'a fait part de ses inquiétudes à propos de la Russie et de la Chine : « Je ne veux pas rester assis là à regarder. » Le Venezuela ne faisait pas partie de mes tops priorités, à mes débuts, mais gérer la sécurité nationale de manière optimale est également synonyme de flexibilité, lorsque de nouvelles menaces ou de nouvelles opportunités se présentent. Le Venezuela était un véritable imprévu. Les États-Unis s'étaient opposés à des menaces extérieures, dans l'hémisphère occidental, depuis la doctrine Monroe, et il était temps de la ressusciter après les efforts du couple Obama-Kerry pour l'enterrer.

Le Venezuela était une menace en lui-même, comme il l'a démontré lors d'un incident en mer, le 22 décembre, le long de la frontière entre le Venezuela et le Guyana. Plusieurs unités navales vénézuéliennes ont essayé d'aborder des navires de forage d'ExxonMobil, sous pavillon et dans les eaux territoriales du Guyana. Chavez et Maduro avaient mené l'industrie pétrolière et gazière à la ruine, et les immenses ressources d'hydrocarbures du Guyana allaient constituer une menace concurrentielle immédiate dans le voisinage. L'incident s'est dissipé lorsque les navires de forage, après avoir refusé les requêtes vénézuéliennes de faire atterrir un hélicoptère sur l'un d'entre eux, se sont rapidement dirigés vers une zone appartenant incontestablement aux eaux territoriales guyanaises.

Peu de temps après l'attaque des drones, lors d'une réunion sans rapport, le 15 août, le Venezuela est réapparu, et Trump m'a dit avec emphase : « Allez-y », ce qui voulait dire : « Débarrassez-vous du régime Maduro. C'est la cinquième fois que je le demande ». Je lui ai décrit notre réflexion, dans une réunion qui se réduisait maintenant à Kelly et moi, mais Trump a répété qu'il voulait des options militaires pour le Venezuela, mais qu'il voulait aussi les garder, car « cela appartient aux États-Unis ». Cet intérêt présidentiel dans le débat des options militaires m'a initialement surpris, mais il n'aurait pas dû ; comme je l'ai appris, Trump s'était déjà prononcé en sa faveur, presque un an plus tôt, en répondant à des questions de la presse, le 11 août 2017, à Bedminster, dans le New Jersey :

> « Nous avons de nombreuses options pour le Venezuela, et soit dit en passant, je ne vais pas écarter l'option militaire. Nous avons beaucoup d'options pour le Venezuela. C'est notre voisin… c'est… nous sommes partout dans le monde, et nous avons des soldats aux quatre coins du monde, dans des endroits qui sont très, très loin. Le Venezuela n'est pas très loin, et les gens souffrent, et ils meurent. Nous avons beaucoup d'options pour le Venezuela, dont une option militaire éventuelle, si nécessaire. »

J'ai expliqué pourquoi la force armée n'était pas notre réponse, notamment en raison de l'inévitable opposition du Congrès, mais que nous pourrions atteindre le même objectif en travaillant avec ceux opposés à Maduro. J'ai décidé, par la suite, de mettre le Venezuela en pleine lumière en donnant un discours très médiatisé à Miami, le 1er novembre 2018, dans lequel je condamnais la « troïka de la tyrannie » de l'hémisphère occidental : le Venezuela, Cuba et le Nicaragua. J'ai annoncé que le gouvernement, qui était en train de renverser la politique cubaine d'Obama, imposerait de nouvelles sanctions contre La Havane, et produirait un nouveau décret présidentiel qui sanctionnerait le secteur aurifère du Venezuela, que le régime utilisait pour se maintenir à flot, en réalisant des ventes à partir de la Banque centrale du Venezuela. Le discours de la « troïka de la tyrannie » mettait en évidence les affiliations entre trois gouvernements autoritaires, constituant ainsi les bases d'une politique proactive. Trump aimait l'expression « troïka de la tyrannie ». Il m'a dit : « Vous donnez de si bons discours » ; celui-là, comme je l'ai signalé, avait été écrit par l'un de ses propres rédacteurs.

Bien évidemment, Trump déclarait aussi périodiquement qu'il voulait rencontrer Maduro pour résoudre tous nos problèmes avec le Venezuela, ce que, ni Pompeo ni moi, ne considérions comme une bonne idée. Un jour, en décembre, je suis tombé sur Rudy Giuliani dans l'aile Ouest. Il a demandé à me voir après une réunion des avocats de Trump, raison pour laquelle il se trouvait là. Il avait un message pour Trump de la part du représentant, Pete Sessions, qui s'était prononcé, depuis longtemps, en faveur d'une rencontre Trump-Maduro, tout comme le sénateur Bob Corker, pour des raisons connues d'eux seuls. Me parlant de cela plus tard, Pompeo a suggéré, en premier lieu, d'envoyer quelqu'un au Venezuela pour voir Maduro, même si rien ne s'est passé et que l'intérêt de Trump, en faveur d'une discussion avec Maduro, s'est ensuite dissipé.

Le big bang au Venezuela s'est produit le vendredi 11 janvier. Le jeune, nouveau président de l'Assemblée nationale, Juan Guaido, a annoncé lors d'un énorme rassemblement, à Caracas, que, selon l'Assemblée, la réélection manifestement frauduleuse de Maduro, en 2018, était illégitime, et donc invalide. Par conséquent, l'Assemblée, la seule institution légitime du Venezuela, élue par le peuple, avait déclaré vacante la présidence du Venezuela. D'après la clause de vacance de la Constitution d'Hugo Chavez, Guaido a annoncé qu'il deviendrait président par intérim le 23 janvier, soit la date anniversaire du coup d'État militaire de 1958 qui avait renversé la dictature de Marcos Perez Jimenez, afin d'empêcher Maduro de préparer de nouvelles élections. Les États-Unis n'ont appris qu'au dernier moment que l'Assemblée allait prendre cette décision. Nous n'avons joué aucun rôle encourageant ou assistant l'opposition. Ils ont vu ce moment comme pouvant représenter leur dernière chance. Tout se jouait dorénavant au Venezuela, et nous devions décider comment réagir. Rester assis et regarder ? Ou agir ? J'étais persuadé que nous devions agir. La révolution était en marche. J'ai dit à Mauricio Claver-Carone, que j'avais récemment choisi comme directeur du Conseil de sécurité nationale pour l'hémisphère occidental, de produire une déclaration de soutien.

J'ai raconté à Trump ce qui s'était passé, interrompant une réunion avec une personne extérieure, qui, de toute façon, avait déjà outrepassé le temps qui lui avait été imparti. Trump, cependant, était irrité de n'être informé que d'un *possible* changement au Venezuela. Il voulait que je publie la déclaration sous mon nom, pas sous le sien. J'aurais pu lui rappeler ce qu'il avait dit, à peine dix jours plus tôt : « Je ne veux pas rester assis à regarder », et j'aurais probablement dû, mais j'ai simplement publié la déclaration sous mon nom. Maduro a réagi durement, menaçant les membres de l'Assemblée nationale et leurs familles. Guaido lui-même a été arrêté par la police secrète du régime, mais a ensuite été rapidement relâché. Les spéculations disaient qu'en fait, c'était les Cubains qui avaient enlevé Guaido, mais sa libération a montré la réelle confusion qui existait au sein du régime, un bon signe.

J'ai aussi tweeté le premier de nombreux tweets à venir sur le Venezuela, condamnant l'arrestation de Guaido par la dictature de Maduro. J'ai été rassuré que le gouvernement Maduro m'accuse si rapidement de diriger un coup d'État « contre la démocratie du Venezuela », une démarche suivie par d'autres adversaires qui attaquaient les conseillers de Trump. Plus important encore, nous commencions à visualiser les étapes à enclencher immédiatement contre le régime de Maduro et aussi contre Cuba, son protecteur et vraisemblablement son donneur d'ordres, ainsi que contre le Nicaragua. Pourquoi ne pas s'en prendre aux trois en même temps ? Les sanctions pétrolières étaient un choix naturel, mais pourquoi ne pas ajouter le Venezuela sur la liste des « États soutenant le terrorisme » – une proposition que j'ai faite pour la première fois, le 1er octobre 2018 – et tant qu'à faire, réintégrer Cuba à cette liste après la décision d'Obama de l'en retirer ?

Sous Chavez et aujourd'hui sous Maduro, les revenus du Venezuela en provenance de l'exportation du pétrole avaient chuté de façon spectaculaire. La production elle-même était tombée, d'approximativement 3,3 millions de barils de pétrole brut par jour, lorsque Chavez a pris le pouvoir en 1999, à environ 1,1 million de barils par jour en janvier 2019. Ce déclin précipité, faisant chuter la production du Venezuela à des niveaux jamais vus depuis les années 1940, avait déjà énormément appauvri le pays. Faire en sorte que le monopole étatique de la production de pétrole soit le plus bas possible, ce que l'opposition soutenait pleinement, pourrait bien être suffisant pour provoquer l'effondrement du régime de Maduro. Il y avait beaucoup d'autres sanctions nécessaires pour éliminer les revenus illicites du régime – particulièrement le trafic de drogue avec les narcoterroristes qui opéraient principalement en Colombie, avec des refuges sûrs au Venezuela – mais frapper la compagnie pétrolière était la clé.

Le 14 janvier, j'ai convoqué une réunion du Comité des directeurs du Conseil de sécurité nationale dans la Salle de Crise pour envisager nos options afin de sanctionner le régime de Maduro, particulièrement le secteur pétrolier. Je pensais qu'il était temps de serrer la vis, alors j'ai demandé : « Pourquoi ne pas aller chercher la victoire là-bas ? » Il est rapidement devenu clair que tout le monde voulait agir de manière décisive, sauf le secrétaire du Trésor, Mnuchin. Il voulait faire peu ou rien du tout, arguant que si nous agissions, nous risquions de voir Maduro nationaliser le peu d'investissements américains qui restaient dans le secteur pétrolier au Venezuela, et qu'il fasse monter les prix du pétrole à l'échelle internationale. Mnuchin voulait surtout une garantie de notre succès, et que Maduro soit renversé, si nous imposions des sanctions. Cela, bien sûr, était impossible. Si j'ai un souvenir de Mnuchin au gouvernement – et il y a eu beaucoup de copies carbone de celui-ci, Mnuchin s'opposant à des mesures trop dures, notamment contre la Chine – c'est celui-là. Pourquoi nos sanctions n'étaient-elles souvent pas aussi radicales ni efficaces qu'elles auraient dû l'être ? Ne cherchez pas plus loin. Comme le ministre du Commerce, Wilbur Ross (un financier renommé, politiquement beaucoup plus conservateur que Mnuchin, qui était de base un démocrate), me l'a dit en avril : « Stephen se soucie plus des effets secondaires sur les entreprises américaines que de notre mission », ce qui était absolument exact. L'argument de Mnuchin en faveur de la passivité était purement économique. Il était donc important que Larry Kudlow intervienne rapidement dans le débat pour dire : « La vision de John est aussi la mienne. » Keith Kellog a ajouté que, selon Pence, nous devions « foncer tête première » et agir contre la compagnie pétrolière publique du Venezuela. Cela a eu un effet énorme vu que Pence ne donnait que rarement son opinion dans de telles configurations, pour éviter de coincer le président. Pompeo était en déplacement, mais son adjoint au département d'État, John Sullivan, s'est prononcé en faveur des sanctions, bien que sans grande spécificité. Le secrétaire à l'Énergie, Rick Perry, était fortement en faveur de dures sanctions, balayant les inquiétudes de Mnuchin concernant les investissements américains limités dans le secteur pétrolier et gazier au Venezuela.

Mnuchin était la minorité à une seule personne. J'ai donc dit que nous enverrions à Trump un mémo sur notre décision partagée ; tout le monde devait donner ses arguments rapidement parce que nous allions agir vite. Plus tôt, Pence avait proposé d'appeler Guaido pour afficher notre soutien, ce qui, après avoir entendu Mnuchin, me semblait être une bonne idée. L'appel s'est bien passé, augmentant l'urgence d'une action américaine, et avec quelque chose de plus qu'une simple rhétorique louant l'Assemblée nationale du Venezuela. Néanmoins, Mnuchin restait sur sa ligne attentiste ; Pompeo m'a dit qu'il avait eu un appel de trente minutes avec Mnuchin, le jeudi, et qu'il lui avait fait la contre-proposition d'appliquer des sanctions par tranches. Je lui ai répondu que nous avions une fenêtre pour renverser Maduro maintenant, et que cela pourrait être long avant que nous ayons une aussi bonne opportunité. Des demi-mesures n'allaient pas être suffisantes. Pompeo ne souhaitait pas reproduire ce qu'avait fait Obama en 2009 : regarder les manifestations prodémocratie se faire interdire en Iran, tandis que les États-Unis ne faisaient rien. Il me semblait que Pompeo allait dans la bonne direction. Même l'Organisation des États américains, durant longtemps l'une des organisations internationales les plus moribondes (et ce n'est pas peu dire), était enthousiaste à l'idée d'aider Guaido, tandis qu'un nombre croissant de pays d'Amérique latine se manifestaient pour déclarer leur soutien à l'Assemblée nationale rebelle du Venezuela.

Le simple fait que Guaido reste en liberté nous montrait que nous avions une chance. Nous avions besoin de la décision de Trump sur les sanctions et de savoir si nous reconnaissions Guaido en tant que président par intérim légitime, lorsqu'il a franchi le Rubicon, le 23 janvier. Le 21, j'ai expliqué à Trump les possibles étapes politiques et économiques à suivre contre Maduro et je lui ai dit que beaucoup de choses dépendaient de ce qui allait se passer deux jours plus tard. Trump doutait que Maduro tombe, me disant qu'il était « trop intelligent et trop déterminé », ce qui était encore une surprise, au vu de ses commentaires en amont sur la stabilité du régime. (Il avait dit peu de temps avant, le 25 septembre 2018 à New York, que « c'est un régime qui, franchement, pourrait être renversé très rapidement par l'armée, si jamais elle décidait de le faire. ») Trump a ajouté qu'il voulait l'éventail d'options le plus large contre le régime, requête que j'ai transmise à Dunford dans la journée. Dunford et moi avons également discuté de ce qui devrait être fait si les choses tournaient mal à Caracas, ce qui mettrait potentiellement en danger les vies du personnel administratif des États-Unis et même de citoyens vivant là-bas, et qui nécessiterait donc éventuellement une évacuation « non autorisée » de ceux en danger.

Plus j'y pensais, plus je réalisais que la décision sur la reconnaissance politique était plus importante que les sanctions pétrolières. Premièrement, la reconnaissance américaine aurait des implications majeures pour le Bureau des gouverneurs de la Réserve fédérale, et donc pour les banques du monde entier. La Réserve prendrait automatiquement le contrôle des avoirs du gouvernement vénézuélien pour les remettre à l'administration dirigée par Guaido. Malheureusement, comme nous allions le découvrir, le régime de Maduro avait si habilement volé ou dilapidé ses avoirs qu'il n'en restait plus grand-chose. Mais les conséquences financières internationales d'une reconnaissance politique étaient néanmoins significatives, car les autres banques centrales et les banques privées n'allaient pas chercher des raisons de déplaire à la Réserve fédérale. Deuxièmement, la logique de sanctionner le monopole pétrolier du pays, et d'autres mesures auxquelles résistaient Mnuchin et le département du Trésor, deviendrait injustifiable une fois que nous aurions reconnu la légitimité de Guaido. À cette fin, j'ai programmé une réunion à 8 heures, le 22 janvier, avec Pompeo, Mnuchin, Wilbur Ross et Kudlow.

Au Venezuela, les tensions montaient. Dans les heures qui ont précédé notre réunion, il y avait eu des manifestations qui avaient duré toute la nuit, dont des *cacerolazos*, les traditionnelles protestations rythmées par des concerts de casseroles, dans les zones les plus pauvres de Caracas, la base originelle des soutiens chavistes. Le manque de produits de base grandissait, et les manifestants avaient brièvement pris le contrôle des routes menant à l'aéroport de Caracas. Seuls les *colectivos*, les gangs armés de voyous à moto engagés par Chavez et Maduro pour semer la terreur et intimider l'opposition, et dont l'opposition pensait qu'ils étaient équipés et dirigés par les Cubains, semblaient rouvrir les routes. Aucun militaire. Le ministre de la Défense, Vladimir Padrino (un des nombreux Latino-Américains avec un prénom russe, héritage de la guerre froide), et le ministre des Affaires étrangères, Jorge Arreaza, avaient tous deux déjà approché l'opposition en tentant d'explorer ce que l'amnistie de l'Assemblée nationale pour les officiers militaires ayant fait défection pourrait signifier si l'opposition l'emportait. Néanmoins, après des années d'hostilité entre les deux camps, il y avait une réelle méfiance au sein de la société vénézuélienne.

Dans ce contexte, j'ai demandé si nous devions reconnaître Guaido lorsque l'Assemblée nationale l'a déclaré président par intérim. Ross a parlé le premier en disant qu'il était clair que nous devions soutenir Guaido, immédiatement suivi en ce sens par Kudlow et Pompeo. Heureusement, Mnuchin était lui aussi d'accord, en ajoutant que nous avions déjà déclaré Maduro comme illégitime, et que reconnaître Guaido était tout simplement la suite logique. Nous n'avons pas discuté des conséquences économiques ;

soit parce que Mnuchin n'a pas vu le lien, ou soit parce qu'il n'a pas voulu se battre sur ce point. Les deux m'allaient très bien. La reconnaissance étant résolue, nous avons débattu des autres étapes : travailler avec l'informel « Groupe de Lima » des nations d'Amérique latine pour qu'ils reconnaissent Guaido (ce qui ne nécessitait pas une grande force de persuasion), ajuster le niveau d'alerte de nos conseils aux voyageurs, envisager comment écarter les Cubains et gérer les paramilitaires russes qui étaient censés arriver pour soutenir Maduro. J'ai considéré cette réunion comme une victoire totale.

Plus tard dans la matinée, j'ai parlé avec Trump, qui voulait maintenant des garanties d'accès aux ressources pétrolières vénézuéliennes, en cette ère post-Maduro, et que l'on s'assure que ni la Chine ni la Russie ne continueraient à bénéficier de leurs contrats avec le régime illicite de Chavez-Maduro. Trump, comme d'habitude, avait du mal à différencier les mesures responsables capables de protéger les intérêts américains légitimes de ce qui s'apparentait à un engagement bien trop ambitieux, qu'aucun autre gouvernement, particulièrement un gouvernement démocratique, n'envisagerait. J'ai suggéré à Pence de soulever le problème avec Guaido au cours de l'appel programmé plus tard dans la journée, et Trump a acquiescé. J'ai aussi appelé plusieurs membres de la délégation de Floride au Congrès, qui devaient venir voir Trump, cet après-midi-là, pour une discussion Venezuela, afin qu'ils soient préparés mentalement si jamais le problème du secteur pétrolier survenait. Les sénateurs Marco Rubio et Rick Scott, ainsi que les représentants Lincoln Diaz-Balart et Ron DeSantis, ont donné leur plein et entier soutien au renversement de Maduro ; et Rubio a dit : « C'est peut-être notre dernière chance », et que ce succès serait « une grande victoire pour notre politique étrangère. » Durant cette réunion, ils ont expliqué que l'Assemblée nationale pensait que beaucoup de contrats commerciaux avec la Russie et la Chine avaient été obtenus grâce à des dessous-de-table et de la corruption, ce qui les rendait faciles à annuler, dès l'installation du nouveau gouvernement. La discussion a été très bénéfique et Trump était d'accord pour reconnaître Guaido, ce que Pence, qui participait à la réunion, était pleinement préparé à faire. Trump a plus tard ajouté, inutilement : « Je veux qu'il dise qu'il sera extrêmement loyal aux États-Unis et à personne d'autre. »

Trump voulait toujours d'une option militaire, soulevant la question avec les républicains de Floride, qui étaient stupéfaits, sauf Rubio, qui avait déjà entendu cela avant et qui savait comment détourner la chose poliment. J'ai appelé plus tard Shanahan et Dunford pour voir où ils en étaient dans leurs réflexions. Aucun d'entre nous ne pensait qu'une option militaire était recommandable à ce stade. Pour moi, cet exercice devait seulement maintenir Trump intéressé par l'objectif de renverser Maduro, sans pour autant perdre trop de temps à envisager une entreprise qui serait vouée à l'échec. Le Pentagone serait forcé de reprendre à zéro, parce que sous le gouvernement Obama, le secrétaire d'État, John Kerry, avait annoncé la fin de la doctrine Monroe. Il s'agissait d'une erreur qui s'était répercutée dans tous les bureaux et agences de sécurité nationale avec des effets prévisibles. Toutefois, cela était bien la preuve de ce que certaines personnes ont vu comme une blague, lorsque Trump a commenté plus tard que je l'avais refréné. Il avait raison sur le Venezuela. Dunford a dit poliment à la fin de notre appel qu'il appréciait que j'essaie de l'aider à comprendre comment notre armée pourrait intervenir. Bien sûr, j'avais la tâche la plus facile, concluant en disant : « Tout ce que j'avais à faire c'était de passer ce coup de fil. » Maintenant, c'était Dunford qui avait le problème. Il a ri et a dit : « Allez ! C'est parti ! » Au moins, il avait toujours le sens de l'humour.

Pence m'a demandé de le rejoindre dans son bureau pour l'appel téléphonique avec Guiado, qui a eu lieu vers 18 h 15. Guaido a beaucoup apprécié une vidéo de soutien que Pence avait diffusée plus tôt sur Internet, et ils ont eu, tous les deux, une excellente conversation. Pence lui a renouvelé notre soutien, et Guaido a répondu positivement, bien que très vaguement, aux questions concernant les actions, en cas de victoire, de l'opposition. Il a dit que le Venezuela était très heureux de recevoir le soutien des États-Unis, et qu'il travaillerait main dans la main avec nous, étant donné les risques que nous prenions. Je pensais que cela satisferait Trump. Après l'appel, je me suis penché au-dessus du bureau de Pence pour lui serrer la main en disant : « C'est un moment historique. » Il a proposé que nous allions dans le Bureau ovale pour en informer Trump, qui a été enchanté par ce résultat, envisageant avec plaisir la déclaration qu'il ferait le lendemain.

Trump m'a appelé vers 9 h 25, le 23, pour me dire que le projet de déclaration devant être publié, lorsque l'Assemblée nationale invoquerait formellement la constitution vénézuélienne afin d'agir contre Maduro, était « magnifique », et il a ajouté : « Je ne dis presque jamais cela. » Je l'ai remercié et lui ai dit que nous le maintiendrions informé. Guaido est apparu devant une foule énorme à Caracas (d'après notre ambassade, la plus grande foule des vingt ans d'histoire du régime Chavez-Maduro), et a prêté serment en tant que président par intérim. Les dés avaient été jetés. Pence est entré pour nous serrer la main, et nous avons publié immédiatement la déclaration de Trump. Nous craignions un déploiement imminent de troupes militaires, mais rien ne s'est passé (bien que des rapports indiquent que, dans la nuit, des *colectivos* avaient tué quatre personnes). L'ambassade de Caracas a présenté ses lettres de créance au nouveau gouvernement de Guaido, avec les ambassadeurs du Groupe de Lima, comme signe de soutien. J'ai briefé Trump sur les événements du jour à environ 18 h 30, et il a semblé s'en tenir fermement à sa ligne.

Le lendemain, le ministre de la Défense, Padrino, et un grand nombre de généraux ont tenu une conférence de presse pour déclarer leur loyauté à Maduro. Ce n'était pas ce que nous voulions, mais cela ne s'est pas reflété par une véritable action militaire. L'opposition pensait que 80 % ou plus des soldats du rang, et de la plupart des officiers subalternes, dont les familles enduraient les mêmes difficultés que la population civile du Venezuela, soutiendraient le nouveau gouvernement. Alors que ce pourcentage ne pouvait être confirmé, étant donné la nature autoritaire du régime de Maduro, Guaido prétendait fréquemment qu'il avait le soutien de 90 % de la population totale du Venezuela. Cependant, les officiers militaires supérieurs, comme ceux de la conférence de presse, étaient encore trop corrompus par des années de chavisme pour sortir des rangs. D'un autre côté, ils n'avaient pas donné ordre aux militaires de sortir de leurs casernes pour écraser la rébellion, vraisemblablement par peur de voir un tel ordre désobéi, ce qui aurait signé la fin du régime. Le ministre britannique des Affaires étrangères, Jeremy Hunt, en déplacement à Washington pour plusieurs réunions, était enchanté de coopérer sur certaines démarches qui étaient de son ressort, par exemple, geler les dépôts vénézuéliens d'or à la Banque d'Angleterre, afin que le régime ne puisse pas vendre l'or pour se financer. C'était le genre de démarche que nous appliquions déjà pour mettre une pression financière sur Maduro. J'ai poussé Pompeo pour que le département d'État soutienne plus fermement l'action contre la compagnie pétrolière publique, action pour laquelle je continuais de m'inquiéter de l'absence de Mnuchin, mais que Pompeo a accepté de faire. Pompeo était aussi inquiet des signes indiquant que Maduro ait pu encourager les *colectivos* à menacer le personnel de l'ambassade des États-Unis, et il m'a dit que Trump l'était lui aussi.

Le premier signe troublant de la part de Trump s'est produit ce soir-là, après 20 h 30, lorsqu'il m'a appelé pour me dire : « Je n'aime pas là où nous en sommes », faisant référence au Venezuela. La conférence de presse de Padrino l'inquiétait, et il m'a dit : « Toute l'armée est derrière lui. » Puis il a ajouté : « J'ai toujours dit que Maduro était un dur. Ce jeune [Guaido]... personne n'a jamais entendu parler de lui. Les Russes ont publié une déclaration brutale. » J'ai rassuré Trump en lui expliquant que les militaires étaient toujours dans leurs casernes, ce qui était très significatif, et que les hauts responsables militaires dialoguaient avec l'opposition depuis deux jours, au sujet de leur sort, si jamais ils se rangeaient du côté de l'opposition. Les choses étaient encore en train de se jouer, et plus le temps passait, plus il était vraisemblable que l'armée allait se scinder, ce qui était ce dont nous avions véritablement besoin. Je ne pensais pas avoir satisfait Trump, mais j'avais au moins tenté de l'inciter à garder le silence. Dieu seul savait à qui il venait de parler ou s'il venait de piquer une crise de nerfs parce que les choses étaient encore incertaines. J'étais, cependant, sûr d'une chose : désormais, tout signe d'indécision américaine ruinerait notre action. Je supposais que Trump le savait aussi, mais j'étais stupéfait que notre politique soit si près de changer, seulement 30 heures après son initiation. Je n'arrivais pas à y croire.

Le lendemain matin, j'ai appelé Pompeo pour lui dire que Trump avait failli quitter le navire du Venezuela et aussi pour m'assurer que Pompeo n'était pas sur le point de le suivre. Fort heureusement, j'ai entendu exactement le contraire, Pompeo m'a dit : « On doit aller jusqu'au bout » pour éjecter Maduro. Encouragé, j'ai plus tard demandé à Claver-Carone de s'informer auprès des collaborateurs de Guaido pour s'assurer qu'ils avaient bien fait suivre les lettres de créance, le plus tôt étant le mieux, au Fonds monétaire international, à la Banque des règlements internationaux ainsi qu'aux institutions similaires pour leur annoncer qu'ils étaient le gouvernement légitime. Pompeo pensait qu'il y avait un moyen d'améliorer la sécurité du personnel américain à Caracas, ce qui nous permettrait de conserver une équipe allégée, une approche qu'il était décidé à engager. Je lui ai expliqué que le département d'État se focalisait tellement sur les problèmes de sécurité qu'il faisait des concessions politiques, en défendant le fait que c'était nécessaire pour protéger le personnel administratif. Je ne défendais, certes pas, le fait d'ignorer les risques pour nos agents, mais je pensais qu'il était préférable de les rapatrier plutôt que de faire d'importantes concessions à des gouvernements comme celui de Maduro.

Juste après 9 heures, j'ai appelé Trump. Je l'ai trouvé en meilleure forme que la veille. Il continuait de penser que l'opposition était « vaincue », faisant de nouveau référence à l'image de Padrino et à « tous ces généraux à fière allure » en train d'annoncer leur soutien à Maduro. Je lui ai dit que les conséquences de nos efforts de pression étaient sur le point d'apparaître, car nous allions imposer les sanctions pétrolières, et cela allait couper une partie significative des revenus du régime. « Faites-le », m'a dit Trump, ce qui était le signal clair que je devais passer outre le département du Trésor, s'il était encore dans l'obstruction. Cependant, concernant notre personnel diplomatique à Caracas, Trump voulait tous les rapatrier, craignant des représailles si quoi que ce soit venait à mal se passer. Cependant, il semblait, en fait, désintéressé, ce qui s'est expliqué plus tard dans la journée, lorsqu'il a annoncé un accord partiel mettant fin à la cessation d'activité du gouvernement. Une nouvelle qui a été interprétée, par le monde politique, comme une complète reddition de son projet de mur à la frontière mexicaine. Là, il était vraiment d'humeur grognon.

J'ai décidé d'appeler Mnuchin, qui, pour des raisons que j'ignore, se trouvait en Californie, et il est tombé d'accord : nous devions appliquer des sanctions pétrolières, « maintenant que nous avions reconnu le nouveau régime ». J'ai appelé Pompeo pour lui annoncer la bonne nouvelle, et il m'a dit que le ministre vénézuélien des

Affaires étrangères devait venir à New York, samedi, pour le débat du Conseil de sécurité des Nations Unies, que nous et d'autres avions demandé. Nous avons tous les deux pensé que cela pourrait être une opportunité pour Pompeo de le rencontrer seul et de voir, en toute clarté, son état d'esprit, sans larbin pour les écouter, comme nous le faisions dans le monde entier avec d'autres vénézuéliens en missions diplomatiques. À cause des veto quasi certains de la Russie et probablement de la Chine, nous n'attendions rien de concret de la part du Conseil de sécurité, mais il s'agissait d'un forum idéal pour engendrer du soutien à la cause de l'opposition. Plus tard dans la journée, Guaido nous a beaucoup aidés en demandant à Cuba de rapatrier son personnel.

Le samedi 26 janvier, le Conseil de sécurité s'est réuni à 9 heures, et Pompeo a étrillé le régime de Maduro. Les membres européens ont dit que Maduro avait huit jours pour organiser des élections sinon ils devraient reconnaître Guaido, un progrès considérable par rapport à la position que nous présumions de l'Union européenne. La Russie a sévèrement critiqué cette réunion, en la comparant à une tentative de coup d'État, et elle m'a dénoncé personnellement en disant que je faisais appel à une expropriation de type « bolchevique » au Venezuela (un honneur !). Cela montrait donc qu'en nous en prenant au monopole pétrolier, nous étions sur la bonne voie. Une autre nouvelle potentiellement significative est arrivée lorsque l'attaché militaire du Venezuela à Washington a déclaré allégeance à Guaido. Cette défection, ainsi que d'autres, apportait à l'opposition de nouveaux partisans, auxquels, comme dans une procédure mécanique, l'opposition demandait de convaincre autant d'officiers et d'agents de l'administration encore au Venezuela afin qu'ils se rallient à elle.

Malheureusement, le département d'État paniquait au sujet des assurances qu'il voulait de la part de Maduro, en rapport avec la sécurité de notre personnel diplomatique. Il ne s'agissait pas de s'assurer que le gouvernement du Venezuela fournirait une protection adéquate, mais plutôt de la manière dont pourraient être échangées des « notes diplomatiques », sans tenir le moindre compte du contexte politique. Le département d'État a aussi retardé l'envoi d'une notification à la Réserve fédérale, où nous annoncions la reconnaissance d'un nouveau gouvernement à Caracas, ce qui était sidérant. Le lundi, le Bureau des affaires de l'hémisphère occidental, dépendant du département d'État, était en rébellion ouverte contre les sanctions pétrolières, arguant, comme je le craignais, que de telles sanctions mettraient le personnel de l'ambassade en danger. La secrétaire adjointe aux Affaires de l'hémisphère occidental, Kim Breier, voulait que les sanctions soient assorties d'un délai de trente jours, ce qui était un non-sens manifeste. Au début, je ne l'ai pas prise au sérieux. Mais l'argument de Breier a semblé prendre de l'ampleur au fil de la journée, car tout ce que nous faisions pour mettre la pression sur le régime de Maduro mettait le personnel de notre ambassade (la plupart d'entre eux, à ce moment-là, étaient des agents de sécurité, pas des « diplomates ») en danger. Si j'avais été un brin plus cynique, j'aurais pu en conclure que Breier et son bureau étaient, en fait, en train de saboter notre politique.

Pompeo m'a appelé le samedi après-midi, indécis quant à la manière de gérer cette résistance bureaucratique. Je l'ai convaincu que le Bureau de l'hémisphère occidental voulait simplement gagner du temps ; quelque délai qu'il puisse accorder, cela servirait seulement de base à la prochaine demande de délai. Il a acquiescé, finalement, en disant : « OK si nous les appliquons [les sanctions] demain », ce que nous avons fait. Néanmoins, la rébellion du Bureau n'était pas un bon signe. Qui savait ce que la bureaucratie disait aux autres gouvernements, au lobby de la gauche latino-américaine, très implanté à Washington, et aux médias ? Mnuchin et moi, nous sommes parlé plusieurs fois lundi. Il s'était entretenu avec les responsables de la compagnie pétrolière tout le week-end, et les sanctions seraient, en fait, plus dures que ce qu'il avait d'abord anticipé, ce qui était une bonne nouvelle.

Les prévisions selon lesquelles nous ne pourrions pas agir contre la compagnie pétrolière publique, à cause des impacts négatifs sur les raffineries du golfe du Mexique, se sont avérées surestimées. Ces raffineries, ayant évalué les possibilités de sanctions pétrolières pendant des années, étaient « bien positionnées », d'après les termes de Mnuchin, pour trouver d'autres sources de pétrole. Enfin, les importations en provenance du Venezuela représentaient déjà moins de 10 % de leur activité totale.

Dans l'après-midi, nous devions dévoiler les sanctions dans la salle de briefing de la Maison Blanche, mais j'ai d'abord été dérouté vers le Bureau ovale. Trump était très content de voir l'évolution du « truc du Venezuela » dans la presse. Il m'a demandé si nous devions envoyer 5 000 hommes en Colombie au cas où, ce que j'ai dûment noté sur mon bloc-notes de papier jaune, en disant que j'étudierais la question avec le Pentagone. « Allez vous amuser avec la presse », m'a lancé Trump, ce que nous avons fait, lorsque mes notes, happées par les caméras, ont produit d'infinies spéculations. (Quelques semaines plus tard, le ministre colombien des Affaires étrangères, Carlos Trujillo, m'a apporté un paquet de blocs-notes jaunes comme celui que j'avais dans la salle de briefing, donc je n'en ai pas manqué.) En substance, nous pensions que les sanctions pétrolières étaient un coup très rude porté au régime de Maduro, et beaucoup affirmaient que ce n'était qu'une question de temps avant qu'il ne tombe. Leur optimisme était très élevé, nourri en bonne partie par leur croyance que les fidèles de Maduro, tels Diosdado Cabello et d'autres, envoyaient leurs familles et leurs biens à l'étranger pour leur sécurité ; ce qui n'était pas vraiment un vote de confiance pour le régime.

Le 30 janvier, mon bureau était rempli de monde, dont Sarah Sanders, Bill Shine et Mercedes Schlapp, pour écouter l'appel de Trump à Guaido vers 9 heures. Trump lui a souhaité bonne chance pour les grandes manifestations anti-Maduro prévues plus tard dans la journée et que Trump a qualifiées d'historiques. Trump a ensuite confirmé à Guaido qu'il réaliserait le renversement de Maduro, et a ajouté, en aparté, qu'il était sûr que Guaido se souviendrait dans le futur de ce qui s'était passé, ce qui était la manière de Trump de faire référence aux champs pétroliers du Venezuela. Cela a été un grand moment dans l'histoire du monde, a dit Trump. Guaido a remercié Trump pour ses appels à la démocratie et son leadership ferme, ce qui m'a fait sourire. Ferme ? Si seulement il savait. Trump a dit que Guaido avait toute latitude d'annoncer plus tard aux manifestants qu'il avait appelé, et qu'il était impatient de rencontrer Guaido, en personne. Guaido lui a répondu que les gens seraient très, très émus en apprenant qu'il avait parlé à Trump, alors qu'ils se battent contre la dictature. Trump a dit que cela avait été un honneur de lui parler… et l'appel s'est terminé. Pour Guaido, annoncer qu'il avait parlé avec Trump a fait l'effet d'un puissant stimulant, ce qui, bien sûr, était ce que nous voulions. Guaido a tweeté, à propos de cet appel, avant même que Trump ne le fasse, et la presse a été unanimement favorable.

À 13 h 30, j'ai rencontré les dirigeants américains de la Citgo Petroleum Corporation, dont le propriétaire majoritaire est la compagnie pétrolière publique du Venezuela, pour leur dire que nous soutenions leurs actions, et celles de l'opposition vénézuélienne, afin de garder le contrôle des raffineries de Citgo et des stations-service aux États-Unis, et que donc nous les protégions contre les agissements de Maduro. (Comme je le leur ai expliqué, à eux et à d'autres, nous donnions également des conseils à Guaido, à sa demande, dans ses nominations de personnes aux différents postes de direction de la compagnie, qui au final, au travers de filiales, seraient les propriétaires de la Citgo.) J'ai adressé ces dirigeants à Wilbur Ross, qu'ils ont rencontré le lendemain, afin d'éviter les effets des droits du gouvernement russe sur les stocks de la compagnie pétrolière du Venezuela, qui pourraient mener à une perte de contrôle des investissements américains, ce qui était un sujet qu'il maîtrisait. (De Moscou, nous avons appris que Poutine semblait être très inquiet au sujet des quelque 8 milliards de dollars que le Venezuela devait à Moscou. Les estimations des véritables montants dus variaient beaucoup, mais elles étaient toutes conséquentes.) Les dirigeants américains m'ont dit, plus tard dans la journée, que des Vénézuéliens fidèles à Maduro, ayant essayé, en vain, de détourner des actifs de l'entreprise avant leur départ, avaient fui les États-Unis pour Caracas à bord de jets de la Citgo. J'étais sûr que nous pouvions nous attendre à davantage de faits similaires dans les prochains jours.

Même Lukoil, la grande entreprise russe, a annoncé qu'elle suspendait ses opérations avec le monopole pétrolier du Venezuela, ce qui reflétait au moins un désir de la Russie de limiter les risques. Quelques jours plus tard, PetroChina, le plus gros groupe pétrolier chinois, a annoncé qu'il abandonnait le monopole pétrolier, en tant que partenaire d'un projet de raffinerie chinoise, montrant ainsi un malaise significatif. Ensuite, Gazprombank, le troisième plus grand prêteur de Russie, intimement lié à Poutine et au Kremlin, a gelé ses comptes pour éviter de tomber sous le coup de nos sanctions. Nous pensions que Guaido et l'opposition se saisiraient de l'opportunité pour parler avec les diplomates et entreprises russes et chinois, en insistant bien sur le fait qu'il serait dans leur intérêt de ne pas se mêler des querelles internes du Venezuela. À l'intérieur du gouvernement américain, nous planifiions également le « jour d'après » au Venezuela et nous envisagions les actions qui pourraient remettre l'économie sur pied, ô combien délabrée, après deux décennies de mauvaise gestion économique (ce que même Poutine décriait). Nous avons beaucoup réfléchi à la façon d'aider un nouveau gouvernement à faire face aux besoins immédiats des gens et aussi aux besoins de réparation à long terme en rapport avec la destruction systémique de ce qui aurait dû être une des économies les plus fortes d'Amérique latine.

Guaido était submergé par un déferlement de reconnaissances diplomatiques et nous espérions que cela montrerait, même aux fidèles de Maduro, que les jours de ce dernier étaient comptés et que cela prouverait à Guaido et aux autres leaders de l'opposition qu'ils ne seraient pas arrêtés. Ce n'était pas hypothétique. Mais, la police secrète de Maduro a fait irruption au domicile de Guaido et a menacé sa femme et sa fille. Elles n'ont pas été blessées, mais le signal était clair. Cela ressemblait beaucoup à une opération menée à la cubaine, mettant en évidence une fois encore que la présence étrangère au Venezuela, cubaine aussi bien que russe, était cruciale pour maintenir Maduro au pouvoir. Les protestations se sont poursuivies dans tout le pays, insensibles aux représailles éventuelles menées par Maduro. Des contacts continus ont été établis avec les hauts responsables militaires afin de clarifier les conditions de ralliement auprès de Guaido, des membres de l'ancien conseil des ministres chavistes, des leaders syndicaux et d'autres secteurs de la société vénézuélienne. Il s'agissait de construire des alliances. Nous pensions que l'ascendant restait dans le camp de l'opposition, mais qu'elle avait besoin d'accélérer le mouvement.

Au Venezuela, un plan d'aide humanitaire était en cours d'élaboration, ce que nous trouvions prometteur. Une assistance qui devait être transmise par les frontières colombienne et brésilienne afin d'être distribuée dans tout le pays. Jusqu'à maintenant, Maduro avait effectivement fermé les frontières, ce qui était faisable, car la difficulté du terrain et les épaisses forêts et jungles rendaient la traversée presque impossible, sauf à des postes de contrôle frontaliers bien connus. Le projet d'aide humanitaire allait démontrer que Guaido se souciait de la population du Venezuela et aussi montrer que les frontières internationales étaient ouvertes, reflétant la perte de contrôle grandissante de Maduro. Nous espérions aussi voir certains responsables militaires importants ignorer les ordres de fermeture des frontières, et que, même s'ils les suivaient, Maduro se retrouverait dans une position impossible où il devrait refuser l'aide humanitaire à ses citoyens dans la misère. Maduro était tellement déstabilisé par cette stratégie qu'il s'est mis de nouveau à me critiquer nommément en déclarant : « J'ai des preuves que la tentative d'assassinat a été commanditée par John Bolton à la Maison Blanche. » Il a été rejoint par le ministre des Affaires étrangères, Arreaza, qui s'est plaint : « Ce qu'il essaie de faire ici, c'est de nous donner des ordres ! » Cuba m'attaquait également nommément, j'étais le plus heureux des hommes.

Le président colombien, Ivan Duque, a rendu visite à Trump à la Maison Blanche le 13 février, et la discussion s'est centrée sur le Venezuela. Trump a demandé aux Colombiens si, selon eux, il aurait dû parler à Maduro, six mois plus tôt. Duque lui a répondu, sans aucune équivoque, que cela aurait été une grande victoire pour Maduro, laissant entendre que ce serait une erreur encore plus grande de lui parler maintenant. Trump l'a approuvé, ce qui m'a énormément soulagé. Puis il s'est enquis de la poursuite générale de l'action et a demandé si l'ascendant était en faveur de Maduro ou de Guaido. Ici, l'ambassadeur colombien, Francisco Santos, a été particulièrement efficace en disant que, ne serait-ce que deux mois plus tôt, il aurait dit que Maduro avait l'avantage, mais qu'il ne pensait plus que c'était vrai, en expliquant pourquoi. Cela collait tout à fait avec ce que pensait Trump.

Néanmoins, je craignais que notre propre gouvernement ne montre pas un sentiment d'urgence suffisant. Il y avait, à travers le gouvernement, une mentalité « obstructionniste », une mentalité du « ça ne vient pas chez nous », due sans aucun doute, pour une large part, au fait que pendant les huit années sous Obama, les régimes vénézuélien, cubain et nicaraguayen n'étaient pas vus comme des adversaires des États-Unis. Peu d'attention, si ce n'est aucune, n'était donnée à ce que les États-Unis devaient faire si, inopportunément, les gens de ces pays décidaient qu'ils voulaient diriger leurs propres gouvernements. Encore plus important, de mon point de vue, l'influence grandissante des Russes, Chinois, Iraniens et Cubains dans l'hémisphère n'avait pas été une priorité. En effet, l'Administration Trump faisait face à une avalanche de factures à honorer en Amérique latine, mais elle n'y était pas du tout préparée.

L'opposition a affiné son analyse sur la façon de « forcer » l'aide humanitaire à pénétrer les frontières vénézuéliennes, par la Colombie et le Brésil, et a choisi le samedi 23 février comme date cible. Le samedi précédent, quelque 6 000 personnes s'étaient présentées à Caracas pour proposer leur aide. Après une longue coordination entre l'Agence des États-Unis pour le développement international et le Pentagone, des cargos C-17 atterrissaient maintenant à Cúcuta, un des principaux postes frontaliers, à partir de la Colombie. Ils livraient l'assistance humanitaire qui devait franchir les ponts reliant les deux pays. Au cœur du Venezuela, le mouvement de convergence vers l'opposition se poursuivait. L'évêque catholique de San Cristobal, qui était aussi le vice-président de la Conférence épiscopale du pays, s'est exprimé publiquement en faisant spécifiquement référence à une transition du pouvoir en direction opposée à Maduro. Nous avions espéré que l'Église joue un rôle public plus actif, et cela était en train de se produire. Alors que le 23 février approchait, les rumeurs selon lesquelles un responsable militaire de haut niveau, vraisemblablement le chef des forces armées, le général Jesus Suarez Chourio, allait annoncer qu'il ne soutenait plus Maduro, s'intensifiaient. Il y avait déjà eu des rumeurs similaires auparavant, mais le plan humanitaire interfrontalier était le facteur clé qui faisait que, cette fois, cela pourrait se réaliser. À la même époque, le sénateur Marco Rubio a spécifiquement désigné Suarez Chourio, avec le ministre de la Défense, Padrino, et quatre autres personnes, comme des figures militaires clés qui pouvaient bénéficier d'une amnistie, s'ils se ralliaient à l'opposition. Nous pensions aussi que des défections de cette envergure seraient accompagnées par un nombre significatif de soldats, avec des unités militaires se déplaçant vraisemblablement vers la frontière, mais qui alors se redéploieraient vers Caracas pour encercler le palais de Miraflores, la Maison Blanche du Venezuela.

Cependant, ces prévisions optimistes ne se sont pas réalisées.

Nous faisions notre part, avec un discours de Trump, le 18 février, à l'université internationale de Floride, à Miami, qui aurait pu être un meeting de campagne, tellement la foule était enthousiaste. Les plans pour le 23 se mettaient en place, tandis que le président colombien Duque annonçait qu'il serait rejoint à Cúcuta par les présidents du Panama, du Chili et du Paraguay, ainsi que le secrétaire général de l'Organisation des États américains, Luis Almagro. Cela prouverait de manière convaincante que la révolution du Venezuela pourrait difficilement être « made in USA ». L'aide humanitaire augmentait aux frontières, et il était manifeste que les forces de sécurité de Maduro harceler les organisations non gouvernementales à l'intérieur du pays, de manière plus intense. Guaido a secrètement quitté Caracas, le mercredi, pour se rendre à la frontière colombienne où, comme cela était prévu, il attendrait côté vénézuélien que l'aide humanitaire arrive de Colombie via le pont international Las Tienditas. Cependant, nous avons eu vent que Guaido pensait se rendre en Colombie pour assister à un concert sponsorisé par Richard Branson, le vendredi soir, en soutien à l'aide au Venezuela, puis de mener l'aide humanitaire au Venezuela, le lendemain, se confrontant ainsi directement aux forces de Maduro, si elles se présentaient.

Ce n'était pas une bonne idée, pour plusieurs raisons. C'était très spectaculaire, mais dangereux, pas seulement physiquement, mais surtout, politiquement. Une fois de l'autre côté de la frontière et hors du Venezuela, ce serait vraisemblablement difficile pour Guaido de revenir. Qu'adviendrait-il de sa capacité à diriger et contrôler la politique de l'opposition s'il était isolé en dehors du pays, sujet à la propagande de Maduro proclamant qu'il avait fui sous la peur ? Nous n'avions aucun moyen de prédire ce qui allait se passer le samedi. Cela pouvait basculer d'un extrême à l'autre : les choses pouvaient bien se passer, avec une frontière effectivement ouverte, ce qui serait un défi direct à l'autorité de Maduro, où il pourrait y avoir de la violence et un carnage, Guaido pouvant potentiellement être arrêté ou pire que ça. Je pensais qu'amener l'aide humanitaire de l'autre côté de la frontière était bien conçu et entièrement faisable. Cependant, des plans de plus grande envergure n'étaient pas bien pensés et pouvaient facilement attirer des problèmes.

Au milieu de tout ça, le sommet Trump-Kim Jong Un à Hanoï approchant, j'ai coupé court à mon déplacement prévu en Asie et annulé plusieurs réunions en Corée afin de pouvoir rester à Washington jusqu'à dimanche pour voir ce qui se passerait au Venezuela. Bien que l'attention des médias fût focalisée sur la frontière colombo-vénézuélienne, en particulier Cúcuta, il y avait aussi des développements significatifs du côté brésilien. Les Pemons, peuple indigène vénézuélien qui détestait Maduro, se battaient contre les forces de la garde nationale. Les deux côtés ont eu des blessés, et les Pemons auraient capturé vingt-sept gardes, dont un général, et incendié le poste de contrôle d'un aéroport. Le vendredi, les Pemons ont également pris le contrôle de plusieurs routes menant au Venezuela.

Plus tard le vendredi, Guaido est entré en Colombie, semble-t-il, en hélicoptère, assisté par des membres sympathisants de l'armée vénézuélienne. Ces militaires devaient aussi faciliter le passage de l'aide humanitaire aux points de contrôle de l'autre côté de la frontière, le samedi. J'étais contrarié, mais au moins nous avons entendu, ce soir-là, que le concert de Richard Branson avait attiré un public plus nombreux que le concert concurrent de Maduro au Venezuela, ce qui semblait constituer une mini-victoire. La vice-présidente de Maduro, Delcy Rodriguez, a annoncé que tous les points de contrôle frontaliers seraient fermés le samedi, mais nous avions des informations contradictoires sur ce qui exactement devait être fermé ou rester ouvert.

Le samedi matin, une foule immense était amassée du côté colombien de la frontière, avec des policiers antiémeute rassemblés dans l'état du Táchira, côté vénézuélien. Des échauffourées ont persisté sur la frontière brésilienne à mesure que la foule grossissait. L'aide humanitaire s'entassait depuis des semaines à différents points de contrôle des deux frontières, et des convois additionnels étaient préparés pour arriver aux points de contrôle tout au long de la journée, escortés par des bénévoles colombiens ou brésiliens, et accueillis de l'autre côté par des bénévoles vénézuéliens. Du moins était-ce le plan. Les incidents – jets de pierres, confrontations avec la garde nationale vénézuélienne et barricades démantelées et reconstituées – ont augmenté tout au long de la journée, à mesure que les tentatives de traversées de la frontière approchaient. Plusieurs officiers supérieurs de l'armée et de la marine ont fait défection, et certains rapports ont indiqué que d'autres gardes nationaux, situés le long de la frontière, faisaient également défection.

Guaido est arrivé au pont international de Las Tienditas vers 9 heures, prêt à traverser. Toute la journée, il y a eu des rapports disant qu'il était sur le point de le franchir. Mais ce n'est pas arrivé, sans véritable explication. En fait, l'opération est tout simplement tombée à l'eau, avec des exceptions à certains endroits où les bénévoles ont essayé d'apporter l'aide humanitaire de l'autre côté ; ils y sont parvenus sur la frontière brésilienne, mais pas sur la frontière colombienne. Les Pemons étaient toujours les plus agressifs. Ils se sont saisis du plus grand aéroport de la région de la frontière brésilienne et ont encore capturé des membres de la garde nationale. Mais entre les *colectivos* et certaines unités de la garde nationale, le niveau de violence contre les tentatives de franchissement de la frontière a monté, alors que le niveau d'aide humanitaire passant la frontière stagnait. Programmées pour coïncider avec l'arrivée de l'aide humanitaire, de grandes manifestations ont eu lieu dans les villes du Venezuela, comme à l'extérieur de la base militaire La Carlotta à Caracas, avec une foule essayant convaincre les soldats à faire défection, malheureusement sans succès. Le samedi, en fin de journée, je pensais que l'opposition n'avait pas fait beaucoup avancer sa cause. J'étais déçu que les militaires n'aient pas réagi par plus de défections, particulièrement à haut niveau. Et j'étais très étonné que Guaido et la Colombie n'aient pas exécuté de plans alternatifs lorsque les *colectivos* et d'autres ont empêché les convois d'aide humanitaire de rentrer en les brûlant alors qu'ils traversaient les ponts. Les choses semblaient désordonnées et incohérentes, soit par manque d'organisation détaillée, soit à cause de la panique, ce que j'étais incapable de savoir dans l'immédiat. Si les choses ne s'arrangeaient pas dans les jours suivants et si Guaido ne rentrait pas à Caracas, alors je pouvais commencer à m'inquiéter.

On entendait dire que, parmi les Vénézuéliens, le sentiment était que le samedi avait été une victoire pour Guaido, ce qui m'a frappé comme étant très optimiste. Nous avons appris beaucoup plus tard que les Colombiens étaient supposément devenus hésitants.

Ils craignaient de se retrouver entraînés dans un affrontement militaire le long de la frontière et, qu'après des années à combattre des insurrections et les guerres des narcotrafiquants en Colombie, leur armée ne soit tout simplement plus prête à répondre au conflit conventionnel que constituaient les forces armées de Maduro. Personne n'avait pensé à cela avant le samedi ? Guaido était à Bogota en milieu d'après-midi. Il y préparait la réunion du lundi du Groupe de Lima. Je n'aimais toujours pas l'idée que Guaido traverse la frontière, surtout pour rester plusieurs jours en Colombie, un détail que Maduro s'est empressé d'utiliser dans sa propagande en disant que Guaido était parti demander de l'aide à l'adversaire historique du Venezuela.

J'ai parlé à Pence, qui partait pour Bogota pour représenter les États-Unis devant le Groupe de Lima, et j'ai insisté sur la nécessité de persuader Guaido de rentrer à Caracas. Un élément clé du succès de l'opposition, jusque-là, était sa cohésion, tandis que par le passé elle avait toujours été fragmentée. Chaque jour que Guaido passait hors du pays augmentait le risque que Maduro trouve un moyen de la diviser de nouveau. Pence a acquiescé et m'a dit qu'il rencontrerait Guaido dans une réunion trilatérale avec Duque. J'ai aussi poussé Pence à faire pression pour plus de sanctions contre le régime de Maduro, pour montrer qu'il devait payer le prix pour avoir bloqué l'aide humanitaire. Trump avait déclaré lors de son discours à Miami que les généraux vénézuéliens devaient faire un choix, et Pence pouvait dire qu'il donnait suite à l'argument de Trump.

J'ai briefé Trump le dimanche après-midi, mais il me semblait inquiet, ce qui m'a étonné. Il était impressionné par le nombre de défections militaires, qui en l'espace de quelques jours s'était rapproché des cinq cents. J'ai supposé que son esprit était en Corée du Nord, accaparé par le prochain sommet de Hanoï. Quand l'appel téléphonique s'est terminé, il m'a dit : « OK, mec », ce qui était sa réplique habituelle, lorsqu'il était content de ce qu'il avait entendu. Alors que j'étais en vol pour Hanoï, j'ai de nouveau parlé avec Pence. Il rentrait à Washington après une intervention très ferme à Bogota devant le Groupe de Lima. Il m'a dit qu'il y avait eu « un formidable état d'esprit dans la pièce », ce qui était encourageant. Guaido l'avait impressionné : « Très sincère, très intelligent, et il a eu des mots très forts devant le Groupe de Lima. » J'ai encouragé Pence à partager son jugement avec Trump.

Le Venezuela est sorti des écrans radars tandis que nous étions à Hanoï, mais quand je suis retourné au Viêt Nam, le 1er mars, c'était de nouveau le sujet numéro un. Guaido, qui se déplaçait maintenant dans l'Amérique latine, envisageait enfin sérieusement un retour au Venezuela, soit par voie terrestre ou par vol direct pour Caracas. J'ai tenu Trump informé, et il m'a dit, le dimanche 3 mars : « Il [Guaido] n'est pas à la hauteur… Restez un peu à l'écart de tout ça ; ne vous impliquez pas trop », ce qui revenait à dire : « N'y attachez pas trop d'importance. » Quoi qu'il en soit, Guaido a saisi l'initiative le lendemain, malgré les risques, en prenant un vol pour le Venezuela ce matin-là. Cela montrait le courage dont il avait fait preuve plus tôt et cela m'a grandement soulagé. Des images en direct sur Internet, durant la journée, ont montré le spectaculaire retour de Guaido à Caracas, qui s'est avéré un triomphe. Un inspecteur de l'immigration lui a dit : « Bienvenue chez vous, Monsieur le président ! » Sur la route de l'aéroport jusqu'à l'État où il réside, Guaido a été salué chaleureusement par la foule, tout le long du trajet, sans aucun signe d'obstruction des forces de police ou de l'armée.

Encouragé par le retour réussi de Guaido, j'étais prêt à faire le maximum pour augmenter la pression sur Maduro, en commençant par l'application de sanctions impossibles sur l'ensemble du gouvernement et en prenant des mesures plus sévères contre le secteur bancaire. Nous aurions dû faire tout cela en janvier, mais nous avons fini par le mettre en place. Lors d'une réunion du Comité des directeurs du Conseil de sécurité nationale dont le but était de discuter de nos options, Mnuchin était réticent, mais il était dépassé par les autres. Perry lui a expliqué poliment comment les marchés du pétrole et du gaz fonctionnaient réellement au niveau international. Kudlow et Ross ont contesté son analyse économique, et même Kirstjen Nielsen est entré dans le débat en se prononçant sur des sanctions plus strictes. Pompeo est resté très silencieux. J'ai dit, encore une fois, que nous n'avions que deux choix au Venezuela : gagner ou perdre. En utilisant une analogie avec la crise de 1956 du canal de Suez, j'ai dit que nous tenions Maduro à la gorge et que nous devions la lui serrer, ce qui a visiblement fait réagir Mnuchin. Il craignait que les actions à l'encontre du secteur bancaire fassent du tort à Visa et Mastercard, qu'il voulait garder actifs pour le « jour d'après ». J'ai dit, comme l'ont fait Perry et Kudlow, qu'il n'y aurait pas de « jour d'après » à moins que la pression n'augmente rapidement et drastiquement. Ce n'était pas un exercice d'école. Le même constat était adapté aux craintes de Mnuchin associées aux dommages que nous pourrions causer au peuple vénézuélien. J'ai fait remarquer que Maduro avait déjà tué plus de quarante personnes durant cette phase d'activité de l'opposition, et que des centaines de milliers d'autres personnes risquaient leur vie chaque fois qu'elles allaient dans les rues pour protester. Elles ne pensaient pas à Visa ni à Mastercard ! Les gens les plus pauvres n'avaient pas de Visa ni de Mastercard, et ils étaient déjà accablés par l'effondrement de l'économie du Venezuela. Vraiment, il y avait une révolution en marche, et Mnuchin s'inquiétait pour des cartes de crédit !

À la fin de la journée du 7 mars, nous avons eu vent d'une très grosse coupure de courant au Venezuela, exacerbée par l'état de décrépitude du réseau électrique national. Ma première pensée a été que Guaido ou quelqu'un d'autre avait décidé de prendre les choses en main. Mais, quelle que soit la cause, l'étendue ou la durée de cette coupure, cela devait gêner Maduro, car c'était emblématique du désastre général que le régime représentait pour le peuple. Les rapports sur les effets de la coupure de courant arrivaient lentement parce que toutes les télécommunications nationales du Venezuela, ou presque, étaient hors service. Ce que nous apprenions chaque jour nous confirmait l'étendue des dégâts. Presque tout le pays était en black-out, l'aéroport de Caracas était fermé et les services de sécurité semblaient avoir disparu. On nous a rapporté des scènes de pillage, et les *cacerolazos* ont recommencé, montrant la réelle insatisfaction de la population vis-à-vis du régime. Quelle était l'ampleur des dégâts ? Des mois plus tard, nous avons appris qu'une délégation étrangère en visite avait conclu que l'infrastructure électrique du pays était dans un état de « non-réparabilité ». Le régime a essayé de reporter la faute sur les États-Unis, mais les gens comprenaient de manière générale que, à l'instar de la désintégration de l'industrie pétrolière vénézuélienne, le réseau électrique s'était également détérioré pendant les deux décennies de chavisme, parce que le gouvernement n'avait réalisé aucune maintenance, ni effectué les investissements en capital nécessaires. Et où était passé l'argent requis pour la compagnie pétrolière publique et le réseau électrique national ? Dans les mains d'un régime complètement corrompu. Si ce n'était pas les raisons d'un soulèvement populaire, qu'est-ce que cela aurait pu être d'autre ? Nous avons continué d'augmenter la pression, d'abord avec le département de la Justice annonçant la condamnation de deux barons de la drogue vénézuéliens (deux anciens fonctionnaires du régime), puis avec l'éviction largement soutenue des représentants de Maduro par une majorité des membres de la Banque interaméricaine de développement.

Les efforts du régime pour remettre en service le réseau électrique ont vacillé, car plusieurs sous-stations ont explosé sous les nouvelles charges électriques. Cela reflétait l'ampleur du manque de maintenance de ces équipements vétustes. Le non-fonctionnement des télécoms impactait aussi la coordination des activités sur le plan national, dont celui de villes clés comme Maracaibo. Guaido continuait ses rassemblements, attirant toujours de grandes foules et confirmant à la population que l'opposition allait de l'avant. L'Assemblée nationale a déclaré l'« état d'alarme » en raison des pannes de courant, non pas qu'elle ait l'autorité de faire quoi que ce soit, mais au moins pour montrer à la population qu'ils avaient conscience du problème, un comportement opposé à la quasi-invisibilité de Maduro qui, elle, confirmait bien le désordre existant au sein du régime. Les contacts avec des fonctionnaires du régime se sont poursuivis, tandis que Guaido cherchait des failles parmi l'équipe dirigeante afin de saper l'autorité de Maduro.

Malheureusement, le désordre existait aussi au sein du gouvernement des États-Unis, particulièrement au département d'État. Couplée avec le département du Trésor qui traînait des pieds, chaque nouvelle étape de notre campagne de pression contre le régime de Maduro prenait beaucoup plus de temps et de mesures bureaucratiques, sans qu'on puisse le justifier. Le département du Trésor traitait chaque nouvelle décision de sanction comme si nous poursuivions des criminels au tribunal, devant prouver leur culpabilité au-delà d'un doute raisonnable. Ce n'est pas ainsi que les sanctions devraient fonctionner ; leur rôle est d'utiliser l'énorme pouvoir économique des États-Unis au service de nos intérêts nationaux. Elles sont plus efficaces lorsqu'elles sont appliquées massivement, rapidement et de manière décisive, et imposées avec toute la force à notre disposition, soit l'opposé de la manière dont nous avons géré les sanctions contre le Venezuela (et la plupart des autres sanctions du gouvernement Trump). Au lieu de cela, même des décisions d'application relativement mineures pouvaient demander des efforts de stakhanoviste aux agents du Conseil de sécurité nationale et aux personnes les soutenant dans d'autres agences, ce qui offrait une marge de sécurité considérable à Maduro. Bien évidemment, le régime ne restait pas les bras ballants. Il prenait constamment des mesures pour échapper aux sanctions et atténuer celles auxquelles il ne pouvait échapper. Notre lenteur et notre manque de souplesse étaient une aubaine pour Maduro et son régime, ainsi que pour ses soutiens cubains et russes. Des courtiers et des financiers internationaux sans scrupule profitaient de la moindre ouverture dans notre campagne de pression. Ça faisait peine à voir.

Peut-être que la décision la plus déchirante a eu lieu le 11 mars, quand Pompeo a décidé de fermer l'ambassade de Caracas et de rapatrier tout le personnel américain. Il y avait clairement des risques pour le personnel restant sur place, et la violence des *colectivos* était indéniable. Pompeo avait construit, en grande partie, sa réputation politique en critiquant les erreurs de l'Administration Obama durant la crise de Benghazi, en septembre 2012. Comme durant le précédent rapatriement du personnel de l'ambassade de Bagdad et la fermeture du consulat de Bassora, Pompeo était déterminé à éviter « un autre Benghazi » sous sa direction. Trump était encore plus sensible. À la moindre indication de risque de Pompeo, Trump décidait immédiatement de retirer notre personnel, ce que s'empressait de faire Pompeo.

Il est facile de juger après coup, mais fermer l'ambassade de Caracas s'est révélé préjudiciable à nos actions anti-Maduro. La plupart des ambassades européennes et latino-américaines sont restées ouvertes sans incident, mais notre présence dans le pays a évidemment diminué. Et à cause de l'attitude relâchée d'Obama avec les régimes autoritaires ainsi qu'avec les menaces chinoise et russe dans cette partie de l'hémisphère, nos yeux et nos oreilles étaient déjà considérablement voilés. Pire encore, le département d'État a complètement raté la suite, en omettant d'envoyer Jimmy Story, notre chargé d'affaires au Venezuela, et au moins plusieurs membres de son équipe, immédiatement en Colombie, où ils auraient pu continuer leur travailler avec l'ambassade de Bogota, de l'autre côté de la frontière. À la place, le Bureau de l'hémisphère occidental les a tous gardés à Washington pour mieux les contrôler. Cela n'a rien fait pour nous aider à évincer Maduro.

Plus positivement, les négociations entre l'opposition et certains personnages clés du régime ont confirmé que les fissures que nous recherchions commençaient à apparaître. Surmonter des années de défiance n'était pas facile, mais nous avons essayé de montrer aux potentiels transfuges que l'opposition et Washington étaient très sérieux au sujet de l'amnistie et de l'absence de poursuites criminelles pour les transgressions antérieures. C'était de la realpolitik[56]. Beaucoup de dignitaires du régime étaient corrompus, profitant du trafic de drogue, et leur bilan en matière de droits de l'homme était loin d'être exemplaire. Mais je ressentais fortement qu'il était préférable de ravaler quelques scrupules, de faire tomber le régime et de libérer la population du Venezuela plutôt que de s'arc-bouter sur des « principes » qui la laissait opprimée, avec la domination en interne de Cuba et de la Russie. C'était pourquoi, jouant de psychologie avec le régime, j'ai tweeté que je souhaitais à Maduro une longue et tranquille retraite sur une belle plage quelque part (comme Cuba). Je n'aimais pas ça, mais entre ça et lui, toujours au pouvoir, mon choix était tout fait. Selon l'opposition, nous avons aussi rencontré un problème de haute surveillance, vraisemblablement d'origine cubaine, des dirigeants du régime. De nature intimidante, elle rendait d'autant plus difficiles les communications dignes de confiance parmi les potentiels fomenteurs d'un coup d'État.

Un stratagème que nous considérions, afin d'envoyer des signaux aux figures clés du régime, était d'enlever de la liste des sanctions, des personnes comme les épouses et les membres de la famille, une pratique courante dans la police américaine pour envoyer des signaux et d'influencer le comportement d'individus ou d'entités

56 Concept désignant une politique étrangère fondée sur le calcul des forces et l'intérêt national (NDT).

ciblés. De telles actions n'attireraient que peu l'attention du public, mais constitueraient de puissants messages aux représentants du régime pour lesquels nous faciliterions le chemin, soit complètement hors du Venezuela, soit dans les bras de l'opposition en tant que co-conspirateurs plutôt que comme prisonniers. En retour, s'ils coopéraient en facilitant le renversement de Maduro, ils pourraient eux-mêmes quitter la liste. À la mi-mars, cette manœuvre est devenue critique lorsque le département du Trésor a refusé catégoriquement d'ôter les noms de certains individus de la liste, malgré le soutien unanime des autres acteurs concernés. Pompeo a appelé Mnuchin, le joignant là encore à Los Angeles, et lui a dit de remplir le rôle administratif du Trésor et d'arrêter de vouloir deviner ce qui se passait dans son département. Néanmoins, le département du Trésor a persisté en posant des questions sur les négociations entre l'opposition et les figures du régime de Maduro, cherchant à deviner à place du département d'État si le retrait des noms de la liste de sanctions allait produire les effets désirés. C'était intolérable. Cela nous a montré que nous devions prendre le dossier des sanctions hors des mains du département du Trésor et le mettre n'importe où ailleurs. Finalement, Mnuchin a dit qu'il accepterait les recommandations du département d'État si jamais je lui envoyais une note lui disant que c'était acceptable pour moi. Son seul but était de « sauver sa peau », mais j'étais content d'envoyer un bref mémo à Pompeo, Mnuchin et Barr détaillant pourquoi le département du Trésor n'était pas autorisé à mener sa propre politique étrangère. J'ai été très agréablement conforté plus tard lorsque Elliot Abrams, un vieil ami qui avait rejoint de département d'État en tant qu'« envoyé spécial », m'a envoyé un e-mail me disant : « Votre lettre est un classique. Elle devrait être étudiée dans les écoles du gouvernement ! » Malheureusement, le temps et les efforts perdus ici auraient pu être utilisés pour faire avancer les intérêts des États-Unis.

Nous mettions simultanément la pression sur La Havane. Le département d'État a renversé la proposition absurde d'Obama disant que le baseball cubain était indépendant de son gouvernement, ce qui a permis au département du Trésor de révoquer la licence de la Ligue majeure de baseball les autorisant à recruter des joueurs cubains par l'intermédiaire de trafiquants.

Cette action ne nous a pas valu les faveurs des propriétaires, mais ils se méprenaient tristement s'ils ne saisissaient pas que leur participation aux combines du baseball professionnel signifiait qu'ils couchaient avec l'ennemi. Encore mieux, la dérogation présidentielle pérenne des dispositions principales de l'Helms-Burton Act arrivait à son terme. La loi Helms-Burton permettait aux propriétaires fonciers ayant eu des biens confisqués par le gouvernement Castro, soit de retrouver leurs biens soit de recevoir une compensation des nouveaux propriétaires, mais ces dispositions n'avaient jamais été déployées. Maintenant, elles le seraient. Cohérent avec ses menaces publiques d'un « embargo total » sur Cuba à cause des livraisons de pétrole entre le Venezuela et Cuba, Trump demandait régulièrement au ministère de la Défense des options concrètes sur la façon d'arrêter ses cargaisons, y compris par l'interdiction. Bien que les forces militaires au Venezuela n'aient pu être mobilisées, utiliser la force pour couper la ressource pétrolière vitale de Cuba aurait pu être radical. Le Pentagone n'a rien fait.

Jusqu'à quel point l'influence de Cuba au Venezuela était-elle négative ? Même le *New York Time* a montré qu'il comprenait le problème, en publiant un article magistral le 17 mars. L'article relatait comment l'« assistance médicale » cubaine avait été utilisée pour renforcer le soutien de Maduro parmi les pauvres du Venezuela et comment elle laissait pour compte ceux qui n'étaient pas enclins à suivre les ordres de Maduro. Il montrait aussi l'ampleur de la pénétration de Cuba dans le régime de Maduro et combien les conditions au Venezuela étaient mauvaises. De plus, un haut général vénézuélien, qui avait fait défection pour la Colombie, a décrit publiquement, plus tard dans la semaine, l'ampleur de la corruption du programme de santé du pays, ajoutant d'autres preuves de la décomposition créée par le régime. Le *Wall Street Journal* a sorti un article peu de temps après détaillant le manque de soutien de Maduro envers la population appauvrie du Venezuela ; c'était quelque chose que nous pensions depuis le début de la rébellion, en janvier. J'ai insisté pour que nous envisagions plus de mesures pour semer la zizanie entre les militaires vénézuéliens et les Cubains et leurs gangs de *colectivos*. Les militaires professionnels détestaient les *colectivos*, et tout ce que nous pouvions faire pour augmenter les tensions entre eux, délégitimant ainsi davantage la présence cubaine, serait positif.

Trump semblait maintenir fermement le cap lorsqu'il a déclaré à la conférence de presse de la Maison Blanche, le 19 mars, en compagnie du nouveau président brésilien Jair Bolsonaro : « Nous n'avons pas encore utilisé les sanctions les plus dures contre le Venezuela. » Bien évidemment, ce commentaire posait la question : « Pourquoi pas ? » Qu'attendions-nous exactement ? Story, Claver-Carone et d'autres continuaient d'entendre en provenance du Venezuela que le rythme et l'ampleur des conversations entre l'opposition et de potentiels alliés à l'intérieur du régime continuaient d'augmenter. Tout cela semblait incroyablement lent, mais allait quand même dans la bonne direction. En fait, des signes manifestes de division au sein du régime auraient pu provoquer l'arrestation de deux collaborateurs de premier plan de Guaido, en particulier son directeur de Cabinet, Roberto Marrero. Pence a beaucoup insisté là-dessus, persuadant Trump de passer outre les objections du département du Trésor pour sanctionner une institution financière, et quatre de ses filiales, de premières importances pour le gouvernement vénézuélien. Pence m'a dit plus tard que Trump avait dit à Mnuchin, en lui donnant ces instructions : « Peut-être qu'il est temps de mettre Maduro en cessation de paiement. » Effectivement. Le département du Trésor était maintenant d'accord pour infliger des sanctions à tout le secteur financier du Venezuela ; c'était une chose à laquelle il avait énergiquement résisté depuis longtemps. J'étais ravi d'obtenir ce bon résultat, mais le temps perdu en débats internes était comme envoyer une bouée de sauvetage à Maduro. Pendant ce temps, à la fin mars, la Russie a envoyé de nouvelles troupes et de nouveaux équipements au Venezuela. Une cargaison avait été labellisée comme humanitaire, afin de masquer les véritables intentions de sa présence. Davantage de fortes indications allaient venir durant les mois suivants. Cependant, à cette même période, le ministre brésilien de la Défense, Fernando Azevedo, me disait que la fin était en vue pour Maduro. J'ai également reçu dans mon bureau le président hondurien, Juan Hernandez, qui partageait le même optimisme, contrairement à la situation sur la frontière du Nicaragua.

Le 27 mars, la femme de Guaido, Fabiana Rosales, est arrivée à la Maison Blanche pour une réunion avec Pence dans la salle Roosevelt ; nous espérions que Trump y soit présent. Elle était accompagnée par la femme et la sœur de Marrero. Après les photos et les déclarations à la presse de Rosales et de Pence, nous avons été conduits dans le Bureau ovale. Trump a chaleureusement accueilli Rosales et les autres, et la meute de journalistes a investi les lieux pour ce qui s'est transformé en un reportage vidéo, en direct, de vingt minutes. Rosales a remercié Trump, Pence et moi pour notre soutien (en disant : « Monsieur Bolton, c'est un honneur de pouvoir compter sur vous comme nous le faisons »). Trump a fait du bon boulot avec la presse en lui répondant, lorsqu'elle lui a posé la question de l'investissement des Russes au Venezuela : « La Russie doit s'en aller », ce qui a fait forte impression et qui était exactement ce que j'espérais qu'il dise.

Plus intéressant encore a été la discussion après le départ de la presse. Nous avons écouté Rosales décrire combien les choses se passaient mal au Venezuela, et la femme de Marrero nous a raconté la descente de la police secrète à son domicile pour emmener son mari à l'Hélicoïde. Aujourd'hui, ce bâtiment de Caracas est le siège du tristement célèbre service secret, qui a également servi de prison. Tandis que la discussion se poursuivait, Trump m'a dit deux fois, à propos des Russes : « Mettez-les dehors », et, à propos du régime cubain : « Renvoyez-les [à Cuba] », deux instructions que j'ai reçues avec plaisir. À un moment, Trump a souligné qu'il voulait « les sanctions les plus fortes » contre le Venezuela. J'ai alors tourné mon regard vers Mnuchin, toujours présent pour assister à une réunion. Tout le monde, Vénézuéliens et Américains, a ri, parce qu'on savait tous que Mnuchin était le principal obstacle dans l'exécution de ce que Trump voulait. Pence a demandé à Rosales ce qui se passait dans l'armée vénézuélienne, mais Trump l'a interrompu pour dire : « C'est très lent. Je pensais qu'ils auraient déjà pris la main. » Rosales a répondu en décrivant l'extrême violence qu'elle voyait, et les liens entre l'armée du Venezuela et Cuba. Une fois la réunion avec Rosales terminée, Trump nous a dit à Mnuchin et à moi : « Vous ne pouvez pas faire machine arrière, maintenant », et j'ai dit : « Steve et moi allons avancer dès qu'il [Mnuchin] rentrera de Chine. » J'étais sûr que Mnuchin appréciait cela autant que moi.

Le résultat le moins attendu de cette réunion est que Trump a remarqué que Rosales ne portait pas d'alliance et combien elle avait l'air jeune. Le second point était vrai, même si cela ne l'empêchait pas d'être aussi résolue que tous les autres, mais je n'avais pas remarqué le premier. Plus tard, lorsque le nom de Guaido est venu sur le tapis, Trump a commenté cette histoire d'alliance. Je n'ai jamais compris ce que cela signifiait, mais dans l'esprit de Trump, ce n'était pas bon signe. Il pensait que Guaido était « faible », contrairement à Maduro, qui était « fort ». Au printemps, Trump a appelé Guaido le « Beto O'Rourke[57] du Venezuela ». C'était difficilement le genre de compliment auquel un allié des États-Unis devait s'attendre. Cela n'aidait certes pas à grand-chose, mais c'était typique de la façon dont Trump diffamait ceux qui se trouvaient autour de lui, comme lorsqu'il a commencé à me reprocher l'échec de l'opposition pour renverser Maduro. Trump avait-il peut-être oublié que c'est lui qui prenait nos décisions politiques, sauf quand il disait qu'il était le *seul* à les prendre. Toujours est-il qu'à ce moment-là, en compagnie de Fabiana Rosales, la prestation de Trump dans le Bureau ovale a été la plus emphatique qu'il ait été donné de voir à ce jour. C'est vraiment dommage que les subordonnés les plus importants des départements d'État et du Trésor n'aient pas été là pour voir ça.

Une de mes manœuvres a été d'envoyer un chapelet de tweets au ministre de la Défense, Padrino, essayant d'enflammer son patriotisme vénézuélien contre les Russes et les Cubains, le poussant à « faire ce qu'il devait » au nom de la Constitution de son pays. Il est apparu que nous avons réussi. En réponse à la question d'un journaliste, Padrino a répondu : « Monsieur Bolton, je peux vous dire que nous faisons ce que nous devons. Faire ce que nous devons, c'est faire ce qui est écrit dans la Constitution… Faire ce que nous devons, c'est respecter la volonté du peuple. » C'était tout ce dont nous avions besoin pour commencer une nouvelle salve de tweets disant que « la volonté du peuple » était de se débarrasser de Maduro, ce qui était très certainement vrai. Au moins pouvions-nous maintenant dire que nous étions entrés dans la tête de Padrino, et peut-être d'autres personnes. En fait, Rosales a dit à Abrams, après la réunion avec Trump : « Le régime se demande si la menace militaire américaine est crédible, mais ils ont plus peur quand John Bolton se met à tweeter. » Là, c'était encourageant !

57 Représentant démocrate au gouvernement (NDT).

Au Venezuela, l'opposition et certaines figures clés du régime montaient un argumentaire auprès du Tribunal suprême de justice, l'équivalent de notre Cour suprême, pour déclarer l'illégitimité de l'Assemblée nationale constituante, la « législature » de Maduro frauduleusement élue. Si la plus haute cour du Venezuela, pleine de sbires à la solde de Maduro et dirigée par un prête-nom de ses plus fidèles soutiens, délégitimait le simulacre de législature de Maduro, cela affaiblirait considérablement Maduro aux yeux de tous. Dans le même temps, des civils vénézuéliens avaient franchi les barrages mis en place par la garde nationale de Maduro sur le pont international Simon Bolivar, près de Cúcuta, le point de passage vers la Colombie, rouvrant ainsi le contact avec le monde extérieur. La garde nationale s'était simplement dispersée, et plusieurs rapports non confirmés ont relaté que certains gouverneurs provinciaux, de plusieurs provinces frontalières, semblaient avoir pris personnellement les choses en main, mais seulement temporairement. Depuis l'opération du 23 février, un total de 1 400 Vénézuéliens issus de l'armée, de la garde nationale et de la police avait fait défection, et nous n'avions aucun doute quant au solide soutien de la grande majorité des autres militaires pour Guaido.

Si nous voulions gagner, nous devions accroître considérablement notre engagement. Lors d'une réunion « informelle » du Comité des directeurs que j'avais organisée le 8 avril, Mnuchin s'est montré plus souple, et nous sommes tombés d'accord pour augmenter la pression sur la Russie, à la fois dans l'hémisphère occidental et aussi en dehors, en Ukraine ou dans les pays baltes, par exemple, ou bien sur le gazoduc Nord Stream II. Il a proposé de mettre la pression sur le ministre russe des Finances pendant le week-end, lors de l'Assemblée annuelle de la Banque mondiale et du FMI, ce qui était un progrès. Avec des estimations de la dette totale du Venezuela envers la Russie et la Chine à hauteur de 60 milliards de dollars, ou même plus, ils avaient à l'évidence beaucoup à perdre, et davantage encore si l'opposition venait à prendre le pouvoir. J'espérais simplement que Trump ne nous empêche pas de faire monter les enchères avec Moscou.

Claver-Carone et Story avaient entendu que le 20 avril, la veille de Pâques, pourrait être la date cible où les négociations abattraient le régime. Même le chef de la police secrète, Manuel Cristopher Figuera, que nous avons entendu, pensait que Maduro était fini. Les pourparlers avec de hauts responsables militaires, dont le ministre de la Défense, Padrino, devenaient de plus en plus opérationnels : pas pour savoir si Maduro serait renversé, mais comment. Ces responsables militaires s'entretenaient également avec les plus hautes autorités civiles, Moreno en particulier, ce qui présageait des actions positives contre Maduro et ceux qui restaient fidèles au régime. C'était important, parce qu'un véritable changement exigeait plus que la simple destitution de Maduro. Mon impression était que l'essentiel des négociations était centré sur ce à quoi ressemblerait une période de « transition », qui serait très dangereuse, car les soutiens du chavisme continueraient de contrôler les institutions clés du gouvernement, même après le départ de Maduro. Ma vision de la séquence était la suivante : la Cour suprême déclarerait l'Assemblée constituante illégale ; Maduro démissionnerait, l'armée reconnaîtrait Guaido comme président par intérim ; l'Assemblée nationale serait reconnue comme seul organe législatif légitime du Venezuela ; et la Cour suprême resterait en place. Ce n'était pas parfait, et ma vision comportait des risques, notamment le fait qu'éliminer Maduro, tout en conservant son régime au pouvoir, pouvait être l'objectif caché de certaines figures impliquées du régime.

Le 17 avril, au *Biltmore Hotel* de Coral Gables, en Floride, j'ai parlé devant l'Association des vétérans de la baie des Cochons, lors de la commémoration du 58e anniversaire de l'invasion ratée de Cuba, tentative de renversement avortée du régime castriste. La Brigade de vétérans 2506 était une force puissante dans la politique cubo-américaine en Floride et dans le pays, et ce rassemblement annuel attirait beaucoup d'attention ; c'était un événement que les politiciens aspirants ne manquaient jamais, dans la mesure du possible. J'ai pu leur donner la nouvelle, tant attendue, de la fin des dérogations de la section 2 de la loi Helms-Burton, permettant ainsi des poursuites contre les propriétaires de biens expropriés par le régime castriste, et la pleine exécution de la section 4, qui pouvait leur refuser un visa d'entrée aux États-Unis. C'était un problème majeur pour les entreprises aujourd'hui propriétaires de ces biens. Il y avait un certain nombre d'autres mesures notables que nous allions annoncer à la fois contre Cuba et contre le Venezuela, particulièrement celles ciblant la Banque centrale du Venezuela. L'effet général devait montrer combien le gouvernement était résolu à agir contre la « troïka de la tyrannie », même si j'étais le seul, dans la salle de réception pleine à craquer du Biltmore, à savoir le peu de détermination de celui qui était assis derrière le *Resolute desk*.

Après plusieurs tergiversations pour diverses raisons, la nouvelle date cible marquant le passage à l'action de l'opposition est passée au 30 avril. Je sentais, étant donné les craintes évidentes de Trump concernant Guaido et l'« affaire » de l'alliance, que le temps n'était plus de notre côté. Les erreurs antérieures, comme le départ de Guaido du pays, l'échec de l'opposition et des forces colombiennes, en février, incapables de forcer le passage de l'aide humanitaire à la frontière, et la fermeture de l'ambassade de Caracas, étaient toutes dans mon esprit. En tout cas, le 30 avril étant fixé et ayant lieu juste la veille du jour où Guaido avait préalablement annoncé de vastes manifestations dans tout le pays, le 1er mai, peut-être que l'heure fatidique était sur le point de sonner.

En effet, elle l'était. Pompeo m'a appelé à 5 h 25, le 30 avril, pour me dire : « Ça bouge beaucoup là-bas au Venezuela », et que, entre autres, le leader de l'opposition, Leopoldo Lopez, avait été libéré de sa longue assignation à résidence par le relativement nouveau chef du SEBIN[58], le général Manuel Cristopher Figuera. Pompeo m'a relaté que Padrino était parti pour rencontrer Guaido, et qu'il projetait de dire sous peu à Maduro qu'il était temps pour lui de s'en aller. Padrino était censé être accompagné par 300 soldats, ce qui indiquait qu'il s'était séparé des Cubains, bien que nous ayons appris plus tard que cette information (à la fois de la prétendue réunion et du personnel militaire) était incorrecte. La partie Cour suprême du plan (déclarer l'Assemblée constituante illégitime) n'avait toujours pas été réalisée, mais d'autres pièces semblaient se mettre en place. J'étais déjà prêt à prendre la route pour la Maison Blanche et je suis parti un tout petit peu plus tôt que d'habitude, m'attendant à une journée pleine de bouleversements.

58 Le Servicio Bolivariano de Inteligencia Nacional est le service de renseignements vénézuélien. Il a été créé par le Président Hugo Chávez le 2 juin 2010 (NDT).

Au moment où je rejoignais l'aile Ouest, Guaido et Lopez étaient à la base aérienne de La Carlota, à Caracas, base qui avait été annoncée comme ayant rejoint l'opposition. Guaido a tweeté un message vidéo annonçant le lancement de l'« opération Liberté », qui appelait l'armée à faire défection et les civils à descendre dans la rue pour protester. Mais très vite, nous avons appris que l'information concernant la base aérienne de La Carlota était inexacte et que Guaido et Lopez n'étaient pas sur la base. De plus, des rapports selon lesquels des unités militaires soutenant Guaido avaient pris possession de stations de radio et de télévision, si jamais ils étaient vrais, se sont révélés faux quelques heures plus tard.

Des rapports confus et contradictoires se sont poursuivis pendant la matinée, créant ainsi un phénomène de « brouillard de guerre ». Toutefois, il est devenu de plus en plus clair que le plan indéfiniment discuté entre l'opposition et les figures clés du régime n'était plus d'actualité. Les premières dépêches de presse ne sont pas arrivées avant 6 h 16. Nous avons appris que les membres de la Cour suprême avaient été convoqués par Moreno pour exécuter le rôle qui leur avait été assigné, ce qui en conséquence déclencherait la mise en action de Padrino. Cependant, il s'est avéré que les juges n'ont pas donné suite. Dans l'après-midi, mon appréciation était que les hauts responsables civils et militaires du régime avec qui l'opposition avait négocié, tel Moreno, faisaient tous marche arrière parce qu'ils pensaient que le mouvement avait été initié trop tôt. Le général Cristopher Figuera a dit qu'il avait personnellement alerté Padrino de l'accélération des événements, mais qu'il avait senti Padrino nerveux à cause de ce changement de plans. Le déroulé des choses s'était précipité, mais seulement parce que, le lundi soir, les Cubains avaient dû avoir vent de la conspiration et qu'ils avaient donc dû inciter ceux impliqués avec l'opposition à sortir de ce schéma prévisible. Selon mon évaluation, toutes les preuves montraient qui exerçait vraiment le pouvoir au Venezuela, à savoir, les Cubains, qui avaient informé Maduro. Tandis que les dignitaires du régime ont su que la sécurité du plan avait été déjouée, le président de la Cour suprême, Moreno, est devenu de plus en plus nerveux. C'est ainsi que sa cour n'a pas réussi à délégitimer l'Assemblée constituante de Maduro, comme prévu, ce qui a effrayé les chefs militaires. Manquant de couverture « constitutionnelle », ils ont hésité, et la libération de Lopez, le mardi matin, n'a fait qu'augmenter le malaise au cœur des conspirateurs militaires de haut rang. Je pensais que ces généraux n'avaient peut-être jamais eu l'intention de faire défection, ou du moins qu'ils avaient couvert leurs arrières afin de pouvoir se rallier à l'un ou l'autre camp, le mardi, en fonction de la tournure des événements.

Rien ne se passe jamais exactement comme prévu dans les situations révolutionnaires, et l'improvisation peut parfois faire la différence entre le succès et l'échec. Mais au Venezuela, ce jour-là, les choses se sont décantées. Nous étions certainement frustrés, tout d'abord parce que nous étions à Washington, loin de l'action et essentiellement incapables de suivre l'évolution des événements en temps réel. Comme nous l'avons appris plus tard des chefs de l'opposition, Lopez et Guaido ont décidé d'aller de l'avant, après que Cristopher Figuera ait libéré Lopez de son assignation à résidence, en espérant que de hauts responsables du régime les suivraient. L'histoire retiendra qu'ils ont eu tort, mais qu'ils n'étaient pas déraisonnables de croire qu'une fois le mouvement lancé, ils devraient jouer leur chance à fond. Cristopher Figuera s'est réfugié plus tard dans une ambassade à Caracas. Il craignait pour sa vie, vis-à-vis du régime de Maduro, et s'est plus tard enfui en Colombie. Sa femme, et les femmes de nombreux autres dignitaires du régime de Maduro, avaient préalablement quitté le Venezuela pour les États-Unis et d'autres lieux plus sûrs.

Je me demandais à répétition quand réveiller Trump. J'ai décidé de le faire après mon arrivée à la Maison Blanche et de rapidement passer en revue les informations disponibles. Je l'ai appelé à 6 h 07. C'était la première fois que je le réveillais depuis que j'étais conseiller à la sécurité nationale. Je ne sais pas s'il est arrivé à Flynn ou à McMaster de le faire. Trump était très endormi, mais lorsque je lui ai dit ce que nous savions, il m'a simplement dit : « Wow. » Je lui ai bien précisé que l'issue était loin d'être certaine. La journée pourrait se terminer avec Maduro en prison, avec Guaido en prison, et toutes les combinaisons intermédiaires possibles. J'ai appelé Pence à 6 h 22 et lui ai délivré le même message. Puis j'ai appelé d'autres membres de la sécurité nationale et des responsables clés du Capitole, où le soutien des deux côtés de la Chambre en faveur de notre ligne dure au Venezuela était presque constant. Pompeo et moi avons passé toute la journée au téléphone avec des gouvernements étrangers. Nous leur disions ce que nous savions et sollicitions leur soutien pour une lutte dont nous ne pourrions prédire la durée.

Personne n'a indiqué à Maduro qu'il était temps de partir, comme cela figurait dans le plan de l'opposition, mais il n'y avait aucun doute, malgré toute la surveillance de son régime, la rébellion l'a pris par surprise. Maduro a été contraint de se retrancher à Fuerte Tiuna, principal complexe militaire du pays, situé près de Caracas, où il est resté sous haute sécurité pendant plusieurs jours. Que cela ait été pour protéger Maduro ou pour l'immobiliser sur place avant de fuir le Venezuela, ou une combinaison des deux, tout le monde en débattait l'époque malgré l'incertitude qui plane encore aujourd'hui. (Les Cubains avaient de bonnes raisons de s'inquiéter pour Maduro ; Pompeo a déclaré plus tard publiquement que nous pensions qu'il était sur le point de s'enfuir du Venezuela ce jour-là.) D'après l'opposition, Padrino aussi était censé se trouver à Tiuna, ce jour-là. Mais, quelles qu'en aient été les raisons, les Cubains et les dignitaires du régime étaient incontestablement inquiets de ce dont ils étaient témoins, ce qui en disait long sur leur propre mésestimation du soutien à Maduro et au régime à l'intérieur du Venezuela.

Ma préoccupation, à ce moment-là, était que cette insurrection avortée entraîne des arrestations massives et le possible bain de sang que nous craignions depuis janvier. Mais ces pires scénarios éventuels n'ont pas eu lieu ce jour, ni cette nuit-là, ni pendant les semaines, ni les mois qui ont suivi. La raison la plus probable est que Maduro et ses acolytes savaient très bien qu'une répression pouvait finalement pousser les militaires, et même les plus hauts gradés, à s'opposer au régime. Ni Maduro ni ses commanditaires cubains ne voulaient courir ce risque, et cela reste vrai aujourd'hui.

Le 1er mai, j'ai programmé une réunion du Comité des directeurs pour discuter de ce qu'il fallait faire. Tout le monde avait des suggestions, nombre d'entre elles ont été adoptées et cela nous a poussés à nous demander pourquoi nous ne les avions pas adoptées, ainsi que d'autres, en janvier. À ce moment-là, l'impact de la lenteur bureaucratique est devenu vraiment évident, et le manque de constance et de détermination à l'intérieur du Bureau ovale était on ne peut plus visible. Bien que les groupes contestataires n'aient émergé que de là où ils étaient déjà avant les incidents du 30 avril, nous ne pouvions pas faire autrement que de reconnaître qu'il s'agissait d'une défaite de l'opposition. Comme dans un match de football américain, ils avaient prévu un système offensif et n'avaient pas réussi à faire progresser la balle, un résultat qui, dans une dictature, n'était jamais une bonne nouvelle. Mais le fait que cette attaque n'ait pas été couronnée de succès ne signifiait pas que la partie était perdue, malgré la déception palpable de notre équipe. Désormais, la tâche de l'opposition était de se relever, de se réveiller et de repartir de l'avant.

Un effet immédiat a été que les manifestations préalablement programmées, le 1er mai, par Guaido, bien que beaucoup plus importantes que les contre-manifestations du régime, ont été loin d'être aussi impressionnantes que ce qu'elles auraient pu être. De nombreux citoyens, ne sachant pas comment le régime allait réagir, étaient anxieux à l'idée de descendre dans la rue, même si les images de Caracas passant à la télévision montraient de jeunes hommes et femmes opposants allant à l'affrontement et attaquant les véhicules blindés de la police qui tentaient de contenir les manifestants. Guaido s'est montré et s'est exprimé publiquement toute la journée, appelant à des manifestations continues et à des grèves du secteur public, qu'il avait relativement bien réussi à mobiliser afin de les extirper de leur long soutien au mouvement chaviste, derrière Maduro. La situation économique pitoyable faisait que même les employés du gouvernement savaient qu'il devait y avoir un changement majeur avant de voir les choses s'améliorer. Maduro, en revanche, demeurait invisible et ne se montrait pas en public. Il se terrait probablement à Fort Tiuna, où il se disait qu'il était en train de monter des arrestations à grande échelle, ce que l'opposition et le public en général craignaient, mais qui heureusement ne s'est jamais matérialisé.

Trump a décidé d'appeler Poutine le 23 mai, pour parler, tout d'abord, d'autres sujets, mais aussi pour aborder la crise vénézuélienne, une conversation à l'impact négatif qui n'était pas nécessaire. Poutine a fait une brillante démonstration du style de propagande soviétique, qui je pense à largement convaincu Trump. Poutine lui a dit que notre soutien à Guaido avait renforcé le soutien de Maduro, ce qui était en complète contradiction avec la réalité, tout comme son affirmation, également imaginaire, que les rassemblements du 1er mai de Maduro avaient été plus importants que ceux de l'opposition. Poutine a décrit Guaido, d'une manière qui était sûre de plaire à Trump, comme quelqu'un qui s'autoproclamait, mais sans véritable soutien, une sorte d'Hillary Clinton décidant de se déclarer elle-même présidente. Cette tactique orwellienne s'est poursuivie, tandis que Poutine démentait tout rôle quelconque de la Russie dans les événements du Venezuela. Poutine a reconnu que la Russie avait vendu des armes au Venezuela sous Chavez dix ans plus tôt, et a confirmé qu'il prévoyait de respecter les contrats de maintenance et de réparation signés à l'époque, mais rien de plus que cela. Il a dit que Cristopher Figuera (bien qu'il n'ait pas utilisé son nom, mais son titre) était probablement notre agent, et qu'il pourrait nous en dire plus. Quel comique ! Après cet appel, Poutine aurait très facilement pu penser qu'il avait les mains libres au Venezuela. Peu de temps après, d'après les informations que nous a transmises le département du Trésor, Trump a parlé avec Mnuchin, qui en a très agréablement conclu que Trump voulait lever le pied sur les sanctions contre le Venezuela.

Durant les mois qui ont suivi, l'économie du Venezuela s'est dégradée, poursuivant les 20 ans de déclin ayant commencé sous Chavez et Maduro. Le président du Comité international de la Croix-Rouge m'a dit, après une visite au Venezuela, que depuis son dernier déplacement en Corée du Nord, il n'avait jamais vu des hôpitaux dans de telles conditions. Les négociations entre l'opposition et les figures clés du régime ont repris. Les progrès variaient, et il y a eu de longues périodes où les négociations semblaient à l'arrêt. Après l'échec du 30 avril, l'opposition a eu du mal à trouver une nouvelle stratégie. Une voie potentiellement attractive serait de susciter une compétition à l'intérieur du régime pour renverser Maduro. Si mettre ces scorpions dans une bouteille l'un contre l'autre entraînait la chute de Maduro, même si le « régime » restait en place, cela augmenterait l'instabilité et renforcerait les luttes intestines, offrant ainsi à l'opposition plus d'opportunités pour agir. La communauté vénézuélo-américaine de Floride, démoralisée par ce résultat, a vite rebondi par nécessité de soulager leurs amis et leurs familles de l'oppression. Et les hommes politiques américains, de Trump jusqu'aux plus modestes, réalisaient que les électeurs vénézuélo-américains, sans parler de ceux cubo-américains et nicaraguayens-américains, très critiques en Floride et ailleurs, jugeraient les candidats en fonction de leur soutien à l'opposition.

Mais l'impasse fondamentale au Venezuela persistait. Aucun des deux camps ne pouvait abattre l'autre. Dire, comme de nombreux commentateurs l'ont fait, que les militaires resteraient toujours loyaux à Maduro était une erreur. Les militaires restaient dans leurs casernes, ce qui sans l'ombre d'un doute bénéficiait au régime. Néanmoins, cela ne signifiait pas, d'après moi, que les officiers subalternes et les soldats du rang ressentaient une quelconque loyauté envers un régime qui avait dévasté le pays, où les conditions économiques continuaient à se dégrader, jour après jour. Au lieu de cela, selon moi, les officiers supérieurs sont presque certainement toujours plus préoccupés par la cohésion de leurs forces armées. Un ordre d'élimination de l'opposition aurait pu mener à la guerre civile, entre la plupart des unités militaires conventionnelles susceptibles de soutenir l'opposition, et plusieurs formes de police secrète, de milices, et de *colectivos* dirigés par les Cubains. Un tel conflit est un des rares développements qui pourrait véritablement faire empirer les choses au Venezuela. Mais c'est précisément pourquoi, dans les bonnes circonstances, l'armée est toujours parfaitement capable de renverser le régime, pas seulement Maduro, et de promettre un retour à la démocratie.

Ce qui se trouve maintenant en travers de la liberté pour le Venezuela est la présence cubaine, significativement soutenue par des ressources financières russes. Si les militaires cubains et les réseaux de renseignement quittaient le pays, le régime de Maduro aurait de sérieux problèmes, probablement définitifs. Tout le monde comprenait cette réalité, particulièrement Maduro, dont beaucoup pensaient qu'il devait son poste de président à l'intervention cubaine dans la lutte pour le contrôle, après la mort de Chavez. Avec le recul, il est clair pour moi que La Havane a vu Maduro comme le plus malléable des candidats, et le temps a montré l'exactitude de cette thèse.

À la fin du dernier jour d'avril 2019, deux décennies de méfiance mutuelle ; de lâcheté de la part de plusieurs dirigeants du régime qui s'étaient impliqués pour agir, mais qui avaient perdu leurs nerfs au moment critique ; d'erreurs tactiques par une opposition inexpérimentée ; d'absence sur le terrain de conseillers américains qui auraient pu, et j'insiste bien sur le conditionnel, aider pour faire basculer les choses ; et d'une pression froide et cynique exercée par les Cubains et les Russes, ont mené cette tentative d'insurrection dans une impasse, dès son premier jour. J'ai exposé tout ceci à l'époque, espérant à la fois poursuivre les efforts de l'opposition, et clarifier le dossier historique. Les récriminations après un échec sont inévitables, et il y en a eu à foison, et directement en provenance de Trump.

Mais ne vous y trompez pas : cette rébellion a bien failli réussir. Croire le contraire, c'est ignorer la réalité qui, alors que des informations plus approfondies se feront jour dans les années à venir, ne se fera que plus claire. À la suite de l'échec du 30 avril, l'opposition a continué de s'opposer, et la politique américaine devrait continuer à la soutenir. Comme Mitch McConnell m'a dit début mai : « Ne baisse pas les bras. » Grand mérite à ceux qui ont risqué leur vie au Venezuela pour libérer leurs compatriotes, et honte à ceux qui ont douté d'eux. Le Venezuela sera libre.

CHAPITRE 10

LE TONNERRE GRONDE EN CHINE

Les relations économiques et géopolitiques entre les États-Unis et la Chine détermineront l'état des relations internationales du XXIe siècle. La décision, en 1978, de Deng Xiapoing de changer la politique économique de la Chine en écartant le marxisme orthodoxe, et la décision des États-Unis, en 1979, de reconnaître la République populaire de Chine (et de ne plus reconnaître la République de Chine, à Taïwan) ont été des tournants cruciaux. L'histoire de ces décisions et de leurs conséquences est complexe, mais la stratégie des États-Unis et plus largement de l'Ouest, ainsi que l'opinion publique « informée » des prochaines décennies, reposait sur deux propositions fondamentales. Premièrement, ceux qui soutenaient ces évolutions croyaient que la Chine serait irréversiblement métamorphosée par la prospérité grandissante due aux politiques d'économie de marché, aux investissements étrangers, aux interconnexions toujours plus grandes avec les marchés mondiaux, et à une plus grande adhésion aux normes économiques internationales. Comme le disait l'expression, la Chine jouirait d'une « émergence pacifique » et serait un « acteur responsable » ou un « partenaire constructif » dans les relations internationales. Faire adhérer la Chine à l'Organisation mondiale du commerce en 2001 a été l'apothéose de cette analyse.

Deuxièmement, les partisans de la vision bénigne de l'émergence de la Chine argumentaient que la démocratie allait suivre, de manière presque inévitable, la croissance de la richesse nationale de la Chine. Des apparitions balbutiantes d'élections libres, observées au cours d'élections locales dans des villages isolés de Chine rurale, se propageraient à d'autres localités, puis gagneraient l'échelon provincial pour finalement atteindre le niveau national. Il y avait une forte corrélation, disaient-ils, entre la croissance de la liberté économique et l'émergence d'une vraie classe moyenne, d'un côté, et la liberté politique et la démocratie, de l'autre côté. Ainsi, à mesure que la Chine deviendrait plus démocratique, les conséquences de la théorie de la « paix démocratique » se manifesteraient : la Chine éviterait la compétition pour l'hégémonie régionale ou mondiale, le monde éviterait ainsi le « piège de Thucydide », et le risque de conflit international, chaud ou froid, diminuerait.

Mais ces deux visions étaient fondamentalement incorrectes. En économie, après avoir rejoint l'Organisation mondiale du commerce, la Chine a fait exactement le contraire de ce qui était prévu. Au lieu d'adhérer aux normes existantes, la Chine s'est jouée de l'organisation. Elle a poursuivi avec succès une politique mercantiliste, dans un accord présumé de libre-échange. Sur le plan international, la Chine volait la propriété intellectuelle ; forçait les transferts de technologie des investisseurs et des entreprises étrangères, tout en agissant de manière discriminatoire à leur encontre ; s'engageait dans des pratiques de corruption et dans la « diplomatie de la dette » à travers des instruments tels que les « nouvelles routes de la soie » ; et a continué de gérer son économie intérieure de façon étatique et autoritaire.

Les États-Unis étaient la cible principale de ces aspects « structurels » de la politique chinoise, mais l'Europe, le Japon et virtuellement toutes les démocraties industrielles l'étaient aussi, ainsi que d'autres pays appartenant à d'autres catégories, mais qui n'en demeuraient pas moins des cibles. De plus, la Chine recherchait les bénéfices politico-militaires de son activité économique que les entreprises de l'économie de marché ne considèrent tout simplement pas. Elle le faisait par le biais de sociétés censées être privées, mais qui étaient, en fait, des outils de l'armée et des services de renseignement chinois, en fusionnant les centres de décision civils et militaires, et en engageant une cyberguerre agressive qui ciblait les intérêts privés étrangers autant que les secrets des autres gouvernements.

Politiquement, la Chine a commencé à s'éloigner du chemin de la démocratie. Avec Xi Jinping, la Chine a maintenant son chef d'État le plus puissant, et le contrôle gouvernemental le plus centralisé, depuis Mao Zedong. Tous les dictateurs doivent tenter leur chance. Ainsi, les désaccords internes au sein de la structure du tout puissant parti communiste peuvent difficilement constituer des preuves de « jeunes pousses » démocratiques. Si d'autres preuves étaient nécessaires, les citoyens de Hong Kong en sont l'illustration. Ils voient la promesse « un pays, deux systèmes » fortement remise en question. Les persécutions ethniques (Ouïghours et Tibétains) et religieuses (catholiques, Falun Gong) continuent à grande échelle. Enfin, à l'échelle de toute la Chine, l'utilisation par Pékin du « crédit social » pour classer ses citoyens nous donne une vision glaçante d'un avenir qui paraît difficilement libre aux yeux des Américains.

Durant tout ce temps, comme je l'ai répété à longueur de discours et d'articles avant de rejoindre le gouvernement de Trump, les capacités militaires de la Chine se sont accrues : créant un des programmes de cyberguerre offensive les plus performants au monde ; construisant une marine de haute mer pour la première fois en cinq cents ans ; augmentant son arsenal d'armes nucléaires et de missiles balistiques, dont un important programme de sous-marins nucléaires lanceurs d'engins ; développant des armes antisatellites pour aveugler les capteurs spatiaux américains ; concevant des stratégies A2/AD, de « déni d'accès et interdiction de zone », pour repousser notre marine en dehors des côtes en mer de Chine ; réformant et modernisant les armes conventionnelles de l'Armée populaire de libération ; entre autres choses.

En assistant à la transformation de la Chine au fil des années, je voyais tout cela comme une profonde menace pour les intérêts stratégiques des États-Unis, et pour nos amis et alliés de par le monde. Le gouvernement Obama est grosso modo resté les bras croisés en regardant ce qui se passait.

Les États-Unis avaient été lents à se réveiller des erreurs élémentaires faites il y a des décennies. Nous avons subi un très grand préjudice économique et politique, mais heureusement, la partie était loin d'être terminée. Alors que le monde prend de plus en plus conscience que la Chine n'a pas joué selon « nos » règles, et qu'elle n'a pas du tout l'intention de le faire, nous sommes toujours capables de réagir efficacement. Pour ce faire, il est essentiel que suffisamment d'Américains voient la nature du défi chinois et agissent en temps utile. Si cela arrive, nous n'avons pas à nous inquiéter. Comme les mots attribués à l'amiral japonais Isoroku Yamamoto après Pearl Harbor : « J'ai peur que tout ce que nous ayons fait, ce soit d'avoir réveillé un géant endormi et de l'avoir empli d'une terrible détermination. »

À certains égards, Trump incarne l'inquiétude grandissante des États-Unis envers la Chine. Il apprécie cette vérité fondamentale que le pouvoir politico-militaire repose sur une économie forte. Plus forte est l'économie, plus grande sera la capacité à soutenir de gros budgets militaires et de renseignement pour protéger les intérêts des États-Unis dans le monde, et rester compétitif avec les multiples candidats à un pouvoir hégémonique régional. Trump affirme souvent de manière explicite qu'arrêter la croissance économique déloyale de la Chine aux dépens des États-Unis est la meilleure façon de battre la Chine militairement, ce qui est fondamentalement vrai. Ces perspectives, dans un Washington amèrement divisé, ont contribué à des changements significatifs des termes utilisés par les États-Unis pour débattre sur ces questions. Ayant saisi quelques notions de la menace chinoise, la vraie question est : que fait Trump ? Sur ce point, ses conseillers sont atrocement divisés intellectuellement. Le gouvernement a ses amoureux des pandas, comme Mnuchin ; des libres-échangistes résolus comme Kevin Hasset, président du Conseil des conseillers économiques, et Kudlow, et les « China Hawks », c'est-à-dire les antichinois, comme Ross, Lighthizer et Navarro.

J'avais le rôle le plus futile de tous : je voulais inclure la politique commerciale chinoise dans un cadre stratégique plus important pour la Chine. Nous avions un slogan, un bon slogan, qui appelait à une région « Indo-Pacifique libre et ouverte » (« Free and Open Indo-Pacific » est malheureusement devenu l'acronyme « FOIP »).[59]Conceptuellement, élargir l'environnement stratégique pour y inclure le Sud et le Sud-Est de l'Asie est important, car cela montre que tout ne se résout pas uniquement à la Chine. Mais une étiquette accrocheuse n'est pas une stratégie, et nous avons eu du mal à l'élaborer tout en évitant de nous faire aspirer par le trou noir des problèmes commerciaux avec la Chine, ce qui arrivait bien trop souvent. Et c'est ce que nous allons voir maintenant, du moins de façon sommaire.

À l'époque où j'ai rejoint la Maison Blanche, toutes sortes de discussions commerciales avec la Chine étaient en cours depuis un certain temps. Trump abordait le commerce et les déficits commerciaux comme s'il lisait le bilan comptable d'une entreprise : les déficits commerciaux signifiaient que nous perdions, et les excédents commerciaux signifiaient que nous gagnions. Les droits de douane réduisaient nos importations et augmentaient les revenus du gouvernement, ce qui était mieux que le contraire. En fait, les partisans du libre-échange, dont je faisais partie avant, pendant et après mon temps au sein de l'Administration Trump, se moquaient de tels arguments. Pourtant, les déficits commerciaux indiquent souvent d'autres problèmes, tels que les énormes bénéfices que la Chine engrange sur les vols de propriété intellectuelle, qui lui permettent d'être plus compétitive contre ces mêmes entreprises à qui elle a volé ces droits intellectuels. À ce problème s'ajoute que Pékin subventionne ses entreprises pour qu'elles puissent baisser leurs prix à l'international. D'énormes pertes d'emplois dans le secteur manufacturier américain ont entraîné des baisses des coûts de production en Chine et dans d'autres pays émergents. Les déficits commerciaux étaient donc des symptômes d'autres problèmes, et non des problèmes en eux-mêmes, qui justifiaient plus d'attention, que Trump le comprenne pleinement ou non.

---

59 L'acronyme « FOIP » fait aussi référence au Freedom of Information and Protection Act, soit la Loi sur l'accès à l'information et la protection de la vie privée (NDT).

Au milieu des délégations américaines spécialisées dans le commerce se rendant à Pékin et des délégations chinoises venant à Washington, Ross m'a appelé mi-avril. C'était ma deuxième semaine sur cette mission. Il voulait que je parle de la ZTE, une entreprise de télécommunications chinoise. ZTE avait commis de très nombreuses violations de nos sanctions iraniennes et nord-coréennes. Elle avait été poursuivie avec succès par le département de la Justice, et opérait désormais sous le contrôle d'un décret de consentement qui régularisait ses agissements. Un conseiller maître du tribunal supervisant le décret venait de constater de nombreuses violations, qui pourraient entraîner des amendes additionnelles significatives, ainsi que l'interdiction de ZTE sur le marché américain, ce que Ross était prêt à faire. Je ne considérais pas cela comme un problème commercial, mais plutôt comme une question de respect des lois. Si ZTE avait été une entreprise américaine, nous l'aurions assaisonnée, et je ne voyais aucune raison de s'en empêcher sous prétexte que ZTE était chinoise. Néanmoins, le département d'État ne voulait pas offenser la Chine, donc Ross voulait savoir comment gérer une déclaration du département du Commerce prévue pour le lendemain. Je lui ai dit d'y aller sans retenue, ce qu'il a fait.

Cependant, en l'espace de quelques semaines, Trump a été mécontent de la décision de Ross et a voulu modifier les lourdes pénalités qu'il avait proposées ; Mnuchin l'a très rapidement approuvé. J'étais sidéré, parce qu'en abrogeant ce que Ross avait déjà annoncé à la Chine, Trump l'affaiblissait (ce qui, comme je l'ai appris peu après, était la façon habituelle dont Trump opérait) et il excusait le comportement criminel inacceptable de ZTE. Toutefois, Trump a décidé d'appeler Xi Jinping, juste quelques heures avant d'annoncer le retrait des États-Unis de l'accord sur le nucléaire iranien. Trump a commencé à se plaindre des pratiques commerciales de la Chine, qu'il trouvait très déloyales, et a dit que la Chine devait acheter plus de produits agricoles américains. Xi a d'abord soulevé le problème ZTE, et Trump lui a décrit nos actions comme trop fortes, rudes mêmes. Il a dit qu'il avait demandé à Ross de faire quelque chose pour la Chine. Xi, lui, a répondu que si c'était fait, il devrait une faveur à Trump, et Trump lui a immédiatement répondu qu'il le faisait pour Xi. J'étais stupéfait par la non-réciprocité de cette concession, et parce que, comme Ross me l'a dit plus tard, ZTE avait été presque détruite par les pénalités imposées. Inverser cette décision serait inexplicable. C'était la politique de la lubie personnelle et de l'impulsivité.

La lubie et l'impulsivité se sont poursuivies le dimanche 13 mai, lorsque Trump a tweeté :

> **« Le président Xi de la Chine, et moi, travaillons ensemble pour donner à la grande compagnie de téléphonie chinoise, ZTE, une possibilité de commercer de nouveau, vite. Beaucoup trop d'emplois ont été perdus en Chine. Le département du Commerce a reçu des instructions pour que cela soit fait ! »**

Depuis quand nous souciions-nous des emplois en Chine ?

Le lundi, j'ai appris que Navarro essayait de constituer un groupe de plusieurs personnes dans le Bureau ovale pour dire à Trump combien l'idée de faire marche arrière sur la ZTE était une mauvaise idée. Sur le fond, j'étais bien évidemment d'accord, mais cela était une façon complètement chaotique de faire de la politique. Malheureusement, c'est exactement ainsi que les affaires commerciales étaient gérées dans le gouvernement depuis le premier jour. J'ai essayé de restaurer l'ordre en organisant une réunion du Comité des directeurs. Malheureusement, les différents services et agences économiques étaient réfractaires à l'idée de participer à un processus géré par le Conseil de sécurité nationale, indiquant que cela n'avait eu lieu que rarement par le passé. Ils préféraient tous tenter leurs chances avec la roulette qui faisait nos politiques plutôt que de suivre la discipline des procédures. La seule conclusion qui ressort clairement de cette séquence, c'est que la politique économique internationale restait complètement déstructurée, et il était peu probable que cela change sans un effort surhumain, sans parler d'un président qui reconnaîtrait qu'un tel changement serait bénéfique.

En fait, la façon favorite de procéder de Trump était de réunir de petites armées de personnes, soit dans le Bureau ovale soit dans la salle Roosevelt, pour débattre de tous ces sujets complexes et polémiques.

Encore et encore, les mêmes problèmes. Sans résolution, ou même pire, en proposant une orientation un jour puis une orientation contraire quelques jours plus tard. Tout cela me donnait des maux de tête. Même là où il y avait des consensus occasionnels, cela ne constituait pas une base permettant de développer une politique plus large. Par exemple, les économistes d'Hasset avaient effectué une modélisation méticuleuse de l'impact des tarifs douaniers envers la Chine, si un conflit commercial se déclenchait. Ses données montraient que des droits de douane sur environ 50 milliards de dollars d'exportations chinoises vers les États-Unis, ce que Lighthizer avait envisagé, avantageraient effectivement les États-Unis. Trump a entendu cela et a dit : « C'est pour ça qu'ils vont négocier. » Le fait que la Chine manipule sa monnaie était aussi un sujet de discussion privilégié, avec Navarro qui affirmait que c'était ce que faisait Pékin, et Mnuchin qui prétendait le contraire. J'ai essayé d'instaurer une rigueur de procédure dans ce domaine, de concert avec le Conseil économique national, mais là encore, cela a été un échec. À mesure que le temps passait, Trump ne cachait pas son opinion (fermement partagée par Chuck Schumer, juste pour contextualiser), selon laquelle la Chine manipulait sa monnaie pour y gagner un avantage commercial, en disant à Mnuchin mi-novembre : « J'étais avec vous il y a deux mois. J'étais d'accord avec votre analyse, mais je ne suis plus avec vous aujourd'hui. » Et ça continuait. Et puis ça a continué encore.

Une partie de ce climat contentieux est survenue parce que, durant les premiers jours du gouvernement, Mnuchin s'était immiscé lui-même dans les négociations commerciales, bien que le rôle du département du Trésor, sous les présidences précédentes, ait toujours été beaucoup modeste que le rôle du représentant américain au commerce ou que celui du département du Commerce. Non seulement son rôle, qui le poussait au-delà de ses prérogatives, était-il institutionnellement inhabituel, mais plus encore, l'attitude pro-Chine de Mnuchin, tout comme son approche très zélée pour obtenir des accords, était substantiellement dangereuse. De temps en temps, même Trump voyait cela. Lors d'une session dans la salle Roosevelt, le 22 mai, Trump a presque hurlé à Mnuchin : « Ne soyez pas un négociant commercial. Poursuivez Bitcoin [pour la fraude]. » Mnuchin, lui aussi presque hurlant, a dit : « Si vous ne voulez pas de moi sur le commerce, très bien, votre équipe d'économistes fera tout ce que vous voudrez. » Cela ne signifiait pas nécessairement que le représentant américain au commerce reprendrait son rôle traditionnel en tant que premier négociateur, parce que Trump a aussi fustigé Lighthizer : « Vous n'avez pas encore conclu un seul contrat ! »

À quoi bon les procédures, de toute façon, quand Trump tweetait de son propre chef, comme il l'a fait le 14 mai :

> **« ZTE, la plus grande entreprise chinoise de téléphonie, achète un gros pourcentage de composants individuels à des entreprises américaines. Cela reflète aussi l'accord plus large que nous négocions avec la Chine et ma relation personnelle avec le président Xi. »**

Qu'est-ce que tout cela pouvait bien signifier ? Pire était le lien explicite d'un problème de respect de la loi avec un accord commercial, sans parler des « relations personnelles » entre Trump et Xi. Pour Xi, aucune sorte de relation personnelle n'avait voix au chapitre lorsqu'il s'agissait de faire avancer les intérêts de la Chine, tout comme les relations personnelles de Poutine ne venaient point entraver l'avancement des intérêts russes. Je ne pense pas que Trump ait jamais saisi ce point. Ici, il n'était question que de Trump et Xi. Dans d'innombrables autres épisodes, il avait beaucoup de mal à séparer le personnel de l'officiel.

Le 16 mai, Trump a encore frappé : « Le *Washington Post* et *CNN* ont, comme d'habitude, écrit des choses fausses sur nos négociations commerciales avec la Chine. Rien ne s'est passé avec ZTE, à part le fait que cela est relié à un accord commercial plus large. Notre pays a perdu des centaines de milliards de dollars par an avec la Chine... Ce lien continuel de ZTE avec des enjeux commerciaux plus généraux était très perturbant, pas seulement pour le département du Commerce, mais aussi pour celui de la Justice, qui tenait toujours sous surveillance les agissements de ZTE grâce au décret de consentement. Bien évidemment, à ce moment-là, Trump ne parlait que rarement avec le procureur général, Sessions, sans même parler d'écouter ses conseils. Au lieu de ça, Trump écrivait à Xi des notes personnelles manuscrites, ce qui rendait fou le bureau du conseiller juridique de la Maison Blanche. Désormais, ce que Trump voulait de ZTE, c'était une amende d'un milliard de dollars. Cela semblait beaucoup, mais ce n'était que de la menue monnaie comparée à la fermeture de ZTE, ce qui était le projet du département du Commerce. C'était aussi légèrement *moins* que l'amende que ZTE avait payée *initialement* lorsque le décret de consentement lui avait été imposé. L'arrangement que Ross avait négocié sous les contraintes du Bureau ovale a finalement été annoncé en juin. ZTE devait théoriquement avoir un conseil d'administration indépendant et une surveillance extérieure permanente. La plupart des observateurs du monde des affaires pensaient que Trump avait donné à ZTE non seulement un sursis, mais une deuxième chance de vivre. Et qu'avons-nous reçu en échange ? Bonne question.

D'un autre côté, Trump en venait de plus en plus à penser que la Chine essayait d'influencer les élections du Congrès de 2018 contre les républicains, et plus important (pour lui), qu'elle travaillait à sa défaite en 2020. Il suffisait de voir l'augmentation significative des dépenses militaires américaines sous Trump, et la guerre commerciale, pour admettre qu'il y avait beaucoup de logique et de bonnes raisons en faveur de ces deux propositions. Dans nos déclarations publiques sur les agissements de gouvernements étrangers pour s'ingérer dans les élections américaines, nous avons évoqué la Chine et la Russie, à juste titre. La Chine essayait aussi de tirer profit du désir viscéral de Trump de faire des affaires et de conclure des accords à son avantage économique, espérant nous pousser dans des « accords commerciaux » qui ne résolvaient en rien les problèmes structurels qui étaient la véritable cause des disputes économiques et politiques entre nous. Pékin devait savoir combien les conseillers de Trump étaient divisés sur la Chine, parce qu'elle pouvait le lire très régulièrement dans les médias.

Nous avons compris que les actions de la Chine liées aux élections s'inscrivaient au sein d'une des plus grandes opérations d'influence jamais entreprises, beaucoup plus grande que celles qui avaient obsédé les démocrates et les médias en 2016. Vue sans œillères partisanes, la Chine pourrait mener cette manœuvre avec des ressources considérablement plus grandes que la Russie. C'était très sérieux, et cela demandait une réaction tout aussi sérieuse. Une des réponses possibles était de mener un examen judicieux de déclassification, soigneusement et avec prudence, en particulier pour ne pas compromettre nos sources et nos méthodes de renseignement, mais aussi pour pouvoir exposer au peuple américain ce contre quoi nous luttions. Trump a évoqué publiquement ces manœuvres de la Chine lorsqu'il s'est adressé au Conseil de sécurité des Nations Unies en septembre 2018, mais cela n'a pas suscité que peu d'attention médiatique.

Pence a saisi l'opportunité d'un discours à l'Hudson Institute pour décrire la nature de l'opération d'influence de la Chine. Il a utilisé des informations récemment déclassifiées et une large gamme d'autres données, déjà dans le domaine public. La rédaction de ce discours exigeait des choix difficiles, car il était évident que Trump ne voulait pas que le vice-président dise quoi que ce soit qui puisse nuire à sa relation personnelle si chère avec Xi. Par ailleurs, il était prêt à s'en prendre à Pékin parce qu'il se voyait personnellement pris pour cible par les manœuvres chinoises. En privé, Trump disait que la Chine et la Russie étaient des menaces, ce que j'aurais souhaité que la presse entende. Il voulait donc tellement connaître le contenu du projet de discours que la veille de sa lecture publique, Pence, Ayers et moi nous sommes retrouvés avec Trump dans sa petite salle à manger, à éplucher ce discours, ligne par ligne. En bref, Trump était déjà familier et a approuvé personnellement tout ce que Pence a dit. Le lendemain, nous étions tous enchantés de la couverture médiatique. Pence nous a dit, à Ayers et à moi, que c'était le discours « le plus courageux sur la Chine qu'on ait jamais entendu », ce qui, d'après moi, était vrai. Tandis que nous commentions la revue de presse avec Trump, il a dit, de manière révélatrice : « Les autres présidents pensaient qu'il était inapproprié de parler d'argent. C'est la seule chose dont je sais parler. »

Les élections de novembre approchant, il n'y avait que peu de progrès sur le volet du commerce, et l'attention s'était inévitablement tournée vers le sommet du G20 à Buenos Aires, à la fin du mois, où Xi et Trump pourraient se rencontrer personnellement. Trump voyait cela comme la rencontre de ses rêves, avec les deux poids lourds ensemble, laissant l'Europe de côté pour parler affaires sérieusement. Quoi de mal à ça ? Beaucoup, selon Lighthizer. Il craignait tout ce que Trump pouvait laisser échapper dès qu'il perdrait toute retenue. Le lendemain de l'élection, j'ai rencontré, à Washington, le conseiller d'État chinois, Yang Jiechi, pour une série de réunions en amont du G20. Nous nous sommes réunis dans le mess des officiers, qui était bondé de participants, dont Kushner, qui m'avait dit le jour de l'élection : « Le président m'a demandé d'être plus impliqué sur le dossier du commerce avec la Chine ». Je suis sûr ici que je vais rendre fou de joie les dizaines d'autres personnes de premier plan qui se bousculaient pour se faire entendre sur ce dossier du commerce avec la Chine.

Comme cela était de coutume avec les responsables chinois dans ce genre de réunion, Yang a lu soigneusement un texte préparé disant que le sommet du G20 était la priorité numéro un pour notre relation. Nous avons discuté de la façon de structurer le sommet, et ma contribution à la paix mondiale a été de suggérer que Xi et Trump, chacun accompagné de sept conseillers, partagent un dîner le 1er décembre, ce qui s'est finalement produit, après de nombreuses tergiversations. Le commerce était la priorité numéro un. Yang m'a assuré que la Chine voulait la confiance stratégique, et n'avait aucune intention de défier ni de prendre la place des États-Unis. Ils ne voulaient pas de conflit ou de confrontation, mais d'une solution gagnant-gagnant. Cela a continué comme ça, mais le seul problème que nous avons résolu a été celui de l'organisation du dîner. Cela était suffisamment difficile, étant donné le nombre de personnes, côté américain, qui voulait peser sur cette mégaquestion.

Le samedi 1er décembre, à Buenos Aires, est vite arrivé, et le dîner avec Xi a été le dernier événement avant que Trump reprenne un vol pour les États-Unis. En fin d'après-midi, nous nous sommes réunis avec Trump pour un dernier briefing. Mnuchin avait bossé d'arrache-pied toute la journée avec Liu He, le tsar de la politique économique de la Chine et le négociateur en chef du dossier du commerce, il était perçu dans le monde comme le numéro 3 du régime de Xi. Liu a exposé ce que, selon lui, Xi allait dire lors du dîner, et même ce que Xi pensait en matière de structure conventionnelle. Il est dur en affaires, Steve. La part d'implication de Lighthizer n'était pas claire, mais Navarro n'avait pas été impliqué du tout, et le feu d'artifice a commencé. (La Russie et la Corée du Nord étaient aussi au programme de ce dîner ; nous n'avons jamais parlé de la Russie et n'avons passé que deux minutes tout au plus sur la Corée. De bien des façons, j'étais soulagé.)

Lighthizer a dit qu'il pensait qu'un « accord de libre-échange » avec la Chine serait presque suicidaire, mais Mnuchin était tout feu tout flamme parce qu'il avait réussi à amener la China à donner son accord pour acheter plus de soja, d'autres produits agricoles et des minerais, comme si nous étions un fournisseur de produits de base du tiers-monde pour l'Empire du Milieu.

J'ai dit que, selon moi, aucun des chiffres qui circulaient ne reflétait les vrais enjeux. Ce n'était pas un débat sur le commerce, mais un conflit systémique. Les « problèmes structurels » que nous avons soulevés avec la Chine n'étaient pas des tactiques commerciales, mais une approche fondamentalement différente d'organisation de la vie économique. Les négociations devraient commencer par ces questions, afin que nous puissions voir s'il y avait une véritable chance pour que la Chine envisage sérieusement de changer ses habitudes (et j'étais intimement convaincu que ce n'était pas le cas). Kudlow étant d'accord, il a pris une position que je n'ai jamais vue aussi distante de Mnuchin, et ce dernier n'a pas bien réagi. Durant le débat qui s'est ensuivi, j'ai suggéré d'interdire tous les biens et services chinois sur le sol américain s'ils reposaient en totalité ou en partie sur de la propriété intellectuelle volée. « J'aime cette idée », a dit Trump, mais bien évidemment, Mnuchin ne l'aimait pas. J'ai dit que nous aurions besoin d'une autorité législative additionnelle, mais que cela était une bataille qui en valait la peine. Trump a redit (plusieurs fois en fait) qu'il aimait cette idée, donc j'ai pensé qu'au moins nous pourrions faire quelques progrès. Le briefing s'est terminé quelques minutes plus tard, à 16 h 45.

Le dîner a commencé à 17 h 45, après la figure imposée devant la presse pour la photo, et a duré jusqu'à 20 heures. Xi a commencé en disant à Trump combien il était merveilleux, en long, en large et en travers. Xi lisait constamment sur des fiches annotées ; il ne fait aucun doute qu'elles avaient été dûment préparées à l'avance pour le sommet. De notre côté, le président était en roue libre, et personne, du côté américain, ne savait ce qu'il allait dire d'une minute à l'autre. Un grand moment a eu lieu lorsque Xi a dit qu'il voulait travailler avec Trump encore pendant six ans, et Trump a répondu que, selon les gens, la limite constitutionnelle de deux mandats présidentiels devrait être abrogée pour lui. J'étais bien conscient de la vacuité d'un tel bavardage. Sachant que Xi était effectivement « président à vie » de la Chine, Trump essayait de rivaliser avec lui. Plus tard dans le dîner, Xi a dit que les États-Unis avaient trop d'élections, parce qu'il ne voulait pas quitter Trump pour un autre interlocuteur. Trump a hoché la tête en signe d'approbation. (En fait, lors d'une conversation téléphonique ultérieure, le 29 décembre, Xi a dit expressément que la Chine espérait que Trump ait un autre mandat et qu'il amende la Constitution afin de rester plus longtemps.) Xi a démenti l'idée du « marathon de 100 ans » pour dominer le monde, ou pour remplacer les États-Unis, en disant que ce n'était pas la stratégie naturelle de la Chine, qu'ils respectaient notre souveraineté et nos intérêts en Asie, et qu'ils voulaient simplement que le 1,4 milliard de Chinois jouissent d'une vie meilleure. Comme c'était mignon.

Xi est finalement passé aux choses sérieuses en disant que depuis leur conversation téléphonique du 1er novembre, leurs équipes avaient travaillé dur pour atteindre un consensus sur les problèmes économiques clés. Puis il a décrit les positions de la Chine, essentiellement ce que Mnuchin nous avait auparavant poussés à accepter : les États-Unis remballeraient les droits de douane actuels de Trump ; il n'y aurait plus de manipulation pour rendre la monnaie compétitive ; et nous accepterions de ne pas nous engager dans le cybervol (quelle sagesse). Il n'y a pas de gagnant dans une guerre commerciale, a dit Xi. Nous devions donc annuler les droits de douane actuels, ou du moins accepter qu'il ne doive pas y avoir de nouveaux droits de douane. « Les gens attendent cela », a poursuivi Xi, et j'ai eu peur à ce moment-là que Trump dise simplement oui à tout ce que Xi venait d'exposer. Il en a été tout près, proposant unilatéralement que les droits de douane américains restent à 10 %, plutôt que de grimper jusqu'à 25 %, comme il avait menacé de le faire. En échange, Trump a simplement demandé des augmentations des achats agricoles (pour s'attirer les voix cruciales des États agricoles). Si on pouvait s'entendre là-dessus, tous les droits de douane seraient abaissés. La propriété intellectuelle devant être étudiée à un moment indéterminé. Il y aurait une période de 90 jours de négociations pour faire les choses. C'était hallucinant. Puis il a demandé à Lighthizer s'il avait quelque chose à ajouter, et Lighthizer a fait ce qu'il a pu pour faire remettre la conversation sur le chemin de la réalité, se focalisant sur les problèmes structurels et réduisant en miettes la proposition chinoise tellement choyée par Mnuchin.

Trump a également demandé à Xi de réduire les exportations chinoises de fentanyl, un opioïde mortel qui faisait des ravages aux États-Unis et qui était un problème politique explosif. Xi a accepté de le faire (mais n'a absolument rien fait plus tard). Trump a également demandé que Victor et Cynthia Liu soient libérés. La Chine les retenait en otage à cause d'allégations de délits financiers envers leur père, Liu Changming, qui résidait aux États-Unis. Xi a dit, comme si cela était une réponse valable, que les Liu étaient des citoyens binationaux sino-américains. Trump a haussé les épaules en signe de dédain puis a lâché l'affaire. Voilà toute la protection accordée aux citoyens des États-Unis. Les Chinois espéraient probablement que le dîner se poursuive toute la nuit.

Trump a clos le débat en disant que Lighthizer serait chargé de finaliser l'accord, et que Kushner serait aussi impliqué, et à ce moment-là tous les Chinois étaient ravis et avaient le sourire aux lèvres. Tu m'étonnes.

Trump a désigné Lighthizer et Navarro (dont la présence même a dû irriter les Chinois) comme étant des « faucons » (des antichinois), Mnuchin et Kudlow comme des « colombes », et a dit de Pompeo et de moi : « Ils se fichent de l'argent. » Il est difficile de dire comment les Chinois ont interprété tout ça, mais Xi n'a certes pas exposé la même carte détaillée de son propre entourage de l'autre côté de la table. La réduction du rôle de Mnuchin était la meilleure nouvelle du jour. À la fin, après avoir discuté des déclarations que nous ferions à la presse, nous sommes tous repartis vers nos aéroports respectifs. Dans les récits qui ont été faits plus tard, ce dîner est devenu de plus en plus long, trois heures, trois heures et demie, et finalement « plus de quatre heures », tandis que Trump régalait ses auditeurs avec les triomphes qu'il s'était adjugés.

De retour à Washington, le lundi 3 décembre, nous nous sommes rassemblés dans le Bureau ovale pour évaluer les résultats. Trump était ravi, heureux des réactions sur les marchés financiers, et il aimait toujours mon idée d'interdire les exportations chinoises issues du vol de propriétés intellectuelles américaines. Cependant, Mnuchin se débattait dans son nouveau rôle en demandant : « Qui est chargé du dossier ? » à propos des négociations qui devaient suivre. Trump a confirmé Lighthizer à la tête de tout ça en disant : « Je ne vois pas quel est le problème là-dessus. Le département du Trésor est un monde complètement à part. » Il voulait Lighthizer : « Mnuchin nous délivre un autre signal. Je ne sais pas pourquoi vous [Mnuchin] voulez être impliqué. Savez-vous ce que vous pouvez faire pour lui [Lighthizer] ? Occupez-vous de consolider le dollar. » Et Trump a continué à l'avenant, en attaquant le président de la Réserve fédérale, Jerome Powel, son punching-ball favori, parce qu'il maintenait les taux d'intérêt trop hauts. Puis, se tournant vers Lighthizer, Trump a dit : « Là-dessus, je veux votre attitude, pas celle de Steve. Doublez ou triplez les commandes de produits agricoles… Si nous n'obtenons pas un gros contrat, oubliez tout ça. On reviendra à ce que nous avions mis en place [augmenter les droits de douane]. Schumer aime ça. Les droits de douane seront bien mieux perçus dans 90 jours. » Et de nouvelles rencontres de négociations ont commencé pour ce que Trump appelait régulièrement le « plus grand accord de l'histoire. Pas seulement le plus grand accord commercial, mais le plus grand accord de tous les temps ».

Les négociations se sont achevées de manière théâtrale dans le Bureau ovale, avec en tête d'affiche, Trump et Liu He, en retransmission directe sur les chaînes d'info du câble. À mesure que le temps passait, l'échéance du 1er mars devenait clairement inatteignable. Trump l'a alors allègrement zappée en se contentant de dire que des « progrès substantiels » avaient été faits. Je pensais que montrer à quel point il voulait vraiment un accord était un aveu de faiblesse. En fait, bien entendu, la période de 90 jours a toujours été illusoire ; il était impossible de croire que la Chine reculerait sur les « questions structurelles » en trois mois, ayant développé ses pratiques sur des décennies. Mais l'acte décisif a eu lieu en mai, quand les Chinois ont renié leur parole sur plusieurs éléments clés de l'accord en cours d'élaboration, dont tous les points les plus importants liés aux « problèmes structurels » qui étaient véritablement le cœur du dossier. À l'époque, j'étais complètement absorbé par la menace grandissante que représentait l'Iran dans le golfe arabo-persique, mais l'appel de Lighthizer a réveillé mon attention. Il s'agissait d'un sérieux revers pour les avocats de cet accord, un échec qui, selon Lighthizer et Mnuchin, était attribuable au fait que Liu He et ses alliés avaient perdu le contrôle des décisions politiques une fois rentrés à Pékin.

Lighthizer s'est présenté à mon bureau le lendemain, le 6 mai, à 8 heures, pour parler de la situation. Il m'a dit qu'à Pékin, la semaine précédente, les Chinois s'étaient complètement rétractés sur des engagements spécifiques qu'ils avaient pris, comme amender des régulations existantes, abroger des lois et en adopter de nouvelles (par exemple, pour protéger la propriété intellectuelle), et d'autres résolutions concrètes qui auraient montré que leur désir de résolution de ces problèmes structurels était sincère. Sans ces engagements spécifiques, seules de vagues déclarations d'intentions demeuraient, ce qui, au vu de l'expérience des années passées avec la Chine, n'avait jamais produit aucun résultat. Liu He a dit qu'il proposait simplement un « rééquilibrage » optique du texte du projet de l'accord, qui énumérait les nombreuses dispositions que devait prendre la Chine et seulement quelques-unes que devaient adopter les États-Unis (avec de bonnes raisons !). L'effet général était d'atténuer ce que Pékin devait vraiment faire, et les Chinois se mettaient à insister sur de nombreuses révisions qui n'aidaient en rien nos affaires. Lighthizer a dit que lui et Mnuchin en avaient conclu que Liu avait perdu le contrôle des négociations, et qu'ils pensaient que Liu l'avait reconnu devant à eux à Pékin. Liu prévoyait toujours d'être à Washington, en fin de semaine, dans un schéma de réunions à domicile et à l'extérieur que les négociateurs avaient suivi, mais il n'était pas certain qu'il ait quelque chose de nouveau à dire.

Aucune perspective d'accord n'est apparue durant ce que Mnuchin avait étiqueté comme le « dernier tour » des pourparlers, particulièrement à cause de beaucoup d'autres problèmes qui n'étaient pas résolus. Trump ayant menacé, par tweet interposé, d'appliquer de nouveaux droits de douane, il était donc tout à fait possible que Liu ne vienne pas du tout. Plus tard dans la journée, Lighthizer a annoncé qu'il allait lancer le dernier volet des augmentations des droits de douane qui prendraient effet le vendredi, ce que Trump était à l'évidence prêt à imposer. Liu est venu à Washington sans rien de nouveau, et les discussions dans ses bureaux se sont terminées très tôt. Il n'y a pas eu de rencontre Trump-Liu He. La guerre commerciale avait toujours lieu.

Trump a parlé au téléphone avec Xi Jinping, le 18 juin, en amont du sommet du G20 à Osaka, où ils devaient se rencontrer prochainement. Trump a commencé par dire à Xi qu'il lui manquait, puis que monter un accord commercial avec la Chine, ce qui serait un gros plus politiquement, était la chose la plus populaire à laquelle il ait jamais participé. Ils sont tombés d'accord pour que leurs équipes économiques continuent de se rencontrer. La rencontre bilatérale du G20 est arrivée, et durant le bazar médiatique habituel de départ, Trump a déclaré : « Nous sommes devenus amis. Mon voyage à Pékin avec ma famille a été l'un des moments les plus incroyables de ma vie. »

Une fois la presse partie, Xi a dit que cette relation bilatérale était la plus importante au monde. Il a ajouté que certaines figures politiques (sans les nommer) des États-Unis faisaient une erreur de jugement en appelant à une nouvelle guerre froide, cette fois entre la Chine et les États-Unis. Je ne sais pas si Xi voulait pointer du doigt les démocrates, et certains d'entre nous assis du côté américain de la table, mais Trump a immédiatement supposé que Xi visait les démocrates. Trump a dit d'un ton approbateur qu'il y avait une grande hostilité parmi les démocrates. Puis, étonnamment, il a amené la conversation sur les prochaines élections présidentielles américaines en faisant allusion à la capacité économique de la Chine d'affecter la campagne en cours, suppliant Xi de lui assurer la victoire. Il a insisté sur l'importance des agriculteurs ainsi que de l'augmentation des achats chinois de soja et de blé dans le résultat de l'élection. Je voulais imprimer les mots exacts de Trump, mais le processus de révision de prépublication du gouvernement en a décidé autrement.

Trump a ensuite évoqué l'échec des négociations en mai et a insisté pour que la Chine revienne aux positions qu'elle avait prises avant de se rétracter. En passant rapidement sur l'échec de la Chine à faire quoi que ce soit sur fentanyl et sur la saisie d'otages canadiens (sans parler des otages américains), deux sujets discutés à Buenos Aires, Trump a demandé que les deux équipes reprennent là où elles en étaient en mai et poursuivent les négociations pour conclure l'accord le plus excitant, le plus grand qui n'ait jamais été fait. Comme sorti de nulle part, Xi a répondu en comparant l'impact d'un accord déséquilibré avec nous à l'« humiliation » du Traité de Versailles, qui avait confisqué la province du Shandong à l'Allemagne, mais l'avait donné au Japon. Xi a dit, d'un air très sérieux, que si la Chine devait souffrir la même humiliation dans nos négociations commerciales, il y aurait un regain de patriotisme en Chine, indiquant implicitement que ce sentiment serait dirigé contre les États-Unis. Manifestement, Trump n'avait aucune idée de ce à quoi Xi faisait référence, mais il a dit n'était pas dans l'ADN de Xi de signer un traité déséquilibré. L'histoire étant un sujet très facile pour Trump, une fois qu'il était lancé, il a insinué que la Chine devait aux États-Unis une faveur pour avoir défait le Japon lors de la Seconde Guerre mondiale. Xi nous a ensuite fait la leçon, en nous racontant comment la Chine avait combattu pendant 19 ans, et n'avait compté principalement que sur elle-même pour battre ses agresseurs japonais. Bien évidemment, tout cela n'avait pas de sens non plus ; les communistes chinois avaient passé l'essentiel de la guerre à se battre contre le Japon et à essayer d'affaiblir les nationalistes chinois. La guerre s'est terminée quand nous avons utilisé la bombe atomique, mais Xi récitait l'histoire à travers le prisme du catéchisme communiste. Trump n'a pas compris cela non plus.

Vers la fin de la discussion sur le commerce, Trump a proposé que pour 350 milliards de dollars de déséquilibre restants (d'après la loi arithmétique de Trump), les États-Unis n'imposent pas de droits de douane, mais il a de nouveau harcelé Xi et la Chine pour qu'ils achètent autant de produits agricoles que possible. Alors, ils verraient si un accord est possible. Trump a demandé à Liu He si nous pouvions conclure un accord à partir de là où nous en étions, avant leur retrait en mai. Liu avait l'air d'une biche effrayée par des phares de voiture, silencieux, ne souhaitant clairement pas répondre. Après un silence lourd de sens, Trump a souligné l'embarras de Liu en disant qu'il ne l'avait jamais vu si peu bavard. Se tournant vers Xi, Trump lui a demandé quelle était la réponse, car il était le seul à avoir le courage de répondre. Xi a accepté de reprendre les pourparlers sur le commerce, appréciant la concession de Trump qu'il n'y aurait pas de nouveaux droits de douane et acceptant que les deux équipes de négociateurs reprennent les discussions sur les produits agricoles en priorité. « Vous êtes le plus grand président chinois depuis trois cents ans ! » a exulté Trump, se corrigeant quelques minutes plus tard en disant qu'il était « le plus grand président de l'histoire de la Chine ». Après une brève discussion sur la Corée du Nord, Trump devant se rendre à Séoul le soir, voilà tout ce qui a été dit sur l'accord commercial.

Xi est revenu sur les enfants Liu, se rappelant qu'il en avait été question à Buenos Aires, le 1er décembre, et les a décrits comme étant des citoyens chinois (ils avaient en fait la double nationalité, chinoise et américaine). À notre grande surprise, il a dit, de manière très détendue, qu'ils avaient interdiction de quitter la Chine afin de coopérer à une enquête de blanchiment d'argent concernant leur père, ajoutant que s'ils ne coopéraient pas, les Liu mettaient en danger la sécurité nationale de la Chine. Puis Xi a souligné que le 1er décembre était précisément le même soir où Meng Wanzhou, le directeur financier de Huawei, avait été arrêté. Il a vaguement conclu que les deux équipes pouvaient rester en contact. Bien sûr, Xi s'est alors senti parfaitement à l'aise, suffisamment pour se plaindre du nombre insuffisant de visas accordés aux étudiants chinois souhaitant venir aux États-Unis !

Les pourparlers sur le commerce ont repris après Osaka, mais les progrès ont été négligeables. Trump semblait vouloir se couvrir, en tweetant le 30 juillet, contre les avis de Mnuchin et de Lighthizer :

> **« La Chine se comporte très mal, la pire année en 27 ans – elle était censée commencer, dès aujourd'hui, à acheter nos produits agricoles – aucun signe ne montre qu'ils le font. C'est le problème avec la Chine, ils ne font pas ce qu'ils disent qu'ils vont faire. Notre économie est devenue BEAUCOUP plus grande que l'économie chinoise l'est [ces] 3 dernières années… »**

« … Mon équipe négocie avec eux en ce moment, mais ils finissent toujours par changer l'accord à leur avantage. Ils devraient probablement attendre notre élection pour voir si on a un de ces démocrates rigides comme Sleepy Joe. Alors ils pourraient avoir un SUPER accord, comme dans les 30 dernières années, et continuer… »

« … à arnaquer les USA, encore plus grands et plus forts que jamais. Le problème lorsqu'ils attendent, cependant, est que si/quand je gagnerai, l'accord qu'ils auront sera bien plus dur que ce que nous négocions actuellement… ou bien il n'y aura pas d'accord du tout. Nous avons toutes les cartes, nos anciens responsables ne les ont jamais eues ! »

À mesure que les négociations se poursuivaient, il n'y avait tout simplement aucune indication de réel mouvement de la part de la Chine. Après une autre visite à Pékin, Lighthizer et Mnuchin ont fait leur rapport à Trump dans le Bureau ovale, le 1er août. Trump n'avait rien de bon à dire. Il a commencé par : « Vous n'auriez pas dû aller là-bas. Cela nous fait passer pour des faibles. » La veille, il avait songé à appliquer plus de droits de douane, en me disant avec un clin d'œil et un sourire : « Vous et moi, nous nous ressemblons beaucoup plus que vous ne le pensez. » Trump était maintenant encore plus convaincu que la Chine attendait de voir qui gagnerait en 2020, et qu'elle « voulait que le président perde. » Trump a fini par dire : « Je veux mettre les droits de douane. Ça fait trop longtemps qu'on attend », et nous nous sommes demandé s'il fallait imposer des droits de douane sur les 350 milliards d'exportations chinoises vers les États-Unis. Trump a dit à Mnuchin : « Vous parlez trop. N'ayez pas peur, Steve. » Lighthizer, pour une raison que j'ignore, craignait que notre guerre commerciale avec la Chine ne fasse du tort à l'Europe, ce qui n'a fait que mettre de l'huile sur le feu, provoquant le refrain familier de Trump : « L'UE, c'est la Chine en pire… et en plus petit », tandis qu'il décidait d'imposer le volet suivant de droits de douane sur Pékin, via Twitter, bien entendu :

« Nos représentants viennent de rentrer de Pékin où ils ont eu des échanges constructifs concernant un futur accord commercial. Nous pensions tenir un accord avec la Chine il y a trois mois, mais malheureusement, la Chine a décidé de renégocier cet accord avant de signer. Plus récemment, la Chine a accepté… »

« … d'acheter de grandes quantités de produits agricoles aux États-Unis, mais ne l'a pas fait. De plus, mon ami, le président Xi, a dit qu'il arrêterait les ventes de Fentanyl aux États-Unis – mais cela n'est jamais arrivé, et beaucoup d'Américains continuent de mourir ! Les pourparlers pour le commerce se poursuivent, et… »

« … durant les pourparlers, les États-Unis commenceront, le 1er septembre, à appliquer un petit droit douanier supplémentaire de 10 % sur les 300 milliards de dollars restants de marchandises et de produits venant de Chine, dans notre pays. Cela n'inclut pas les 250 milliards de dollars déjà taxés à 25 %… »

« … Nous sommes très enclins à poursuivre notre dialogue positif avec la Chine afin de conclure un grand accord commercial, et nous pensons que l'avenir entre nos deux pays sera radieux ! »

C'était une énorme décision qui a causé une très grande peur dans l'équipe économique de Trump. Cette décision représentait, en gros, la situation lorsque j'ai démissionné le 10 septembre. Les négociations suivantes ont mené à un « accord » annoncé en décembre, qui était, en substance, loin du compte.

Le 1er décembre 2018, le même jour que le dîner marathon Xi-Trump, à Buenos Aires, et comme ils l'avaient évoqué lors du sommet d'Osaka, les autorités canadiennes de Vancouver ont arrêté Meng Wanzhou, le directeur financier de Huawei, une entreprise de téléphonie. (Nous avions appris le vendredi que l'arrestation pourrait avoir lieu le samedi, lorsque Meng, la fille du fondateur de Huawei, atterrirait au Canada.) Comme son arrestation était basée sur notre dossier de fraude financière contre Huawei pour, entre autres choses, dissimulation massive de violations de nos sanctions contre l'Iran, cela m'a frappé comme apparaissant très facile. Le moins que l'on puisse dire est qu'il se passait beaucoup de choses à Buenos Aires, et j'avais suffisamment observé Trump et Erdogan ensemble, pour comprendre que je devais avoir tous les éléments en main avant de briefer Trump.

Cependant, alors que les implications de l'arrestation se dévoilaient dans les médias, les amis américains de la Chine ont commencé à être mécontents. Lors du dîner de Noël de la Maison Blanche, le 7 décembre, Trump a soulevé le problème de l'arrestation de Meng, se plaignant à tout va de la pression que cela mettait sur la Chine. Il m'a dit, de l'autre côté de la table, que nous venions d'arrêter l'« Ivanka Trump de la Chine ». J'étais à deux doigts de dire : « Je ne savais pas qu'Ivanka était une espionne et une fraudeuse », mais mon réflexe de me mordre la langue s'est manifesté juste à temps. Quel financier de Wall Street avait appris cette réplique à Trump ? Ou bien était-ce Kushner qui avait été engagé pour faire la cour avec Henry Kissinger sur toutes les affaires liées à la Chine depuis la transition ? Trump s'est plaint que Huawei était la plus grande entreprise de téléphonie de Chine. J'ai dit que Huawei n'était pas une entreprise, mais un bras du renseignement chinois, ce qui l'a ralenti. Combiné avec ce que Trump a dit plus tard sur les Ouïghours durant ce même dîner, je sentais que nous étions en train de découvrir Trump, dans un autre cycle de pensée sur la gestion de la Chine. Je me demandais ce qui pourrait le faire sortir de son apaisement et le faire revenir à son approche plus agressive, comme lorsqu'il a donné à Lighthizer la main sur les négociations commerciales.

Trump a rendu les choses encore pires, en diverses occasions, en insinuant que Huawei pourrait n'être qu'une simple monnaie d'échange dans les négociations commerciales, ignorant à la fois la signification du dossier criminel et aussi la menace beaucoup plus grande que Huawei représentait pour la sécurité des systèmes de télécommunication de 5e génération (ou 5G) du monde entier. C'est ce que le phénomène de « trou noir économique » a fait en entremêlant tous nos autres problèmes à la fascination de Trump pour un vaste accord commercial. Huawei posait d'énormes problèmes de sécurité nationale, dont beaucoup ne pouvaient être qu'évoqués superficiellement dans les déclarations publiques. L'idée que ce n'était qu'un simple appât commercial décourageait nos amis et semait la confusion dans leurs esprits. Mnuchin se tracassait constamment au sujet de l'impact négatif que telle ou telle poursuite pour hacking ou d'autres cybercrimes pourraient avoir sur les négociations commerciales, ce à quoi Trump adhérait parfois, et parfois non. À un moment donné, il a dit à Mnuchin : « Steve, les Chinois voient la peur dans nos yeux. C'est pourquoi je ne veux pas que vous négociiez avec eux. » C'étaient les bons jours. Malheureusement, les mauvais jours ont été plus nombreux.

Alors que les négociations commerciales se poursuivaient, nous avons commencé à établir des projets de décrets présidentiels pour sécuriser les systèmes de télécommunication américains et les actifs informatiques, d'une manière générale. À chaque étape du processus, nous devions lutter contre l'impact théorique supposé sur les négociations commerciales avec la Chine. À certains moments, des responsables gouvernementaux de notre politique économique pensaient que Huawei n'était pas une menace, mais juste un concurrent de plus, que nous, les hommes de la sécurité nationale, essayions de désavantager comme s'il s'agissait d'une mesure protectionniste pour aider les entreprises américaines. Tranche par tranche, nous avons surmonté cette résistance. J'ai insisté plusieurs fois, lors des réunions dans le Bureau ovale, pour que nous suivions la mise en garde de Zhou Enlai qui, pendant la Seconde Guerre mondiale, lorsqu'il conduisait des négociations avec Tchang Kaï-chek, alors même que les communistes et les forces du Kuomintang étaient en plein combat armé, incitait les parties prenantes à adopter une politique permettant de « combattre tout en discutant ». Comment Xi Jinping pourrait-il nous reprocher de suivre le conseil de Zhou ? Cela n'a pas eu l'air de gêner Mnuchin le moins du monde. Néanmoins, Trump a dit : « Je ne suis pas en désaccord avec John », mais il n'a poursuivi que sporadiquement et à contrecœur. Nous avons continué à mettre d'importants moyens de défense en place, mais beaucoup plus lentement qu'il n'était prudent. Et, bien sûr, Trump lui-même a continué d'être une partie du problème, en demandant à Lighthizer, un beau jour d'avril, si nous devions dire quelque chose dans l'accord commercial à propos de la cyberguerre. Cette idée était aux limites de l'irrationnel, voire pire, et elle a rapidement disparu des cercles officiels américains, mais où pourrait-elle bien nous mener, probablement vers d'incalculables bêtises si jamais elle resurgissait lors de la prochaine rencontre Xi-Trump ?

Nous avons rencontré des obstacles similaires sur le plan international alors que nous tentions d'alerter nos Alliés de la menace Huawei et des autres entreprises chinoises contrôlées par l'État. Nous avons également permis à un plus grand nombre de personnes de prendre conscience du système perfide que représentaient les nouvelles routes de la soie, basées sur la « diplomatie de la dette ». La Chine attire des pays avec ce qui semble être des crédits avantageux, puis ils les tiennent financièrement, particulièrement les pays du tiers-monde qui ne peuvent plus s'en extraire ensuite. En décembre 2018, à l'Heritage Foundation, j'ai exposé la stratégie pour l'Afrique de l'Administration Trump, en soulignant à quel point nous étions préoccupés par l'avantage injuste dont la Chine avait bénéficié au détriment de nombreux pays africains. En Europe, beaucoup de pays avaient conclu un nombre de contrats si important avec Huawei, qu'ils n'arrivaient que très difficilement à s'en dégager. Au Royaume-Uni, par exemple, les discussions étaient très difficiles, bien que les attitudes aient changé significativement, une fois que Johnson est devenu Premier ministre, et a mis en place un nouveau gouvernement. Mais même à ce moment-là, la situation était vraiment laborieuse à cause d'un haut niveau de dépendance à Huawei, que les Britanniques avaient laissé s'installer depuis longtemps. Ces inquiétudes légitimes auraient dû nous pousser à rapidement trouver de nouveaux concurrents sur le marché de la 5 G, plutôt qu'à perdre notre temps à vouloir modérer les conséquences que subissaient les clients de Huawei.

Le Japon a adopté une vision radicale. Durant la visite de Trump en mai, Abe a dit que la Chine était le plus grand défi à moyenlong terme, car ils négligent complètement les règles et l'ordre établis. Leurs tentatives visant à changer unilatéralement le statu quo dans les mers de Chine de l'Est et du Sud sont inacceptables. Abe a encouragé Trump à maintenir l'unité États-Unis-Japon contre la Chine, et beaucoup plus. Voilà comment conduire un dialogue stratégique avec un allier proche ! Le Premier ministre australien, Scott Morrison ; avait lui aussi une bonne vision de la situation. Il voyait Huawei comme je la voyais moi aussi, et la Nouvelle-Zélande également a adopté une position rigide surprenante, mais très gratifiante.

Nous devions admettre que nous avions tous pris trop de temps pour réaliser la véritable ampleur de la stratégie Huawei, mais ce n'était pas une excuse pour aggraver nos premières erreurs. Même lorsque nous avons discuté de ces problèmes, la Chine a montré les dents, détenant illégalement des citoyens canadiens en Chine, juste pour montrer qu'ils le pouvaient. Le Canada était sous une forte pression intérieure, à laquelle Trudeau avait du mal à résister. L'ancien Premier ministre, Jean Chrétien, qui n'a jamais été un ami des États-Unis, a avancé que le Canada devait tout faire pour se retirer de notre traité d'extradition. Pence, Pompeo et moi avons tous encouragé le Canada à rester ferme. Nous leur avons précisé que nous les soutiendrions au maximum de nos capacités, en discutant, par exemple, directement avec la Chine du mauvais traitement infligé aux citoyens canadiens. Comme nous l'avons souligné, c'était la façon dont la Chine se comportait, même si des gens continuaient de louer son « émergence pacifique » en tant qu'« acteur responsable ». Comment agirait la Chine en devenant dominante, si jamais nous la laissions ? Il s'agit là d'un débat de sécurité nationale qui se poursuivra encore dans le futur. Le lier au commerce dégrade notre position, à la fois sur le plan commercial et sur le plan de la sécurité nationale.

Début mai, Ross se préparait à mettre Huawei sur la « liste des entités[60] » du département du Commerce, comme cela avait été fait pour ZTE, empêchant ainsi les entreprises américaines de vendre à

60 Cette liste contient les noms de certaines personnes, entreprises ou institutions étrangères qui sont sujettes aux exigences d'une licence spécifique pour l'export ou le transfert de produits définis (NDT).

Huawei sans licence spécifique, ce qui pourrait constituer un coup dur pour Huawei. Je soutenais très fortement ces mesures, pour les mêmes raisons qui nous avaient fait interdire, à l'administration américaine, d'acheter des marchandises et des services à Huawei. Ce n'était pas une entreprise commerciale, au sens traditionnel, et donc, elle n'avait pas à être traitée comme telle. Le 15 mai, lors d'un énième tour de table dans le Bureau ovale, Mnuchin a dit que d'ajouter Huawei à la liste des entités l'obligerait à mettre la clé sous la porte, ce qui n'était pas exact, mais qui m'allait très bien, si jamais il le faisait. Pour être honnête, Mnuchin avait peut-être été un peu gêné par l'effondrement, juste une semaine plus tôt, de cinq mois d'intenses négociations commerciales avec la Chine, et ces négociations apparaissaient maintenant compromises au-delà de tout rattrapage possible. Mnuchin a dit que le projet de communiqué de presse de Ross à l'encontre de Huawei était extrême. Ross a donc demandé s'il pouvait le lire à voix haute et laisser les autres décider, ce qu'il a fait. Trump a dit : « C'est un putain de bon communiqué ! Il est magnifique. Ajoutez “avec l'approbation du président” à côté d'une des références destinées au département du Commerce visant à ajouter Huawei sur la liste des entités. » Mnuchin n'allait pas abandonner, mais il a finalement été dépassé, et il a dit brusquement à Trump : « Je vous ai donné mon conseil, et vous avez suivi la mauvaise personne. »

Lors de l'appel téléphonique entre Xi et Trump du 18 juin (voir plus haut), Xi a lourdement insisté sur l'affaire Huawei. Trump a répété sa position, en disant que Huawei pouvait faire partie de l'accord commercial, comme tous les autres facteurs en cours de discussion. Xi a prévenu que, si la question Huawei n'était pas gérée de manière adéquate, elle pourrait porter préjudice à toute la relation bilatérale. Avec un culot incroyable, Xi a décrit Huawei comme une extraordinaire entreprise privée chinoise, ayant d'importantes relations avec Qualcomm et Intel. Xi voulait que l'interdiction sur Huawei soit levée, et il a dit qu'il voulait travailler conjointement et personnellement avec Trump sur cette question, une proposition à laquelle Trump a paru disposé. Les deux chefs d'État ont alors raccroché, et Trump a pu tweeter à quel point il était satisfait par cet appel. Sentant la faiblesse, Xi a continué d'enfoncer le clou au G20 en disant que nous devions résoudre la question

Huawei comme une partie des pourparlers commerciaux. Trump a aussitôt inversé sa position antérieure en disant qu'il autoriserait dorénavant les entreprises américaines à vendre immédiatement à Huawei. Trump prenait la position inverse de Ross, tout comme il l'avait fait vis-à-vis de ce même Ross précédemment au sujet de ZTE. Heureusement, après cette réunion, nous avons réinversé tout cela, et les commentaires à l'emporte-pièce de Trump n'ont eu que peu d'impact sur le monde réel. Mais quel impact cela a-t-il eu dans l'esprit des Chinois de voir Trump se comporter de la sorte ? Nous avons été chanceux que la Chine n'ait pas réagi plus vite pour entériner la concession de Trump avant que nous ayons eu le temps de prévenir tout dommage.

Quelques heures plus tard, j'ai fait un résumé de cet appel téléphonique à Mnuchin. Très inquiet, il m'a dit : « Nous devons essayer de protéger le président sur cette affaire Huawei. Les gens ont pensé qu'il bradait la sécurité nationale pour obtenir un accord sur ZTE, et que si nous le laissions faire la même chose avec Huawei, nous aurions le même genre de retour incendiaire, peut-être même pire. » C'était vrai à l'époque et cela reste vrai aujourd'hui.

L'ancien vice-président, Dan Quayle, m'a dit, en octobre 2018, après un voyage à Hong Kong, que la Chine était devenue de plus en plus agressive, qu'elle avait kidnappé des hommes d'affaires hongkongais qui avaient, d'une manière ou d'une autre, froissé Pékin, et que beaucoup n'étaient jamais reparus. La communauté du monde des affaires était trop effrayée pour dire quoi que ce soit là-dessus ou même pour en parler dans la presse internationale. Quayle pensait qu'une des raisons pour lesquelles la Chine était prête à agir de façon si cavalière était que l'économie de Hong Kong ne représentait alors que 2 % du total de l'économie chinoise, alors qu'à l'époque de la rétrocession par la Grande-Bretagne en 1997, elle en représentait 20 %. Ces chiffres étaient ahurissants.

Le mécontentement était grandissant à Hong Kong, bien que recevant peu l'attention des médias. Le sentiment qui se généralisait était que Pékin ne cessait d'éroder le concept « un pays, deux systèmes », et que le jour où Hong Kong deviendrait une ville chinoise comme les autres approchait à grands pas. Mais, un projet de loi d'extradition du gouvernement hongkongais a déclenché une étincelle. Ainsi, début juin 2019, de massives protestations ont eu lieu. J'ai entendu Trump réagir pour la première fois le 12 juin. Il venait d'entendre que le nombre de personnes manifestant, le dimanche précédent, était de 1,5 million. « Ce n'est pas rien », a-t-il dit, tout en ajoutant immédiatement : « Je ne veux pas y être impliqué », et « nous aussi, nous avons des problèmes de droits de l'homme. » Cela a complètement mis fin à ma campagne sur Twitter visant à faire pression sur la Chine pour qu'elle honore son engagement avec la Grande-Bretagne. Cela illustrait le peu de respect que la Chine avait pour les accords internationaux. Voilà ce qui attendait tous ceux qui étaient enthousiastes à l'idée de signer un accord commercial.

J'espérais que Trump voit ces développements à Hong Kong comme un moyen de mettre la pression sur la Chine, même s'il n'était pas le plus grand partisan des actions des manifestants visant à préserver le statut unique de Hong Kong. J'aurais dû me douter que ça n'allait pas être le cas. Durant la visite au Royaume-Uni, le 4 juin, jour du 30e anniversaire du massacre de la place Tiananmen, Trump a refusé de publier un communiqué de la Maison Blanche. Mnuchin a dit à Trump qu'il craignait les effets que le projet de déclaration pouvait avoir sur les négociations commerciales et qu'il voulait l'édulcorer. C'était déjà suffisamment mauvais, mais Trump a dit qu'il ne voulait pas de déclaration du tout. « C'était il y a quinze ans », a-t-il dit, imprécis. « Qui se soucie de ça ? J'essaie d'obtenir un accord. Je ne veux rien d'autre. » Et c'était tout.

Cependant, les manifestants ont remporté une victoire majeure lorsque Pékin a demandé à la cheffe de l'exécutif hongkongais, Carrie Lam, de retirer le projet de loi d'extradition. Les manifestations ont continué, mettant cette fois deux millions de « HongKongPeople », prononcé en seul mot, dans les rues, le week-end suivant, et qui cette fois demandaient la démission de Lam.

Lors de l'appel téléphonique du 18 juin, en parallèle de l'accord commercial et de l'affaire Huawei, Trump a dit qu'il voyait ce qui se passait à Hong Kong, qu'il s'agissait de problèmes internes à la Chine, et qu'il avait dit à ses conseillers de ne pas parler de Hong Kong publiquement, sous quelque forme que ce soit. Xi a apprécié, disant que ce qui se passait à Hong Kong relevait en effet purement des affaires internes chinoises. Il a ajouté que la loi sur l'extradition, qui avait déclenché les manifestations, était censée corriger des failles du système juridique hongkongais, et qu'elle ne visait que les affaires criminelles graves. Il a également précisé que la stabilité et la prospérité de Hong Kong étaient un plus, à la fois pour la Chine et pour les États-Unis, et que les autres devaient s'abstenir d'interférer dans les affaires de Hong Kong. Trump a approuvé. Avec ça, le sort de Hong Kong aurait presque pu disparaître de notre agenda.

Cependant, lorsque Pompeo et moi nous sommes parlé, plus tard dans la journée, il a mentionné que plusieurs obligations précontractuelles d'information obligeraient le département d'État, à un moment donné, à donner son avis sur la situation à Hong Kong, sans pouvoir se défiler. « Que vas-tu dire aux talk-shows de dimanche ? Ou moi, ou n'importe lequel d'entre nous ? » m'a-t-il demandé de façon rhétorique. À la mi-août, il y avait de plus en plus d'articles de presse sur la possibilité d'une répression chinoise à Hong Kong. J'ai briefé Trump sur ce que nous savions, et il m'a dit qu'il pourrait tweeter là-dessus. Je l'ai incité, s'il le faisait, de ne s'appuyer que sur des sources publiques, mais comme cela a été souvent le cas, il a ignoré cet avertissement, pour tweeter :

> **« Nos services de renseignement nous ont informés que le gouvernement chinois déplace des troupes à la frontière hongkongaise. Chacun devrait rester calme et prudent ! Beaucoup me blâment moi, et les États-Unis, pour les problèmes qui ont lieu à Hong Kong. Je ne comprends pas pourquoi. »**

Et pour stopper toutes ces fuites de l'« État profond », eh bien, on repassera.[61]

Le 13 août, après notre discussion sur les ventes de F-16 à Taïwan (voir plus bas), Trump a encore tweeté :

61 La notion d'état profond est utilisée par Donald Trump pour désigner tous ceux qui à l'intérieur de l'appareil d'état américain l'empêchent de gouverner.

« Je connais très bien le président Xi de la Chine. C'est un grand chef d'État, très respecté par son peuple. C'est aussi un homme bon mêlé à une "affaire très dure". Je n'ai AUCUN doute que le président Xi veuille rapidement et humainement résoudre le problème à Hong Kong, il peut le faire. Une rencontre personnelle ? »

Bien sûr, avec un enjeu aussi important à Hong Kong, il était clair que c'est Xi qui mènerait la danse. À mesure que le 70e anniversaire de la création de la République populaire de Chine, le 1er octobre, approchait, les tensions augmentaient en proportion. Personne ne pensait que Pékin accepterait de grandes manifestations à Hong Kong, particulièrement si elles devenaient violentes, entachant la parade de Xi. L'agence de presse chinoise Xinhua a averti les manifestants : « La fin est proche », une menace non déguisée.

Cependant, en novembre, des avocats prodémocratie ont profité des élections d'un conseil local pour effectuer un référendum sur l'avenir de la ville. Étonnamment, les « HongKongPeople » ont voté en masse, ce qui était sans précédent, et ont submergé les candidats pro-Pékin. Cela a complètement inversé la couleur des conseils locaux. Le combat était lancé.

La Chine était également très occupée par la répression des minorités ethniques – au Tibet, par exemple – comme elle l'avait été pendant des décennies. La répression des Ouïghours par Pékin s'est aussi produite très rapidement. Trump m'a demandé en 2018, lors du dîner de Noël de la Maison Blanche, pourquoi nous envisagions de sanctionner la Chine à cause de son traitement des Ouïghours, une ethnie chinoise non Han, largement musulmane, qui vivait principalement dans la province du Xinjiang, au nord-ouest de la Chine. Ce matin-là, Ross m'avait prévenu que Trump ne voulait pas de sanctions à cause des négociations commerciales avec la Chine. Le problème des Ouïghours avait frayé son chemin jusqu'au Conseil de sécurité nationale, mais ce dernier n'était pas encore prêt à prendre une décision. Les choses n'ont fait qu'empirer. Au dîner d'ouverture du sommet du G20 à Osaka, où seuls les interprètes étaient présents, Xi a expliqué à Trump pourquoi il construisait des camps de concentration au Xinjiang. D'après le compte rendu de notre interprète, Trump a dit à Xi de continuer à construire ces camps, car c'était exactement ce qu'il pensait qu'il fallait faire. Pottinger m'a dit que Trump avait déjà dit quelque chose de très similaire durant son voyage en Chine de 2017, ce qui signifiait que nous pouvions barrer la répression des Ouïghours de notre liste des raisons possibles de sanctionner la Chine, du moins aussi longtemps que les négociations commerciales se poursuivaient.

La répression religieuse en Chine n'était pas non plus à l'agenda de Trump ; que ce soit l'Église catholique ou le Falun Gong, cela ne figurait pas au registre. Cela n'était pas la position de Pence ou de Pompeo, ni la mienne, mais c'était la volonté de Trump. L'ambassadeur extraordinaire des États-Unis chargé de la liberté religieuse internationale, Sam Brownback, insistant auprès de Trump pour qu'il crée un événement en faveur de la liberté religieuse, lors de l'ouverture prochaine de l'Assemblée générale des Nations Unies en septembre 2019, pensait que la Chine était « en tous points, horrible », ce qui était parfaitement vrai.

Trump était particulièrement dyspeptique à propos de Taïwan. Il avait écouté de nombreux financiers de Wall Street qui s'étaient enrichis grâce à des investissements en dehors de la Chine continentale. Bien que cela revienne de manières diverses, une des comparaisons favorites de Trump était de désigner la pointe d'un de ses stylos-billes en disant : « Ça, c'est Taïwan », puis de montrer le *Resolute desk* en proclamant : « Ça, c'est la Chine. » Pour l'engagement et les obligations américains envers un Allié démocratique, eh bien, on repassera. Taïwan avait très envie d'un accord commercial de libre-échange avec les États-Unis, ce qui ne suscitait aucun intérêt que je puisse discerner. Durant mon mandat, la Chine frappait continuellement, sentant des signes de faiblesse au sommet, et ayant à coup sûr eu vent de ces financiers de Wall Street. Yang Jiechi, lors de notre rencontre du 8 novembre, m'a fait la leçon habituelle selon laquelle Taïwan serait le problème le plus important et le plus sensible des relations États-Unis-Chine. De façon remarquable, il a dit que nous avions un intérêt mutuel à empêcher l'indépendance de Taïwan, comme si nous étions des co-conspirateurs, mais je n'y ai pas du tout cru. Il parlait sans cesse de la politique de la « Chine unique », qu'il dénaturait en faveur de Pékin. Au dîner de Buenos Aires, Xi nous a recommandé d'être prudents avec Taïwan, un conseil auquel Trump a accepté d'être attentif, et qui signifiait que nous allions sortir vivants de cette réunion. J'ai été ravi que cette discussion soit si brève.

Xi est revenu sur Taïwan à Osaka, en disant que cela mettait en jeu la souveraineté et l'intégrité nationales de la Chine, et en précisant que toute notre relation bilatérale pourrait s'en trouver déstabilisée. Il a demandé à Trump de prêter une attention toute particulière à cette question, pensant probablement qu'il avait identifié sa cible et qu'il n'allait pas le laisser s'en sortir. M'exaspérant de plus en plus, Xi nous a demandé de ne pas permettre à la présidente de Taïwan, Tsai Ing-wen, de se rendre aux États-Unis, et de ne pas vendre d'armes à Taïwan, ce qui, selon Xi, rendrait critique la stabilité dans le détroit de Taïwan. La plupart des positions de Xi contredisaient directement le Taïwan Relations Act de 1979, la législation américaine qui autorise les ventes d'armes américaines à Taïwan, à des fins d'autodéfense. Parmi ces ventes figure une importante livraison de F-16 qui ont significativement amélioré les capacités de défense de Taïwan. En fait, Taïwan était loin d'être belliciste. C'était plutôt le contraire. Dan Quayle m'a dit, en octobre, que l'armée taïwanaise avait diminué de façon spectaculaire – plus de la moitié, ces dernières années – ce qui m'a frappé comme étant une énorme erreur.

Pompeo gardait pour lui une notification du Congrès sur la vente de F-16. Il craignait que Trump, en plus de bougonner comme lors de chaque vente à Taïwan, refuse cette fois d'effectuer cette livraison. Étant donné les circonstances délicates de nos ventes d'armes à l'Ukraine, c'était tout à fait sérieux. Après avoir décidé de monter une stratégie pour convaincre Trump, nous avons sollicité Mick Mulvaney, ancien représentant de la Caroline du Sud au Congrès, un État ayant d'importants sites de production de Boeing. Le 13 août après-midi, lors d'une conférence téléphonique avec Trump, à Bedminster, nous avons expliqué le retour de bâton politique énorme qu'il y aurait si la vente ne se faisait pas. Il n'y avait ni subvention américaine ni aide étrangère impliquées, et Taïwan payait plein pot les F-16 pour un total de 8 milliards de dollars, ce qui assurait beaucoup d'emplois en Caroline du Sud. Nous avons également dit qu'il était préférable d'aller de l'avant maintenant, avant que quelque chose de dramatique n'arrive à Hong Kong. Trump a demandé : « N'avez-vous jamais pensé à ne pas réaliser cette vente ? » À cela, la réponse a bien entendu été non. Trump a fini par dire : « OK, mais faites-le discrètement. John, vous n'allez pas faire de discours là-dessus, n'est-ce pas ? » Je n'y avais pas pensé. Mais j'aurais probablement dû.

Après mon départ de la Maison Blanche, lorsque Trump a abandonné les Kurdes en Syrie, beaucoup de personnes se sont demandé quel peuple allait être le suivant (à être abandonné). Taïwan était tout proche du sommet de cette liste, et y resterait probablement aussi longtemps que Trump resterait président, ce qui n'était pas la plus joyeuse des perspectives.

Le tonnerre a redoublé en Chine début 2020, sous la forme d'une pandémie de coronavirus. Les épidémiologistes (sans parler des experts en armes biologiques) étudieront pendant longtemps encore cette catastrophe ; la marque du gouvernement autoritaire et du système de contrôle social s'y retrouve partout. Il ne fait aucun doute que la Chine a retardé, retenu, fabriqué et déformé les informations au sujet de l'origine, du déroulé dans le temps, de la propagation et de l'ampleur de la maladie ; éliminé les voix divergentes des médecins et autres ; entravé les actions extérieures menées par l'Organisation mondiale de la santé et d'autres souhaitant obtenir des informations précises ; et engagé d'actives campagnes de désinformation, en argumentant que le virus (SARS-CoV-2) et la maladie elle-même (covid-19) n'étaient pas originaires de Chine. Ironiquement, ce sont les alliés les plus proches de la Chine qui ont le plus souffert à cause de ses efforts de dissimulation. L'Iran, par exemple, a semblé être l'un des pays les plus durement touchés, avec des photos satellites montrant l'excavation de fosses communes pour les victimes suspectées d'avoir contracté la covid-19.

L'année 2020 étant une année d'élection présidentielle, il était inévitable que la performance de Trump durant cette urgence sanitaire mondiale se transforme en fait de campagne, ce qui s'est produit immédiatement. Et il y a eu beaucoup de choses à critiquer, à commencer par l'inlassable affirmation du gouvernement, au début, que la maladie était « contenue » et qu'elle n'aurait que peu d'effet économique. Larry Kudlow, le président du Conseil économique national a dit le 25 février : « Nous l'avons contenue. Je ne dirai pas que la situation est hermétique, mais elle est toute proche de l'être. » Les réactions des marchés à ce genre d'affirmation ont été résolument négatives, ce qui a finalement permis à la Maison Blanche de réaliser l'ampleur du problème. Et évidemment, en plus des implications humanitaires, les conséquences économiques continueront certainement de se répercuter pendant les élections de novembre et au-delà. Cependant, l'attitude réflexe de Trump consistant à s'exprimer sur tout, même une crise de santé publique, ne fait que saper sa crédibilité et celle de la nation, avec ses déclarations qui ressemblent davantage à une volonté politique de limiter les dégâts plutôt qu'à des conseils de santé publique. Un exemple particulièrement choquant a été un article de presse indiquant que le gouvernement essayait de classifier certaines informations de santé publique concernant les États-Unis, sous prétexte fallacieux que la Chine était impliquée. Bien sûr que la Chine était impliquée ! Voilà une raison de largement diffuser l'information, pas de la restreindre. Cela, Trump a été réticent à le faire pendant toute la crise, par peur de nuire à l'illusoire accord commercial définitif avec la Chine, ou d'offenser le très sensible Xi Jinping.

Toutefois, d'autres critiques faites à l'encontre du gouvernement étaient futiles. Une de ces critiques prenait pour cible la restructuration du personnel du Conseil de sécurité nationale que j'ai conduite durant mes premiers mois à la Maison Blanche. En effet, il tenait du bon sens managérial, afin de réduire les doublons et les chevauchements, et d'améliorer la coordination et l'efficacité, de faire passer les responsabilités de la direction chargée de santé mondiale et de biodéfense à la direction chargée des armes de destruction massive (biologiques, chimiques et nucléaires). Les caractéristiques des attaques par armes biologiques et par pandémie peuvent avoir beaucoup en commun, et l'expertise médicale et de santé publique exigeait de prendre en compte les deux menaces simultanément. Combiner les deux directions maximisait donc l'efficacité de notre travail commun, et élevait la priorité accordée à la biosécurité, en reconnaissant structurellement que la menace pouvait avoir l'une ou l'autre origine, naturelle ou humaine. L'essentiel du personnel travaillant dans l'ancienne direction de la santé mondiale a simplement été déplacé dans la direction combinée, et a continué de faire exactement ce qu'il faisait auparavant. Une personne est passée à la direction des organisations internationales et a continué de travailler sur des problèmes de santé dans le système des Nations Unies et d'autres organisations. Comme toutes les directions du Conseil de sécurité nationale, la plupart des employés viennent d'autres départements et agences, et, après des contrats d'un an ou deux au Conseil de sécurité nationale, ils retournent à leur base d'origine. Ce fonctionnement s'est poursuivi. Tim Morrison, le directeur que j'ai fait venir pour gérer ces questions, et son successeur, Anthony Ruggiero, ont réussi à maintenir la santé mondiale parmi nos plus grandes priorités.

J'ai personnellement et clairement expliqué que la santé mondiale restait une priorité majeure, et que le rôle du Conseil de sécurité nationale restait inchangé. Le fait que les critiques de cette réorganisation venaient d'anciens étudiants du gouvernement Obama, qui avaient initialement créé le bureau de santé mondiale indépendant, illustrait bien leurs intentions politiques sous-jacentes. L'opinion du personnel d'Obama était que la Maison Blanche devait être impliquée jusque dans les menus détails opérationnels. Cette approche était contraire au modèle de Scowcroft d'un Conseil de sécurité nationale non opérationnel, ainsi qu'à la philosophie de management préconisant qu'une autorité bien déléguée, plutôt que de tout reconsidérer d'en haut, est beaucoup plus efficace pour administrer des programmes et des politiques.

Les directions réorganisées fonctionnaient parfaitement bien, comme je m'y attendais. Dans le monde réel, la nouvelle épidémie d'Ebola dans l'est du Congo et les régions avoisinantes, en 2018-2019, a été gérée avec une grande compétence par le biais de processus interagences. Mis à part la supervision continuelle, mes interventions personnelles se sont limitées à assurer la sécurité et la protection des experts des Centres pour le contrôle et la prévention des maladies, afin qu'ils puissent accéder aux régions affectées du Congo. Trump lui-même a dit à Kupperman, lorsque le Bureau de la gestion et du budget a refusé d'envoyer des équipes, en évoquant des objections budgétaires, de demander à cette agence de rendre disponibles tous les fonds nécessaires pour « maintenir Ebola en dehors des États-Unis ». De plus, la direction a chapeauté, en 2018, la création d'une stratégie nationale de biodéfense redéfinie de fond en comble, et a également produit deux décisions présidentielles importantes : l'une (suivant cette nouvelle stratégie) en soutien à la biodéfense, en septembre 2018, et l'autre en modernisant les vaccins antigrippes, en septembre 2019. Ces réussites, et d'autres moins visibles publiquement, sont la marque d'une procédure « interdirectionnelle » fonctionnant efficacement.

L'idée qu'une restructuration bureaucratique mineure pourrait avoir changé les choses à l'époque de Trump reflétait à quel point le pinaillage bureaucratique est imperméable à la réalité. Tout au plus, la structure interne du Conseil de sécurité nationale n'était rien de mieux que le frémissement de l'aile d'une mouche dans le tsunami du chaos de Trump. Toutefois, et malgré l'indifférence au sommet de la Maison Blanche, les employés du Conseil de sécurité nationale, consciencieux, ont fait leur devoir lors de la pandémie du coronavirus. Comme l'a écrit le *New York Times*, dans une analyse historique mi-avril :

> Le bureau du Conseil de sécurité nationale responsable du traçage des pandémies a reçu des rapports des services de renseignement, début janvier, prédisant la propagation du virus aux États-Unis, et en l'espace de quelques semaines, il a annoncé plusieurs options : recommander aux Américains de rester chez eux plutôt que d'aller au travail et confiner des villes de la taille de Chicago. M. Trump a évité de telles mesures jusqu'en mars.

Ainsi, réagissant au coronavirus, l'équipe de biosécurité du Conseil de sécurité nationale a fonctionné exactement comme elle était censée le faire. Elle a été la chaise derrière le *Resolute desk* qui était vide.

Et fondamentalement, lorsque tous les coûts humains et économiques du coronavirus auront été estimés, il y aura deux conclusions terrifiantes. La première, c'est que nous devons faire tout ce qu'il est possible pour nous assurer que la Chine, et sa campagne de désinformation récente sur l'origine du virus, ne réussisse pas à prouver que la technique du grand mensonge fonctionne toujours aussi bien au XXIe siècle.

La deuxième, c'est qu'après des décennies durant lesquelles les armes biologiques (et chimiques) ont été rabaissées au rang d'« arme nucléaire du pauvre », nous devons, étant donné les agissements de pays comme la Corée du Nord, l'Iran et d'autres, traiter ces deux autres armes de destruction massive avec au moins la même vigilance que nous accordons aujourd'hui aux armes nucléaires. Et, en fait, en combinant la direction de la biosécurité à la direction responsable des armes de destruction massive, c'est exactement ce que j'avais l'intention de faire. La réorganisation n'était pas un déclassement de la biosécurité, mais une volonté d'augmenter la visibilité des menaces biologiques pour la sécurité nationale des États-Unis.

CHAPITRE 11

ENLISEMENT À HANOÏ ET RÉCRÉATION À PANMUNJOM

Après les élections du Congrès en 2018, la perspective d'un nouveau sommet Trump-Kim est malheureusement redevenue inévitable. L'obsession de Trump pour l'obtention d'un « accord » avec la Corée du Nord était fluctuante, mais six mois s'étaient écoulés depuis le sommet de Singapour sans qu'il se passe grand-chose, si bien que son intérêt commençait à reprendre le dessus. Pompeo devait rencontrer Kim Yong Chol le jeudi 8 novembre à New York et Kim Jong Un avait sollicité une nouvelle entrevue à la Maison Blanche le même jour ou le lendemain. Heureusement, j'étais à Paris en train de préparer la prochaine visite de Trump, aussi la scène du printemps 2018 ne pouvait pas se reproduire. J'étais toutefois angoissé à l'idée d'imaginer Kim Yong Chol de retour dans le Bureau ovale. Puis, Dieu merci, Kim Jong Un a annulé le voyage. Les perspectives d'un sommet Moon-Kim ne semblaient pas non plus sur le point d'aboutir avant 2019.

Après la nouvelle année, toutefois, le rythme s'est accéléré — non pas qu'il en faille beaucoup pour faire démarrer Trump. Le 8 janvier, jour de son anniversaire, Kim Jong Un s'est envolé à l'improviste vers Beijing, très probablement en vue de préparer une nouvelle réunion avec Trump. En effet, ce voyage a rapidement été suivi d'une visite de Kim Yong Chol à Washington, les 17 et 18 janvier, avec une rencontre avec Trump le vendredi 18. Quelle bonne surprise ! J'ai expliqué à Pompeo que je devais subir une petite opération prévue de longue date ce jour-là. Il a plaisanté en me demandant si j'étais certain de ne pas avoir besoin d'aide. Kim Yong Chol a apporté une nouvelle lettre de Kim Jong Un et la réunion dans le Bureau ovale a duré quatre-vingt-dix minutes. Autant dire que même l'opération me semblait plus agréable. Charlie Kupperman (qui avait récemment remplacé Ricardel) a assisté à la réunion. D'après lui, la discussion était, comme à chaque fois, partie dans tous les sens et s'était naturellement bornée à l'utilisation de termes évasifs. Néanmoins, Trump n'avait pas pris de réels engagements et, au terme de la discussion, avait déclaré qu'il ne pouvait pas lever les sanctions tant que la Corée du Nord ne serait pas dénucléarisée, sinon il aurait l'air d'un idiot — ce qui aurait effectivement été le cas et c'était bien que Trump s'en soit souvenu. Ce n'était pas ce que nous aurions pu appeler le début d'une grande stratégie, mais c'était le point de départ à partir duquel nous devions travailler. Des négociations au niveau des groupes de travail étaient prévues pendant le week-end en Suède et c'est là que je craignais que les choses commencent à déraper. En effet, selon certains articles de presse, un tel scénario semblait de plus en plus probable, d'autant plus que la Corée du Nord venait enfin de nommer un homologue à l'envoyé spécial du département d'État — Steve Biegun, un certain Kim Hyok Chol, vétéran des « pourparlers à six » initiés par Bush 43. Ce n'était pas bon signe.

Lorsque le lieu et la date du sommet ont été fixés à Hanoï les 27 et 28 février, j'ai beaucoup réfléchi à la manière d'éviter une débâcle. Les déclarations de Biegun à Stanford, laissant fortement entendre que l'Administration était prête à suivre la formule « action pour action » exigée par la Corée du Nord, n'ont fait qu'accroître mon inquiétude, déjà bien amorcée par le retour du département d'État à sa tendance à se montrer peu coopératif et peu communicatif sur le contenu de leurs échanges avec les Nord-Coréens. Le département d'État avait eu exactement le même comportement avec le Conseil de sécurité nationale lors des pourparlers à six. Il est possible que Pompeo n'ait pas pris pleinement conscience du fait que Biegun était prêt à tout pour obtenir un accord. Mais que Pompeo ait provoqué cet excès d'enthousiasme de Biegun, qu'il l'ait juste permis ou qu'il l'ait ignoré n'avait que peu d'importance : le danger était le même.

Puisque les négociateurs du département d'État semblaient perdre le contrôle, dépassés par leur volonté absolue de conclure un accord et intoxiqués par la propagande, j'ai réfléchi à ce que je pouvais faire avec Trump lui-même pour empêcher des erreurs à Hanoï. J'en suis arrivé à la conclusion que les briefings adressés à Trump avant Hanoï devaient être sensiblement différents de ceux ayant précédé Singapour, ceux-ci n'ayant eu que peu d'impact. La première session de préparation a eu lieu le 12 février dans la Salle de Crise. Elle a commencé à 16 h 45 et a duré quarante-cinq minutes. Nous avons projeté un film, qui commençait par des images de Carter, de Clinton, de Bush et d'Obama se félicitant tous d'avoir obtenu un formidable accord avec la Corée du Nord. Les images suivantes illustraient le véritable comportement de la Corée du Nord depuis Singapour, prouvant qu'encore aujourd'hui, ils se jouaient de nous. Le film se terminait par des extraits de Reagan décrivant le sommet de Reykjavik de 1986 avec Gorbatchev. Reagan affirmait qu'on obtenait de meilleurs accords en restant sur ses positions plutôt qu'en cédant. La discussion était fluide, Trump a posé de bonnes questions et la séance est restée incroyablement centrée. Une fois terminé, Trump a lui-même résumé les principaux points qu'il avait retenus de la réunion : « Je suis en position de force », « Je n'ai pas besoin de me précipiter » et « Je peux me retirer ». Le briefing a permis à Trump de conclure que Hanoï n'était pas décisive. Si aucun progrès réel n'apparaissait, il pourrait simplement continuer comme avant. Le script était parfait.

La pression économique que nous imposions à la Corée du Nord était plus forte qu'auparavant, mais ce n'était qu'une question de degré. Les sanctions nous donnaient toutefois un avantage à court terme. Kim Jong Un était celui qui avait le plus besoin d'un accord, car, même imparfaite, cette pression continuait d'entraver ses efforts visant à apporter une amélioration économique à l'intérieur de son pays. Sur le long terme, le temps profite toujours au proliférateur, mais ma définition du « long terme » équivalait désormais à deux semaines. Mon objectif : passer le sommet de Hanoï sans faire de concessions et de compromis catastrophiques. Si nous parvenions à empêcher tout accord conclu à la hâte, juste pour dire que nous avions un accord, ce qui semblait être l'intention du département d'État, je serais satisfait. Je pensais que la pression d'un accord retomberait une fois que nous aurions passé le deuxième sommet Trump-Kim. Nous pourrions alors nous recentrer sur la très grave menace que la Corée du Nord représentait toujours, qu'elle continue ou non à tester activement des armes nucléaires et des missiles balistiques. J'étais très soulagé que le briefing n'ait pas été un désastre et j'avais même l'impression que nous étions parvenus à faire prendre conscience de certaines choses à Trump.

Le deuxième briefing, le 15 février, juste après 14 heures, a de nouveau duré environ quarante-cinq minutes. Nous avons diffusé un extrait d'un film de propagande nord-coréen montrant qu'ils étaient toujours engagés dans de sérieux exercices de guerre, alors que nous ne l'étions pas, conformément aux ordres de Trump. Il s'est montré très intéressé par la vidéo et a demandé à en obtenir une copie. Nous nous sommes concentrés sur le point le plus important : la signification de l'expression « dénucléarisation complète ». Trump a demandé à recevoir un document d'une page résumant les conclusions du briefing, que nous avions déjà préparé. Après une bonne discussion, Trump a dit : « Corrigez-moi ce document et ramenez-le », ce qui laissait entendre qu'il pourrait le remettre à Kim Jong Un à un moment donné. J'ai insisté sur l'importance d'obtenir une déclaration de référence exhaustive, sans céder à l'approche fragmentaire envisagée par le département d'État. J'ai trouvé que ce deuxième briefing s'était également très bien passé et que nous avions globalement réussi à mettre Trump dans le bon état d'esprit pour ne pas se brader à Hanoï.

Soucieux de défendre les intérêts de son pays, le président de la Corée du Sud, Moon Jae-in, a passé un nouvel appel téléphonique le 19 février, mais même lui n'a pas causé de dégâts majeurs. Trump a proclamé qu'il était la seule personne à pouvoir négocier un accord nucléaire avec Kim Jong Un. Il a insisté pour que Moon informe les médias des progrès réalisés, étant donné que ceux-ci essayaient généralement de donner une image négative de chacune de ses actions. Il a promis de garder les intérêts de la Corée du Sud à l'esprit, mais a souligné que Kim voulait un accord. En réalité, tous souhaitaient un accord. Plus tard dans la matinée, Pompeo, Biegun, Allison Hooker

— la spécialiste de la Corée au sein du Centre de sécurité nationale — et moi-même avons eu une nouvelle réunion avec Trump, au cours de laquelle il a répété : « Nous pouvons nous retirer à tout moment, et tout ira bien », le principal point abordé lors des briefings. Trump a dit à Biegun : « Dites-leur [aux Nord-Coréens] combien j'apprécie le président Kim, mais dites-leur aussi ce que je veux ».

Après de nouvelles discussions, Pompeo et moi sommes retournés à mon bureau pour parler de Hanoï. J'ai à nouveau insisté sur le fait qu'une déclaration de référence de la Corée du Nord devait être le point de départ de toute négociation intelligible. J'ai également rappelé pourquoi nous ne pouvions pas lever les sanctions économiques et pourquoi nous devions au contraire accentuer la pression. Pompeo s'est plaint de mon « ingérence » sur son territoire, même s'il était plutôt d'accord sur le fond, comme il l'était souvent lorsque nous parlions seul à seul. La faiblesse clairement affichée par Biegun à l'occasion d'un Comité des directeurs sur la Corée du Nord, un peu plus tard dans la journée, a perturbé bon nombre de personnes présentes, en particulier Shanahan et Dunford, et même Pompeo. Biegun était-il sous sa responsabilité ou non ? Dunford voulait être sûr qu'une « déclaration de fin de guerre » n'aurait pas d'effet juridique contraignant, ce qui, bien entendu, nous a poussés à nous demander pourquoi nous envisagions cette possibilité tout court. La Corée du Nord avait affirmé ne pas s'en soucier, considérant qu'il s'agissait là d'une demande de Moon. Dans ce cas, pourquoi cherchions-nous à aller en ce sens ?

Le troisième et dernier briefing, le 21 février, avait été précédé, la veille, d'une conversation téléphonique avec Abe, qui avait constitué une excellente mise en jambes. Nous avions préparé un ensemble de « jokers » que Kim Jong Un était susceptible de jouer à Hanoï pour surprendre Trump et le pousser à faire des concessions qui, d'après nous, étaient loin d'être obligatoires. Cette session, d'une durée d'environ quarante-cinq minutes à nouveau, marquait la fin de nos efforts de briefing. Restait à voir si ceux-ci allaient suffire à empêcher des concessions catastrophiques en faveur de Kim.

Je suis parti pour Hanoï le 24 février à l'aube. Alors que nous étions en route vers notre arrêt carburant à Anchorage, nous avons reçu un projet de déclaration commune entre les États-Unis et la

Corée du Nord. Allison Hooker a dit que Biegun l'avait « jeté sur la table » lors d'une réunion avec la Corée du Nord, sans l'avoir préalablement fait approuver. On aurait dit qu'il avait été rédigé par les Nord-Coréens eux-mêmes. Le document énumérait toutes les « concessions » que Trump avait préalablement accordées à Kim Yong Chol dans le Bureau ovale sans rien demander en retour, si ce n'est une nouvelle déclaration selon laquelle la Corée du Nord s'engagerait vaguement à accepter de définir le terme de « dénucléarisation ». Je ne parvenais pas à comprendre pourquoi Pompeo aurait autorisé un tel texte. Et si les Nord-Coréens l'acceptaient simplement mot pour mot ? Il s'agissait à nouveau d'une énorme erreur de procédure et d'une bombe à retardement politique. J'ai demandé à Kupperman de montrer le projet à Mulvaney et à Stephen Miller à Washington, et Mulvaney a reconnu que ce document constituait à la fois une erreur politique de premier ordre et une violation délibérée de la procédure interagences. Mulvaney et Miller accompagnaient Trump à Hanoï sur Air Force One et ont profité du vol pour lui exposer la situation. Trump n'était pas du tout au courant du projet de déclaration, ce qui signifie que Biegun n'avait pas eu l'aval d'en haut. J'ai également appelé Pence sur Air Force Two, alors qu'il rentrait à Washington après la réunion du groupe de Lima à Bogota. Sa réaction en lisant le projet de Biegun avait été identique à la mienne.

Submergé par la situation avec le Venezuela avant mon départ pour Hanoï, j'ai attendu d'être sur place et installé dans l'hôtel de la délégation américaine, le JW Marriott, pour essayer de savoir ce qu'il se passait. La situation était très confuse, mais le département d'État travaillait d'arrache-pied pour s'assurer que le projet de Biegun ne soit lu par personne, à l'exception des représentants du Conseil de sécurité nationale et du département de la Défense, avant l'arrivée de Trump plus tard dans la soirée. Ce n'était pas bon signe.

Le lendemain matin, le mercredi 27 février, Mulvaney nous a dit, à Pompeo et à moi, que Trump était très mécontent d'un article paru dans le magazine *Time*, qui l'accusait d'accorder peu d'attention aux briefings fournis par ses services de renseignement, voire de ne pas les comprendre. Je n'avais pas entendu parler de cet article, contrairement à Pompeo, qui avait ajouté que le *Time* lui consacrait un portrait et que c'était peut-être dans ce cadre qu'un tel article était apparu. Pompeo voulait publier une déclaration, similaire à celle qu'il avait faite quelques mois auparavant, affirmant que Trump était profondément impliqué dans les briefings. Je n'avais jamais eu à faire ce genre de déclarations et je cherchais une échappatoire pour ne pas avoir à m'y mettre maintenant. L'article du *Time* venait envenimer une situation déjà tendue avec la communauté du renseignement. Trump avait traité d'« idiot » le directeur du renseignement national, Dan Coats, et nous avait demandé, à Pompeo et à moi, plus tard dans l'ascenseur : « Avons-nous fait une erreur en choisissant Gina [Haspel, la directrice de la CIA] ? »

Nous nous sommes ensuite rendus dans une autre salle pour briefer Trump sur les événements de la journée. Celui-ci était toujours furieux à cause de l'article du *Time*, mais a commencé par dire à Pompeo qu'il n'aimait pas les commentaires de Biegun, qu'il jugeait « excessifs » — en référence au projet de déclaration que Kupperman et Mulvaney lui avaient montré sur Air Force One. Tout le monde dans la salle a immédiatement compris la signification de cette phrase. Après avoir brièvement évoqué l'article du *Time*, Trump a de nouveau critiqué Biegun, répétant ce qu'il avait dit quelques minutes auparavant. (Pour la petite histoire, lorsqu'il a croisé Biegun le lendemain matin, il ne l'a même pas reconnu.) Trump a dit qu'il voyait trois issues possibles : un accord historique, un accord intermédiaire ou « je tourne les talons ». Il a immédiatement rejeté la solution « intermédiaire », car cela aurait signifié un allègement des sanctions. L'option « accord historique » était peu probable, dans la mesure où Kim Jong Un n'était toujours pas disposé à prendre la décision stratégique de renoncer aux armes nucléaires. L'idée de tourner les talons est revenue à plusieurs reprises, ce qui signifiait que Trump y était au moins préparé et qu'il préférait peut-être même cette solution (quitter la fille avant qu'elle ne vous quitte). Il serait critiqué quoi qu'il fasse, a dit Trump en haussant les épaules. J'ai mentionné le départ de Reagan à Reykjavik et l'impulsion importante que cela avait donnée aux négociations ultérieures (ironie du sort, ces négociations concernaient le Traité sur les FNI, que nous étions sur le point de quitter). Trump a réfléchi à ce qu'il allait dire lors de la conférence de presse (« Nous continuons à nous apprécier et nous continuerons à discuter ») et, en me regardant, il a dit : « Ce serait bien que vous fassiez une sortie médiatique pour expliquer que l'issue est positive ».

Trump semblait absorbé par le prochain témoignage à Washington de Michael Cohen, l'un de ses anciens avocats. C'est l'une des rares occasions où j'ai vu ses problèmes personnels empiéter sur la sécurité nationale. J'étais soulagé de voir que les briefings précédents étaient toujours frais dans son esprit et que la possibilité de quitter la table des négociations restait bien réelle. Nous avons passé le reste de la journée en réunion avec les hauts dirigeants du Viêt Nam, et ce, jusqu'à l'heure fixée pour le dîner entre Trump et Kim Jong Un. À cette heure-là, c'était le matin à Washington et les médias ne parlaient que de Michael Cohen. Les Nord-Coréens n'ont pas voulu que je participe au dîner. Seuls Pompeo et Mulvaney ont été autorisés à accompagner Trump, après un tête-à-tête entre les deux dirigeants. Je n'aimais pas ça, mais je me suis dit que c'était le prix à payer pour faire des affaires.

Mulvaney m'a appelé à venir le rejoindre dans sa chambre vers 21 heures pour débriefer le dîner avec Pompeo et d'autres personnes. Trump avait essayé d'éviter la question jusqu'au lendemain matin, mais alors que le dîner se terminait, Kim avait proposé que la Corée du Nord abandonne ses installations nucléaires de Yongbyon en échange de la levée de toutes les sanctions adoptées par le Conseil de sécurité des Nations Unies depuis 2016. Il s'agissait d'une proposition typique de la formule « action pour action », leur apportant l'allègement économique dont ils avaient désespérément besoin tout en nous concédant très peu, puisque, même sans Yongbyon, il était de notoriété publique que la Corée du Nord possédait bien d'autres installations avec lesquelles poursuivre son programme nucléaire. J'ai demandé si Kim Jong Un avait autre chose dans sa manche, mais Pompeo a répondu qu'il pensait que non. J'ai également demandé si Trump avait soulevé la question des Japonais enlevés, ce qu'il avait fait, remplissant ainsi son engagement envers le Japon.

Je pensais que c'était tout pour ce soir-là, mais il s'est avéré que Shanahan et Dunford voulaient nous parler, à Pompeo et à moi, d'une crise grandissante entre l'Inde et le Pakistan. Après des heures passées au téléphone, la crise est passée, sans doute parce qu'en réalité, il n'y en avait jamais vraiment eu. Mais lorsque deux puissances nucléaires mettent en branle leur machine militaire, il est préférable de ne pas l'ignorer. Personne d'autre ne s'en est soucié à l'époque, mais c'était pour moi l'évidence même : voilà ce qui arrivait lorsqu'on ne prenait pas au sérieux la prolifération nucléaire de pays comme l'Iran ou la Corée du Nord.

Les choses sérieuses ont commencé le lendemain matin, le 26 février. Ayant passé une bonne partie de la nuit à regarder Cohen témoigner, Trump a annulé les briefings préparatoires. Je craignais que son instinct ne l'incite à agir de façon à détourner l'attention médiatique des audiences de Cohen, ce qui n'était possible qu'en faisant quelque chose de spectaculaire et d'inattendu. Le fait de quitter la table des négociations lui aurait certainement permis d'atteindre cet objectif. Mais une autre possibilité était de conclure un accord qu'il aurait pu qualifier d'historique, même si celui-ci était très imparfait. Les défauts ne se verraient que plus tard. Trump a demandé à Mulvaney, à Pompeo et à moi-même de faire le trajet jusqu'à l'hôtel Metropole avec lui dans « la bête ». Quelqu'un lui avait suggéré de demander aux Nord-Coréens de renoncer à leurs missiles balistiques intercontinentaux, ce qui me semblait secondaire par rapport au démantèlement des ogives nucléaires. Éliminer uniquement les missiles balistiques intercontinentaux ne permettrait ni de réduire les dangers pour la Corée du Sud, le Japon et nos forces déployées, ni de nous protéger contre les missiles à plus courte portée, que la Corée du Nord cherchait à développer et qui auraient pu être lancés par des sous-marins au large de nos côtes. Trump était irritable et frustré. Il voulait savoir ce qui marquerait le plus les esprits : un accord partiel ou pas d'accord du tout. Je lui ai dit que la deuxième option était celle qui ferait le plus le buzz, si c'était ce qu'il cherchait. Mais Trump se demandait comment il allait expliquer cette décision. Pompeo a proposé quelque chose du genre : « Nos équipes se sont entretenues, nous avons fait des progrès, les essais restent sous moratoire et nous nous rencontrerons encore, malgré l'échec de ce sommet ». Trump a trouvé cette formulation à son goût. J'ai, pour ma part, failli m'étouffer, mais tant que Trump était suffisamment à l'aise avec cette explication pour refuser de faire des concessions, je n'allais pas me plaindre. Il semblait se diriger dans la bonne direction, mais le battement d'ailes d'un papillon aurait pu le faire pivoter de 180 degrés. En arrivant au Metropole, je n'avais aucune idée de la façon dont le reste de la journée allait se dérouler.

Le tête-à-tête entre Trump et Kim était à 9 heures, et a duré une quarantaine de minutes. Ils se sont ensuite rendus dans une cour intérieure, où ils ont été rejoints par Pompeo et Kim Yong Chol pour ce qui devait être une courte pause, d'une dizaine de minutes. Kim Jong Un n'aimant ni la chaleur ni l'humidité, ils sont entrés dans une structure ressemblant à une serre située dans la cour intérieure, mais utilisée comme café et sans aucun doute climatisée. La discussion s'est poursuivie, sous notre regard inquisiteur à travers les vitres de la serre. Il me semblait que Kim n'avait pas l'air particulièrement ravi. Sa sœur était restée dehors, supportant stoïquement la chaleur et l'humidité, tandis que les Américains, inutile de le dire, étaient rentrés dans une salle climatisée située à proximité. Après environ une heure, cette réunion s'est interrompue et Trump est revenu dans la partie principale de l'hôtel pour ce qui a été annoncé comme une pause de trente minutes.

Dans les salles attenantes qui nous avaient été attribuées, Trump a immédiatement allumé Fox News pour voir ce que les émissions de fin de soirée disaient du témoignage de Cohen, ainsi que des événements à Hanoï. Pompeo a expliqué que la discussion qui venait de se terminer, à l'instar de celle du dîner la veille, avait porté uniquement sur la fermeture de Yongbyon en échange d'un allègement des sanctions et que les négociations tournaient en rond. D'après lui, Kim Jong Un était « extrêmement frustré » et « très en colère » que Trump ne lui donne pas ce qu'il voulait. Il n'a pas été question de missiles balistiques, d'autres programmes d'armes nucléaires, chimiques ou biologiques, ni de quoi que ce soit d'autre que de Yongbyon. Trump était visiblement fatigué et irrité. Il était clair qu'il était lui aussi frustré de ne pas avoir un accord satisfaisant à portée de main. C'est ce qui m'a fait comprendre que nous nous trouvions toujours en territoire périlleux. Avec Trump, rien n'était jamais complètement certain jusqu'à ce qu'il l'annonce en conférence de presse, et encore. Il semblait toujours à l'aise avec l'idée de tourner les talons : aucun « accord historique » n'était en vue et il lui aurait été difficile de défendre un « accord intermédiaire » d'un point de vue politique. Je pense que l'instinct de Trump le poussait à revenir dans sa zone de confort. Il voulait en finir avec cette histoire et rentrer chez lui (après la grande conférence de presse, bien sûr).

La réunion la plus importante (avec Trump, Pompeo, Mulvaney et moi-même de notre côté de la table, Kim Jong Un, Kim Yong Chol et le ministre des Affaires étrangères Ri Yong Ho de leur côté, plus les interprètes) était prévue à 11 heures. Nous sommes arrivés les premiers, suivis des Nord-Coréens, avec qui nous avons chacun échangé une poignée de main. J'ai dit à Kim Jong Un : « Monsieur le président, quel plaisir de vous revoir » — en espérant ne pas avoir à changer d'avis. Un nuage de journalistes s'est rué dans la pièce. Une fois ceux-ci sortis, Trump a demandé à Kim : « La presse vous cause-t-elle des ennuis ? » Un peu étonné, Kim a répondu : « Quelle drôle de question ! Heureusement, je n'ai pas à supporter ce fardeau », et il a ri. Trump a plaisanté en disant qu'ils pourraient déclarer que la question des droits de l'homme avait été évoquée, dans le sens où la presse avait pu poser une question à Kim. Cette remarque a provoqué de nouveaux éclats de rire. Redevenant sérieux, Trump a demandé à Kim s'il avait modifié sa position durant la pause. Kim était mécontent d'avoir fait tout ce chemin jusqu'à Hanoï avec une proposition qu'il prétendait tellement supérieure à toutes celles mises sur la table par ses prédécesseurs et que, malgré cela, Trump n'était pas satisfait. Cette discussion s'est poursuivie un moment.

Pendant que Kim parlait, Trump m'a demandé de lui apporter la définition du terme « dénucléarisation », dont nous avions discuté lors de nos briefings à Washington, ainsi que la page que nous avions surnommée « avenir radieux ». Je me suis exécuté. Il a remis les deux documents à Kim et lui a proposé de lui affréter un vol vers la Corée du Nord, ce qui lui aurait évité de devoir passer la soirée à Hanoï. Kim a répondu en riant qu'il ne pouvait pas faire cela et Trump a plaisanté en faisant remarquer que cela ferait de sacrées images. Il a demandé si la Corée du Nord avait d'autres choses à ajouter à son offre, précisant qu'il savait que Kim ne voulait pas le mettre en mauvaise posture, sachant qu'il était le seul de son côté. Kim a spontanément rétorqué qu'il était lui aussi le seul du côté de Trump. Trump a fait remarquer que Kim était celui qui faisait la pluie et le beau temps en Corée du Nord. Kim a semblé surpris que Trump voie les choses de cette manière, mais a déclaré que même un dirigeant qui contrôle tout ne peut pas agir sans fournir de justifications. Trump a dit qu'il croyait comprendre que Kim voulait parvenir à un consensus.

Kim a de nouveau souligné à quel point la « concession » accordée au sujet de Yongbyon était importante pour la Corée du Nord et combien cette idée recevait l'attention des médias américains. Trump a de nouveau demandé si Kim pouvait modifier son offre, par exemple en sollicitant seulement un certain pourcentage de réduction des sanctions au lieu de leur levée pure et simple.

Ce fut sans aucun doute le pire moment de la réunion. Si Kim Jong Un avait dit oui à ce moment-là, ils auraient pu conclure un accord désastreux pour les États-Unis. Heureusement, il n'a pas mordu à l'hameçon, déclarant qu'il n'avait rien à gagner dans cet accord, oubliant de mentionner la levée des sanctions.

Trump a essayé de changer de sujet en l'interrogeant sur les perspectives de réunification de la Corée du Nord et du Sud et sur ce qu'en pensait la Chine. Visiblement agacé par ces tentatives de diversion, Kim a demandé à revenir à l'ordre du jour.

Toujours déterminé à améliorer la proposition initiale, Trump a suggéré que Kim propose d'éliminer ses missiles à longue portée, autrement dit ceux capables de frapper les États-Unis. J'y ai vu un mépris évident pour ce que j'avais dit précédemment sur les préoccupations du Japon et de la Corée du Sud quant aux missiles à courte et moyenne portée susceptibles de les atteindre. C'est alors que Trump a dit une chose à laquelle je ne m'attendais pas : « John, qu'en pensez-vous ? »

Je n'allais pas laisser passer cette occasion. « Nous avons besoin d'une déclaration de référence complète, couvrant tous les programmes d'armement chimique, biologique et balistique de la Corée du Nord », ai-je dit, faisant écho au document que Trump avait remis à Kim Jong Un. Il s'agissait d'une étape traditionnelle dans les pourparlers sur la maîtrise des armements et les négociations entamées sans cette base avaient généralement tendance à échouer.

Trump a trouvé que ce que je venais de dire était un peu compliqué, mais s'est tourné vers Kim pour observer sa réaction.

Mais Kim ne mangeait pas de ce pain-là. Il a insisté sur le fait que si nous avancions étape par étape, nous finirions par obtenir un tableau exhaustif. Il s'est plaint, comme il l'avait déjà fait à Singapour, que la Corée du Nord n'avait obtenu aucune garantie judiciaire pour assurer sa sécurité. Trump a demandé quel type de garanties il aurait souhaité. Il n'y avait pas de relations diplomatiques, soixante-dix années d'hostilité et huit mois de relations interpersonnelles, a répondu Kim, manifestement peu disposé à donner plus de détails. Que se passerait-il si un navire de guerre américain pénétrait dans les eaux territoriales de la Corée du Nord, a-t-il demandé. Trump lui a répondu que, dans ce cas, il pouvait l'appeler.

Après quelques échanges supplémentaires, Trump a reconnu qu'ils étaient arrivés à une impasse à laquelle il lui était politiquement impossible de trouver une issue positive dans le cadre de cette réunion.

Kim était désormais visiblement frustré, ce qui n'était pas sans m'inquiéter. Après tous ces efforts pour expliquer à Trump la dangerosité de la menace nucléaire nord-coréenne, voilà que nous en étions réduits à espérer que la volonté d'éviter une révolte massive au sein du Parti républicain suffise à empêcher la conclusion d'un mauvais accord. Trump s'est tourné vers Pompeo, lui demandant de répéter ce qu'il avait dit dans la voiture pendant que nous nous dirigions vers le Metropole. Pompeo a reformulé : « Ce qu'il faut retenir, c'est le chemin que nous avons parcouru. Nous nous comprenons mieux, nous nous faisons davantage confiance. Nous avons réellement progressé à cet égard. Nous pouvons garder la tête haute. » J'étais heureux de ne pas avoir eu à le dire.

Nous nous sommes ensuite attelés aux déclarations de clôture, que Kim souhaitait voir réunies dans un document unique. Trump avait d'abord indiqué une préférence pour des déclarations séparées, avant de finalement décider que non. Les discussions se sont poursuivies jusqu'à ce que Trump répète qu'il voulait un accord complet. Kim a répondu platement qu'il ne pouvait rien faire de plus que ce qu'il avait déjà proposé, ce qui n'allait manifestement pas suffire pour conclure un accord. À la place, il a demandé une « Déclaration de Hanoï » pour montrer que des progrès avaient été réalisés, mentionnant éventuellement la proposition concernant Yongbyon. Les discussions partaient de nouveau dans la mauvaise direction, mais j'avais déjà été fusillé plus tôt par Trump pour avoir dit qu'une déclaration commune risquait de montrer que nous n'avions rien obtenu. « Je ne veux pas entendre parler de risques. J'ai besoin de quelque chose de positif », avait répondu Trump. Pompeo voulait parler de progrès : « Nous avons réalisé des progrès au cours des huit derniers mois et nous allons poursuivre sur cette voie. » Même Kim était opposé à cette formulation, expliquant que, manifestement, les progrès réalisés n'avaient pas été suffisants pour trouver un accord. Trump s'est exclamé que si nous acceptions la proposition de Kim, les conséquences politiques aux États-Unis seraient énormes et pourraient lui faire perdre les élections. Kim a réagi rapidement en disant qu'il ne voulait pas que Trump fasse quoi que ce soit qui puisse lui nuire politiquement. Allons bon. Kim a continué de faire pression pour obtenir une déclaration commune. Il s'est plaint de sentir une barrière entre les deux dirigeants, ce qu'il déplorait. Kim jouait intelligemment sur les émotions de Trump et je craignais que ce stratagème fonctionne. Trump a dit que Kim ne devait pas le prendre comme ça et alors, heureusement, nous avons tous ri. Kim a de nouveau insisté sur l'importance de sa concession concernant Yongbyon. J'ai dit que la Corée du Nord avait déjà promis à plusieurs reprises une dénucléarisation, à commencer dans la déclaration commune Nord-Sud de 1992, et qu'elle savait donc déjà dans une large mesure ce qui était attendu d'elle. Trump a demandé ce qu'il était advenu de cette déclaration et j'ai expliqué que Clinton avait négocié l'accord-cadre de 1994 peu après. Trump a déploré qu'aucun accord ne puisse être trouvé à cause de la proposition de Kim de lever les sanctions. Kim a reconnu que c'était dommage, car il était convaincu que l'accord aurait été largement acclamé.

Au lieu de cela, un silence absolu a envahi la pièce pendant quelques secondes et nous avons tous pensé que la réunion était terminée. Mais nous avions tort, car Kim a continué d'insister pour que la déclaration fasse référence à Yongbyon pour montrer que Trump et lui avaient réalisé des progrès au-delà de ce que leurs prédécesseurs avaient accompli. Je suis à nouveau intervenu et j'ai insisté pour que nous rédigions deux déclarations séparées. J'ai dit que, de cette manière, chacun pouvait mettre en évidence ce qui lui semblait positif. Kim a répondu qu'il ne voulait pas de déclarations distinctes, ce qui a provoqué un nouveau silence pendant quelques secondes supplémentaires. Trump a dit qu'il voulait faire plaisir à Kim. Que répondre à cela ? Trump a clairement indiqué qu'il voulait une déclaration commune, confiant à Kim Yong Chol et à Pompeo la mission de la rédiger. Sur ce, les Nord-Coréens se sont dirigés vers la sortie, laissant les membres de la délégation américaine seuls dans la pièce.

Alors que nous faisions les cent pas, Trump m'a demandé comment nous en étions arrivés à « sanctionner l'économie d'un pays situé à dix mille kilomètres de nous ». J'ai répondu : « Parce qu'ils construisent des armes nucléaires et des missiles qui tuent des Américains ».

« C'est une bonne raison », a-t-il admis. Nous avons marché jusqu'à l'endroit où se tenait Pompeo. Là, Trump a dit : « Je viens juste de demander à John pourquoi nous sanctionnions un pays situé à dix mille kilomètres de nous et il a eu une très bonne réponse : parce qu'ils pourraient faire exploser le monde. »

« En effet, Monsieur le président », a répondu Pompeo. C'était une journée de travail comme une autre... Lorsque Trump s'est retiré dans la pièce attenante, Pompeo m'a expliqué que cette réunion en comité plus large avait été essentiellement une répétition de la réunion de la veille, lors de laquelle Kim avait sans relâche poussé l'accord de Yongbyon, en espérant que Trump plie.

En revenant dans la salle d'attente, nous avons trouvé Trump fatigué, mais suffisamment lucide pour nous faire très justement remarquer que le fait de « quitter la table des négociations » à Hanoï démontrerait au monde entier qu'il était capable de le faire ailleurs, comme dans les négociations commerciales avec la Chine. À part cela, toutefois, il n'avait plus d'appétit pour rien, même pour le déjeuner, qui a été annulé, tout comme la cérémonie de signature commune qui avait été provisoirement inscrite au calendrier. Trump a dit qu'il voulait que Pompeo et moi soyons à ses côtés lors de la conférence de presse, mais j'ai expliqué que je devais me rendre à l'aéroport pour respecter mon créneau de décollage et ainsi éviter une longue escale en Alaska. Cette nouvelle n'a pas eu l'air de le ravir. Pompeo m'a glissé quelques instants plus tard : « Veinard ! » J'ai quitté l'hôtel Metropole vers 13 heures, apprenant, après le décollage, que les négociations sur la déclaration commune avaient échoué (quelle surprise !). Trump a dit à Sanders de simplement rédiger une déclaration pour la Maison Blanche. Pompeo et Biegun ont fait leur propre rapport, en essayant de présenter le sommet comme un succès afin que Biegun puisse poursuivre les négociations. En réalité, ce dernier suivait la même approche que celle adoptée par les trois administrations précédentes et condamnée à produire le même résultat.

En route vers Washington, je suis arrivé à la conclusion selon laquelle Hanoï avait prouvé que les États-Unis n'avaient toujours pas compris comment traiter avec la Corée du Nord et les autres pays de cet acabit. Nous avions passé d'interminables heures à négocier entre nous, étiolant notre propre position avant même que nos adversaires en prennent connaissance, un art dans lequel le département d'État commençait à exceller. Les Nord-Coréens et certains autres sont très doués pour tirer avantage de ceux qui veulent un accord, n'importe quel accord, afin de prouver leur valeur. Nous étions une cible parfaite. La véritable ironie ici, c'est que Trump agissait de la même manière que le Service extérieur. Une autre erreur majeure a été de systématiquement annoncer à la presse combien les négociations préliminaires se passaient bien. Cela a contribué à augmenter les attentes des médias et leur déception face à l'absence d'accord. Mais le principal était que, grâce au processus de briefing mené avant Hanoï, nous avions aidé Trump à comprendre que tourner les talons n'était pas un échec, faisant ainsi dérailler le train de la voie de négociation malsaine sur laquelle Biegun s'était engagé. Malheureusement, je savais, chaque fois que ce gouvernement réussissait quelque chose, que le triomphe n'était que momentané et qu'il ne durerait pas longtemps. La tendance inexorable de la bureaucratie à poursuivre « le process » allait inévitablement se remettre en marche, tout comme la conviction absolue, selon Trump, que tout le monde voulait lui parler, que tout le monde « mourait d'envie de conclure un accord » avec lui.

Après Hanoï, nous avons appris par voie de presse, notamment grâce à des sources comme le quotidien sud-coréen Chosun Ilbo, que Kim Yong Chol avait été condamné aux travaux forcés — bien qu'il ait été réhabilité par la suite —, que Kim Hyok Chol, l'homologue de Biegun, avait été exécuté en même temps que plusieurs autres personnes, et qu'en guise de pénitence, la sœur de Kim Jong Un s'était retirée de la vie publique pendant un certain temps, et que Shin Hye Yong, l'interprète de Kim, se trouvait dans un camp de prisonniers politiques pour avoir commis une erreur d'interprétation. Ce qui était toujours préférable à la première annonce, qui affirmait qu'elle avait été exécutée pour ne pas avoir réussi à empêcher Trump d'interrompre sa traduction des brillants propos énoncés par Kim Jong Un. Il était difficile de vérifier la véracité de ces informations, mais quiconque connaissait le dirigeant nord-coréen savait qu'il était parfaitement capable d'ordonner de telles punitions. Un journaliste du *Washington Post*, dans une nouvelle démonstration de journalisme responsable, a tweeté : « On dirait bien que la diplomatie erratique de [Trump], notamment en adoptant les positions radicales de Bolton, a conduit à ce que des gens se fassent tuer. »

Les réactions au sommet de Hanoï ont presque toutes reflété de la surprise, pour ne pas dire de l'incrédulité. Condi Rice et Steve Hadley ont tous deux félicité Trump de ne pas avoir cédé et Rice m'a dit qu'elle avait raconté à Pence l'une de mes anecdotes préférées sur le président G.W. Bush. Ce dernier avait comparé Kim Jong Il à un enfant dans une chaise haute ne cessant de pousser sa nourriture sur le sol, tandis que les États-Unis et d'autres la ramassaient et la remettaient sur le plateau. Les choses n'avaient pas beaucoup évolué. Les communistes n'apprendraient que si la nourriture restait à terre, et encore. Quelques jours plus tard, j'ai discuté avec le conseiller du président sud-coréen, Chung Eui-yong, qui avait un point de vue intéressant. Il a dit qu'il était surpris que Kim Jong Un soit allé à Hanoï avec une seule stratégie et aucun plan B. Chung s'est également fait l'écho de l'idée schizophrénique de Moon Jae-in selon laquelle, bien que nous ayons eu raison de rejeter la formule « action pour action » proposée par la Corée du Nord, la volonté de Kim de démanteler Yongbyon (jamais clairement définie) était un premier pas très significatif, prouvant que la Corée du Nord était entrée dans une phase irréversible de dénucléarisation. Cette dernière affirmation était absurde, tout comme le fait que Moon avait approuvé l'« approche parallèle et simultanée » chinoise, qui, selon moi, ressemblait beaucoup à la formule « action pour action ». Chung avait été le premier à prédire, d'après la manière dont le sommet avait été couvert dans le Rodong Sinmun (le quotidien officiel de la Corée du Nord, accessible aux « gens ordinaires », comme l'a décrit Chung), que « certains fonctionnaires [allaient être] remplacés », ce qui s'était avéré être un euphémisme. En Corée du Nord, la moindre erreur peut vous coûter non seulement votre carrière, mais aussi la vie.

La surprise exprimée par de nombreuses personnes, et en particulier les observateurs américains, n'aurait pas été si forte si le département d'État ne s'était pas donné tant de mal à laisser entendre, avant Hanoï, que nous accepterions effectivement une certaine version de la formule « action pour action ». Que ce soit dans des discours, des entretiens informels avec des journalistes et des experts, ainsi que lors de séminaires avec différents groupes de réflexion, il a été annoncé que nous étions sur le point d'atteindre ces « larges plateaux ensoleillés » qui allaient permettre à Washington de faire des concessions. C'est ce que les négociateurs du département d'État appellent depuis quelques années « l'art de la négociation ». Les seuls qui n'avaient pas vraiment de plan B après Hanoï, c'étaient les bien-pensants, qui ne désiraient rien de plus que de revenir à l'accord-cadre conclu par l'Administration Clinton, ou aux pourparlers à six de l'Administration Bush, ou encore à la « patience stratégique » de l'Administration Obama. Sur la route vers Panmunjom, ceux-ci se sont toutefois révélés plus patients que je ne le pensais.

Mais avec le temps, en Corée du Nord, la surprise s'est transformée en indignation. Le 15 mars, notre vice-ministre des affaires étrangères nord-coréenne préférée, Choe Son Hui, nous a reproché, à Pompeo et à moi, d'avoir créé « un climat d'hostilité et de méfiance » à Hanoï à cause de nos « exigences intransigeantes. » J'aurais dû faire une déclaration pour la remercier de me donner tant d'importance. En revanche, elle a déclaré que les relations entre Trump et Kim étaient « toujours bonnes » et que « l'alchimie est mystérieusement merveilleuse ». En effet ! Puis est venu le temps des menaces. Choe a déclaré que Kim Jong Un déciderait prochainement s'il allait reprendre les essais d'armes nucléaires et de missiles balistiques, ce qui a suscité une énorme inquiétude au sein du gouvernement sud-coréen. J'ai discuté avec Chung le jour même et il m'a dit que la déclaration de Choe les avait pris par surprise. Néanmoins, ils espéraient que ses remarques ne faisaient que réitérer ce qu'elle avait dit à Hanoï lors d'une conférence de presse tenue tard dans la nuit, après le retrait de Trump. Moon, quant à lui, continuait de faire pression pour organiser un nouveau sommet avec Kim, axé uniquement sur les questions nucléaires. Sans doute parce qu'il avait constaté que sa propre politique intercoréenne en était affectée.

D'après plusieurs de ses comportements, j'ai senti que Trump commençait à s'inquiéter d'avoir peut-être été trop dur à Hanoï. Il a recommencé à dire que nous ne devions pas « gaspiller notre argent dans des jeux de guerre », en se référant à nos exercices avec la Corée du Sud. D'un autre côté, il n'a jamais cessé de soutenir la politique de « pression maximale » exercée à l'encontre de l'économie nord-coréenne. J'ai organisé un Comité des directeurs le 21 mars afin d'évaluer si cette pression était vraiment aussi « maximale » qu'elle devait être et réfléchir à la manière de la renforcer. La principale question à débattre était de savoir si les États-Unis devaient aller plus loin en empêchant les transferts entre navires en mer, ceux-ci permettant, en effet, à la Corée du Nord d'exporter du charbon et d'importer du pétrole. Par le biais de ces transferts de navire à navire, la Corée du Nord espérait évidemment échapper aux efforts de surveillance et je voulais voir s'il n'existait pas des mesures ne nécessitant pas le recours à la force pour rendre ces échanges plus difficiles. Il n'était pas question d'imposer des sanctions supplémentaires à la Corée du Nord, seulement de mieux appliquer celles déjà en vigueur.

Le lendemain, un vendredi, nous nous trouvions à Mar-a-Lago pour une rencontre entre Trump et les dirigeants de cinq États insulaires des Caraïbes (les Bahamas, Haïti, la République dominicaine, la Jamaïque et Sainte-Lucie), une autre de ces rencontres que je lui ai demandé à plusieurs reprises d'organiser en dépit de ses objections, mais qu'il a ensuite présentées comme sa propre initiative. Trump nous a fait entrer, moi et quelques autres personnes, dans la « bibliothèque » (en fait, un bar) à côté du lobby. Il a dit qu'il voulait que les récentes mesures d'exécution adoptées par le département du Trésor à l'encontre de deux sociétés chinoises ayant enfreint les sanctions contre la Corée du Nord soient annulées. Nous avions approuvé ces décisions — chacune d'entre elles avait été signée personnellement par Pompeo, Mnuchin et moi-même —, qui étaient des mesures d'exécution au titre de sanctions existantes, et non de « nouvelles » sanctions venant étendre ou compléter celles déjà en place. Après Singapour, nous avions expressément rediscuté de cette distinction avec Trump. Il avait convenu de continuer à appliquer de manière stricte les sanctions existantes et, conformément à cette décision, nous avions, les neuf mois qui avaient suivi, pénalisé un grand nombre d'entreprises et de personnes pour violations de l'embargo.

Personne ne savait pourquoi Trump voulait annuler ces dernières mesures, mais nous pouvions que c'était par compassion pour Kim Jong Un. Trump voulait publier un tweet qui ne pouvait être compris que comme une invalidation de la récente annonce du département du Trésor. J'ai plaidé aussi vigoureusement que possible pour que ce tweet ne soit pas publié, avec le soutien total de Mulvaney. En vain. Selon Trump, ce tweet était destiné « à un seul public » avec lequel il essayait de passer un accord. « Cela n'affectera rien d'autre », a-t-il déclaré, ignorant mes efforts manifestement futiles pour expliquer que beaucoup d'autres personnes verraient ce tweet et l'interpréteraient inévitablement comme un affaiblissement des sanctions et une répudiation publique de ses propres conseillers, en particulier Mnuchin. Mais Trump s'en moquait. Il voulait envoyer un message à Kim Jong Un, tout comme il avait voulu envoyer un message à Xi Jinping lorsqu'il avait annulé les sanctions adoptées par Ross contre la société chinoise ZTE après qu'elles aient été annoncées publiquement. Sanders a demandé ce qu'il fallait répondre si on les interrogeait sur les raisons de ce tweet et Trump a répondu : « J'apprécie Kim Jong Un et ces sanctions n'étaient pas nécessaires ». Le tweet a été publié.

Alors que nous nous dirigions vers l'aéroport après notre rencontre avec les dirigeants des Caraïbes, lors de laquelle nous avions discuté des défis régionaux communs, nous nous sommes aperçus que les médias avaient associé le tweet de Trump sur la Corée du Nord non pas aux mesures que le département du Trésor avait annoncées le jeudi, mais à d'autres sanctions à venir, non spécifiées, n'ayant soi-disant pas encore été rendues publiques. Pompeo m'a appelé depuis le Moyen-Orient un peu après 18 heures, heure de la côte est. J'ai essayé de lui expliquer ce qui se passait, mais c'était encore confus. Nous étions toutefois tous les deux complètement découragés par les dégâts que le tweet de Trump avait provoqués. D'autant plus que, ce jour-là, le 22 mars, cela faisait tout juste un an que Trump m'avait proposé ce poste au sein du Conseil de sécurité nationale. J'avais l'impression que cela faisait dix ans.

Le samedi matin, vers 7 h 30, j'ai appelé Mulvaney, qui était resté à Mar-a-Lago. Mnuchin l'avait appelé le vendredi après-midi pour parler avec Trump et lui expliquer que l'annulation des nouvelles sanctions du département du Trésor serait embarrassante pour lui. Mulvaney avait transféré l'appel et Mnuchin avait présenté à Trump la même analyse que moi. Trump avait finalement accepté de maintenir les décisions prises, quelques heures seulement après avoir rejeté exactement les mêmes arguments lorsque je les lui avais présentés.

En entendant cela, j'ai demandé à Mulvaney si je m'étais peut-être mal exprimé la veille. « Tu as été parfaitement clair », a répondu Mulvaney, « mais il faut parfois faire deux ou trois tentatives avant que ça percute. » S'agissant des soi-disant « sanctions à venir », Mulvaney a dit que c'était tout ce que le département du Trésor avait trouvé pour expliquer les événements. Nous avons tous deux décidé d'inviter Mnuchin à nous rejoindre en vidéoconférence. Mnuchin a expliqué qu'il essayait de tirer Trump d'affaire en précisant que nous n'imposerions pas de sanctions supplémentaires, même s'il admettait que le reste du monde pouvait en conclure que notre idée de « pression maximale » était devenue plus décontractée. Quoi qu'il en soit, nous étions tous d'accord pour dire que corriger la correction (notre nouveau synonyme pour « invalidation ») ne ferait qu'empirer les choses.

Même si, au départ, je n'étais pas particulièrement favorable à la solution proposée par Mnuchin, je n'ai pas été capable de trouver mieux, au fur et à mesure que la journée avançait. Nous — ou plus exactement Trump — pouvions sembler confus, mais au moins nous ne donnions pas l'impression d'être faibles. J'ai ensuite parlé à Pompeo et lui aussi a jugé préférable de simplement laisser les choses se tasser. Dans n'importe quelle autre administration, cette affaire aurait fait grand bruit, mais chez nous, elle est passée presque inaperçue. L'actualité était dominée par la publication du rapport Mueller, qui mettait un terme à l'affaire du « Russiagate ». Le lundi, alors que Pompeo et moi étions dans le Bureau ovale avec Trump, et que Mnuchin nous avait rejoints par téléphone, nous avons réaffirmé ce que nous avions convenu après Singapour, à savoir que les mesures d'exécution se poursuivraient, mais que nous n'imposerions pas d'interdictions supplémentaires à la Corée du Nord sans l'accord de Trump. Si seulement Trump avait écouté ce que je lui avais dit le vendredi, tout ce foin aurait pu être évité.

Une question qui a entaché les relations avec la Corée du Sud (ainsi qu'avec le Japon et, dans une moindre mesure, les Alliés européens) est celle de la part des coûts liés à la présence des bases militaires américaines à l'étranger devant être à la charge du pays hôte. Nous avions des bases pratiquement partout. En général, le pays hôte payait une partie des coûts, mais les montants et les formules variaient, et il n'y avait pas de véritable accord quant à l'ampleur des coûts réels. Grâce aux techniques comptables créatives du département de la Défense, presque tous les « coûts », faibles ou élevés, pouvaient être justifiés. Comme pour d'autres questions de financement militaire, Trump estimait que nos Alliés ne payaient pas assez. Cette idée trouvait sa source dans sa conviction, inébranlable malgré d'innombrables discussions, que notre présence, par exemple, en Corée du Sud, avait pour seule vocation de protéger le pays d'accueil. Nous n'étions pas là pour des questions de « défense collective » ou de « sécurité mutuelle » ou pour n'importe quel autre de ces concepts complexes de politique internationale. Nous protégions l'Allemagne, le Japon ou encore l'Estonie, peu importe, et ces pays devaient payer cette protection. Par ailleurs, comme tout bon homme d'affaires vous l'aurait dit, nous devions chercher à faire des bénéfices pour protéger tous ces pays dans lesquels les États-Unis n'ont pas d'intérêts particuliers (« Pourquoi sommes-nous présents dans tous ces pays ? », comme dirait Trump) ou, tout du moins, nous devions mettre en place une meilleure stratégie de négociation, en renégociant de nouvelles conditions chaque fois que le contrat d'assistance du pays hôte devait être renouvelé.

Trump avait depuis longtemps l'idée que ces pays devaient non seulement rembourser les frais déboursés par les États-Unis, mais aussi payer un certain pourcentage supplémentaire. Il l'avait déjà énoncée en avril 2018, lorsqu'il avait fait pression pour que les forces arabes nous remplacent en Syrie (voir chapitre 2). Avec le temps, il s'était rendu compte que « coût + 50 % » était peut-être trop sévère, c'est pourquoi il a commencé à donner à cette requête d'autres noms tels que « part équitable » ou « remboursement complet et équitable de nos frais ». Mais ne vous y méprenez pas : le montant qu'il souhaitait obtenir ou, au moins, à partir duquel il voulait entamer des négociations restait bien celui équivalent à « coût + 50 % ». Dans le cas de la Corée du Sud, en vertu de notre accord sur les mesures spéciales, ce montant s'élevait à 5 milliards de dollars par an, une augmentation énorme par rapport à ce que Séoul payait jusque-là (moins d'un milliard de dollars par an). L'accord actuel arrivait à échéance le 31 décembre 2018, ce qui suscitait une énorme inquiétude tant au sein du département d'État qu'au Pentagone. Ceux-ci ne voulaient pas faire payer les pays hôtes, d'abord parce que nous n'étions pas des mercenaires et aussi parce qu'ils savaient qu'il serait difficile d'obtenir des augmentations aussi importantes. Il se trouve que c'est la Corée du Sud qui a été la première à faire les frais de cette politique en raison de la date d'expiration de son accord, suivie par le Japon, mais tous les pays hébergeant des bases allaient un jour ou l'autre être confrontés à cette question.

Comme, dans le cas de la Corée du Sud, je craignais que Trump mette à exécution sa menace ultime — retirer nos troupes de tout pays ne payant pas ce qu'il estimait être un montant adéquat —, j'ai essayé d'appliquer une stratégie alternative plutôt que de simplement refuser de faire ce que Trump voulait. Cette approche était celle de Mattis, qui avait bien fonctionné jusqu'à ce que Trump n'explose et ne finisse par n'en faire qu'à sa tête. Pour le département d'État comme pour la Défense, le retrait des forces américaines de Corée du Sud était impensable, mais leur ferme opposition à une hausse significative des paiements du pays hôte ne faisait qu'accroître le risque que cela arrive. Malheureusement, je savais où se trouvait le bord de la falaise. Fin 2018, après des négociations n'ayant rien conclu et alors que la date butoir du 31 décembre approchait dangereusement, la Corée du Sud a accepté une augmentation de ses frais bien au-delà des niveaux en vigueur jusque-là, mais toujours inférieure à un milliard de dollars par an. Cela signifiait que nous avions désormais une année supplémentaire pour trouver une solution acceptable aussi bien pour Trump que pour la Corée du Sud et ainsi éviter le retrait des forces américaines. Les choses sont restées ainsi pendant plusieurs mois en 2019.

Visiblement toujours préoccupé par l'échec de Hanoï, Moon Jae-in est venu le 11 avril à Washington. Pompeo et moi l'avons d'abord rencontré à la Blair House à 9 heures, en compagnie du ministre des Affaires étrangères Kang Kyungwha et de Chung Eui-yong. Après les salutations d'usage, nous avons appris que la Corée du Sud n'avait plus eu de réels contacts avec le Nord depuis le sommet de Hanoï. Celui-ci avait apparemment besoin de plus de temps pour se remettre de cet échec. Moon craignait que la réticence de Pyongyang sur les questions nucléaires et intercoréennes ne lui coûte des points sur le plan politique, dans la mesure où il avait affirmé que la « politique du rayon de soleil » allait entraîner des engagements tangibles de la part de la Corée du Nord, ce qui n'était visiblement pas le cas. J'ai essayé de parler le moins possible lors de cette réunion et pendant la réunion Moon-Trump, précisément parce que je savais que le gouvernement de Moon cherchait d'autres boucs émissaires et j'étais, au sein de la délégation américaine, la personne toute désignée pour être accusée d'obstructionnisme. Et pourquoi pas ? À voir le succès de la stratégie analogue adoptée par Kim Jong Un à l'égard de Trump, il s'agissait d'une politique qui, de toute évidence, pouvait fonctionner.

Moon est arrivé à la Maison Blanche à midi et, après la cohue habituelle de la presse dans le Bureau ovale, Pompeo et moi sommes restés avec Trump pour une réunion en comité plus restreint avec Moon, Kang et Chung. Trump a déclaré qu'il était satisfait de la tournure qu'avait prise le sommet de Hanoï, car il valait mieux quitter la table des négociations que signer un mauvais accord. Moon était d'accord, mais il voulait quelque chose de spectaculaire pour donner un élan à ce qui pouvait, d'après lui, devenir le sommet du siècle. Il voulait voir les choses en grand, que ce soit au niveau du timing, du lieu et de la forme, estimant que les résultats seraient alors forcément à la hauteur de l'événement. Il a suggéré d'organiser le sommet soit à Panmunjom, soit sur un navire de la marine américaine. Trump a interrompu le monologue — ce qui était une bonne chose, car il semblait sur le point de s'endormir —, soulignant qu'il appréciait les idées de Moon, mais que son souhait était surtout que le prochain sommet débouche sur un véritable accord. Partir sans accord une fois n'était pas un problème, mais personne ne voulait que cela arrive deux fois. Moon restait davantage préoccupé par la forme que par le fond, mais le plus important pour lui était de souligner qu'il était prêt à rejoindre Kim et Trump. Ce dernier n'a toutefois pas mordu à l'hameçon, insistant sur le fait qu'il devait y avoir un accord pour éliminer les armes nucléaires de la Corée du Nord avant d'organiser un autre sommet.

Nous nous sommes retirés dans la salle du cabinet pour un déjeuner de travail et, après avoir passé en revue les développements en Corée du Nord et abordé certaines questions commerciales bilatérales, Trump a évoqué le coût de nos bases en Corée du Sud. Trump a expliqué que ces bases nous coûtaient 5 milliards de dollars par an, ce qui signifiait que les États-Unis perdaient 4 milliards de dollars chaque année, tout ça pour que la Corée du Sud puisse nous vendre des téléviseurs. D'autres pays avaient proposé de payer beaucoup plus et il estimait que la Corée du Sud gagnerait à se montrer plus ouverte lors de la prochaine phase des négociations. Trump a confié qu'il se sentait le devoir de protéger Moon et qu'il avait un grand respect pour lui. Moon a essayé de répliquer que de nombreuses entreprises sud-coréennes avaient investi aux États-Unis et que, en ce qui concernait les coûts liés aux bases, les attentes de Trump étaient trop élevées. Trump a demandé si les États-Unis louaient les terrains où sont situées ces bases ou si ceux-ci étaient mis à disposition gratuitement, ce à quoi Moon n'a pas répondu. Au lieu de cela, il a rétorqué en disant que 2,4 % du PIB de la Corée du Sud était consacré aux dépenses de défense, ce qui a conduit Trump à prendre l'exemple de l'Allemagne et à critiquer le faible niveau de ses dépenses militaires. Il est ensuite revenu sur la Corée du Sud, qui était libérée de l'obligation de se défendre elle-même et avait donc tout le loisir de construire. À titre de comparaison, les États-Unis avaient dépensé 5 000 milliards de dollars pour avoir le privilège de défendre la Corée du Sud, et ce parce qu'ils étaient les négociateurs les plus coriaces de tous. Trump voulait une formule qui soit équitable pour les États-Unis.

Après d'autres discussions sur la Corée du Nord, Trump a demandé où en étaient les relations avec le Japon. Nous avions tous constaté l'apparition de dissensions entre Tokyo et Séoul, qui s'aggraveraient rapidement au cours des mois suivants. Moon remettait en cause un traité conclu par les deux pays en 1965. Ce traité visait, d'après le Japon, à mettre fin aux animosités créées par la domination coloniale japonaise sur la Corée de 1905 à 1945, et en particulier les privations de la Seconde Guerre mondiale et la fameuse question des « femmes de réconfort ».

Moon disait que l'histoire ne devait pas interférer dans les relations à venir, mais que, de temps en temps, le Japon remettait ces choses sur le tapis. Bien entendu, ce n'était pas le Japon qui rappelait l'histoire, mais bien Moon, dans son propre intérêt. Je pense que, comme d'autres dirigeants politiques sud-coréens avant lui, Moon avait tendance à diaboliser le Japon chaque fois que son pays était confronté à des difficultés.

Trump a demandé si la Corée du Sud serait prête à se battre aux côtés du Japon, même si elle ne voulait pas réaliser d'exercices avec lui. Moon a répondu en toute honnêteté que Tokyo et Séoul pouvaient mener des exercices militaires conjoints, mais que la présence de forces japonaises en Corée rappellerait de mauvais souvenirs à ses concitoyens. Trump a insisté pour savoir ce qui se passerait si nous devions combattre la Corée du Nord : la Corée du Sud accepterait-elle la participation japonaise ? Moon n'avait clairement pas envie de répondre. Il a dit que cette question ne devait pas nous préoccuper et que la Corée du Sud et le Japon se battraient côte à côte, pour autant que les forces japonaises d'autodéfense ne pénètrent pas sur le territoire sud-coréen.

Moon a terminé en disant qu'à son retour à Séoul, il proposerait à la Corée du Nord un troisième sommet États-Unis-Corée entre le 12 juin et le 27 juillet. Trump a répondu que n'importe quelle date était acceptable, mais à la condition qu'un accord ait été conclu au préalable. Moon a continué d'insister, expliquant, comme nous le savions tous, que les diplomates nord-coréens n'avaient aucun pouvoir de décision en ce qui concerne les questions nucléaires et qu'il voulait donc que les discussions se passent au plus haut niveau. Trump a simplement répondu que Pompeo et moi allions y travailler.

Le Premier ministre Abe est arrivé à Washington le 26 avril, avec une position très différente de celle affichée par Moon. Trump a dit à Abe que de nombreuses personnes l'avaient félicité d'avoir quitté le sommet de Hanoï et respectaient cette décision. Abe a reconnu que le résultat était très positif et que Trump était le seul à pouvoir agir de la sorte. Il a souligné à plusieurs reprises qu'il était important de maintenir les sanctions (que Kim détestait) et de ne pas faire de concessions faciles. Abe a insisté sur le fait que le temps était notre allié, ce que Trump a reconnu.

Malheureusement, la Corée du Nord a continué de procéder à des essais de missiles. Pas des missiles balistiques intercontinentaux, que Kim avait promis à Trump de ne plus tester, mais des missiles à courte et moyenne portée, qui menaçaient une grande partie de la Corée du Sud et du Japon. Certains ont été lancés en salves, dans des conditions proches de celles en temps de guerre. J'ai entendu parler de ces essais pour la première fois le vendredi 3 mai au soir (samedi matin en Corée). Immédiatement après avoir été informé du premier tir, j'ai appelé Pompeo et Shanahan pour les mettre au courant. Peu après, d'autres tirs ont été signalés. Après en avoir discuté avec Dunford, j'ai décidé d'appeler Trump pour lui dire ce que nous savions. Les missiles étaient de courte portée, il n'y avait donc pas de menace immédiate, mais on ne sait jamais avec les Nord-Coréens.

J'ai appelé Trump une seconde fois un peu plus tard, après une nouvelle salve de tirs, pour lui dire que les opérations semblaient terminées pour aujourd'hui. D'une voix légèrement agitée, il a dit : « Gardons notre calme, il faut dédramatiser la situation », visiblement inquiet que les gens puissent penser que son ami Kim Jong Un était peut-être un peu dangereux. Cependant, la presse sud-coréenne s'était déjà emparée de l'affaire, s'appuyant sur les déclarations publiques du ministère sud-coréen de la Défense, qui était évidemment celui qui avait le plus à craindre des missiles à courte portée. Comme le département d'État allait inévitablement rédiger un projet de communiqué symbolisant notre réaction, je me suis dit qu'il valait mieux d'abord vérifier avec Trump quelle était sa position. Je l'ai appelé pour la troisième et dernière fois cette nuit-là, environ une heure plus tard, et comme je le soupçonnais, il ne voulait d'aucune déclaration. Il a fini par dire « OK, mec », une des formules qu'il utilise habituellement pour indiquer qu'il est satisfait de la manière dont nous avons conclu un problème particulier. Déclaration ou pas, ces essais de missiles balistiques, quelle que soit leur portée, étaient en infraction avec les résolutions du Conseil de sécurité qui constituaient la base des sanctions internationales contre la Corée du Nord. Non pas que je me souciais du caractère inviolable des résolutions du Conseil, mais, dans les faits, je craignais que le fait de laisser passer une infraction aussi nette envoie un mauvais message à d'autres nations, qui pourraient alors penser qu'il n'est pas si grave d'enfreindre, même de manière importante, les sanctions imposées à leur encontre. C'était un risque qui n'avait rien d'anodin.

Comme pour confirmer mes craintes, lorsque j'ai transmis les dernières informations à Trump le lendemain matin, il m'a dit : « Ces missiles-là… appelez ça de l'artillerie », comme si le fait d'utiliser un autre terme allait faire disparaître le problème. Il avait également publié un tweet qui disait notamment : « [Kim Jong Un] sait que je le soutiens et ne veut pas rompre la promesse qu'il m'a faite. Nous trouverons un accord ! » Trump pensait manifestement que ces tweets allaient l'aider à s'attirer les bonnes grâces de Kim, mais j'étais inquiet qu'ils ne renforcent l'idée selon laquelle il cherchait désespérément à trouver un accord et que seuls ses conseillers les plus nuisibles (devinez de qui il s'agit) l'en empêchaient. Nous avions tous abandonné l'idée de convaincre Trump d'arrêter d'écrire sur Twitter ; nous n'avions pas d'autre choix que de vivre avec. Il est intéressant de noter que le gouvernement sud-coréen avait également appelé les missiles des « projectiles » de façon à minimiser la gravité de la situation. Tout ceci à cause d'un régime à Pyongyang qui implorait de l'aide pour nourrir sa population soi-disant affamée, mais qui possédait toutefois encore assez de moyens pour s'engager dans le développement de missiles et d'armes nucléaires.

Mais tout le monde n'était pas prêt à fermer les yeux. Abe a appelé le lundi 6 mai pour dire que Kim était de plus en plus irrité par les effets des sanctions sur la Corée du Nord, signe que ces sanctions étaient efficaces, et que ces nouveaux tirs avaient pour but de retourner la situation en sa faveur en sapant l'unité internationale autour des sanctions. Abe a dit qu'il soutiendrait totalement Trump et son excellente politique visant à obtenir un accord tout en maintenant les sanctions et une posture militaire solide, position qu'il maintient encore publiquement. Je comprenais ce qu'Abe essayait de faire, mais je me suis demandé dans quelle mesure le fait de constamment répéter à Trump que sa stratégie était brillante n'avait pas justement pour effet de réduire sa capacité à mener Trump là où il avait envie qu'il aille. En réalité, Trump a suggéré à Abe de publier un communiqué disant que le Japon et les États-Unis étaient totalement alliés, de façon à indiquer sans équivoque à la Corée du Nord que le Japon était de notre côté. Il a terminé en promettant à Abe de le tenir informé, mais qu'il n'y avait pas lieu de s'inquiéter, car les tirs étaient de courte portée et ne concernaient pas vraiment des missiles. S'il le répétait un certain nombre de fois, peut-être que cela deviendrait vrai ?

Le lendemain, Moon a appelé Trump pour parler des tirs effectués pendant le week-end. Moon était, sans surprise, désireux de minimiser la gravité de la situation, rejoignant ainsi Trump dans son exercice d'autopersuasion. Tandis que Moon évoquait le mécontentement de Kim Jong Un à l'égard des exercices militaires conjoints entre les États-Unis et la Corée du Sud, Trump a fait remarquer que Moon semblait avoir perdu sa connexion avec Kim, puisque celui-ci avait finalement reporté son voyage prévu en Corée du Sud. Trump a précisé que cette rupture n'était probablement pas du fait de Moon, mais que quelque chose s'était manifestement passé. Moon a reconnu qu'il avait eu peu, voire pas du tout de discussions de fond avec la Corée du Nord depuis Hanoï. Dieu sait comment, il a réussi à utiliser ce prétexte pour avancer que les États-Unis devaient fournir une aide alimentaire à la Corée du Nord, au lieu de simplement laisser la Corée du Sud apporter cette aide par le biais de l'UNICEF et du Programme alimentaire mondial. Trump a répondu en disant qu'il pourrait créer la surprise en autorisant la fourniture d'une aide par le biais des agences de l'ONU et a demandé à Moon d'informer la Corée du Nord de sa suggestion. Trump a dit qu'il était prêt à faire ce geste en dépit des partisans extrémistes qui s'y opposaient, parce qu'il avait une bonne relation avec Kim et que le moment était idéal.

Ou comment perdre toute cohérence. La Corée du Nord aurait toutes les raisons de penser : « Quand nous tirons des missiles, nous recevons de la nourriture gratuite ». C'était un signal terrible, qui prouvait à nouveau à quel point Trump était pressé de conclure un accord. J'ai insisté auprès de Pottinger et de Hooker pour qu'ils fassent comprendre à la Corée du Sud que nous ne fournirions pas de nourriture nous-mêmes. Simplement, nous ne nous opposerions pas à ce qu'elle le fasse. Pour autant, il fallait que l'aide alimentaire distribuée à la Corée du Nord fasse l'objet d'un contrôle très attentif. De nouveaux tirs de missiles ont été effectués durant le printemps et l'été, ce qui prouvait que Kim était confiant dans le fait qu'il n'y aurait pas de représailles. Et, qui sait, peut-être espérait-il même un peu plus de riz à la clé. Le 9 mai, après la salve suivante, Trump m'a dit de « mettre de lourdes sanctions en place », voire des sanctions massives », mais sans rien dire publiquement. Autant essayer de faire passer une girouette pour le rocher de Gibraltar.

Fin mai, Trump s'est rendu au Japon, la première visite d'État depuis l'avènement de l'ère Reiwa (« belle harmonie »), le nom que l'empereur Naruhito a choisi pour son règne, qui a débuté officiellement le 1er mai, le lendemain de l'abdication de son père, l'empereur Akihito. C'était un honneur incroyable fait à Trump, par lequel Abe indiquait clairement quelles étaient les priorités du Japon en matière d'alliances. Je suis parti quelques jours plus tôt pour terminer de préparer les discussions qui allaient avoir lieu et j'ai rencontré Abe, qui m'a fait part de ses objectifs avec Trump. Ce que j'imaginais être une simple conférence de presse le samedi 25 mai m'a toutefois mis dans une position délicate. Un journaliste m'a demandé si les récents tirs de missiles de la Corée du Nord étaient en infraction avec les résolutions du Conseil de sécurité. Je savais parfaitement qu'ils l'étaient, ayant moi-même contribué à la rédaction des deux premières résolutions (1695 et 1718) lorsque j'étais ambassadeur des États-Unis auprès de l'ONU. Je ne pouvais pas renier ce que j'avais si énergiquement défendu à l'époque. Mais, d'un point de vue logique, il était tout à fait possible que les tirs s'inscrivent en infraction des résolutions sans pour autant trahir la promesse faite à Trump, qui ne concernait que les tirs de missiles balistiques intercontinentaux. Il est vrai que Trump passait pour un idiot du fait qu'il n'avait pas compris qu'avec cette promesse, Kim lui avait en fait vendu le pont de Brooklyn, mais nous n'avons jamais réussi à ébranler sa certitude d'avoir réussi un coup de maître. Peu après l'arrivée d'Air Force One au Japon, Trump a publié un nouveau tweet : « La Corée du Nord a tiré quelques missiles de faible puissance, ce qui a perturbé certains de mes collaborateurs et d'autres, mais pas moi. Je suis convaincu que le président Kim tiendra la promesse qu'il m'a faite et j'ai également souri lorsqu'il a traité Joe Biden d'"idiot au faible QI", entre autres choses. Peut-être était-ce un signal à mon intention ? » Je pressentais déjà qu'on allait s'amuser.

Le lundi 27 mai, la délégation américaine a assisté à une impressionnante cérémonie avec l'empereur dans l'enceinte du palais impérial au centre de Tokyo. Trump a passé en revue la garde d'honneur, mais sans l'empereur. J'ai pensé qu'il voulait par là marquer la rupture avec l'histoire japonaise d'avant la Seconde Guerre mondiale. Après une réunion privée entre Trump, la Première Dame et le couple impérial, nous nous sommes rendus en voiture jusqu'au palais d'Akasaka. Le palais, une immense bâtisse qui semblait avoir été télétransportée tout droit de Versailles, avait été construit juste après la Première Guerre mondiale afin de copier le style architectural français. Plusieurs Japonais nous ont dit que le palais était devenu impopulaire, car qui ne détesterait pas un énorme château français au milieu de Tokyo ?

J'ai essayé de faire en sorte que Trump se concentre sur les essais de missiles de la Corée du Nord. Même si Trump les considérait comme insignifiants, les Japonais, qui vivent beaucoup plus près de la Corée du Nord, ne partageaient pas ce point de vue. Il m'a répondu : « Ça ne me dérange pas que certaines personnes ne soient pas d'accord avec moi », ce qui n'était pas vraiment mon propos. Avant que je n'aie eu l'occasion de réexpliquer, nous avons été guidés dans une grande salle décorée, pour la première réunion, avec seulement les deux dirigeants, Yachi, moi et les interprètes. Abe a commencé par remercier Trump d'avoir accepté de rencontrer plus tard les familles de citoyens japonais enlevés par la Corée du Nord, il y a quelques années. La Corée du Nord a nié à plusieurs reprises les enlèvements, mais les preuves du contraire sont accablantes. Abe lui-même, au début de sa carrière politique, avait fait de la défense des familles des prisonniers son cheval de bataille. Il appréciait donc personnellement le geste de Trump. (Ces familles, que j'avais déjà rencontrées plusieurs fois à Washington, n'ont d'ailleurs pas mâché leurs mots face à Trump. « La Corée du Nord vous a menti et a essayé de vous tromper », a dit l'un, tandis qu'un autre a ajouté : « La Corée du Nord est une nation terroriste depuis trois générations ». Trump s'est montré chaleureux, répondant à l'un des parents : « N'arrêtez jamais. N'arrêtez jamais », après que celui-ci lui ait expliqué ses multiples tentatives de libération d'un membre de sa famille. À la mère d'une autre victime, il a dit : « Vous la reverrez un jour ». Lors du point presse conjoint organisé après la réunion, qui était un sérieux coup de pouce pour Abe, Trump a déclaré : « Nous travaillerons ensemble pour ramener les personnes enlevées à la maison ».)

Après de plus amples discussions avec Abe, notamment sur la Chine, nous nous sommes retirés dans la salle qui nous était réservée et Trump a demandé pourquoi le représentant américain au commerce, Bob Lighthizer, n'avait pas participé à la réunion. J'ai expliqué que les différents sujets faisaient l'objet d'une programmation, ce que Trump ignorait. « Lighthizer aurait dû entendre ce discours [sur la Chine] », a-t-il dit, avant de rajouter, en me regardant : « Si un jour tu écris un livre, fais-le correctement ». J'ai ri et j'ai dit que je le ferais. Même Trump a ri à ce moment-là. Demande exaucée.

À 15 heures, Abe et Trump ont tenu une conférence de presse conjointe, lors de laquelle Trump a répété que les tirs de missiles de la Corée du Nord ne l'inquiétaient pas vraiment, tandis qu'Abe a déclaré publiquement, avec Trump à ses côtés, qu'il estimait que ces tirs s'inscrivaient en infraction des résolutions du Conseil de sécurité. Cette division a fait les choux gras de la presse, mais plus important encore, elle a montré à la Corée du Nord que, malgré les efforts déployés toute la journée pour montrer la solidité de l'alliance américano-japonaise, il était clair qu'Abe et Trump avaient des visions différentes sur la question nord-coréenne.

Trump est revenu au Japon, au mois de juin suivant, pour la réunion du G20 à Osaka, séjour durant lequel il s'est entretenu avec Abe le vendredi 28 à 8 h 30. D'après moi, Abe était, parmi les dirigeants mondiaux, celui avec lequel Trump s'entendait le mieux (en plus d'être collègues, ils étaient tous deux amateurs de golf), à égalité avec Boris Johnson lorsque celui-ci est devenu Premier ministre du Royaume-Uni. Trump adorait mentionner que le père d'Abe avait été pilote kamikaze pendant la Seconde Guerre mondiale. Il se servait souvent de cette anecdote pour montrer à quel point les Japonais étaient durs en général, et Abe en particulier. À l'une de ces occasions, Trump avait expliqué que le père d'Abe avait été déçu de ne pas avoir pu accomplir la mission qu'il s'était fixée au service de l'empereur, ne semblant pas réaliser que si le père avait réussi en tant que kamikaze, Shinzo Abe (né en 1954) n'aurait jamais vu le jour. De simples détails historiques.

Abe a encore une fois chaleureusement remercié Trump d'avoir rencontré les familles des personnes enlevées durant sa visite d'État. Abe a souligné que la Corée du Nord voulait de toute urgence un accord, ce qui signifiait des choses différentes pour les deux dirigeants. Pour Abe, cela signifiait que la Corée du Nord devait entreprendre des actions concrètes en direction de sa dénucléarisation et qu'il n'était pas nécessaire d'assouplir les sanctions. Trump, en revanche, a dit que Kim lui écrivait de belles lettres et des cartes d'anniversaire, et que la Corée du Nord souhaitait progresser parce que les sanctions l'affectaient durement. Trump a demandé si le Japon avait imposé les mêmes sanctions que les États-Unis. Il aimait raconter que, la première fois qu'il avait rencontré Abe et Moon, il leur avait demandé à tous deux s'ils appliquaient également des sanctions à l'encontre de la Corée du Nord. Ceux-ci avaient prétendument répondu qu'ils ne le faisaient pas, car les sanctions étaient trop coûteuses. (J'ai demandé aux Sud-Coréens et aux Japonais s'ils avaient eu vent de cette conversation et aucun d'entre eux n'avait entendu une telle chose. Au contraire, tous ont affirmé que, bien sûr, le Japon et la Corée du Sud appliquaient l'ensemble des sanctions de l'ONU. Mais Trump était si fermement convaincu de son histoire qu'il était inutile de poser la question.) Quoi qu'il en soit, Trump a souligné que les sanctions coûtaient de l'argent, mais que celui qui ne les appliquait pas en paierait plus tard le prix. D'après lui, la Corée du Nord envoyait des signaux indiquant sa volonté de fermer plusieurs de ses sites nucléaires, comme suggéré à Hanoï, et souhaitait une nouvelle réunion. Il a ri du fait que les Nord-Coréens détestaient Bolton, Pence et Pompeo, alors qu'ils l'adoraient, lui. Abe et les autres membres de la délégation japonaise ont ri à leur tour, probablement plus par malaise qu'autre chose. Trump a dit qu'il s'en moquait tant qu'il ne s'agissait pas d'essais balistiques ou nucléaires.

Son emploi du temps incluait d'autres réunions bilatérales ce même jour, ce qui est habituel dans ce genre de circonstances. Lors d'un bref entretien avec la chancelière allemande Angela Merkel, il a abordé la question nord-coréenne, ainsi que sa visite en Corée du Sud prévue après le G20. Trump s'est plaint que les États-Unis avaient des soldats partout, mais n'en retiraient aucun bénéfice. Il a émis l'idée de rencontrer Kim Jong Un, avec qui il entretenait une relation unique, en zone démilitarisée. D'après lui, Kim voulait faire un geste, mais ne savait pas par où commencer. C'était, je pense, la première fois que la délégation américaine entendait parler du souhait de Trump de rencontrer Kim dans la DMZ.

Nous en avons entendu parler une deuxième fois, le samedi matin, alors que nous attendions de briefer Trump pour la journée à venir. Mulvaney m'a montré un tweet sur son téléphone, en me demandant si j'étais au courant (ce qui n'était pas le cas) :

> **Après plusieurs rencontres importantes, notamment avec le président chinois Xi, je quitte le Japon pour me rendre en Corée du Sud (en compagnie du président Moon). Pendant que je serai là-bas, et si le président de Corée du Nord Kim voit ce message, je pourrai le rencontrer à la frontière/DMZ pour lui serrer la main et le saluer (?) !**

Mulvaney avait l'air aussi stupéfait que moi. Ce tweet était une ineptie. En début d'après-midi, au milieu de l'habituel tourbillon des réunions bilatérales, Mulvaney nous a pris à part, Pompeo et moi, pour nous dire que les Nord-Coréens avaient répondu que la réunion pourrait avoir lieu moyennant une invitation officielle, ce qu'il était en train de préparer. Mulvaney a ensuite été appelé ailleurs. Une fois que nous nous sommes retrouvés seuls, Pompeo m'a confié : « J'ai l'impression de ne servir à rien. C'est le chaos total ». Ce qui était vrai pour moi aussi. En moins de temps qu'il n'en fallait pour le dire, Trump avait signé la lettre d'invitation « officielle » demandée par les Nord-Coréens. Pompeo avait encore une fois dû se résigner.

Il avait également dû gérer les tentatives de Moon de s'incruster dans ce qui semblait de plus en plus se transformer en une rencontre Kim-Trump. Trump ne voulait pas de Moon dans les parages, mais ce dernier était déterminé à être présent et à transformer cette rencontre en réunion trilatérale s'il le pouvait. J'entretenais le maigre espoir que ce différend avec Moon pourrait faire capoter la rencontre, car il était certain que Kim n'accepterait pas la présence de Moon.

Comme nous prenions des vols différents, nous avons voyagé d'Osaka à Séoul séparément et je n'ai pas pu me rendre au dîner organisé par Moon. Lorsque je suis arrivé à notre hôtel à Séoul, j'ai vu que les préparatifs pour la rencontre en DMZ semblaient de plus en plus concrets. Si cela n'avait tenu qu'à moi, toute rencontre entre Trump et Kim se serait limitée à une poignée de main et à une photo. Toutefois, je n'avais aucun doute quant au fait que Trump était déjà surexcité à l'idée de ce qui allait se passer le lendemain. Il était impossible que cela se termine rapidement. À ce moment-là, je n'avais pas encore décidé si j'allais me rendre dans la DMZ avant de m'envoler vers la Mongolie pour un voyage prévu de longue date ou si j'allais partir directement à Oulan-Bator. Au départ, je n'avais pas prévu de participer à la visite de Trump dans la zone démilitarisée (déjà reportée en raison du mauvais temps lors de son premier voyage en Corée du Sud).

Le fait qu'un malheureux tweet puisse déboucher sur une véritable réunion me rendait malade. Je me consolais toutefois en pensant que ce qui motivait Trump était la couverture médiatique et la séance photo qui allaient accompagner cette rencontre sans précédent dans la DMZ, et rien de plus. Trump avait déjà suggéré d'organiser l'un des précédents sommets dans la DMZ, mais cette idée avait été écartée, car cela aurait donné à Kim Jong Un l'avantage du terrain (alors que nous aurions dû voler à l'autre bout du monde) et aussi parce que nous n'avions pas encore trouvé le moyen de faire en sorte que cela reste une réunion bilatérale Trump-Kim. Et voilà que c'était sur le point de se produire. La Corée du Nord avait réussi à obtenir ce qu'elle attendait des États-Unis et Trump avait réussi à obtenir ce qu'il attendait personnellement. Cette situation montrait bien l'asymétrie dans sa manière de percevoir les affaires étrangères. Il ne parvenait pas à faire la différence entre ses intérêts personnels et les intérêts du pays.

Le samedi 30 juin, j'ai appris avec surprise que Pompeo était inscrit sur la liste des participants à la rencontre dans la DMZ. Je lui ai envoyé un e-mail pour lui demander s'il avait décidé d'y aller et il m'a répondu : « J'ai l'impression qu'il faut que je sois là. » J'ai pensé que le mieux aurait été que personne ne soit là, mais j'ai fini par me dire que s'il y allait, je devais y aller aussi. Après un petit-déjeuner à l'hôtel avec des chefs d'entreprise sud-coréens et américains, nous sommes partis en direction de Cheongwadae (« la Maison Bleue ») pour rencontrer Moon et son équipe. En chemin, j'ai appris que la Corée du Nord ne voulait pas d'une grande réunion bilatérale après la séance photo, mais préférait plutôt une rencontre d'environ quarante minutes entre les deux dirigeants accompagnés chacun d'une personne. Peu après, on m'a dit que le ministre des Affaires étrangères, Ri Yong Ho, avait été désigné pour accompagner Kim, ce qui signifiait que Pompeo serait le « plus un » de notre côté. Par conséquent, puisque je n'allais pas, de toute façon, participer à la réunion avec Kim Jong Un, j'ai décidé de simplement partir pour Oulan-Bator, de façon à arriver là-bas à une heure raisonnable. Je n'avais aucune envie de traîner dans la DMZ pendant que Trump et Kim se rencontraient et je doutais que les conseils donnés au préalable soient suivis d'effet. J'en ai parlé à Mulvaney, qui m'a répondu que c'était à moi de décider.

Pendant ce temps, à la Maison Bleue, lors d'une réunion bilatérale très restreinte, Moon s'est enquis du plan prévu pour la rencontre en DMZ. Trump a répondu que nous ne le connaissions pas. Contrairement à la réalité, Trump a dit que Kim avait demandé à le rencontrer, mais a suggéré que lui et Moon aillent dans la DMZ ensemble, de façon à dorer le blason de Moon. Bien entendu, ceci s'inscrivait en totale contradiction avec ce que Trump nous avait dit. Pompeo est alors intervenu pour décrire les derniers arrangements convenus avec les Nord-Coréens, y compris le format de la réunion Trump-Kim. En réponse à une question de Trump, j'ai confirmé la version de Pompeo. Trump a finalement répondu que nous serions bientôt fixés et que nous nous rencontrerions peut-être ou peut-être pas. Moon a dit que le plus important pour Trump était que la rencontre ait lieu. Cependant, si Kim devait entrer sur le territoire sud-coréen, il n'était pas correct que Moon ne soit pas présent. Ce dernier a donc suggéré de saluer Kim, avant de le laisser avec Trump et de partir. Pompeo est à nouveau intervenu pour expliquer que nous avions proposé cette idée la veille, mais que les Nord-Coréens l'avaient rejetée. Trump a déclaré qu'il préférerait de loin que Moon soit présent, mais qu'il était obligé de faire avec les exigences du Nord (un récit complètement fantaisiste). Moon a encore insisté, rappelant que plusieurs présidents avaient visité la DMZ, mais que c'était la première fois que les présidents coréen et américain s'y rendaient ensemble. Trump a dit qu'il ne voulait pas rater cette opportunité, car il avait naturellement des choses à dire à Kim, et qu'il n'avait pas d'autre choix que d'accepter ce que les services secrets lui disaient, étant donné que c'était eux qui organisaient le déplacement (encore une invention).

Moon a changé de sujet, disant que les négociations avec la Corée du Nord étaient toujours très difficiles, mais qu'en faisant preuve de patience, des résultats étaient possibles. Tout d'un coup, Trump a rétorqué qu'il pourrait demander que le prochain sommet États-Unis-Corée du Nord se tienne après les élections américaines. À ce moment-là, Trump s'est tourné vers Tony Ornato, le chef de son détachement des services secrets. Je pensais qu'il allait lui demander des renseignements sur la rencontre en zone démilitarisée. Mais au lieu de cela, il a demandé pourquoi Jared et Ivanka n'étaient pas présents (ce qui s'expliquait tout à fait logiquement) et a demandé à Ornato de les faire venir dans la salle (ce qui ne s'expliquait pas du tout). Même les Sud-Coréens étaient embarrassés. Trump a alors repris en disant qu'il pensait comprendre, au moins un peu, la façon de penser de Kim Jong Un et qu'il savait que ce dernier voulait le voir. Il a suggéré que Moon lui affrète un transport de Séoul à la DMZ et qu'ils se retrouvent ensuite à la base aérienne d'Osan pour la rencontre avec les soldats américains. Mais Moon ne cédait pas. Il a insisté sur le fait qu'il valait mieux qu'il accompagne Trump jusqu'au poste d'observation Ouellette (appelé ainsi en l'honneur d'un soldat américain tué pendant la guerre de Corée) et qu'ils pourraient alors décider de la suite des opérations. Trump a répondu que tout ce que Moon proposait lui agréait et qu'ils pourraient aller ensemble au PO Ouellette. En réponse à une nouvelle question de Trump, j'ai confirmé que c'était bien ce qui était prévu.

Trump a alors subitement abordé la question du coût des bases, non sans indiquer que Pompeo et moi avions déjà soulevé la question avec Moon. Trump avait beau adorer la Corée du Sud, les relations commerciales entre les deux pays débouchaient chaque année sur un déficit de 20 milliards de dollars pour les États-Unis. Certains voulaient imposer des droits de douane à la Corée du Sud afin que les États-Unis, au lieu de perdre 38 milliards de dollars (ces chiffres avaient tendance à varier), en gagnent 30 milliards. La seule raison pour laquelle Trump avait résisté était sa relation avec Moon. L'année précédente, il m'avait demandé de calculer à combien s'élevait le coût des bases et de travailler avec la Corée du Sud pour que celle-ci en assume une part juste et équitable. Il se trouve que ce montant variait entre 5 et 5,5 milliards de dollars par an. Trump a alors dit que tous les autres pays avaient tous accepté de payer davantage pour couvrir les coûts des bases (ce qui n'était pas vrai, du moins pas à ce moment-là), sauf la Corée du Sud qui, fin 2018, avait accepté de payer un peu moins d'un milliard de dollars, reportant l'échéance d'un an. Nous devions désormais trouver une solution juste et équitable pour les États-Unis, étant donné que nous perdions 4 milliards de dollars par an pour protéger la Corée du Sud de la Corée du Nord. Le Nord était en train de développer sa puissance nucléaire et il y aurait de graves conséquences si les États-Unis n'étaient pas présents dans la péninsule. Trump a demandé à Moon de désigner quelqu'un pour discuter de cette question avec Pompeo ou avec moi, non sans rappeler l'hostilité de Pyongyang pour son voisin du Sud. Il a ensuite affirmé que cette question intéressait les gens et qu'il avait été élu pour trouver une solution.

Oubliant peut-être que Trump avait déjà évoqué le chiffre de 5 milliards de dollars à la Maison Blanche en avril dernier, Moon a répondu qu'en ce qui concerne la question économique, le déséquilibre commercial s'était réduit depuis l'investiture de Trump, que la

Corée du Sud était le plus grand importateur de GNL américain, que les investissements coréens aux États-Unis avaient augmenté et que la balance commerciale bilatérale était désormais plus favorable aux États-Unis. Néanmoins, le Sud s'engagerait dans des consultations, en tenant compte du paiement d'un milliard de dollars mentionné par Trump, mais aussi de la mise à disposition gratuite du terrain et de la construction de différentes installations, ainsi que des achats d'armes, qui représentaient autant de contributions importantes à notre défense commune. Pendant que Moon parlait, Trump, visiblement frustré, faisait des gestes pour lui demander d'accélérer et nous lançait, ainsi qu'aux autres Sud-Coréens, des regards exaspérés. De quoi tous nous embarrasser encore un peu plus. Trump a dit qu'il était normal que les États-Unis ne paient pas de taxes foncières sur les terrains utilisés afin de protéger la Corée du Sud, étant donné que nous n'en étions pas propriétaires et que peut-être nous partirions une fois la paix revenue. Trump a dit qu'il était obligé de faire ça. Nous ne cherchions pas à faire de profits, mais juste à obtenir une compensation de la part d'une nation très riche que nous protégions contre son voisin.

À ce stade, Trump agitait les mains, haussait les épaules et soupirait. Il était fatigué d'écouter, visiblement pressé de passer à autre chose, mais Moon n'était manifestement pas de cet avis. La Corée du Sud consacrait 2,4 % de son PIB à sa défense, le plus haut niveau de tous les Alliés des États-Unis, a-t-il insisté. Trump a admis que c'était vrai, précisant que l'Allemagne et le Japon étaient dans le même bateau que la Corée du Sud. Toutefois, ceux-ci n'étaient pas menacés. Il voulait 5 milliards de dollars et m'a dit de mener les négociations. Les États-Unis protégeaient militairement la Corée du Sud depuis soixante-dix ans et aujourd'hui encore, il allait voir Kim Jong Un pour essayer de trouver une solution pacifique avec lui. Moon a résisté : bien que reconnaissant l'ampleur de l'aide américaine, il affirmait qu'il était faux de dire que Séoul n'avait rien donné en retour. Par exemple, la Corée du Sud avait envoyé des troupes au Viêt Nam et en Afghanistan. Mais Trump s'était fait son avis. Il m'a ordonné de passer les appels téléphoniques nécessaires pour entamer les négociations.

Pendant le déjeuner, une fois la presse sortie, Trump a répété que Kim tenait beaucoup à le rencontrer. Trump s'est de nouveau enquis de ce qui était prévu pour Moon, se demandant — avec une naïveté probablement feinte — pourquoi Kim ne voulait pas que la Corée du Sud soit représentée. Moon a répondu que les deux Corées n'avaient plus eu d'échange significatif depuis longtemps en raison de la rigidité de la Corée du Nord, qui s'estimait lésée parce que le Sud s'était rangé du côté des États-Unis. Trump a promis d'évoquer l'aide apportée par la Corée du Sud durant son entretien bilatéral avec Kim et de raconter à Moon tout ce qui s'y serait dit. Trump était heureux que cette rencontre suscite autant d'intérêt dans le monde entier, au point d'avoir fait oublier le G20 (d'après lui). Il voulait quitter le déjeuner plus tôt, car Kim avait accepté de traverser la frontière et voulait commencer les négociations tout de suite après. Tout cela n'avait aucun sens. Tout le monde savait pertinemment qui était le plus désireux de rencontrer l'autre.

Trump a répété que la discussion sur les coûts des bases était très importante et qu'il comptait sur moi pour la mener à bien. Il m'a demandé avec qui j'avais traité jusque-là, laissant entendre que je devais trouver quelqu'un d'autre, ce qui n'a pas dû faire très plaisir à Chung. Il a ensuite ressorti sa rengaine sur les manipulations de la monnaie chinoise. Moon a essayé de ramener la discussion sur le fait que Kim voulait des garanties de sécurité pour son régime. Trump a précisé qu'il voulait une garantie uniquement des États-Unis, et non de la Chine ou de la Russie. Trump a déclaré que nous avions déjà garanti la sécurité de la Corée du Sud, mais que nous n'en avions rien retiré. Il était convaincu que la réunion avec Kim serait courte mais fructueuse, ce qui serait positif pour Moon. Lorsque Moon a dit que le peuple coréen respectait et aimait Trump, celui-ci a pompeusement répondu qu'il savait qu'il était populaire. Il a expliqué que plusieurs femmes coréennes qui étaient venues dans l'un de ses clubs l'ont pris dans leurs bras en lui expliquant combien la situation s'était améliorée en Corée depuis qu'il était devenu président.

Il pensait que le fait que Kim ait accepté de le rencontrer sur la base d'un simple tweet en disait long sur la question. Personne d'autre ne savait comment communiquer avec lui. Moon a avoué que la Corée du Sud avait mis en place une ligne directe avec le président Kim, mais que le téléphone était situé au siège du Parti du travail de Corée et que Kim ne s'y rendait jamais. Le téléphone n'était pas non plus opérationnel le week-end.

Bien que le déjeuner de travail ait commencé avec vingt minutes de retard, Trump a déclaré, cinq minutes avant sa fin prévue à 13 heures, qu'il voulait partir immédiatement.

À ce stade, j'avais déjà décidé de partir directement en Mongolie sans passer par la zone démilitarisée, mais j'en avais informé uniquement le personnel du Conseil de sécurité nationale. J'attendais à côté de « la bête » pour pouvoir avertir le présidentde mes intentions. Je savais quelles conclusions pourraient être tirées de mon absence à la DMZ, mais j'avais déjà arrêté de me soucier de ce genre de choses.

J'ai quitté la Corée du Sud, direction Oulan-Bator, en début d'après-midi, en suivant la retransmission des événements dans la DMZ pendant notre vol. Comme le laissaient présager ses commentaires précédents et l'irrésistible séance photo annoncée, Trump est entré en Corée du Nord, accompagné de Kushner et d'Ivanka. Sur les photos, Kim avait l'air ravi. Et il l'était très certainement. Quel cadeau incroyable venait de lui faire Trump en venant dans la DMZ pour sa publicité personnelle. Tout cela m'a donné la nausée. Et cela ne s'est pas arrangé lorsque les médias ont annoncé que Trump avait invité Kim à la Maison Blanche. La réunion Kim-Trump en elle-même avait duré une cinquantaine de minutes et les deux dirigeants avaient convenu que les négociations au niveau des groupes de travail devaient reprendre le plus rapidement possible. Bien entendu, Biegun n'avait pas encore de nouvel interlocuteur, son ancien homologue étant probablement enterré quelque part dans une tombe anonyme, mais qui s'en souciait ?

Après une journée de réunions à Oulan-Bator, je suis reparti à Washington le 1er juillet, en consultant la presse pour voir comment celle-ci avait couvert la réunion dans la DMZ. La plupart des articles correspondaient à ce à quoi je m'attendais, mais celui du *New York Times* était particulièrement négatif. La visite dans la DMZ n'était pas censée représenter un changement quelconque dans notre politique, mais l'article du *Times* évoquait l'idée d'un « gel nucléaire », qui rappelait assez fortement la route vers les ennuis que Biegun avait suivie avant Hanoï. Je pensais que nous avions enterré cette approche lorsque Trump avait quitté la table des négociations, mais voilà que cette idée faisait sa réapparition, aussi mauvaise, voire encore pire qu'auparavant. J'ai cru reconnaître la patte de Biegun dans plusieurs articles, mais celui-ci était, selon moi, tout simplement inadmissible, tant sur le fond qu'en termes de procédures. J'ai demandé à Matt Pottinger ce qui avait pu causer cette offensive médiatique. Celui-ci m'a confirmé que Trump n'avait en aucun cas autorisé un « gel nucléaire » après la réunion avec Kim Jong Un, même s'il avait clairement démontré à quel point il était pressé de reprendre les négociations au niveau des groupes de travail. Trump avait réécrit à Kim une nouvelle lettre, qui contenait essentiellement du vent, mais qui, au moins, ne cédait pas de terrain et ne justifiait en aucun cas les informations qui avaient été présentées aux journalistes. Biegun avait pris l'enthousiasme de Trump comme un feu vert pour entraîner les prochaines négociations avec la Corée du Nord sur un chemin qui nous avait systématiquement conduits dans une impasse depuis trente ans.

Interrogé par Hooker et Pottinger, Biegun a d'abord nié être la source à l'origine de l'article dans le *Times*. Ce « démenti » avait néanmoins été formulé de manière extrêmement prudente et a de toute façon été discrédité lorsque nous avons reçu, de la part d'un ami journaliste, la transcription de son briefing. Au diable la coordination interagences. Que ce soit avec ou sans la bénédiction de Pompeo, Biegun avait clairement dépassé les limites. J'ai pensé qu'il était important de rectifier cette impression que nous étions en train de retourner aux politiques inefficaces des administrations précédentes avant que les choses ne dégénèrent. Je savais qu'il était risqué de dire quoi que ce soit publiquement, mais le temps était venu de prendre des risques. Par ailleurs, si je devais démissionner, cela ne serait pas la fin du monde. Après avoir bien pesé mes mots, j'ai publié le tweet suivant juste avant de redécoller de Tokyo, où nous avions ravitaillé :

J'ai lu cet article du NYT avec curiosité. Ni le CSN ni moi-même n'avons jamais évoqué ni entendu qui que ce soit évoquer la possibilité de « se contenter d'un gel nucléaire avec la Corée du Nord ». Quelqu'un essaie de piéger le président. C'est un acte répréhensible qui devrait s'accompagner de conséquences.

Trump n'a jamais dit un mot à propos de ce tweet. J'étais heureux de voir que Lindsey Graham l'a retweeté peu après que je l'ai envoyé :

> **Ravie de voir que le conseiller à la sécurité nationale, Bolton, dément fermement le récit du NY Times selon lequel l'Administration serait prête à accepter un gel nucléaire comme une concession acceptable de la part de la Corée du Nord.**

Le 3 juillet, j'ai eu une discussion avec Pompeo à propos de plusieurs sujets et il n'a pas manqué d'évoquer l'article du *Times* ainsi que mon tweet, dont il s'est plaint amèrement. « Pourquoi ne m'as-tu pas appelé ? » a-t-il demandé. « Ce que Biegun a dit — même s'il niait encore — est bien plus proche de ce que pense le président que ta version. » Si c'était vrai, c'était effrayant. J'ai répondu que je pouvais poser la même question à Biegun et à lui : pourquoi ne m'avaient-ils pas appelé ? Mon tweet représentait toujours la politique officielle de l'Administration, contrairement au briefing de Biegun, ce dont Pompeo ne disconvenait pas. J'ai précisé que je ne le visais pas spécifiquement et que nous serions tous les deux plus efficaces si nous restions soudés sur le fond, ce qu'il a reconnu. Il a dit en riant : « Nos équipes aiment se prendre la tête, mais nous serons encore plus performants si nous grandissons un peu, ce que, pour ma part, je m'efforce de faire ».

Même si cette plaisanterie a permis de détendre l'atmosphère, je pense que Pompeo s'inquiétait surtout que les gens puissent penser que j'avais raison de l'avoir critiqué publiquement, ce que le tweet de Graham semblait supposer. Plus sérieusement, Pompeo a dit qu'il craignait que Trump ne décide de quitter complètement la péninsule, ce qui était également ma principale crainte au vu de son obsession pour les coûts relatifs aux bases et qui faisait aussi écho à ce que Trump disait de temps en temps à propos de l'Afghanistan, de l'Irak, de la Syrie, de l'Afrique ou d'autres endroits. Néanmoins, Pompeo estimait que nous n'avions « rien dévoilé à Kim », ce qui signifiait que rien de ce qui avait été dit publiquement n'était susceptible de compromettre notre position. D'un autre côté, Pompeo a dit qu'il avait essayé de ramener Trump à la raison après la rencontre en DMZ, en lui disant « Nous ne voulons pas faire ce que John Kerry ferait », ce à quoi Trump a répondu : « Je m'en fous, nous avons besoin d'une victoire dans ce dossier », même s'il a également répété qu'il n'était « pas pressé ». Cependant, malgré notre conversation, il n'a fallu attendre que quelques jours pour que Pompeo n'interdise à nouveau à Biegun de participer aux réunions du Conseil de sécurité nationale sur la Corée du Nord, marquant son territoire sur ce dossier comme il l'avait fait à plusieurs reprises auparavant avec l'Afghanistan. Je comprenais les impératifs de territoire dans les affaires gouvernementales, mais je n'ai jamais compris pourquoi Pompeo ne cherchait pas des alliés sur ces questions. Si sa politique échouait, non seulement les conséquences seraient désastreuses pour le pays, mais Pompeo serait le seul à en porter la responsabilité — avec Trump, bien entendu. Puis je me suis dit qu'en fin de compte, c'était son problème.

Les impressions de Trump après la rencontre dans la DMZ ? « Personne d'autre n'aurait pu faire ce que j'ai fait. Obama a appelé onze fois et n'a jamais eu de réponse », a-t-il dit plus tard ce jour-là.

J'ai passé mes derniers jours à la Maison Blanche à m'inquiéter d'éventuelles concessions volontaires à la Corée du Nord. Mais contre toute attente, la Corée du Nord s'est essentiellement contentée de refuser toute communication, sauf pour annoncer un tir de missiles balistiques ou pour attaquer des fonctionnaires américains autres que Trump. Je m'inquiétais également du potentiel toxique de la question du coût des bases américaines en Corée du Sud et au Japon, ainsi que du fossé grandissant entre ces deux pays, qui menaçait la position stratégique globale des États-Unis en Asie de l'Est.

Une fois de retour à Washington, le 16 juillet, Pompeo et moi avons parlé d'une nouvelle demande de Trump visant à mettre fin à un exercice militaire conjoint entre les États-Unis et la Corée du Sud, sous prétexte qu'il déplaisait à un Kim Jong Un de plus en plus à cran. Cet exercice n'était rien de plus qu'une simulation, qui, autrefois, aurait impliqué beaucoup de paperasse et le déplacement de marqueurs de troupes dans des bacs à sable, car, aujourd'hui, pratiquement tout se faisait par ordinateur. Malgré les assurances répétées qu'il n'y aurait pas de Marines débarquant sur les plages avec des

B-52 survolant la zone, Trump a insisté pour que tout soit annulé. J'ai supplié Trump de me laisser effectuer la visite que j'avais prévue au Japon et en Corée du Sud pour parler du coût des bases avant qu'il ne prenne une décision, ce qu'il a accepté. Les arguments plus logiques, comme la nécessité de ces exercices et d'autres impliquant des manœuvres sur le terrain afin de s'assurer que nos troupes soient à tout moment prêtes à combattre si cela devenait nécessaire, avaient depuis longtemps perdu de leur attrait pour Trump. Pompeo m'a également averti que la Corée du Nord ne prévoyait pas de discussions au niveau des groupes de travail avant la deuxième moitié du mois d'août, soit bien loin de ce qui avait été annoncé par Biegun et d'autres juste après la réunion en DMZ.

Quelques jours plus tard, je suis parti au Japon et en Corée du Sud pour travailler sur la question du coût des bases. Comme je m'arrêtais d'abord à Tokyo, j'ai évoqué cette question en premier lieu avec les Japonais, même si l'accord en vigueur avec eux expirait plus tard que celui de la Corée du Sud. À l'instar du département d'État, le département de la Défense ne pouvait pas concevoir de demander un financement plus important au pays hôte. Aussi, un subalterne de l'administration civile du Pentagone a dit au lieutenant général, Kevin Schneider, commandant des forces américaines au Japon, qui occupaient les bases, de ne pas participer à mes réunions, de façon à garder le département de la Défense en dehors de ces histoires. La raison pour laquelle je tenais justement à avoir des fonctionnaires du département d'État et de la Défense avec moi était que je voulais montrer que, pour une fois, le gouvernement américain avait une position unique sur une question. Après avoir déterminé qui était le fonctionnaire civil responsable du problème, j'ai appelé Dunford pour lui expliquer la situation. Le plus haut responsable militaire de la nation n'était même pas au courant que des fonctionnaires civils donnaient des ordres à ses subordonnés en uniforme quant aux réunions auxquelles ils devaient assister. Dunford n'avait pas besoin d'être convaincu, il avait lui-même participé à des réunions similaires lorsqu'il était commandant américain en Afghanistan. Tout ceci n'était qu'une perte de temps et d'énergie. Comme toutes les actions du gouvernement américain.

Je me suis d'abord entretenu avec Yachi pour lui expliquer pourquoi Trump voulait 8 milliards de dollars par an à compter de l'année suivante, alors que le Japon ne payait qu'environ 2,5 milliards de dollars. Je ne m'attendais pas à ce que cette conversation le réjouisse — et de fait, il n'avait pas l'air spécialement heureux — mais nous n'en étions encore qu'au début des négociations. Contrairement à la Corée du Sud, le Japon avait encore le temps de se préparer. En fin de compte, seul Trump pouvait décider ce qu'il jugerait être un montant satisfaisant. Il était donc inutile d'essayer à ce stade de deviner à combien il s'élèverait. Trump lui-même ne le savait pas encore. Mais au moins, en avertissant le Japon et la Corée du Sud de l'existence du problème, je leur donnais une chance de trouver une solution satisfaisant tout le monde.

Les Japonais ont passé la majeure partie de la réunion à expliquer leur position dans le conflit émergeant avec la Corée du Sud. Ils estimaient que Moon portait atteinte à un traité essentiel conclu en 1965 entre les deux pays, un traité qui, selon le Japon, poursuivait deux objectifs. Le premier était de normaliser les relations bilatérales pendant la guerre froide. Le deuxième était d'offrir une compensation mettant un point final aux revendications de la Corée du Sud concernant les travaux forcés et les autres abus commis durant le règne colonial japonais (y compris la question des « femmes de réconfort » durant la Seconde Guerre mondiale). Ce traité, qu'il avait fallu quatorze ans pour négocier, était, pour le Japon, un moyen de tourner définitivement la page sur ce passé peu glorieux. Du point de vue américain, la normalisation des relations entre Tokyo et Séoul, deux alliés essentiels, était indispensable au succès de nos efforts en Asie de l'Est visant à calmer les tendances belliqueuses de la Russie, de la Corée du Nord et de la Chine. Nous n'avions aucun homologue de l'OTAN dans le Pacifique, seulement un réseau en étoile fait d'alliances bilatérales. Par conséquent, il a toujours été primordial pour nous de renforcer la coopération entre la Corée du Sud et le Japon, et de l'étendre à d'autres pays comme Singapour, l'Australie et la Nouvelle-Zélande. Même pour notre Administration qui se fichait de tout, le concept de « bassin Indo-Pacifique libre et ouvert » était un moyen de renforcer les liens horizontaux entre des pays partageant les mêmes idées. De plus, l'une des priorités de Trump pour arriver à un accord nucléaire avec la Corée du Nord était que le Japon et la Corée du Sud paient une grande partie des coûts économiques y afférant. Trump n'offrait ainsi aucune « aide extérieure » à la Corée du Nord, mais seulement la perspective d'investissements privés massifs et rentables. À ce moment-là, le Japon aurait été prêt à signer un chèque substantiel, selon moi, mais seulement à la condition que la Corée du Nord signe un traité analogue à celui conclu en 1965 entre la Corée du Sud et le Japon, réglant ainsi toutes les revendications en suspens ou potentielles. Si le traité de 1965 n'avait pas suffi pour que Séoul tourne la page, comment Tokyo pouvait-elle attendre quelque chose de comparable de la part de Pyongyang ?

Le Japon avait invoqué la clause d'arbitrage du traité de 1965, mais la Corée du Sud avait refusé. Les deux parties étaient bloquées, mais Abe n'avait pas voulu en rester là. La position inflexible adoptée par la Corée du Sud avait enflammé l'opinion publique japonaise. Aussi rusé et coriace qu'à son habitude, Abe s'était tourné vers les lois japonaises régissant le contrôle des exportations, qui reposent sur quatre accords internationaux destinés à empêcher la prolifération d'armes et de substances nucléaires, chimiques et biologiques, ainsi que de certaines armes conventionnelles. Séoul se trouvait sur la « liste blanche » de Tokyo, ce qui permettait le commerce de marchandises autrement interdites au titre des quatre accords, dans la mesure où aucun des deux ne considérait l'autre comme une menace en matière de prolifération. Les États-Unis prennent aussi une part active à ces accords et entretiennent de nombreuses relations commerciales similaires à celles qu'ils entretiennent avec la Corée du Sud et le Japon. Cependant, Séoul et Tokyo n'ayant pas encore officialisé les détails de leurs relations bilatérales relatifs aux armes conventionnelles (l'Arrangement de Wassenaar) et aux accusations de transbordements illicites (en vertu des trois autres accords), peut-être même vers la Corée du Nord, le Japon a menacé de retirer la Corée du Sud de sa liste blanche. Si cette menace était mise à exécution, des licences individuelles devraient être obtenues pour un grand nombre de produits échangés entre les deux pays, et en particulier pour trois articles sensibles nécessaires pour fabriquer des semi-conducteurs, ce qui menacerait l'industrie informatique et les autres industries de haute technologie de la Corée du Sud.

Comme si tout cela ne suffisait pas, la Corée du Sud a menacé, en réponse, d'annuler un accord bilatéral avec le Japon, appelé « Accord sur la sécurité générale des renseignements militaires ». En vertu de cet accord, les deux pays partageaient des renseignements militaires essentiels et d'autres informations sensibles censées permettre une plus grande coopération bilatérale en matière de défense. Néanmoins, cette question ne concernait pas uniquement le Japon et la Corée du Sud, mais affectait directement les intérêts des États-Unis en matière de sécurité nationale. Comme l'expliquera plus tard le secrétaire à la Défense, Mark Esper, cet accord était « essentiel au partage rapide de renseignements concernant les différents actes de la Corée du Nord ». Si Séoul venait à se retirer de l'accord, cela aurait un impact négatif important sur les accords de défense trilatéraux mis en place dans la région, et ce à un moment qui n'était pas des plus propices. Le timing était crucial. L'accord était automatiquement reconduit chaque année, sauf si l'une des parties décidait de l'interrompre moyennant un préavis de quatre-vingt-dix jours. Ce qui, pour 2019, fixait la date limite de préavis au 24 août.

Trump avait déjà dit à Moon qu'il ne voulait pas être mêlé à ce différend. Il n'y avait donc pas grand-chose que nous puissions faire. Mais ce problème qui couvait et qui risquait de très vite éclater était une mauvaise nouvelle. Le lendemain, le 24 juillet, en Corée du Sud, l'ambassadeur Harris m'a invité pour un petit-déjeuner à sa résidence, auquel il avait également convié le général Robert Abrams, commandant des forces américaines en Corée. Nous n'étions rien que nous trois pour discuter à bâtons rompus du coût des bases. Harris, qui avait dirigé le Commandement Pacifique des États-Unis jusqu'au moment de sa retraite militaire, comprenait combien cette question était sensible pour Trump. Il avait par ailleurs assisté aux réunions du 30 juin, lors desquelles Trump avait clairement fait savoir à Moon qu'il n'avait pas l'intention de lâcher l'affaire. Je voulais être certain qu'au moment où je quitterais ce petit-déjeuner, mes deux interlocuteurs auraient compris que se contenter d'éviter la question était une erreur, d'autant plus que la fin de l'année approchait à grands pas. Il me fallait également leur expliquer les craintes de Trump à l'égard de l'exercice militaire en préparation, afin qu'ils puissent aider ceux à Washington à résoudre le problème au lieu de simplement s'y opposer. Ni Abrams ni Harris n'en croyaient leurs oreilles, ce qui prouve à quel point les bavardages dans le Bureau ovale avec Trump étaient éloignés du monde réellement dangereux dans lequel ces hommes vivaient.

Nous nous sommes finalement mis en route vers la Maison Bleue pour rencontrer Chung et une équipe interagences afin d'examiner la question du coût des bases. Cette discussion a été aussi amusante qu'elle l'avait été au Japon, peut-être même encore plus, dans la mesure où la date limite du 31 décembre correspondant au renouvellement de l'accord bilatéral de partage des coûts entre la Corée du Sud et les États-Unis pesait sur nous tous comme une épée de Damoclès. Après de longues discussions sur cette question, nous nous sommes penchés sur le différend entre la Corée du Sud et le Japon. Bien sûr, les Sud-Coréens niaient avoir rompu le traité de 1965 et affirmaient avoir agi en raison de décisions prises par la Cour suprême nationale. La Corée du Sud estimait que la menace de Tokyo de retirer Séoul de sa liste blanche équivalait à « rompre la relation de confiance » entre les deux pays. Qui plus est, le ministère japonais des Affaires étrangères avait apparemment supprimé de son site web une référence à la Corée du Sud comme à un « allié stratégique », un geste qui passait mal du côté sud-coréen. C'est la raison pour laquelle l'Accord sur la sécurité générale des renseignements militaires était menacé. Chung a ajouté que le Japon devait réaliser qu'il lui serait impossible d'atteindre ses objectifs diplomatiques sans la coopération de la Corée du Sud. Par ailleurs, la Corée du Sud était en train de rattraper le Japon. L'économie japonaise, il y a encore quelques années, représentait cinq fois celle de la Corée du Sud, alors qu'aujourd'hui, elle n'était plus que 2,7 fois supérieure, avec un PIB par habitant désormais presque identique.

Une fois rentré à Washington, j'ai expliqué à Trump comment s'étaient passées les premières négociations portant sur les bases militaires (Pompeo et Mnuchin étaient également présents dans le Bureau ovale pour discuter d'autres questions). Il a répondu, comme il le faisait de plus en plus souvent, que la seule manière d'obtenir des paiements annuels de 8 et 5 milliards de dollars respectivement était de menacer de retirer l'ensemble des forces américaines. « Cela te placera dans une position de négociation très forte », a-t-il dit. Heureusement, mon rapport l'a suffisamment apaisé pour qu'il accepte que les simulations militaires avec la Corée du Sud puissent avoir lieu, même si celles-ci étaient loin de le ravir. Il a réitéré son point de vue le lendemain après avoir entendu parler des derniers tirs de missiles effectués par la Corée du Nord. « C'est le bon moment pour demander l'argent », a-t-il dit, faisant référence aux négociations sur le coût des bases. Se tournant vers les autres personnes présentes dans le Bureau ovale, il a poursuivi : « John a réussi à obtenir un milliard de dollars cette année. Nous aurons les cinq milliards de dollars grâce aux missiles. » Comme c'est encourageant.

Tout indiquait que le conflit entre le Japon et la Corée du Sud était en train de s'envenimer, sans qu'aucune des parties n'en prenne réellement conscience. Malgré le désintérêt de Trump, j'ai proposé à Chung que les deux pays envisagent un « accord de statu quo » pendant un mois, pendant lequel aucun des deux pays ne prendrait de mesures susceptibles d'aggraver la situation. Cette solution avait au moins l'avantage de nous laisser un peu de temps pour trouver un moyen de briser le cycle dans lequel nous étions. Chung était prêt à l'envisager et j'ai promis d'en parler aux Japonais. Ceux-ci étaient pessimistes quant à l'issue, mais se sont dits prêts à envisager toutes les solutions susceptibles de nous sortir de ce gouffre que les Sud-Coréens et eux étaient en train de creuser. Après plusieurs jours de négociations intenses les uns avec les autres, nous avons réussi à nous mettre d'accord sur le statu quo. Pendant ce temps, la Corée du Nord a continué à tirer des salves de missiles à courte portée. Le 30 juillet, notamment, elle a tiré deux missiles balistiques à courte portée dans la mer du Japon. Mais nous n'avons toujours pas réagi. J'en ai informé Trump, qui a répondu : « Mais qu'est-ce qu'on fout là-bas, pour commencer ? » Cela en disait long sur l'aide qui émanerait d'en haut si, d'aventure, Abe ou Moon décidaient d'appeler Trump. Le Japon et la Corée du Sud n'ont fait aucun progrès et le cabinet du Japon a officiellement décidé de retirer la Corée du Sud de la liste blanche. En réponse, la Corée du Sud a annoncé qu'elle se retirait de l'Accord de partage de renseignements militaires, en plus de supprimer le Japon de sa propre liste blanche. À partir de ce moment-là, la crise entre le Japon et la Corée du Sud s'est tassée, comme si elle s'était écrasée au fond de l'océan.

Pendant ce temps, Trump a eu une réunion étonnamment bonne avec le président mongol, Khaltmaagiyn Battulga, en visite à Washington. Le fils de Battulga combattait aux côtés des forces américaines en Afghanistan et Trump a signé une photo du jeune homme que son père avait apportée. Battulga n'y a pas été par quatre chemins lorsque Trump lui a demandé son avis sur ce que Kim Jong Un voulait vraiment. Plus que toute autre chose, Kim craignait un soulèvement populaire en raison du danger que cela représentait pour son régime autocratique, a dit Battulga, soulignant que les conditions de vie de la population nord-coréenne étaient très mauvaises et s'étaient encore aggravées avec les sanctions.

Trump restait obnubilé par Kim Jong Un, malgré ses tirs de missiles répétés et la querelle entre nos deux principaux alliés en Asie de l'Est. Le 1er août, Trump a tweeté trois messages :

> **Kim Jong Un et la Corée du Nord ont tiré 3 missiles à courte portée au cours des derniers jours. Ces essais ne constituent pas une violation de l'accord que nous avons signé à Singapour et nous n'avons pas non plus discuté des missiles à courte portée lorsque nous nous sommes serré la main. Il y a peut-être une violation des résolutions des Nations Unies, mais…**

> **… le président Kim ne prendrait pas le risque de trahir ma confiance. Il y a beaucoup trop à gagner pour la Corée du Nord — son potentiel en tant que pays, sous la direction de Kim Jong Un, est illimité. Et il y a également beaucoup trop à perdre. Je me trompe peut-être, mais je crois que…**

> **… le président Kim a une grande et belle vision pour son pays et que seuls les États-Unis, avec moi comme président, peuvent faire de cette vision une réalité. Il fera ce qu'il faut, car il est bien trop intelligent pour ne pas le faire, et il ne veut pas décevoir son ami, le président Trump !**

Voilà à quoi ressemblait notre politique à l'égard de la Corée du Nord.

Durant la campagne 2020, il ne fait aucun doute que la Corée du Nord restera une priorité de la Maison Blanche. Ce que nous ne pouvons pas prévoir, c'est comment Kim Jong Un se positionnera. Tentera-t-il de profiter des élections américaines pour pousser Trump à signer un mauvais accord, sachant que ce type d'approche a souvent conduit les prédécesseurs de Trump à commettre de graves erreurs ? Ou arrivera-t-il à la conclusion qu'aucun accord n'est possible avec Trump et qu'il ferait tout aussi bien d'attendre de voir si un démocrate docile, avec encore moins d'expérience en politique étrangère que Trump, émerge en tant que président ? Quelle que soit la réponse, la Corée du Nord poursuivra inexorablement sa route en vue de devenir une puissance nucléaire à part entière. Et cette Administration sera la quatrième consécutive à ne pas avoir réussi à arrêter la menace de prolifération nucléaire la plus sérieuse dans le monde depuis près de trois décennies.

Cela signifie inévitablement qu'un jour, l'Administration américaine devra traiter avec un régime nord-coréen capable de provoquer des dommages inestimables à notre pays (à moins d'avoir un bouclier national antimissile totalement efficace, que nous ne nous sommes toujours pas résolus à construire). Tout cela aurait pu être évité si seulement nous nous étions efforcés d'agir plus tôt. Cela fait près de trente ans que la progression de la Corée du Nord sur la voie nucléaire accentue la menace. Espérons que nous aurons encore une chance de l'arrêter avant qu'elle ne devienne imminente.

CHAPITRE 12

TRUMP PERD LE CAP ET SON SANG-FROID

Chaque fois que l'attention des États-Unis, surtout celle de Trump, menaçait de se détourner de l'Iran, je savais que nous pouvions toujours compter sur Téhéran pour nous aider à la replacer tout en haut de notre agenda. Par exemple, lorsque l'ayatollah Khamenei, le chef suprême iranien, nous a gratifiés d'une explication de texte très utile pour mieux comprendre ce que les manifestants iraniens bien organisés voulaient dire lorsqu'ils hurlaient : « Mort aux États-Unis », en plus de leur slogan favori : « Mort à Israël ». À en croire Khamenei, « Mort aux États-Unis », signifiait « mort à Trump, à John Bolton et à Pompeo. » Ces gaffes politiques, outre le fait de nous rappeler de qui les leaders iraniens souhaitaient la mort, nous ont montré une énième fois à quel point il est nécessaire de constamment exercer une « pression maximale » sur Téhéran. Et pas seulement à cause des programmes d'armes nucléaires et de missiles balistiques de l'Iran, mais également en raison de son rôle de banque centrale mondiale du terrorisme et de sa présence militaire agressive dans tout le Moyen-Orient.

Les débats qui ont émaillé la décision d'ajouter le Corps des Gardiens de la Révolution islamique sur la liste des organisations terroristes internationales, un terme statutaire qui a certaines conséquences pour l'organisation identifiée comme telle, ont été particulièrement houleux. Trump y était favorable, tout comme Pompeo et moi-même, parce que négocier avec les agents d'un groupe appartenant à cette liste est considéré comme un crime. Mnuchin craignait que l'inscription sur cette liste des troupes d'élite de l'armée iranienne ou de la Force Al-Quod, son corps expéditionnaire déployé à l'étranger, actuellement en Irak, en Syrie, au Liban et au Yémen, ait de graves répercussions ; une inquiétude que j'avais du mal à comprendre. Je pensais que l'idée générale était d'infliger la douleur maximale à ces terroristes. Les autres agences ayant des positions diverses, l'ambiance générale se résumait à : ne pourrait-on pas éviter d'aggraver la situation sans augmenter notre quantité de travail ?

La véritable opposition est venue des bureaucrates à la solde du gouvernement. Les avocats du service juridique du département d'État ont tout bonnement gardé la question sous le coude pendant plusieurs mois sans prendre la peine d'en informer la directrice du service. Les avocats de la Sécurité intérieure ont fait essentiellement la même chose en espérant que la question tombe dans l'oubli. Et bien sûr, en mars 2019, pendant que nous tentions de faire accélérer la procédure, l'emploi du temps des avocats de nombreuses agences importantes était rempli par des débats sur le financement du mur de Trump à la frontière mexicaine ; un projet qui était, depuis longtemps, en passe de devenir le vestige de cette Administration. Il y avait plusieurs questions d'ordre juridique à trancher. Il fallait, par exemple, savoir si le statut applicable d'organisation terroriste internationale pouvait s'appliquer à une partie ou à l'ensemble d'un gouvernement ou s'il ne s'appliquait qu'à des « acteurs non étatiques » comme Al-Qaïda. En mars 2019, le service juridique du département de la Justice a coupé le bébé en deux, en concluant qu'une entité gouvernementale, comme les Gardiens de la Révolution, pouvait se voir attribuer ce statut, mais pas un gouvernement dans son ensemble. Ce verdict, que Salomon n'aurait pas renié, limitait l'impact potentiel de la décision. Je trouvais cela regrettable, mais nous n'avions que les Gardiens dans notre viseur pour l'instant. Continuer de débattre sur la question n'avancerait à rien.

Il y avait une inquiétude légitime que cette action contre l'Iran puisse faire peser un risque supplémentaire sur les forces américaines stationnées en Irak et dans toute la région. Mais cet argument était excessif. Comme cela est trop souvent le cas, le département de la Défense brandissait systématiquement cette objection contre de nombreuses idées proposées afin d'augmenter la pression sur l'Iran. Pour répondre aux inquiétudes du Pentagone au sujet des pressions sur l'Iran, il suffisait de renforcer les infrastructures dont disposent nos troupes en Irak, en supposant que, selon vous, les forces américaines doivent rester là-bas.

Il ne s'agissait pas d'ignorer la grande menace stratégique que représentait l'Iran, qui voulait rejoindre le cercle des puissances nucléaires, et d'inverser les priorités politiques des États-Unis, en élevant la menace locale posée par l'Iran en Irak au-dessus des menaces nucléaires et terroristes que l'Iran faisait peser sur le monde. Une inversion qui augmentait chaque jour parce que l'Iran gagnait de plus en plus d'influence au sein du gouvernement de Bagdad et des milices chiites qu'il avait transformées en bras armé de la Force Al-Quod. Je craignais, comme le prétend le vieil adage, que les généraux soient en retard d'une guerre. Soutenir un gouvernement à Bagdad, comme nous l'avions fait après la seconde guerre du Golfe, en espérant qu'il deviendrait représentatif et fonctionnel partout en Irak était une chose. Maintenir au pouvoir un régime qui ne contrôlait pas les territoires kurdes en Irak, qui ne bénéficiait que d'un soutien minimal de la part des Arabes sunnites et qui prenait ses ordres auprès de Téhéran sur les questions vraiment cruciales en était une toute autre.

S'en était suivi, pendant la seconde moitié de mars, une guérilla bureaucratique quotidienne, mais à ce moment-là, j'étais confiant. Pour nous, l'issue ne faisait aucun doute, malgré quelques fuites néfastes orchestrées par des opposants qui prédisaient les conséquences les plus sombres à l'inscription des groupes cités ci-dessus sur la liste des organisations terroristes. Le 8 avril, finalement, Trump a fait son annonce, ajoutant ainsi un puissant outil à nos tentatives de « pression maximale ». Cette « pression » aurait été plus « maximale » si elle avait été appliquée six mois plus tôt ou avant, mais cela montrait le sérieux de nos intentions qui s'ajoutaient désormais aux importants effets économiques des sanctions sur l'Iran. L'étau se resserrait.

Plusieurs commentateurs ont fait remarquer, à plusieurs reprises, que l'Administration avait souvent recours aux sanctions et aux droits de douane pour affirmer notre puissance nationale. C'était peut-être vrai par rapport aux précédents présidents, mais aucune preuve ne nous permettait d'affirmer que ces mesures étaient véritablement efficaces, systématiques ou bien exécutées. La véritable histoire était beaucoup plus complexe, en premier lieu parce que ni Trump ni le secrétaire au Trésor, Mnuchin, n'étaient intéressés ou désireux de poursuivre une politique de sanctions de façon résolue et cohérente.

Au contraire, Mnuchin prétendait que le recours constant aux sanctions et la pression que nous faisions peser sur le système financier international réduiraient, à terme, l'efficacité de cet outil parce que les États impactés par les sanctions chercheraient à s'en affranchir. Il prétendait également qu'en utilisant l'accès au système financier américain comme un de nos principaux outils, nous allions saper le statut de monnaie de réserve mondiale du dollar et encourager d'autres pays, comme la Russie et la Chine, à effectuer leurs transactions en euros, ou à s'appuyer sur le troc et d'autres techniques. Bien sûr que les pays essaieraient de s'affranchir des sanctions. La véritable raison pour laquelle les sanctions n'étaient pas aussi efficaces qu'elles auraient pu l'être n'était pas un recours trop fréquent, mais qu'elles étaient utilisées de façon inefficace par les Administrations Trump et Obama. Et même si l'inquiétude de voir le dollar perdre son statut de monnaie de réserve mondiale était théoriquement légitime, les États voyous ne disposaient pas de véritable alternative en vue dans un avenir proche. En outre, les deux arguments de Mnuchin revenaient à dire que menacer d'appliquer des sanctions était plus efficace que d'appliquer des sanctions, ce qui était manifestement faux.

Il existe une bonne façon d'imposer des sanctions. Celles-ci doivent être appliquées rapidement et à l'improviste ; elles doivent être importantes et appliquées sans exception. Elles ne peuvent pas être progressives. Elles doivent être appliquées de façon rigoureuse, en utilisant des actifs militaires pour interdire tout commerce illicite, si nécessaire. Voici la formule que l'Administration Bush a utilisée, en 1990, immédiatement après l'invasion du Koweït par Saddam Hussein et ces sanctions ont eu un effet dévastateur. Mais même là, cela n'a pas suffi. Bien que très affaibli, l'Irak continuait de vendre sous le manteau suffisamment de pétrole pour survivre et il a donc fallu employer la force pour les chasser du Koweït. Mais comme feuille de route pour imposer des sanctions rapides s'appliquant sans exception, les Résolutions du Conseil de Security de l'ONU 661, qui énumère les sanctions contre l'Irak, et 665 qui autorise le recours à la force militaire pour les appliquer restent des documents de référence. Toutefois, surtout sous Obama, les sanctions ont commencé à être appliquées comme s'il s'agissait de décisions de justice contre des entités spécifiques et individuelles. Cette approche existe bien sous certaines autorités de sanctions dans le droit américain, conçues pour des objectifs plus limités que pour lutter contre des menaces importantes comme l'Irak en 1990–91, mais étendre cette pratique était une erreur. Il faudrait plutôt modifier la législation pour autoriser une procédure accélérée permettant d'imposer des sanctions, sans que le département du Trésor ne se lance dans une procédure longue et compliquée ressemblant à l'instruction d'un procès avec enquête préalable.

Trump et Mnuchin n'avaient pas inversé ces politiques de l'ère Obama ; paradoxalement, elles avaient été étendues et institutionnalisées. Le processus décisionnel permettant d'instaurer des sanctions ressemblait au procès *Jarndyce contre Jarndyce* dans le roman de Charles Dickens, *La maison d'Âpre-vent*. En outre, Mnuchin, lui-même, était tellement averse aux articles de presse négatifs qu'il approchait avec une certaine nervosité toutes les décisions de sanctions susceptibles de déclencher une controverse. Durant les premiers jours de l'Administration, Mnuchin se délectait de la publicité qu'il recevait quand il imposait de nouvelles sanctions. Mais lorsque les choses devenaient plus délicates et plus complexes, il devenait, lui, de plus en plus nerveux. De retour au gouvernement après une douzaine d'années, j'ai été surpris de constater le rôle important que tenait désormais le département du Trésor dans le processus décisionnel précédant l'instauration de sanctions. Au lieu d'être juste un rouage de transmission, le département du Trésor aspirait désormais à faire de la politique étrangère, ce qui était, selon moi, inapproprié. Il était aussi peut-être temps de se demander s'il ne fallait pas, comme les autres fonctions d'application des lois du Trésor déjà transférées à la Sécurité intérieure, attribuer la procédure d'application des sanctions à un autre département, comme celui de la Justice, du Commerce ou même de la Défense.

Le risque de faire perdre au dollar américain son rôle de monnaie de réserve mondiale était, en théorie, important, mais ce risque existait indépendamment des effets des sanctions américaines. D'autres devises jouaient déjà un rôle majeur dans les transactions financières internationales et la création de l'euro avait créé un concurrent encore plus important. Mais certains pays liaient leurs devises au dollar, les économistes parlent alors d'économies nationales « dollarisées ». Il s'agissait parfois d'une décision officielle, mais aussi parfois, d'une pratique simplement imposée dans les faits. La réalité était, par conséquent, un petit peu plus complexe. En fait, la « menace » associée au statut du dollar n'était devenue qu'un argument de plus pour Mnuchin, lorsqu'il était nerveux à l'idée d'imposer des sanctions qui risquaient de lui attirer les foudres de la presse. Comme l'a dit Wilbur Ross, au moment de la crise vénézuélienne, Mnuchin donnait souvent l'impression de protéger davantage les entreprises américaines qui couchaient avec l'ennemi plutôt que d'accomplir la mission que nous tentions de mener à bien. Il est rare en effet dans le monde difficile et chaotique des affaires internationales que la menace soit réellement plus puissante que l'action elle-même. Si les épées économiques des États-Unis avaient été plus acérées sous l'Administration Trump, nous aurions accompli beaucoup plus de choses.

Décider jusqu'à quel point nous voulions serrer la vis de l'industrie pétrolière iranienne aurait dû être une des décisions les plus faciles à prendre, mais elle fut, en fait, une des plus pénibles. La réponse traditionnelle à toute proposition d'augmentation des sanctions pétrolières contre l'Iran (ou le Venezuela, d'ailleurs) était invariablement que cela ferait grimper en flèche le cours du brut. La plupart de ces jérémiades émanaient de Mnuchin et du département du Trésor, une source d'expertise du marché mondial du pétrole pour le moins inattendue. Le président du Conseil économique national, Larry Kudlow, le secrétaire à l'Énergie, Rick Perry et le président du Conseil des conseillers économiques, Kevin Hassett, avaient répété plusieurs fois que l'offre mondiale et les niveaux de capacité atténueraient les effets des sanctions sur le cours du pétrole. Hassett a avancé une statistique intéressante : l'augmentation de la production de pétrole aux États-Unis depuis l'élection de Trump compensait la baisse des ventes iraniennes provoquées par l'annulation des dérogations accordées à certains pays, à tort, selon moi, lors de l'entrée en vigueur des sanctions, en novembre 2018. Il avait souligné, en outre, que vu la place plus importante prise par les États-Unis en tant que producteur de pétrole, une hausse du prix du pétrole boostait, en réalité, le PIB des États-Unis même si l'augmentation des prix s'avérait négative pour les consommateurs. Dans l'ensemble, pour nous, c'était grosso modo une opération blanche du point de vue économique.

Mais les arguments de Mnuchin avaient du poids parce que Trump croyait invariablement que nos Alliés n'en faisaient pas assez. C'était certainement vrai avec l'Iran. La France, l'Allemagne et le Royaume-Uni passaient leur temps à essayer de sauver l'accord nucléaire iranien plutôt qu'à faire pression sur les ayatollahs. Ils n'ont jamais cru, comme les Américains qui soutenaient l'accord d'Obama, que les sanctions unilatérales américaines pourraient être dévastatrices pour l'économie iranienne alors que c'était exactement l'effet qu'elles avaient. Ils refusaient d'en avoir une preuve plus flagrante en instaurant des sanctions plus strictes. Les résultats de l'augmentation des sanctions étaient, par conséquent, mitigés. Si nous avions pu, les tenants de la ligne dure, persuader Trump de ne pas écouter Mnuchin, nous aurions constaté un déclin encore plus conséquent de l'économie iranienne, mais ce ne fut pas le cas. Trump était capable d'initier des politiques, mais son manque de cohérence, de constance et de détermination finissait, invariablement, par en réduire les effets. Il en fut de même pour les sanctions contre l'Iran.

Les dérogations accordées à huit pays, leur permettant de s'approvisionner en pétrole iranien (Taiwan, Chine, Inde, Japon, Corée du Sud, Italie, Grèce et Turquie), étaient une faille dans laquelle l'Iran s'est engouffré lorsque les nouvelles sanctions ont pris effet en novembre 2018, six mois après le retrait des États-Unis de l'accord nucléaire, mentionné ci-dessus. Taiwan, la Grèce et l'Italie ayant rapidement arrêté de s'approvisionner en pétrole auprès de l'Iran, il n'était plus nécessaire de renouveler leur dérogation. Les bureaucrates du département d'État, frappés de « clientite aiguë », ont trouvé tout un tas de raisons pour renouveler les autres dérogations. « Mais l'Inde est tellement importante » ou « Le Japon est tellement important », nous ont dit les fonctionnaires qui défendaient les intérêts de « leurs » pays plutôt que ceux des États-Unis. L'Inde fut un des pires dossiers. Comme les autres, elle achetait le pétrole iranien à des prix bien inférieurs au cours du marché parce que l'Iran avait absolument besoin de vendre. L'Inde s'est plainte d'être désavantagée, non seulement parce qu'elle devrait trouver de nouveaux fournisseurs, mais aussi parce que ces nouveaux fournisseurs insistaient pour être payés au prix du marché ! Il était tout à fait compréhensible que l'Inde fasse valoir cet argument, mais il était incompréhensible que des bureaucrates américains s'en fassent l'écho avec sympathie.

Pompeo ne savait pas trop sur quel pied danser, pris entre des pressions contradictoires. Il doutait également que les pays arabes producteurs de pétrole tiennent vraiment leur promesse d'augmenter leur production, afin de compenser la « perte » du pétrole iranien suite à l'annulation des dérogations. Ainsi, bien sûr, le cours des différents marchés internationaux se mettrait à flamber. Trump, qui hésitait constamment sur tous les dossiers, penchait de plus en plus pour la « fin des dérogations ». Il l'avait déclaré ouvertement dans le Bureau ovale, le 25 mars : « Je suis prêt à les supprimer », et le 12 avril, lorsqu'il a annoncé : « Augmentez les sanctions. Coupez le robinet immédiatement, y compris le pétrole », ainsi que le 18 avril, où il a dit : « Descendez à zéro. » Au cours d'une conversation téléphonique avec Pompeo, Trump n'avait pas témoigné d'une grande compassion à l'encontre du Premier ministre indien, Narendra Modi, en déclarant : « Il s'en remettra. » Je me souviens d'une conversation similaire où j'ai pu voir l'indifférence de Trump au moment d'annoncer l'annulation des dérogations à des alliés. Pensant à la visite à Washington, d'un chef d'État étranger qui, lui aussi, ne manquerait pas de se plaindre de la fin d'une dérogation, Trump avait une réponse toute prête : « Annulez-la avant qu'il arrive et je dirai que je n'en savais absolument rien », et « Annulez-la en début de semaine. Je ne veux rien avoir à faire avec ça. »

Le 22 avril, après six mois d'opposition sans fin, inutile et chronophage, à cause de nombreux fonctionnaires au sein de l'Administration, mais avec un large soutien des républicains du congrès, la Maison Blanche a annoncé la fin des dérogations. Beaucoup de médias, qui avaient prêté l'oreille aux fuites provenant de la bureaucratie, ont été surpris. Les militaires et les civils américains en poste dans la région ont été, à juste titre, placés en état d'alerte pendant une période appropriée, et nous avons déclaré, sans ambiguïté, que nous tiendrons l'Iran responsable d'éventuelles représailles. C'était un pas en avant important même si ces dérogations n'auraient jamais dû être accordées, en premier lieu. Les nouvelles sanctions ont été annoncées en mai 2018. Elles entreraient en vigueur six mois plus tard. Cela laissait largement assez de temps à toutes les parties concernées pour procéder à d'autres arrangements. La véritable conclusion étant que les sanctions pour toute *nouvelle* transaction auraient dû avoir un effet immédiat sur la fin de l'accord sur le nucléaire iranien. Il aurait peut-être été opportun d'étudier l'origine des transactions en cours qui avaient été conclues en toute « innocence », mais laisser six mois pour détricoter ces contrats était beaucoup trop généreux. Quatre-vingt-dix jours auraient suffi. Accorder encore six mois complets à l'Iran avant d'annuler toutes les transactions existantes ou potentielles était un cadeau d'Allah que Téhéran n'avait pas mérité. La prochaine Administration devra immédiatement corriger la stratégie de Mnuchin pour que tout le monde comprenne que les sanctions sont une arme économique que nous pouvons utiliser de façon efficace, pas une mesure que nous nous sentons coupables d'utiliser.

Les « dérogations nucléaires » ont été une autre série de dérogations à l'origine de controverses sans fin. Elles autorisent l'assistance ou la coopération occidentale avec des éléments du prétendu programme nucléaire « civil » iranien. Datant du rétablissement des sanctions en novembre 2018, le département d'État, malgré les objections du NSC, a délivré sept dérogations de ce type. Toutes les dérogations ne présentaient pas les mêmes largesses envers le programme nucléaire iranien, mais, sur le plan politique, le symbolisme était mauvais. La fin des dérogations approchant, en mai 2019, nous avons cherché un accord à l'intérieur de l'Administration pour mettre fin, au moins à certaines, et pour réduire les autres à une période de quatre-vingt-dix jours. Nos tentatives n'ont pas été aussi productives que je l'avais espéré, essentiellement parce que le département d'État nous a livré une guerre de tranchées pour sauver le maximum de dérogations. Néanmoins, début mai, nous avons annulé deux dérogations et ramené leur nombre total à cinq. Celles restantes étaient limitées, à la fois en durée et en portée. Avant mon départ, l'épicentre de la résistance à l'annulation des dérogations s'était déplacé vers Mnuchin et le département du Trésor. Ils prétendaient que l'annulation des dérogations aurait des effets importants sur les intérêts de la Chine et de la Russie et que nous devions, à ce titre, les étendre. Nous avons, Mnuchin, Pompeo et moi-même, débattu de ce point devant Trump dans le Bureau ovale, le 25 juillet, et les inquiétudes de Mnuchin au sujet de la Chine et de la Russie ont prévalu sur mes tentatives d'accroître la pression sur l'Iran ; nous n'avons pas beaucoup entendu Pompeo.

Trump s'est souvent plaint que des gens, partout dans le monde, voulaient lui parler, mais qu'ils ne pouvaient jamais le joindre. Donc, comme on pouvait s'y attendre, il a commencé à émettre l'idée d'ouvrir des discussions avec l'Iran. Le ministre des Affaires étrangères de ce pays, Javad Zarif, a donné une série d'interviews à New York au cours desquelles il a déclaré que Trump voulait parler, mais que Bibi Netanyahou, le prince héritier saoudien Mohammed ben Salmane et lui essayaient, au contraire, de renverser le régime des ayatollahs. Si seulement. Et donc, le président iranien, Hassan Rohani, voulait dialoguer, Poutine aussi voulait dialoguer, tout le monde voulait dialoguer avec Trump, mais quelqu'un les en empêchait. Bien sûr, ni Poutine ni Rohani n'ont jamais essayé d'entrer en contact avec nous. À tel point que Zarif et d'autres se répandaient dans les médias pour jouer sur la vanité de Trump.

La dernière variante de ce thème, perfectionnée par Kim Jong Un, consistait à critiquer les conseillers de Trump, vraisemblablement pour convaincre Trump qu'il était le seul capable de faire avancer les choses. L'Iran, Cuba et la Corée du Nord ont de nouveau essayé cette approche, fin avril, et il y avait toutes les raisons de croire qu'elle se développerait. Cette stratégie était assez astucieuse parce que c'était exactement ce que croyait Trump. Ce qu'il ne parvenait pas à accepter, c'était que ces adversaires voulaient lui parler à lui plutôt qu'à nous, parce qu'ils pensaient pouvoir obtenir un meilleur accord avec lui qu'en négociant avec la bande d'empêcheurs de tourner en rond que nous, les conseillers, constituions. Je pensais le dire à Trump le jour où je quitterais mes fonctions, qui se rapprochait.

Pendant sa rencontre à la Maison Blanche, en avril, avec Abe, Trump a déclaré que ni Pompeo ni moi n'entretenions de relations avec l'Iran et qu'il n'avait, lui non plus, aucun lien avec l'Iran, mais qu'Abe, oui. Trump pensait que c'était ainsi qu'on faisait de la géopolitique internationale. C'est peut-être ainsi que cela se passe dans l'immobilier à New York. Avec le recul, ces remarques étaient le premier indice que Trump avait un travail en vue pour Abe, une mission qui ne pourrait que mal se terminer. Cette discussion commençait à peine lorsque Trump, toujours en train de planer dans la stratosphère à cause des excellentes nouvelles économiques de la matinée, a traité de nom d'oiseau le président du Conseil des gouverneurs de la Réserve fédérale, Jerome Powell, en disant : « l'autre idiot à la Réserve », parce qu'il avait refusé de baisser les taux d'intérêt. Cependant, le 30 avril, pendant une conversation téléphonique avec Macron, le président français, Trump a de nouveau émis l'idée, encourageant Macron, qui était un des chantres de l'accord nucléaire iranien, à saisir cette ouverture apparente dans la position américaine. Trump était presque le seul, parmi les chefs d'État, à ne jamais voir que ces demandes de conversations affaiblissaient notre position globale, alors que c'était exactement ainsi que d'autres, aussi bien amis qu'ennemis, les voyaient. Trump ne pouvait pas s'en empêcher : « Je suis un communicateur, j'aime parler. » Quelle stratégie infaillible !

Pendant ce temps, l'Iran intensifiait sa campagne contre les intérêts américains au Moyen-Orient. L'Iran a armé les rebelles Houthi au Yémen et les milices irakiennes chiites avec des missiles plus sophistiqués et des drones de combat. La Force Al-Quod, génitrice du Hezbollah libanais, était un pilier essentiel du régime d'Assad en Syrie, tandis que Beyrouth et Damas profitaient de plus en plus du matériel militaire fourni par Téhéran (du moins lorsqu'Israël ne détruisait pas les cargaisons iraniennes avec ses frappes aériennes répétées en Syrie et ensuite en Irak). L'Iran a également étendu son assistance aux talibans, montrant ainsi encore une fois qu'il sponsorisait toutes les formes de terrorisme, sunnites ou chiites, tant que cela servait les intérêts nationaux iraniens.

Comme réponse défensive, le Pentagone a augmenté les capacités militaires américaines dans la région, notamment en déployant le porte-avions, Abraham Lincoln, et sa force de frappe. Le 5 mai, nous avons publié un communiqué expliquant notre position et attribué à mon nom. Cela a provoqué quelques émois dans la presse, qui se demandait pourquoi il n'émanait pas du Pentagone. La réponse ? Dunford m'a appelé pour me dire : « Hé, Monsieur l'ambassadeur, j'ai besoin d'un coup de main, ici ». Il s'agissait de faire passer son communiqué à travers les méandres de la bureaucratie de la Maison

Blanche, qui devenait aussi encombrée que le reste du gouvernement. Dunford m'a confié quelques jours plus tard : « Nous avons un dicton : "Pendant une guerre, les choses simples sont parfois difficiles." » J'étais heureux d'avoir pu l'aider. Mystère résolu.

L'escalade de l'Iran n'était pas une mesure ad hoc décidée par les commandants en chef de la Force Al-Quod, mais l'augmentation d'un cran de ce que l'Iran appelait la « résistance maximale » aux pressions américaines. Ce changement de stratégie de l'Iran, et l'amélioration constante des armes qu'il fournissait aux groupes terroristes et aux autres troupes sous sa coupe, soulignaient le fait que si l'Iran percevait la moindre faiblesse dans la détermination des États-Unis, Téhéran pourrait en conclure qu'il avait pris l'avantage. Au cours des quatre mois qui ont suivi, le comportement erratique de Trump rendait ce risque palpable. Entre-temps, le 8 mai, Rohani a annoncé que dans un délai de soixante jours, l'Iran était prêt à s'affranchir de quatre éléments essentiels de l'accord sur le nucléaire, soit ceux : (1) limitant son stock d'uranium faiblement enrichi (qualité réacteur) à 300 kg ; (2) limitant ses réserves d'eau lourde à 130 tonnes (et l'Iran était prêt à vendre ses excédents à d'autres pays) ; (3) limitant son niveau d'enrichissement de l'uranium à 3,67 % de l'isotope U-235 (en d'autres termes, aller vers des niveaux d'enrichissement plus élevés approchant la qualité militaire) ; et (4) interdisant de transformer le réacteur d'eau lourde de la centrale d'Arak en réacteur capable de fabriquer du plutonium, une alternative à l'uranium enrichi comme matériau fissile pour des armes nucléaires. Rohani, dans un courrier similaire adressé à Poutine, menaçait de se retirer du Traité sur la non-prolifération des armes nucléaires, une initiative intéressante de la part d'un pays qui prétendument ne cherche pas à acquérir d'armes nucléaires.

Les quatre restrictions dont l'Iran voulait s'affranchir étaient des points essentiels de l'accord sur le nucléaire. Si son programme nucléaire n'était vraiment que civil, Téhéran n'avait pas à craindre ces restrictions. La seule explication rationnelle à la menace de Rohani était une volonté de réduire le délai de production permettant à l'Iran d'acquérir suffisamment d'uranium hautement enrichi pour commencer à fabriquer des armes. Les exigences démesurées de Rohani et la trajectoire vers le nucléaire militaire ont attiré l'attention des Européens. Cela aurait pu être un moment de vérité pour le

Royaume-Uni, la France et l'Allemagne, mais ce ne fut pas le cas. Ils ont rejeté l'« ultimatum » de Rohani à cause de son ton, mais ont ignoré le contenu de ses déclarations.

Au Pentagone, Dunford a déclaré que s'il devait envisager des actions sérieuses contre l'Iran, il voulait des objectifs précis et des ordres clairs. Cela faisait, en partie, écho à l'argument de Mattis. Selon la Stratégie de sécurité nationale, la Chine, la Russie, la Corée du Nord et l'Iran étaient nos principales menaces. En d'autres termes, Mattis avait compris que l'Iran était une menace de « quatrième niveau », à laquelle il était inutile d'accorder beaucoup d'attention. Même si elle avait été rédigée avant mon arrivée, j'ai toujours supposé que cela signifiait que ce bloc de quatre pays identifiait les menaces de « premier niveau ». Dans ce premier niveau, l'Iran figurait peut-être en quatrième position, mais seulement parce que nous pensions qu'il ne possédait pas encore d'armes nucléaires.

J'ai fait valoir l'argument que si l'objectif était d'empêcher l'Iran d'avoir des armes nucléaires, nous devions être prêts à recourir à la force militaire. Depuis vingt-cinq ans, personne n'a voulu faire ce qu'il fallait pour empêcher la Corée du Nord de devenir une puissance nucléaire. Résultat des opérations, la Corée du Nord possède aujourd'hui des armes nucléaires. Je me souviens avoir entendu Bush, le fils, déclarer qu'il était « inacceptable » que l'Iran dispose d'armes nucléaires. Je me disais alors : « Quand le président déclare que quelque chose est "inacceptable", il veut vraiment dire que c'est "inacceptable". » J'avais tort. Ce n'est pas ce que Bush (ou ses prédécesseurs ou ses successeurs) voulaient vraiment dire. Nous n'avons *rien* fait pour empêcher la Corée du Nord de s'équiper en armes nucléaires. Pour éviter cette issue en Iran, nous devions augmenter la pression, sur les plans économique, politique et militaire.

Dunford m'a demandé si je pensais vraiment que la politique de « pression maximale » annoncée par l'Administration convaincrait l'Iran de changer de comportement. J'ai répondu qu'avec le régime en place, cela était presque impossible, et que seul un complet changement de régime empêcherait, au final, l'Iran de disposer d'armes nucléaires. Nous approchions probablement de notre dernière chance. Dunford m'a avoué qu'il avait la même analyse de la situation. Selon lui, l'Iran était persuadé que nous n'avions pas vraiment l'intention d'utiliser la force, aussi bien pour résoudre la question nucléaire que pour nous défendre contre les attaques de la Force Al-Quod dans le golfe Persique (ou Arabique, selon l'endroit où vous résidez), la mer Rouge, l'Irak et l'Afghanistan. Voilà ce que Dunford voulait dire quand il était inquiet que l'Iran « fasse une erreur de calcul ». Téhéran pensait pouvoir mettre au point des armes nucléaires ou même nous attaquer dans la région sans crainte de représailles. Dunford et Shanahan étaient peut-être surpris d'entendre tout cela alors j'ai dit : « Ce n'est pas comme si j'avais dissimulé ce que je pensais là-dessus au cours des dernières années », ce qu'ils ont reconnu en riant. Ce fut une discussion très utile. À la différence de Mattis, je pensais que Dunford ne refusait pas les conclusions ; il voulait juste être sûr que nous comprenions les répercussions. Il était certainement clair pour lui, à la fin de notre discussion, que j'en étais conscient. Ce fut au moins, une partie de la « discussion plus large » que Dunford voulait sur l'Iran.

Au cours de ces jours, je me suis souvent rendu au Capitole pour briefer les principaux membres de la Chambre et du Sénat, dont Mitch McConnell, un peu plus tard, le 9 mai, pour qu'ils sachent exactement à quelle situation nous étions confrontés. Au moment de nous séparer, McConnell m'a dit : « Je ne vous envie pas votre boulot ». Je lui ai répondu : « Je pourrais dire la même chose du vôtre. » McConnell a ri et m'a répondu : « Votre boulot est beaucoup plus difficile que le mien. »

La liste de nos mauvaises réponses aux attaques directes de l'Iran contre des cibles civiles et militaires américaines au Moyen-Orient était connue de tous, à commencer par l'invasion de notre ambassade de Téhéran, en 1979, et l'attentat contre des baraquements de Marines fomentés par l'Iran en 1983, à Beyrouth (qui avait entraîné le retrait des troupes américaines, françaises et italiennes du Liban), jusqu'à l'absence de représailles américaines aux attaques de l'Iran par l'entremise de milices chiites sur notre ambassade de Bagdad et notre consulat de Bassora, en septembre 2018. Cette passivité, beaucoup trop longue, mais toujours en vogue de nos jours, avait convaincu l'Iran qu'elle pouvait agir avec une quasi-impunité dans la région. Quant au dernier débat sur l'Iran au sein de l'Administration, mon opinion était que le Pentagone avait, de toute évidence, beaucoup à faire pour rattraper le manque d'entrain de Mattis au sujet du programme nucléaire militaire de ce pays. Ce fut pendant cette période de débat interne sur l'Iran qu'un journaliste a demandé à Trump : « Êtes-vous satisfait des conseils que vous a donnés John Bolton ? » Trump lui a répondu : « Oui, John est très bon. John est un… il a des idées bien arrêtées sur les choses, mais cela me va. Je tempère John, en fait, ce qui est plutôt étonnant, n'est-ce pas ? Personne ne pensait que c'est ce qui allait se passer. Je suis celui qui le tempère. Mais ça me va. Je bénéficie de différents avis. Je veux dire, j'ai John Bolton et j'ai d'autres personnes qui sont un peu plus colombe que lui. Et, au final, je prends les décisions. Il me… Oui, j'apprécie John. Il me donne de très bons conseils. » Vous pouvez imaginer quel passage les médias ont cité. Mercy Schlapp, la directrice de la communication de la Maison Blanche a qualifié le ton de Trump d'« affectueux. » Je lui ai répondu que cela me faisait passer pour un optimiste.

Le 9 mai, nous avons transformé le briefing habituel des services de renseignement en une discussion plus large sur l'Iran, avec Shanahan, Dunford et Pompeo qui y assistaient en plus de l'équipe habituelle. Pendant que nous prenions place en face du Resolute desk, Trump a dit : « Félicitations ! » à Shanahan, qui a ouvert de grands yeux confus, jusqu'à ce que Trump ajoute : « Je vous nomme secrétaire de la Défense », une annonce qui a soulevé une approbation générale et une foison de poignées de main, même si cette décision aurait dû être prise depuis longtemps. Pompeo a briefé Trump sur sa récente visite en Irak, ce qui a inévitablement lancé Trump dans une énumération des erreurs de l'Administration Bush : « Le pire président que nous ayons jamais eu », a déclaré Trump. Comme cela était souvent le cas lorsque nous abordions le sujet de l'Iran, Trump a évoqué John Kerry. Trump était obsédé par l'idée de traduire Kerry en justice pour avoir enfreint le Logan Act, un texte de loi datant de 1799, rarement invoqué, interdisant aux citoyens privés de négocier avec des gouvernements étrangers. Il ne faisait aucun doute que Kerry tentait de persuader l'Iran de rester dans l'accord nucléaire et d'attendre le départ de Trump en 2020, lorsqu'un démocrate remporterait certainement l'élection et le rétablirait. Ceci dit, un procès n'avait pas la moindre chance d'aboutir. Le Logan Act est une violation du premier amendement et il est inapplicable en droit pénal parce que considéré comme trop vague, même s'il reste souvent utilisé pour intimider les imprudents. Dans l'esprit de

Trump, Mike Flynn, son premier conseiller à la sécurité nationale avait été injustement menacé de poursuite en vertu de ce texte de loi, point sur lequel j'étais d'accord avec lui, et il voulait le brandir contre Kerry. Réunion après réunion dans le Bureau ovale, Trump demandait au secrétaire à la Justice, William Barr ou à quiconque l'écoutant de lancer des poursuites. Je suis certain que personne ne l'a jamais fait. J'ai tenté, au début, d'expliquer à Trump qu'il y avait de grandes chances que le Logan Act soit déclaré inconstitutionnel par un tribunal, mais j'ai échoué dans les grandes lignes. Tant que Trump sera président, et probablement après, il cherchera un avocat acceptant de poursuivre Kerry. À la place de Kerry, je dormirais sur mes deux oreilles.

Revenons à la réalité. Dunford a souligné que l'Iran ne croyait pas que nous réagirions aux attaques qu'elle envisageait. Trump a immédiatement répondu : « Ils ne nous comprennent pas très bien. » Nous avons discuté des différentes options, militaires et autres, et bien sûr, Trump est revenu à Kerry : « Je suis surpris qu'ils n'appellent pas. C'est à cause de [la déclaration de] Kerry : "Vous allez me donner une mauvaise image." Nous allons gagner. »

Dunford et d'autres, dont moi-même, étaient surpris de voir Trump être d'accord pour frapper certaines des cibles que je suggérais. Dunford lui a dit, à juste titre : « Vous devez être prêt pour la prochaine étape. »

« Je suis prêt », a répondu Trump. « Le président Kim sera très attentif. Vous [Shanahan et Dunford] pouvez commencer à préparer les plans. »

« C'est la raison de notre présence dans ce bureau, Monsieur le président », a répondu Dunford, qui a ensuite donné des détails sur ce qu'il faudrait faire.

Trump n'a pas donné carte blanche, mais il a déclaré qu'il voulait que le financement soit assuré par nos alliés arabes, un refrain familier.

Après avoir discuté de la Corée du Nord, du Venezuela, d'Israël, de la Syrie et de quelques autres sujets, la réunion s'est terminée. J'ai regagné mon bureau, où plusieurs des autres s'étaient réunis pour poursuivre la conversation. J'ai demandé à Shanahan et à Dunford si Trump leur avait donné ce dont ils avaient besoin et il était clair qu'ils savaient exactement ce que Trump voulait. J'ai considéré cela comme un virage à 180 degrés par rapport à la méthode Mattis.

La Salle de Crise m'a appelé de très bonne heure le dimanche 12 mai pour m'annoncer qu'un pétrolier, touché par une sorte de projectile, près du détroit d'Ormuz, était en feu. Quatre navires, au moins, avaient été touchés. J'ai dit à la Salle de Crise de réveiller Kupperman et d'autres, si ce n'était pas déjà fait. J'ai pris une douche, je me suis habillé et j'ai informé mon garde du corps que nous partions pour la Maison Blanche. J'ai appelé Dunford depuis la voiture, un peu après 5 heures. J'ai constaté qu'il disposait essentiellement des mêmes informations que moi. Je suis arrivé à l'aile Ouest aux alentours de 5 h 20. J'ai immédiatement appelé Dan Coats pour être certain qu'il était au courant. J'étais en train de raccrocher avec Coats lorsque Dunford m'a appelé pour confirmer qu'un pétrolier était en feu et qu'a priori aucun ne battait pavillon américain. Je me suis demandé à voix haute si l'Iran testait, de façon délibérée, les États-Unis, en attaquant des actifs n'appartenant pas à des Américains. Dunford a dit qu'il pensait que nous titiller faisait, en effet, certainement partie de la stratégie de l'Iran. Il était encore tôt. Nous n'avions que des bribes d'informations, mais nous étions certainement face à une crise majeure.

Après quelques appels supplémentaires, je suis descendu dans la Salle de Crise où le personnel y travaillant 24 heures sur 24 rassemblait les données disponibles et où Kupperman se trouvait, depuis son arrivée. Nous savions désormais que les navires pris pour cible étaient ancrés dans le golfe d'Oman, au large du port des Émirats arabes unis de Foujeyra. Les informations étaient encore incomplètes et parfois contradictoires, comme ces rapports faisant état d'explosions dans la ville de Foujeyra elle-même, ce que les autorités de la ville se sont empressées de démentir et qui se sont révélées fausses. Un navire était probablement norvégien, deux saoudiens et un émirati. Les attaques avaient été perpétrées par des hommes-grenouilles qui avaient fixé des mines ventouses aux coques des pétroliers, à moins que les navires aient été touchés par des missiles à courte portée tirés depuis une petite embarcation. Dimanche, en fin de journée, la piste des hommes-grenouilles semblait la plus vraisemblable, et elle a été confirmée les jours suivants par des membres des opérations spéciales des États-Unis.

Aux alentours de 6 h 15, j'ai décidé qu'il était temps d'appeler Trump. Même si c'était la deuxième fois en deux semaines que je le tirais du lit (la première fois, c'était le 30 avril pour le soulèvement au Venezuela), j'ai décroché mon téléphone. Je l'ai briefé sur ce que nous savions. Il m'a demandé : « Que devons-nous faire ? » J'ai répondu que nous allions continuer de rassembler des informations, être prêts en cas d'autres attaques et commencer à réfléchir à notre réponse militaire. « Mais pourquoi n'en avons-nous pas été avertis ? », m'a-t-il demandé. Il semblait encore apparemment croire que nous étions au courant de tout. Je lui ai expliqué, comme je l'avais déjà fait plusieurs fois auparavant, que nous n'étions pas omniscients et que je le tiendrais informé. (Plus tard dans la journée, au cours d'une conversation avec Pompeo, Trump a encore demandé pourquoi nous n'avions pas été informés de cette attaque.)

J'ai laissé des messages pour Mulvaney qui se trouvait à Camp David avec des membres de la Chambre et du Sénat pour une sorte de retraite. J'avais aussi demandé à la Salle de Crise de contacter nos ambassades à Oslo, Abu Dhabi et Riyad pour prendre le pouls des gouvernements des pays qui les accueillaient afin de découvrir ce qu'ils savaient. J'ai d'abord pensé que ces trois gouvernements devaient demander une réunion d'urgence du Conseil de sécurité pour braquer les projecteurs sur l'Iran. Je me suis entretenu avec Pompeo aux alentours de 6 h 25 et il a approuvé cette stratégie. À 7 h 30, j'ai appelé Pence et je l'ai briefé, ayant déjà demandé à Kupperman de convoquer une réunion des adjoints à 8 heures, la première des trois organisées ce jour-là, pour préparer notre réponse. Plusieurs agences ont grogné d'être dérangées un dimanche.

À 8 heures, les informations étaient encore parcellaires. Les Saoudiens, pour des raisons qui leur sont propres, ont d'abord nié toute attaque avant de finalement se rétracter. Nous étions en consultations étroites avec tous nos alliés affectés et nous surveillions avec attention les campagnes de désinformation iraniennes, qui avaient déjà débuté. À 8 h 20, la Norvège a confirmé publiquement que son navire avait été touché, mais qu'il n'y avait aucune victime et que le navire pouvait encore naviguer. Je me suis entretenu avec Dunford trois fois en très peu de temps, dont la première à 8 h 40. Nous avions des photos d'une brèche sur le flanc d'un des navires, prises par l'équipage du navire, qui disait clairement qu'elle ne pouvait pas avoir été provoquée par un drone. Dunford m'a rappelé à 8 h 50 pour m'annoncer que nos alliés confirmaient l'essentiel de ce que nous avions appris, mais que les tentatives de désinformation iraniennes commençaient à fleurir, prétendant qu'il y avait entre sept et dix navires en feu et que des avions américains et français avaient été aperçus dans les environs. Téhéran était en lice pour remporter le prix du pays le plus culotté de l'année, mais ils savaient que beaucoup de personnes, dans le monde entier, étaient préformatées pour les croire. Dunford et moi avons discuté de ce que nous devrions faire si tout cela n'était qu'une opération d'influence iranienne. Voilà en partie pourquoi le gouvernement américain ne s'est pas exprimé officiellement une seule fois au cours de la journée. Nous faisions très attention à ne pas faire le jeu de l'Iran, en faisant une déclaration qui pourrait, par inadvertance, provoquer ou accélérer la hausse du cours du brut. À 8 h 57, Dunford m'a rappelé pour m'informer que des fonctionnaires du Pentagone se souvenaient d'un incident, dix ans auparavant, où l'Iran avait essayé de nous attirer dans un conflit en plaçant de fausses mines devant le *Grace Hopper*, un contre-torpilleur équipé de batteries de missiles guidés. Hopper était une scientifique, une pionnière de l'informatique dans la Navy, dont le travail en cryptanalyse avait été essentiel pour décrypter les codes de l'ennemi pendant la Seconde Guerre mondiale, et qui avait atteint le rang de contre-amiral. J'ai raconté à Dunford comment Yale avait réécrit l'histoire, en 2017, en rebaptisant mon pôle universitaire (Calhoun), Hopper, une des premières doctorantes en mathématiques. J'avais commandé une photographie du contre-torpilleur, auquel elle avait donné son nom, pour décorer la pièce commune du collège. Je me demandais si ce choix conviendrait aux étudiants et aux enseignants de gauche. Cela nous a, au moins, donné une occasion de rire dans une journée qui s'annonçait sombre.

Nous craignions de nouvelles attaques, surtout contre nos ambassades et nos consulats. J'ai rappelé Trump peu après midi pour faire le point. Trump commençait à croire qu'il n'y avait eu aucune attaque. J'ai donc tenté de lui expliquer plus en détail tout ce que nous avions appris même si notre collecte des faits et nos recherches se poursuivaient encore. Alors que le temps passait, les nouvelles informations étaient rares. Aux alentours de 16 h 45, Dunford a fait circuler l'estimation du Pentagone que les dommages des quatre pétroliers semblaient légers et que, à l'invitation, des Émirats arabes unis, nous allions envoyer des équipes de plongeurs, le lendemain, à Foujeyra, pour évaluer les dommages. J'ai appelé Trump, une dernière fois, à 17 h 15, pour l'informer de tout ce que nous savions et observions ainsi que pour lui indiquer que, selon nous, il valait mieux ne rien dire publiquement avant d'en savoir davantage. « D'accord », a-t-il répondu immédiatement avant d'ajouter : « Profil bas, aucune déclaration. » Il voulait que les pays arabes du golfe paient les coûts de toutes les opérations que nous étions en train d'entreprendre et il s'est mis à m'expliquer que nous aurions dû exploiter le pétrole irakien après notre invasion de 2003. À la fin de l'appel, il m'a dit : « Merci, John, au revoir », signe qu'il était satisfait de ce qui avait été fait. J'ai regagné mon domicile aux alentours de 17 h 30.

Pendant le briefing des services de renseignement, aux alentours de midi, Trump a immédiatement demandé : « Pourquoi est-ce qu'ils [les Iraniens] ne disent rien ? » Il n'arrivait pas à croire que les Iraniens ne voulaient pas dialoguer et il pensait toujours, dans un coin de sa tête, que Pompeo et moi bloquions leurs tentatives pour le joindre. Mais, en fonction de ce que nous savions, il n'y avait tout bonnement aucun indice nous indiquant que Téhéran avait envie de dialoguer avec nous. Trump répétait, encore plus fort que d'habitude, qu'il voulait que les pays arabes producteurs de pétrole supportent le « coût total » de tout ce que nous faisions. Après avoir évoqué les risques pour notre personnel en Irak, Trump s'est lancé dans une tirade sur la Syrie pour nous expliquer pourquoi nous devrions nous en désengager complètement, sans parler de l'Afghanistan, et ensuite faire la même chose en Irak, tant que nous y étions. « Appelez Pompeo et demandez-lui s'il se rappelle de Benghazi », a conclu Trump. En revanche, Trump était très clair, comme je l'ai expliqué à Shanahan par la suite, sur le fait qu'il voulait une réponse très forte, si jamais des Américains étaient tués, des représailles bien plus importantes que celles impliquées par l'expression « œil pour œil, dent pour dent ».

Toute augmentation importante des capacités militaires de l'Iran est tributaire du développement de son programme de missiles balistiques. Les tests s'étaient accélérés en 2018 et 2019, même s'il y avait pas mal d'échecs, au lancement ou légèrement après. Même si ces échecs nous rassuraient, je me souviens, ayant grandi dans les années 1950 et 60, que les scientifiques américains décrivaient les explosions des fusées Vanguard et Jupiter-C sur le pas de tir comme des « succès à 90 %. » Ils apprenaient autant de leurs échecs que des lancers qui se passaient à la perfection. Il était presque inévitable, vu la poursuite des tests iraniens et leurs progrès, que l'Iran devienne une plus grosse menace dans la région, mais aussi, à terme, au niveau mondial. Mais je ne suis pas arrivé, malgré de nombreuses tentatives, à en faire comprendre les implications stratégiques à Trump. Pourtant, suite à l'échec d'un lancement test d'un missile Safir, il a twitté le 30 août :

Les États-Unis d'Amérique ne sont pour rien dans le terrible accident intervenu pendant les derniers réglages précédant le lancement du Safir SLV sur le premier pas de tir de la base de lancement de Semnan en Iran. J'adresse mes meilleurs vœux à l'Iran et bonne chance pour découvrir ce qui s'est passé sur le premier site de lancement.

Cela a quelque peu fait jaser puisqu'il sous-entendait exactement le contraire de ce que disait le tweet. Comme Trump l'a déclaré par la suite : « J'aime les asticoter un peu. » Encore un exemple de ses grands talents de stratège.

Tôt le mardi 14 mai, nous avons appris que l'Iran avait encore frappé, dans la nuit, en attaquant deux stations de pompage sur l'oléoduc qui traverse l'Arabie Saoudite d'est en ouest. Bien que les Houthis du Yémen aient revendiqué cette attaque, certains pensaient qu'il s'agissait de l'œuvre de milices chiites irakiennes. Dans les deux cas, l'attaque avait été orchestrée et dirigée par l'Iran. Cette fois, les Saoudiens n'ont pas cherché à dissimuler les deux incidents, bien au contraire. J'ai donc appelé Trump aux alentours de 8 h 30. Il a réagi avec calme, mais a déclaré au sujet de l'Iran : « S'ils nous attaquent, nous les frapperons fort, je peux vous l'annoncer. » Alors qu'il quittait la Maison Blanche pour se rendre en Louisiane pour inaugurer une nouvelle usine d'export de gaz naturel liquide (flanqué, je ne sais pas pourquoi, de Gordon Sondland et d'un commissaire de l'UE, que Mulvaney, à la demande de Sondland, avait autorisé à monter sur Air Force One), les journalistes l'ont interrogé sur les articles annonçant qu'il prévoyait d'envoyer 120 000 nouveaux militaires au Moyen-Orient. Trump a répondu qu'il s'agissait d'une « fake news » avant d'ajouter : « Et si c'était le cas, nous enverrions beaucoup plus de soldats que ça. » Les démocrates eux-mêmes commençaient à trouver que l'ampleur et le tempo de la menace iranienne commençaient à prendre des proportions inacceptables. L'information révélée dans la presse, plus tard dans la journée, du « départ ordonné » de plus d'une centaine d'employés non essentiels de l'ambassade de Bagdad a renforcé cette inquiétude.

Le lendemain, Trump a présidé une réunion du NSC à 9 h 30. Pour mieux cerner ses positions, Dunford et Shanahan ont, avec une certaine pertinence, enjoint à Trump, plusieurs fois, de voir plus loin que la prochaine décision et d'envisager les étapes suivantes. Shanahan a déclaré qu'ils voulaient évaluer sa tolérance au risque, une préoccupation à laquelle Trump a répondu : « J'ai une incroyable capacité au risque. Le risque est quelque chose de positif. » Il s'est ensuite lancé dans un monologue dans lequel il nous a fait part de son opinion sur l'Irak ; des raisons pour lesquelles il voulait que nous quittions la Syrie ; pourquoi nous devrions, comme en Irak, exploiter le pétrole du Venezuela après avoir chassé Maduro ; et les raisons qui lui faisaient dire que la Chine était « le plus grand tricheur au monde » comme l'avait récemment prouvé son comportement pendant les négociations commerciales.

Il s'est alors lancé dans une diatribe pour nous expliquer que le pouvoir militaire reposait sur le pouvoir économique. Il a alors digressé sur les porte-avions et nous avons eu droit à un discours sur la très large supériorité des systèmes utilisant la vapeur pour faire monter et descendre les avions depuis et vers les ponts d'envol des porte-avions, par rapport aux systèmes électroniques utilisés sur l'incroyablement onéreux *Gerald Ford* – 16 milliards de dollars à ce jour, a déclaré Trump (les lecteurs pointilleux peuvent vérifier le véritable coût eux-mêmes ; je ne veux pas que les faits viennent ralentir le récit) – et malgré les avis des marins disant, eux-mêmes, qu'ils peuvent réparer un système vapeur avec un coup de marteau, alors qu'ils n'ont pas la moindre idée de comment réparer un système électronique. Cette même logique valait pour les catapultes vapeur utilisées pour aider à faire décoller les avions, une technologie que Trump voulait faire réinstaller sur tous les porte-avions qui avaient adopté des systèmes plus modernes.

Soudainement, Haspel de la CIA, et c'est tout à son crédit, est intervenue et a commencé sa partie du briefing, arrêtant net le train Trump sur la voie. Je ne peux pas, bien sûr, vous révéler ce qu'elle a dit, mais toutes les personnes présentes – hormis Trump – ont commencé à remercier le ciel lorsqu'elle a pris la parole. En l'absence de Pompeo, c'est John Sullivan qui a décrit l'évacuation du personnel de notre ambassade de Bagdad. Et Trump a embrayé sur l'Afghanistan. « Tirons-nous de là », a dit Trump, ce qui, d'après moi, faisait référence à l'Irak et à l'Afghanistan, mais que, malheureusement, nous n'avons pas pu deviner avant que Trump ne demande : « À part les quatre cents [deux cents à Al-Tanf et « quelques centaines » pour le projet de force multilatérale d'observation], dans combien de temps quittons-nous la Syrie ? »

« Dans quelques mois », a répondu Dunford.

« L'Irak se contrefiche de nous », a poursuivi Trump, faisant référence au consulat d'Erbil avant d'ajouter : « Fermez la porte et dégagez de là. », et d'enchaîner : « Ce porte-avions [le *Lincoln*], quelle vision magnifique ! » En pensant à la Navy, Trump s'est peut-être rappelé du général Mark Milley, qui succéderait à Dunford le 1er octobre. Trump a demandé si nous devions commencer à convier Milley aux réunions du NSC. Il a déclaré qu'il laisserait la décision à Dunford. Tout cela ne rimait absolument à rien. Deux personnes ne peuvent pas occuper le fauteuil de conseiller spécial et il y a un moment pour entrer en fonction et un moment pour quitter cette fonction. Personne, y compris Milley, avec qui j'ai discuté de ce sujet par la suite, ne pensait que c'était une bonne idée que les deux assistent avant l'inévitable période de transition. Dunford a répondu d'une voix neutre : « Je quitterai mes fonctions quand vous le voudrez, Monsieur le président » ce qui a heureusement fait reculer Trump. (J'ai dit à Dunford en privé, après la réunion, qu'il était hors de question qu'il quitte son poste avant la fin de son mandat ou que Milley assiste aux réunions du NSC tant que le moment ne serait pas venu. Dunford est resté impassible, mais cela ne me surprendrait pas qu'il ait été à deux doigts de se lever et de quitter la Salle de Crise pour de bon.)

Après la rêverie *Lincoln*, Trump nous a offert la version courte du soliloque sur John Kerry et le Logan Act : « Les Iraniens ne refusent pas le dialogue uniquement à cause de John Kerry ? » a-t-il demandé, d'un air songeur, mais Shanahan, enhardi par le succès obtenu par Haspel en ignorant Trump et en l'interrompant, a recommencé à parler de choses plus ennuyantes comme le risque, le coût et la planification des différentes options que nous pouvions envisager, dont l'usage de la force. « Je ne pense pas qu'ils ont besoin de commencer à fabriquer des armes nucléaires », a dit Trump. Lorsque Dunford a essayé d'être plus précis sur ce que nous pouvions faire, et quand, afin de répondre à une attaque iranienne, Trump a répondu que les pays arabes du golfe pouvaient payer. Dunford a continué d'obliger Trump à se concentrer sur une série d'options précises situées le long d'une échelle graduée de réponses possibles, mais, à un moment, nous avons décollé pour l'Afrique du Sud et Trump nous a expliqué tout ce qu'il venait d'apprendre au sujet du traitement des fermiers blancs, affirmant qu'il voulait leur accorder l'asile et la nationalité. À ma grande satisfaction, la discussion sur les cibles a repris. Malheureusement, la mention de nos troupes restant en Irak a conduit Trump à poser la question suivante : « Pourquoi ne pas les retirer ? En Syrie, nous nous sommes débarrassés de Daech. » Ce que j'ai entendu ensuite m'a choqué. Toutefois, je me souviens clairement l'avoir entendu dire : « Je me fous que Daech se réimplante en Irak. » La discussion sur les actions américaines possibles contre l'Iran s'est poursuivie, avant de sauter sur l'Afghanistan et d'écouter Trump se plaindre du salaire que nous versions aux soldats de l'armée afghane. Shanahan a précisé que le salaire moyen était légèrement inférieur à 10 dollars par jour, mais cette remarque a littéralement glissé sur Trump.

Le 19 mai, une semaine après l'attaque des quatre pétroliers, la Salle de Crise m'a appelé en début d'après-midi pour m'informer d'une explosion, peut-être une roquette Katioucha qui avait atterri à Zaarwa Park, le parc d'attractions situé à un kilomètre de notre ambassade de Bagdad. J'ai appelé Dunford puis Pompeo qui n'étaient, tous les deux, au courant de rien, mais nous étions tous d'accord pour dire qu'un tir de Katioucha à Bagdad n'avait rien de nouveau. Aux alentours de 17 heures, Trump a twitté :

> **Si l'Iran veut la guerre, alors ce sera la fin officielle de l'Iran. Ne refaites jamais l'erreur de menacer les États-Unis !**

Le lendemain, pendant le briefing des services de renseignement, Trump s'est plaint à propos d'histoires dans les « actualités » selon lesquelles nous demandions à entamer le dialogue avec les dirigeants iraniens. Un peu plus tard, il s'est fendu d'un tweet :

> **Cette fake news est typique d'une fausse déclaration, sans aucune connaissance d'éventuelles négociations entre les États-Unis et l'Iran. Cet article est faux... Les Iraniens nous contacteront si et quand ils seront prêts. Pour l'instant, leur économie continue de s'effondrer – très triste pour le peuple iranien !**

Rohani, lui-même, a déclaré publiquement : « Le contexte actuel n'est pas propice au dialogue. »

Je me disais que dans la guerre de troll Trump-Iran, c'était l'Iran qui avait le dessus. Ils ont déclaré publiquement qu'ils savaient que Trump voulait dialoguer, mais que ses conseillers, comme moi-même, l'en empêchaient ou alors que Trump voulait la paix, mais que ses conseillers voulaient la guerre. À l'instar des tentatives de Kim Jong Un pour isoler Trump et ne traiter qu'avec lui seul, nous étions en pleine guerre psychologique. Cela m'ennuyait de voir les médias américains reporter crédulement ces affirmations émanant de gouvernements étrangers comme si elles étaient parfaitement logiques, amplifiant ainsi les tentatives de propagande de Pyongyang et de Téhéran. Encore pire, Trump semblait, lui aussi, prendre ces histoires au sérieux. Les présidents précédents n'auraient pas prêté l'oreille aux caricatures de leurs conseillers faites par des adversaires étrangers, mais Trump semblait avoir la réaction inverse. C'était difficile à expliquer aux outsiders, mais parfaitement normal à la Maison Blanche sous Trump. Le lendemain, par exemple, il m'a dit, d'un ton accusateur : « Je ne veux pas que quelqu'un demande à l'Iran d'entamer un dialogue. » Je lui ai répondu : « Ce n'est pas à moi que ce genre de chose viendrait à l'idée ! » Trump a admis : « Non, certainement pas. »

Pendant que je me rendais au Japon pour préparer la visite d'état de Trump avec l'empereur, Shanahan et Dunford tenaient une réunion avec lui, et à laquelle Pompeo et Kupperman assistaient également, pour discuter du renforcement de la protection de nos forces déjà stationnées dans le golfe. Cependant, avant que la discussion ne commence sérieusement, Trump a demandé : « Quand diable allons-nous enfin nous tirer d'Afghanistan ? Vous ne pouvez pas en utiliser certaines qui se trouvent là-bas [il voulait dire au Moyen-Orient] ? » Dunford lui a expliqué que les troupes en Afghanistan avaient d'autres compétences. « Ce putain de Mattis » a lâché Trump, avant de les gratifier d'une tirade durant laquelle il leur a expliqué qu'il avait donné à Mattis les règles d'engagement qu'il voulait en Afghanistan, mais que nous n'avions toujours pas gagné. « Quand allons-nous nous tirer de Syrie ? » a enchaîné Trump. « Tout ce que nous avons fait, c'est sauver Assad. » Dunford a tenté d'expliquer qu'en Syrie, nous poursuivions la mission que Trump avait approuvée plusieurs mois auparavant. Trump a demandé lesquels de nos deux alliés arabes étaient de meilleurs soldats. Quelque peu pris de court, Dunford a vite repris ses esprits pour donner son avis sur la question. Et Trump a ensuite demandé : « Font-ils tous la même taille ? ». Ayant retrouvé son flegme, Dunford a déclaré qu'il y avait des différences de culture. La discussion a fini par revenir au sujet de la réunion et Trump a accepté les recommandations de déploiement présentées par le Pentagone ainsi que le fait qu'elles devaient être annoncées rapidement.

Bien que Trump ne m'en ait pas informé à l'époque, il avait demandé à Abe de jouer un rôle de médiateur entre l'Iran et les États-Unis, une demande qu'Abe avait pris au sérieux. Vu les menaces de plus en plus sérieuses à l'encontre des intérêts des États-Unis et de nos alliés dans le golfe Persique, ce n'était pas vraiment le bon moment pour avoir une nouvelle mauvaise idée, surtout qu'il était évident que Trump confiait à Abe une mission publique qui ne pouvait se solder que par un échec (ce qui s'est produit au final). Abe pensait se rendre en Iran mi-juin, avant le sommet du G20 à Osaka, ce qui vaudrait à cette rencontre encore plus de publicité. Lorsque j'ai rencontré Abe lui-même au Japon, juste avant la visite d'État de Trump pour rencontrer l'empereur, Abe a bien souligné qu'il ne se rendrait en Iran que si c'était le souhait de Trump et s'il existait une chance que ce soit utile. Je ne pouvais, de toute évidence, pas dire que, selon moi, cette initiative était une très mauvaise idée. Toutefois, j'ai suggéré à Abe d'en parler à Trump en privé et de se faire sa propre opinion sur la façon de procéder.

Pendant la visite d'État de Trump, Abe et Trump se sont mis au travail le lundi 27 mai, à 11 heures, dans la salle Asahi-No-Ma du palais d'Akasaka, dans laquelle n'ont pris place que les deux chefs d'État, Yachi, moi-même et les interprètes. Abe a résumé le dîner de la veille avec Trump, confirmant sa visite en Iran les 12 et 13 juin. Trump commençait vraiment à s'assoupir. Il n'est jamais tombé de sa chaise et n'a jamais semblé manquer quelque chose d'important, mais il était, pour reprendre l'excellente formule d'un de mes sergents instructeurs à Fort Polk, « en train de vérifier qu'il n'y avait aucun trou à l'intérieur de ses paupières. » Zarif se trouvait à Tokyo, la semaine précédente, et Abe nous a dit qu'il avait compris que l'Iran traversait des difficultés et qu'il y avait un sentiment de crise. Il a ajouté que, selon lui, la décision de Trump d'envoyer le porte-avions *Abraham Lincoln* avait été très efficace. Il était prêt à officialiser son départ pour l'Iran, mais avait récemment discuté avec quelques-uns de nos amis arabes qui s'étaient montrés très critiques vis-à-vis de cette initiative. Trump a interrompu Abe pour lui dire qu'il ne devait pas y prêter attention parce que c'étaient les États-Unis qui assuraient leur défense, que nous prenions nos propres décisions et que personne ne nous disait quoi faire. Après quelques échanges, Trump a déclaré que l'inflation était de 1 000 000 %[62] en Iran, que le PIB affichait moins 10 % et que le pays souffrait terriblement. Puis, à brûle-pourpoint, il a déclaré que Moon le suppliait de se rendre en Corée du Sud pendant ce séjour, mais qu'il avait décliné l'invitation.

Trump pensait que l'Iran était impatient et obligé de conclure un accord. Il voulait les rencontrer immédiatement, à mi-chemin (je pense qu'il voulait dire géographiquement). Même s'il ne voulait pas humilier l'Iran et, en réalité, il espérait qu'ils réussiraient à surmonter leurs difficultés actuelles, il était clair qu'ils ne pouvaient pas disposer d'armes nucléaires, déjà trop répandues sur la planète, un point qu'il a répété deux fois. Il a enjoint à Abe d'appeler les Iraniens pour le leur dire après son départ du Japon. Trump voulait surtout que les Iraniens sachent qu'ils ne devaient pas écouter John Kerry. Il pensait pouvoir conclure les négociations en un jour et ne pas les

62 Un million pour cent (NDT).

étaler sur neuf à douze mois. Bien sûr, Trump était également absolument prêt à entrer en guerre s'il le fallait et l'Iran devait le savoir ; s'ils ne le savaient pas, ils ne concluraient jamais d'accord. Nous étions désormais nombreux, dans l'entourage de Trump, à vouloir entrer en guerre, mais cela n'arriverait jamais à cause de lui. Trump, dans toute sa splendeur, était capable de passer d'un accord négocié en un jour à la guerre totale en l'espace de quelques secondes. Abe a promis de transmettre le message de Trump et il a suggéré que, pendant qu'il préparait sa visite en Iran, Yachi et moi-même finalisions la proposition qui serait transmise à l'Iran. C'était la meilleure nouvelle de la matinée. Trump a déclaré qu'Abe devait s'y mettre le plus vite possible. À cet instant, un peu avant midi, les participants à la réunion en plus grand comité sont entrés et Abe a commencé ce second atelier de discussion en déclarant que Trump et lui venaient d'avoir un échange très productif avec leurs conseillers à la sécurité nationale, ce qui était une façon de voir les choses.

À mi-chemin entre Tokyo et Londres, où je me rendais afin d'assister à la visite d'État du Royaume-Uni, j'ai fait une escale de 24 heures à Abu Dhabi, le 29 mai, d'abord pour faire le plein de kérosène et laisser l'équipage se reposer, mais aussi, pour m'entretenir avec le prince héritier des Émirats arabes unis, Mohammed ben Zayed, que je connaissais depuis plusieurs années, ainsi qu'avec mon homologue émirati, Cheikh Tahnoon ben Zayed, et quelques autres. Le prince héritier a répété à plusieurs reprises qu'il était incapable de me dire à quel point ma venue était importante, et que cela envoyait un signal positif au reste du golfe. Lui et les Émiratis étaient devenus très inquiets en constatant notre non-réponse aux récentes provocations iraniennes, l'accélération de la fabrication de missiles et de drones aux mains des Houthis et des milices chiites en Irak, ainsi que l'aide apportée aux talibans et à Daech en Afghanistan. Ils ne pouvaient pas comprendre, non plus, l'ayant appris de la bouche d'Abe, pourquoi Trump voulait discuter avec l'Iran. J'ai tenté, en vain, d'expliquer que lorsque Trump employait le mot « discuter », il ne voulait pas vraiment dire, ou impliquer, autre chose que « discuter ». Mais ce n'était pas ainsi que le prince héritier et les Arabes du golfe l'interprétaient et, surtout, l'Iran non plus ; tous voyaient cela comme un aveu de faiblesse. (En fait, après mon arrivée à Londres, le conseiller saoudien à la sécurité nationale, Musaad ben Mohammed Al Aiban, que je n'avais jamais rencontré, m'a appelé pour me dire que son prince héritier, Mohammad ben Salmane, voulait que je sache à quel point ils étaient mécontents de la visite d'Abe en Iran. Je l'ai enjoint à demander au prince héritier d'appeler Trump directement, en pensant qu'il aurait peut-être plus de chance que moi.) J'ai pris la direction de Londres, aussi découragé que pendant les années Obama, lorsque les chefs d'États du Moyen-Orient demandaient les uns après les autres pourquoi Obama pensait que les ayatollahs abandonneraient un jour, volontairement, le terrorisme ou les armes nucléaires.

Après la visite d'État au Royaume-Uni, les Britanniques puis les Français ont accueilli les commémorations du soixante-quinzième anniversaire du débarquement, d'abord le 5 juin, à Portsmouth, le port où beaucoup de troupes impliquées dans le débarquement avaient embarqué, puis en Normandie, le 6 juin. Après les cérémonies de Normandie, Macron a déjeuné avec Trump, avec l'Iran comme plat de résistance. Macron était concentré sur « la deadline du 8 juillet », soit l'ultimatum fixé par l'Iran à l'Europe pour lui fournir les avantages économiques que Téhéran estimait devoir percevoir en vertu de l'accord sur le nucléaire, sans quoi l'Iran ne se sentirait plus contraint de respecter les principales limites du traité. En théologie de l'Union européenne, ce non-respect des règles pourrait bien signaler la fin de l'accord. Bonne surprise de dernière minute, selon moi, Macron voulait connaître les détails de la mission d'Abe. Macron voulait savoir ce que nous étions prêts à abandonner. Serions-nous prêts à alléger les sanctions ? Et que voulions-nous de l'Iran ? Réduire ses activités militaires en Syrie et au Yémen ? Après avoir expliqué de nouveau les conséquences pour l'Iran du rétablissement des sanctions par les États-Unis, Trump s'en est pris à Kerry pour avoir enfreint le Logan Act et convaincu l'Iran de ne pas négocier. Mnuchin a déclaré que nous pouvions facilement suspendre ou rétablir les sanctions contre l'Iran, ce qui était complètement faux du point de vue de l'efficacité des sanctions et absolument contraire à tout ce que Trump avait déclaré jusque-là. Il penchait peut-être dans cette direction, mais Mnuchin acceptait de capituler sans même envisager le signal qu'une levée des sanctions enverrait dans le monde entier, ni même se demander ce que nous obtiendrions en retour. Macron a déclaré ouvertement qu'il craignait que l'Iran refuse catégoriquement de négocier, ce qui selon moi était quasi certain, et qui nous sauverait ainsi de nous-mêmes. Toute cette conversation était un désastre. La visite d'Abe en Iran était déjà assez néfaste, mais ajouter les Européens ne pouvait qu'aggraver les choses. Ils avaient un agenda complètement différent, à savoir sauver l'accord sur le nucléaire à tout prix plutôt que de s'attaquer sérieusement au problème sous-jacent. Bien sûr, si l'Iran poursuivait ses actions belligérantes et frappait de nouveau les États-Unis ou des cibles alliées, toute action militaire américaine tuerait dans l'œuf les tentatives diplomatiques du Japon et de l'Europe. C'est ce qui me retenait de démissionner pour l'instant.

Pendant mon vol retour vers Andrews, Kupperman m'a passé un bref appel, peu après 18 heures, heure de Washington. Quelques heures avant, un drone américain MQ-9 Reaper (une variante du Predator) avait été abattu, près de Al-Hodeïda, au Yémen, par un missile sol-air, probablement tiré par les Houthis (ou les Iraniens depuis le territoire Houthi). Les Houthis ayant revendiqué l'attaque, Kupperman a donc convoqué une réunion des adjoints à 8 h, vendredi matin, pour envisager une réponse. Au final nous n'avons rien fait, essentiellement à cause de l'armée, en la personne de Paul Selva, vice-chef d'état-major, qui a insisté sur le fait que nous ne savions pas avec certitude qui avait réellement abattu le Reaper et qui avait perpétré les autres attaques récentes. Je n'aurais pas pu être plus en désaccord. Selva s'est comporté en procureur nous demandant de démontrer la culpabilité au-delà du doute raisonnable, ce que nous étions « raisonnablement » très proches de faire ici. Qui d'autre, hormis l'Iran ou une des forces sous son contrôle, aurait pu être responsable ? Mais surtout, nous n'étions pas en train d'instruire un procès devant un tribunal pénal. Nous étions dans ce monde réel complexe dans lequel les informations sont toujours imparfaites. Bien sûr, il existe également, dans ce monde réel, des bureaucrates experts dans l'art de ne pas faire ce qu'ils n'ont pas envie de faire, ce qui était un très gros problème surtout avec un président dont les avis zigzaguaient d'une heure à l'autre. Et comme si les choses n'allaient pas assez mal, des civils du département de la Défense essayaient également de faire pression sur Israël pour les dissuader de prendre des mesures d'autodéfense. Pompeo m'a confié être intervenu personnellement pour, à juste titre, y mettre fin. L'esprit Mattis était toujours dans nos murs.

Yachi m'a appelé à 8 h 30, le vendredi 7 juin, pour passer en revue les arguments d'Abe, avant sa visite en Iran. Il m'a présenté une proposition que n'auraient pas reniée Macron ou Merkel tellement elle était généreuse pour l'Iran. Le Japon devenait schizophrène à cause de l'Iran et de la Corée du Nord ; indulgent avec le premier (à cause du pétrole) et inflexible avec le second (à cause de la triste réalité), et j'ai taché, à plusieurs reprises, avec un succès mitigé, de convaincre Abe que les deux menaces étaient similaires. Il a parfaitement compris que cette « pression maximale » était la bonne stratégie à appliquer contre la Corée du Nord et que si un pays de l'UE avait proposé à Pyongyang ce qu'Abe s'apprêtait à proposer à Téhéran, il l'aurait rejeté violemment et sans aucune hésitation. Je voulais conserver le maximum de distance possible entre le Japon et les Européens, parce que je pensais que leurs objectifs étaient tellement différents ; contradictoires en fait. Alléger les sanctions contre Kim Jong Un n'aurait fait que l'encourager à demander de meilleures conditions de développement nucléaire, tout comme diminuer la pression sur l'Iran aurait produit les mêmes effets à Téhéran. Voilà tout ce que j'ai expliqué à Yachi en long et en large. J'ai également briefé Yachi sur les menaces iraniennes auxquelles nous étions confrontés pour qu'il comprenne à quel point elles étaient sérieuses, en utilisant l'exemple du drone Reaper abattu et les autres attaques décrites ci-dessus pour illustrer mes propos. J'ai aussi dit à Yachi que Trump pensait que le voyage d'Abe était important, difficile, mais au succès néanmoins crucial. Je ne voulais pas saboter la mission d'Abe, mais je ne voulais pas, non plus, lui donner carte blanche, surtout en voyant la France et Mnuchin se prendre les pieds dans le tapis en essayant de sauver le PAGC.

Le lundi 10 juin, j'ai discuté avec Trump de l'avancée du projet d'Abe. Au cours de notre entretien, Trump m'a dit clairement que l'idée d'Abe n'était acceptable que « s'ils [l'Iran] acceptaient l'accord ». Cela signifiait, en d'autres termes, que nous ne ferions pas de concessions aujourd'hui, mais que nous y serions disposés une fois que l'Iran aurait vraiment apporté la preuve de l'abandon de son programme nucléaire. Il s'agissait là d'une distinction cruciale, mais une que Trump, lui-même, aurait du mal à tenir, aussi bien vis-à-vis de l'Iran que de la Corée du Nord. J'ai appelé Pompeo pour lui annoncer la bonne nouvelle. Il m'a répondu : « Je crois que nous y sommes », voulant dire que nous étions hors de danger, du moins pour l'instant. Néanmoins, avoir évité ce qui pourrait bien devenir la variante de l'Administration Trump de la politique des « palettes de cash » livrées à l'Iran sous Obama, n'a pas suffi à le rendre aussi optimiste que moi. En s'appuyant sur ses conversations avec le ministre des Affaires étrangères japonais, il craignait qu'ils ne soient pas prêts à accepter ce que Trump venait de me dire. Dans nos esprits, la convergence des menaces iranienne et nord-coréenne en juin et en juillet donnait de plus en plus de crédibilité à nos risques. Pompeo m'a confié, à propos de l'Iran, qu'une douzaine de ministres des Affaires étrangères l'avaient appelé dès qu'ils avaient eu vent de la mission d'Abe, pensant que la campagne de « pression maximale » était désormais caduque et remplacée par un service de médiation. Une preuve de plus que Trump était le seul chef d'État de la planète à croire que discuter avec des adversaires était dépourvu de connotations. Comme l'a dit Pompeo, si votre objectif se limite à obtenir un accord sur le nucléaire avec l'Iran, ne vous souciez pas de savoir s'il est bon et ne vous souciez pas des missiles balistiques, du soutien au terrorisme ou de rien d'autre, cet accord existait déjà : c'était l'accord sur le nucléaire iranien ! Sur le front nord-coréen, la situation était tout aussi mauvaise. Nous étions, pour reprendre les mots de Pompeo, « dans la zone de danger » où Trump allait complètement saboter ses propres politiques. Nous ne savions pas vraiment ce que le reste du monde pensait de nos divergences et de notre confusion parce que, pour le moment, grâce au *New York Times* et à d'autres, les médias se focalisaient sur les désaccords entre Trump et moi-même, durant nos échanges sur la Corée du Nord et l'Iran. Alors que la plus grande source de désaccords était ailleurs : entre Trump et Trump.

Ce soir-là, Abe a appelé Trump pour relire ensemble sa proposition finale à l'Iran, que nous essayions de rendre la plus anodine possible. Néanmoins, Abe a posé quelques questions à propos du programme qu'il proposait en disant qu'il comprenait que les États-Unis étaient sceptiques quant au bien-fondé de présenter cette idée à l'Iran maintenant. Trump n'a tout simplement pas répondu à la remarque d'Abe, ce qui a indiqué à tous ceux qui participaient à cet appel qu'il serait heureux qu'Abe ne l'évoque pas avec l'Iran. Je n'en croyais pas notre chance. Ce n'était pas une balle que nous venions d'esquiver, c'était un missile balistique intercontinental équipé d'ogives multiples.

Le jeudi 13 juin, la Salle de Crise m'a réveillé au milieu de la nuit pour m'informer que deux pétroliers venaient de subir une attaque dans le golfe d'Oman. Le *Front Altair* et le *Kokuka Courageous* (ce dernier avait été affrété par des Japonais) étaient en feu et, peut-être, sur le point de sombrer. Un vaisseau américain était en route pour leur porter assistance. Nous ne disposions, pour l'instant, d'aucun indice quant à l'identité des agresseurs, mais elle ne faisait aucun doute dans mon esprit. Environ trois heures plus tard, les incendies avaient pris de l'ampleur et des navires de commerce qui croisaient à proximité, dont un qui sera ensuite identifié comme le *Hyundai Dubaï*, avaient recueilli les deux équipages. Un navire militaire iranien s'était approché du *Hyundai Dubai* et avait exigé que leur soient remis les marins qu'ils avaient secourus, ordre auquel ils avaient obtempéré. (Le commandement central des États-Unis a, par la suite, posté ces informations sur son site web, réfutant par là même la déclaration scandaleuse de l'Iran qui prétendait que son navire avait secouru un des équipages.) Je suis arrivé à la Maison Blanche à 5 h 45. Kupperman était déjà là et s'était immédiatement rendu dans la Salle de Crise. Reuters donnait déjà l'information qui serait reprise par Al Jazeera et se répandrait rapidement dans tout le Moyen-Orient.

Je me suis rendu à une réunion prévue de longue date dans le Tank. Shanahan et Dunford voulaient faire un point stratégique sur l'Iran. J'ai donné mon accord, mais nous étions désormais confrontés à « une attaque contre le marché mondial du pétrole » que nous ne pouvions tout simplement pas ignorer. La Force Al-Quod poursuivait sa stratégie d'escalade et, en effet, pourquoi s'arrêteraient-ils ? N'avaient-ils pas vu les États-Unis rester passifs face à leurs différents actes ? Nous avons affronté l'habituelle série de graphiques du Pentagone (baptisés « sets de table » à cause de la taille des feuilles utilisées). Il y avait des lignes, des colonnes et des flèches, toutes très artistiques. J'ai déclaré, au final, que nous ne pouvions pas scinder nos différentes priorités politiques liées à l'Iran (nucléaire, terrorisme, agressions militaires conventionnelles) et que nous ne pouvions surtout pas séparer le programme nucléaire iranien de toutes les autres attitudes pernicieuses de ce pays. C'était précisément l'erreur qu'avait faite Obama avec le traité sur le nucléaire. Pourquoi revenir à ce cadre analytique défectueux ? J'ai argumenté une nouvelle fois que, quel que soit notre « état final » (un terme qu'affectionnent les bureaucrates), il n'y aurait pas de « nouvel » accord avec l'Iran, ni aucune « dissuasion » tant que le régime actuel serait en place.

Que cela vous plaise ou non, nous ne pouvions pas laisser notre politique reposer sur une autre réalité, qui ne nous rapprocherait pas de l'« état final » que nous recherchions. Cette discussion a-t-elle été productive ou n'a-t-elle débouché que sur une autre série de sets de table élaborés ? Cela restait à voir.

Pendant le trajet retour vers la Maison Blanche, j'ai appelé Trump. Je lui ai dressé le compte rendu de la réunion dans le Tank et également des incidents dans le golfe d'Oman dont certaines images avaient déjà été diffusées sur la Fox. « Minimisez l'affaire », m'a dit Trump, ce qui était, une fois de plus, la mauvaise stratégie, mais une approche conforme à sa tactique : prétendre qu'un problème n'est jamais survenu afin d'éviter que les autres personnes ne s'en rendent compte. Lorsque j'ai regagné l'aile Ouest, nos informations nous indiquaient, sans le moindre doute possible, qu'il s'agissait d'une attaque iranienne. Nous étions tous stupéfaits de voir un film montrant des marins iraniens s'approchant du *Kokuka Courageous* pour enlever une mine de la coque du navire qui n'avait pas explosé. Est-il possible de faire preuve de plus d'audace ? J'ai briefé Pence qui se trouvait dans le Montana, et devait revenir plus tard dans la journée.

Les résultats de la réunion entre Abe et Khamenei, que j'ai écoutés plus tard dans la journée, illustraient bien la discussion qui a eu lieu dans le Tank. Abe parlait et Khamenei prenait des notes, mais il a dit, à la fin de l'entretien, qu'il n'avait aucune réponse, ce qui était presque insultant. En outre, Khamenei s'était montré bien plus dur que Rohani, la veille. Cela montrait à quel point Macron et les autres (Trump y compris) étaient stupides de vouloir discuter avec Rohani plutôt qu'avec le « Guide suprême. » Son titre n'était-il pas assez clair ? Par ailleurs, bien avant qu'Abe ne monte dans l'avion qui le ramenait au Japon, et contrairement à sa demande explicite de ne pas rendre publique la réunion, Khamenei a publié une longue série de tweets. Voici les deux plus importants, selon nous :

> **Nous n'avons aucun doute de la bonne foi et du sérieux de @abeshinzo. Toutefois, en ce qui concerne les demandes du président américain, sachez que je ne considère pas Trump comme un individu digne d'une réponse ; je n'ai aucune réponse à lui adresser et je ne lui répondrai jamais.**

Nous ne croyons absolument pas à la sincérité des États-Unis, souhaitant ouvrir des négociations avec l'Iran, parce qu'il est impossible d'avoir une négociation sincère avec quelqu'un comme Trump. La sincérité est très rare chez les politiciens américains.

La conclusion était évidente : la mission d'Abe était un échec. L'Iran avait humilié Abe en attaquant des navires civils à proximité des côtes iraniennes, dont l'un était affrété par des Japonais, alors qu'il était en train de rencontrer Khamenei. Malgré cela, les Japonais étaient dans le déni, peut-être pour essayer de protéger Abe de l'humiliation dans laquelle Trump l'avait précipité.

Avec Pompeo, nous avons rencontré Trump à 12 h 15, et je lui ai montré les tweets de Khamenei. « Méchant », a-t-il dit, « très méchant », avant de partir dans une longue diatribe sur Kerry qui l'empêchait de négocier avec l'Iran. Trump voulait envoyer une réponse aux tweets de Khamenei, qui au final, a ressemblé à cela :

Même si je remercie beaucoup le P.M. Abe de s'être rendu en Iran pour rencontrer l'ayatollah Ali Khamenei, je pense personnellement qu'il est trop tôt pour envisager de conclure un accord. Ils ne sont pas prêts et nous non plus ! Le gouvernement américain pense que l'Iran est responsable des attaques perpétrées aujourd'hui dans le golfe d'Oman...

Le vendredi matin, Abe a fait à Trump un compte rendu personnel de sa visite, en disant qu'il n'avait vu aucune volonté chez Rohani ou Khamenei d'avoir un dialogue avec les États-Unis, tant que les sanctions économiques n'auraient pas été levées. Abe regrettait que l'Iran ait immédiatement rendu l'entretien public, mais il pensait, néanmoins, que Rohani voulait vraiment un dialogue avec les États-Unis. Il a même versé dans un certain lyrisme pour nous raconter comment Rohani lui avait couru après dans l'allée, après son entretien avec Khamenei, pour lui dire que la levée des sanctions permettrait d'ouvrir ce genre de dialogue. Pire que tout, Abe demeurait prisonnier de l'idée selon laquelle l'Iran et la Corée du Nord étaient deux cas très différents, affirmant que nous devions envisager une autre approche avec l'Iran. Ils avaient vraiment des œillères. Trump a dit à Abe qu'il ne devait pas se sentir coupable d'avoir complètement et absolument échoué, mais il a ensuite fait machine arrière, se disant peut-être qu'il s'était montré un peu dur, en disant qu'il voulait juste s'amuser un peu. Il ne s'attendait pas à ce qu'Abe réussisse et il n'était pas du tout surpris par l'issue. Il est passé au sujet qui l'intéressait vraiment, en disant qu'il le remerciait de sa tentative, mais qu'il était beaucoup plus important pour lui, personnellement, que le Japon achète davantage de produits agricoles américains. Les États-Unis faisaient beaucoup pour le Japon, ils assuraient sa défense et perdaient beaucoup d'argent à chaque échange commercial. Abe a dit qu'il y réfléchirait, et Trump lui a dit que le plus tôt serait le mieux, par exemple immédiatement. Il est, ensuite, revenu sur l'Iran. Trump a dit à Abe de ne pas s'embêter à négocier avec eux, vu les déclarations très méchantes faites par l'Iran après la réunion avec Abe. Trump se chargerait lui-même des négociations, ce qu'il a twitté peu après cet appel.

Nous avions une réunion du NSC qui devait commencer juste après l'appel d'Abe, mais elle avait du mal à démarrer. Trump a commencé par résumer son entretien avec Abe, et après une diatribe sur le non-respect du Logan Act par Kerry, Trump a regardé Cipollone et Eisenberg et leur a dit : « Les avocats refusent de s'en charger. Je ne comprends pas. C'est ridicule que vous refusiez. » Shanahan et Dunford voulaient avoir un meilleur sentiment des « intentions » de Trump et, pour cela, ils lui ont montré une nouvelle série de sets de table avec quelques statistiques publiques intéressantes sur les achats de pétrole de plusieurs pays du Moyen-Orient, révélant ainsi d'importantes importations du Moyen-Orient, de la Chine, de la Corée du Sud, du Japon, de l'Inde et de l'Indonésie. Je connaissais la suite : pourquoi est-ce que ces pays importateurs ne font pas plus et pourquoi eux et les pays producteurs de pétrole du Moyen-Orient ne paient pas davantage, afin d'assurer la protection de leurs propres cargaisons de pétrole ? Lorsque Shanahan et Dunford sont arrivés aux quatrième et cinquième graphiques, Trump avait commencé à décrocher et il leur a dit : « Passons à la page : “Que voulez-vous faire ?” » Nous avons discuté des différentes options, mais sans prendre de décision. Trump est ensuite revenu au désengagement de Syrie et d'Afghanistan, ainsi qu'à son autre plan : faire payer les pays arabes du golfe pour ce que nous déciderions de faire. Je lui ai expliqué, comme je l'avais déjà fait, que l'Administration Bush 41 avait bénéficié d'un vaste soutien pour financer la Guerre du Golfe de 1991. Pompeo a promis à Trump d'appeler les pays concernés de la région.

Trump est sorti, mais Pence, Pompeo, Dunford, Shanahan et moi-même avons continué la conversation. Dunford voulait être sûr que Trump ait compris que si nous infligions des victimes à l'Iran, le « moratoire » de l'Iran sur l'assassinat d'Américains deviendrait caduc. Étant donné le nombre d'Américains tués par l'Iran, depuis l'attentat contre les baraquements de Marines, au Liban, en 1983, je lui ai dit : « Quel moratoire ? » La question des victimes était très présente dans les esprits de chacun pendant cette réunion, et les suivantes, avec Trump. Pence a déclaré que, selon lui, il était évident que Trump « voulait des options cinétiques », ce qui était également mon avis. Ce sujet faisait partie d'une longue liste, toujours en expansion, de discussions où personne ne doutait que Trump voulait envisager ces options – son choix n'était pas arrêté – et qu'il était frustré de ne pas disposer plus d'options. Il y avait encore beaucoup de travail avant la prochaine réunion prévue lundi, mais je me disais qu'au moins, personne ne pourrait nous reprocher de manquer d'exhaustivité en envisageant les implications d'une intervention militaire.

Toutefois, le lundi 17 juin, nous n'avions toujours pas pris de décision. Les bureaucrates et plusieurs hauts fonctionnaires ont profité de l'impatience et de la faible capacité d'attention de Trump pour reporter la réponse aux attaques des pétroliers. Avec, pour conséquence, de repousser les choses au-delà du point où une action militaire semblait appropriée. Les opposants à une frappe militaire n'avaient aucun plan, mais ils comptaient, avec succès, sur un délai pour empêcher toute alternative. Et, surtout, ils continuaient de ne pas comprendre que ne pas répondre permettait à l'Iran, non seulement, de faire progresser ses aspirations hégémoniques dans le golfe, mais aussi de se rendre compte que nos mesures de dissuasion n'étaient pas les plus dissuasives. Ils n'étaient pas impressionnés par le « self-control » américain, et ils étaient de plus en plus convaincus par le fait que nous n'étions absolument pas un obstacle. Nous étions tout simplement en train de nous tirer une balle dans le pied.

Montrant cela avant même la réunion de 10 heures du NSC, un porte-parole de l'Agence de l'énergie atomique iranienne a annoncé qu'elle n'allait pas attendre le 8 juillet pour s'affranchir de certaines limites importantes de l'accord sur le nucléaire, et qu'elle avait déjà commencé à le faire. L'Iran s'apprêtait à dépasser la limite minimum de stockage d'uranium faiblement enrichi (300 kg) d'ici dix jours, et la limite des réserves d'eau lourde (130 tonnes) d'ici deux ou trois mois. L'enrichissement des niveaux U-235, au-dessus de la limite de 3,67 % de l'accord, pourrait commencer d'ici quelques jours, voire quelques heures, puisqu'il suffisait d'apporter une poignée de modifications aux systèmes de cascade de la centrifugeuse chargés de l'enrichissement. L'Iran, de toute évidence, prévoyait d'accroître la pression sur les Européens, qui essayaient, à tout prix, de sauver l'accord sur le nucléaire, pendant que Téhéran prouvait que son programme nucléaire était son objectif numéro un. Lorsque nous lui avons demandé si l'Iran comptait se retirer de l'accord sur le nucléaire, le porte-parole a répondu : « Si nous persistons dans cette voie, c'est effectivement ce qui se produira. »

Nous nous sommes réunis, avec Shanahan, Dunford et Pompeo, dans mon bureau, avant la réunion du NSC pour examiner les options préparées par le Pentagone. Malheureusement, elles apportaient grosso modo le même package que celui dont nous avions discuté vendredi. Trump a même déclaré : « Nous aurions dû frapper quelque chose immédiatement après l'attaque des pétroliers. Mes soldats ne m'ont pas donné d'options. » Pompeo a ouvert la réunion du NSC en annonçant que les discussions avec les pays arabes du golfe, portant sur le financement de futures opérations, progressaient : « Je suis certain qu'ils vont nous signer de gros chèques. » « Ils devraient », a répondu Trump. « Nous n'avons plus besoin de leur pétrole. C'est juste que je ne veux pas que l'Iran ait des armes nucléaires. » Il avait désormais ses propres idées sur les cibles à frapper et elles étaient bien au-delà des options proposées par le département de la Défense. Trump ne s'en était peut-être pas rendu compte, mais il faisait de son mieux pour « rétablir la dissuasion » une des phrases préférées du Pentagone. Le comité des chefs d'état-major interarmées préférait s'appuyer sur une réponse « proportionnée », de type « œil pour œil, dent pour dent » pour ne pas s'exposer à la critique. Mais, selon moi, une réponse disproportionnée – par exemple, attaquer des raffineries ou des installations du programme nucléaire militaire iranien – était probablement nécessaire pour rétablir la dissuasion. L'idée étant de convaincre l'Iran qu'il s'exposerait à des coûts beaucoup plus élevés que ceux qu'il infligerait, à nous ou à nos alliés, en recourant à la force. Pour l'instant, l'Iran n'avait payé aucuns frais. Même Obama avait menacé d'attaquer l'Iran, même si le sérieux de sa déclaration était discutable. Voilà ce que, malheureusement, nous étions encore en train de faire : nous contenter d'envisager des options. Nous venions juste de décider d'augmenter le personnel assurant les préparatifs défensifs des forces américaines dans la région, et nous avions même du mal à publier un communiqué de presse à cet effet, en fin de journée. Par ailleurs, cette modeste annonce a été éclipsée par la décision de l'Iran de s'affranchir de l'accord sur le nucléaire. Téhéran faisait un pas de plus vers le statut de puissance nucléaire pendant que nous regardions pousser l'herbe.

Le lendemain, dans une interview à *Time magazine*, Trump a décrit les premières attaques, et les plus récentes, comme étant « très mineures. » Je me suis demandé pourquoi je me fatiguais à me rendre dans l'aile Ouest tous les matins. C'était pratiquement un appel à quelque chose de plus grave. En apéritif, des roquettes ont été lancées mercredi à Bassora, probablement par des milices chiites, sur les quartiers généraux locaux de trois compagnies pétrolières étrangères (Exxon, Shell, et Eni), faisant plusieurs blessés, mais aucune victime. En réponse, le gouvernement irakien a proclamé une interdiction des attaques depuis son territoire contre les États étrangers. Cela aurait été sympa que l'Irak ait pour les forces militaires iraniennes et les milices chiites sous sa coupe au moins les mêmes attentions que pour les États-Unis, mais il ne fallait pas y compter vu la domination exercée par l'Iran à Bagdad. Nous avons refusé d'admettre cette réalité alors même qu'elle continuait de prendre de l'ampleur depuis plusieurs années. Et ce matin, un comité des chefs d'état-major n'a montré aucune envie de répondre aux attaques de roquettes. Hossein Salami, le nouveau commandant du GRI et Qassim Soleimani, son commandant de la Force Al-Quod, devaient avoir un grand sourire.

La nouvelle la plus importante, ce jour-là, était que Shanahan retirait sa nomination au poste de secrétaire à la Défense. Des informations faisant état de problèmes familiaux passés provoqués par son ex-femme avaient refait surface et il ne voulait pas qu'elles fassent la une de la presse à sensation pendant les auditions confirmant sa nomination. Il s'agissait d'une véritable tragédie, mais personne ne pouvait lui en vouloir de son désir de protéger sa famille de davantage de souffrances. Trump a décidé presque immédiatement de nommer le secrétaire des Armées, Mark Esper (un camarade de promotion de Pompeo à West Point) en le convoquant immédiatement dans le Bureau ovale. De retour dans mon bureau, j'ai appelé Esper en personne pour le féliciter et pour lancer les obligations formelles liées à sa nomination. Le lendemain, Esper est venu à la Maison Blanche, en fin d'après-midi, pour une séance photo avec Trump et nous avons discuté de la crise actuelle en Iran, en attendant le début de la réunion et de la séance photo.

Esper et moi avons, ensuite, regagné mon bureau où il a reçu un coup de fil l'informant que la centrale électrique d'une usine saoudienne de dessalement avait été touchée par un missile houthiste. Esper a immédiatement pris la direction du Pentagone et j'ai appelé Dunford, qui n'avait pas encore été informé de l'attaque. Je me suis rendu dans le Bureau ovale, à 6 h 20, pour en informer Trump. Il m'a demandé si nous devions organiser immédiatement une réunion afin d'envisager une réponse. Craignant que ce rapport soit erroné ou exagéré, je lui ai répondu qu'il valait mieux attendre jeudi matin pour envisager une réponse. J'ai appelé Dunford et averti Pompeo et je leur ai annoncé que nous aurions une réunion sur cette attaque, le lendemain matin.

Même si cette attaque contre l'usine de dessalement de Shuqaiq avait tout, à cet instant, d'une sacrée nouvelle, elle fut complètement éclipsée par une information beaucoup plus importante. La Salle de Crise m'a appelé, cette nuit-là, aux alentours de 21 h 30, pour m'annoncer que l'Iran avait abattu un autre drone américain, le deuxième en moins de deux semaines ; cette fois, un RQ-4A Global Hawk, au-dessus du détroit d'Ormuz. Le petit-déjeuner hebdomadaire avec Shanahan et Pompeo était déjà prévu, jeudi matin, Esper et Dunford ont été eux aussi invités après l'attaque contre l'usine de dessalement, nous étions donc prêts à discuter. Nous nous sommes réunis le lendemain matin, le 20 juin, à 7 heures, dans le mess des officiers. Dunford a d'abord rapporté, à la demande des Saoudiens, que Frank McKenzie, du commandement central des États-Unis, avait envoyé une équipe à l'usine de Shuqaiq pour estimer les dégâts et identifier les armes qui avaient touché l'usine (qui, comme beaucoup d'usines saoudiennes de ce type, faisait également fonction de centrale électrique). Nous avons convenu qu'un agent du commandement central devait faire un briefing public, le plus vite possible, pour que la nouvelle se répande à grande échelle.

La réaction de Dunford à la perte du Global Hawk a été plus importante. Il a qualifié cet incident, ayant provoqué la destruction d'un actif américain dont le coût estimé variait entre 120 et 150 millions de dollars, de « qualitativement différent » par rapport à la longue liste d'attaques et de provocations des derniers mois, auxquelles nous n'avions pas répondu. Dunford était absolument persuadé que l'appareil de surveillance piloté à distance n'avait jamais quitté l'espace aérien international, bien qu'il ait probablement survolé une zone que l'Iran avait unilatéralement désignée comme se situant au-dessus de ses eaux territoriales, un constat que seul l'Iran avait reconnu. Dunford a suggéré de frapper trois sites le long des côtes iraniennes. Ces trois sites, n'ayant probablement aucun lien avec l'attaque du Global Hawk, étaient néanmoins commensurables. En effet, un de ses principaux arguments était que, selon lui, cette réponse devait être « proportionnelle » et « non-escalatoire. » Pensant qu'il nous fallait une réponse beaucoup plus importante afin de rétablir la dissuasion, j'ai suggéré d'ajouter d'autres éléments tirés des listes d'options dont nous avions discuté plus tôt avec Trump, après les attaques des pétroliers. Nous en avions débattu pendant un moment et il était clair que, selon nous tous, cette attaque devait être suivie par des représailles, mais Pompeo et moi-même plaidions pour une réponse encore plus forte que celle proposée par Dunford et Shanahan. Esper, le petit nouveau, était resté silencieux, le plus clair du temps. Au final, nous avons trouvé un compromis en détruisant les trois sites et en appliquant plusieurs autres mesures. Je leur ai dit que je voulais être certain que nous étions tous d'accord afin de pouvoir lui dire que ces conseillers spéciaux lui présenteraient une recommandation unanime. C'était une bonne chose pour le président. Même si, bien sûr, la décision finale lui revenait, personne ne pouvait dire qu'il s'était montré trop dur ou trop indulgent avec l'Iran, s'il choisissait notre package. En plus, il n'offrirait pas aux médias l'occasion de s'adonner à leur passe-temps favori consistant à révéler les conflits entre ses conseillers. Par la suite, des articles, ne citant que des sources anonymes, ont affirmé que Dunford n'était pas d'accord avec la décision de Trump. C'était tout bonnement faux.

Dunford et tous ceux qui étaient présents au petit-déjeuner étaient d'accord.

Pendant notre entretien, Trump a décidé de rencontrer les leaders du Congrès – une réunion était prévue avec eux, un peu plus tard dans l'après-midi – avant de prendre sa décision. Je l'avais appelé immédiatement en quittant le petit-déjeuner pour lui faire un compte rendu de notre conversation et je lui avais dit que ses conseillers spéciaux s'étaient mis d'accord sur une réponse et que notre unanimité l'aiderait. Trump a immédiatement donné son accord et j'ai eu le sentiment distinct qu'il savait qu'il devait faire quelque chose pour répondre à la destruction du Global Hawk. Nous avions accepté trop de choses, sans offrir de réponses militaires. Son tweet, avant la réunion du NSC, était clair : « L'Iran a commis une très grosse erreur ! » Mulvaney a déclaré par la suite qu'il pensait, lui aussi, que Trump allait agir et qu'il voulait un briefing au Capitole pour se couvrir politiquement, quelle que soit sa décision.

La réunion du NSC a, en fait, débuté à l'heure, à 11 heures, signe que Trump prenait cela au sérieux. Pence, Esper, Shanahan, Dunford, Pompeo, Haspel, Mulvaney, Cipollone, Eisenberg, et moi-même y avons assisté. Avec autant de réunions du NSC et de conversations entre acteurs clés, au cours des semaines précédentes, les questions n'étaient pas nouvelles et ne manquaient pas d'informations importantes tirées des discussions et des préoccupations précédentes. J'ai présenté les problèmes auxquels nous étions confrontés, avant de demander à Dunford d'expliquer ce qui était arrivé au Global Hawk. Il a expliqué que notre aéronef sans pilote, coûtant 146 millions de dollars, était en train d'effectuer sa mission dans l'espace aérien international, y compris au moment où il a été abattu, et que nous connaissions la localisation de la batterie d'où était parti le missile qui l'avait détruit, grâce à nos calculs et aux expériences analogues durant les enquêtes sur les accidents d'avion. Dunford a ensuite présenté la proposition sur laquelle nous étions tombés d'accord au petit-déjeuner, à savoir frapper trois autres sites et appliquer d'autres mesures. Tous ceux qui avaient participé au petit-déjeuner ont dit qu'ils étaient d'accord avec Dunford. Eisenberg a dit qu'il voulait « y jeter un œil », mais n'a exprimé aucune réserve au sujet d'éventuels problèmes juridiques. Il n'a, en aucune manière, demandé le nombre de victimes que ces frappes pourraient occasionner. Trump a demandé si les sites étaient russes et combien ils coûtaient. Dunford lui a affirmé que les sites avaient été construits par les Russes, mais qu'ils n'étaient pas aussi chers que notre drone. Nous avons évoqué la possibilité d'éventuelles victimes russes, ce qui était douteux, mais pas impossible. Dunford a déclaré que les attaques auraient lieu au milieu de la nuit pour que le nombre de personnes chargées des opérations des sites soit faible, sans pour autant avancer de chiffre précis. Aucune des personnes présentes ne le lui a demandé.

Il était évident pour moi, étant donné les manières de Trump, qu'il voulait des frappes plus lourdes que celles que nous avions suggérées. Après qu'il a posé plusieurs questions, je lui ai dit : « Nous pouvons frapper toutes les cibles simultanément, nous pouvons les frapper les unes après les autres, nous pouvons faire tout ce que vous voulez », afin qu'il comprenne que nous ne pouvions pas l'empêcher d'examiner d'autres options, même si nous lui avions présenté une recommandation sur laquelle nous étions tombés d'accord. Restaurer la crédibilité des États-Unis et l'efficacité de nos mesures de dissuasion aux yeux d'un État voyou, théocratique et militariste, aspirant à accéder au rang de puissance nucléaire, aurait justifié des frappes beaucoup plus lourdes, mais je n'ai pas senti que j'avais besoin de faire valoir cet argument. J'étais certain que Trump approuverait, au minimum, le package sur lequel nous étions tombés d'accord au petit-déjeuner. Dunford était opposé à toute autre option que celle du petit-déjeuner, même si le succès de ce package lui inspirait grande confiance, comme nous tous. La discussion s'est poursuivie bien que Pompeo n'ait presque pas ouvert la bouche. « Bolton dans le rôle du modérateur », a fait remarquer Trump, à un moment, parce que je me prononçais en faveur du package du petit-déjeuner. Cela a fait rire tout le monde. En passant à la question du financement, j'ai déclaré : « Cela sera une opération rentable », et Pompeo a, de nouveau, décrit les ondes positives associées à ses tentatives de collecte de fonds, dans lesquelles il sollicitait également une participation militaire effective sous la forme de patrouilles navales conjointes et d'autres opérations du même genre. Il partait ce week-end pour d'autres consultations dans la région. « Ne parlez pas de pourparlers », a dit Trump. « Demandez juste l'argent et les patrouilles. »

Trump s'est alors lancé dans la fameuse diatribe Kerry/Logan Act, sans laquelle ce ne serait pas vraiment une réunion sur l'Iran.

J'ai mis fin à la discussion en résumant la décision, à savoir le package décidé au petit-déjeuner. Trump a donné son accord et a voulu publier un communiqué pour annoncer que nous « apporterions une petite réponse à une faute indirecte des Iraniens. » Comme il s'agissait de représailles surprises, personne n'était d'accord et l'idée s'est perdue dans la discussion. Trump a demandé quand aurait lieu la frappe. Dunford a répondu 21 heures, heure de Washington (il faisait référence à l'heure estimée d'arrivée sur la cible). Dunford a également ajouté : « Monsieur le président, nous reviendrons vers vous s'ils essaient de tuer des Américains en représailles. » Trump a répondu : « Je ne le crois pas. Je suis inquiet pour nos soldats en Syrie. Évacuez-les. » Dunford a répondu : « Nous aimerions en débattre. » Trump a répondu : « La Syrie n'est pas notre ami. »

La décision qui venait d'être prise présentait trois aspects importants : (1) nous frappions des cibles militaires opérationnelles, comme je l'ai expliqué plus haut, et non plus des cibles purement symboliques ; (2) nous frappions à l'intérieur de l'Iran, nous franchissions une ligne rouge iranienne et nous allions certainement tester leurs affirmations répétées selon lesquelles une attaque entraînerait une réponse à grande échelle ; et (3) nous frappions des cibles occupées et il y avait, par conséquent, de grandes chances qu'il y ait des victimes humaines, un point que nous avions envisagé ; Trump ayant compris que les attaques qu'il avait ordonnées se traduiraient par des morts du côté iranien (et peut-être des morts russes). Après coup, plusieurs théories ont vu le jour à propos de l'étonnante décision de Trump d'annuler, mais je suis intimement persuadé que Trump savait exactement ce qu'il faisait quand il a pris la décision.

Nous avions prévu un briefing au Congrès, auquel Pelosi est arrivée avec vingt minutes de retard. Trump attendait, avec nous tous dans la salle du Cabinet, et nous avons assisté à une conversation étrange (c'est le moins qu'on puisse dire). Quelqu'un a mis Huawei sur le tapis et Chuck Schumer a déclaré : « Les démocrates sont de votre côté », et nous serons inflexibles vis-à-vis de Huawei. Le sénateur Mark Warner, le démocrate le plus ancien de la Commission permanente du Sénat en charge de la surveillance des agences de renseignement, a apporté son écot : « Il n'y a aucune sécurité avec un réseau Huawei. Nous pourrions perdre notre crédibilité auprès de nos alliés si nous l'utilisions dans le cadre de négociations commerciales [en d'autres termes, exiger des concessions commerciales de la part de Pékin en échange de l'annulation des pénalités de Huawei]. » Warner avait raison sur ce point, mais Trump pensait que tout était autorisé dans des négociations commerciales. Lorsque Pelosi est enfin arrivée, Trump a expliqué la situation. Adam Schiff, le président démocrate de la Commission permanente de la Chambre en charge de la surveillance des agences de renseignement, a demandé quels étaient nos plans. Trump a esquivé en répondant : « Ils [les Iraniens] veulent dialoguer », mais en accusant Kerry et son non-respect du Logan Act de les en décourager. Les démocrates étaient inquiets en envisageant un tel recours à une intervention militaire, mais Trump a teasé l'idée d'« une frappe, mais une frappe qui ne serait pas si dévastatrice. » Trump a ensuite déclaré : « Ne rien faire est le plus gros risque ». Jim Risch l'a interrompu : « Je suis d'accord », et tous les républicains ont acquiescé. Mike McCaul (républicain du Texas) a demandé si nous pouvions détruire les sites iraniens d'où l'attaque était partie. J'espérais que nous parviendrions tous à garder notre sérieux lorsque Trump a répondu : « Je ne peux faire aucun commentaire, mais vous serez ravi. » Mitch McConnell a demandé : « En quoi cette dernière attaque est-elle différente des autres attaques périodiques, subies au cours des dernières années ? » Trump a parfaitement répondu : « Ce n'est pas à propos de ça [cet incident]. C'est à propos de leur objectif. Nous ne pouvons pas les laisser en avoir [des armes nucléaires]. » Dunford a ajouté : « Ce qui est qualitativement différent, c'est qu'il s'agit d'une attaque directe de l'Iran. C'est un événement attribuable. »

Cette réunion a pris fin à 16 h 20, et les préparatifs à l'attaque se sont accélérés. M'attendant à passer toute la nuit à la Maison Blanche, je suis passé chez moi aux alentours de 17 h 30 pour changer de vêtements et revenir. Dunford a confirmé 19 heures comme heure limite de confirmation de la frappe contre les trois sites iraniens. Je pensais donc avoir tout mon temps avant la frappe de 21 heures. J'ai appelé Trump du SUV des services secrets, aux alentours de 17 h 35, pour lui dire que tout était en marche. Il m'a répondu : « OK, c'est parti. » Je me suis entretenu avec Shanahan à 17 h 40 pour discuter des modalités de la déclaration que lui et Dunford feraient au Pentagone après les attaques, s'ils devaient répondre à des questions ou se contenter de lire le communiqué qu'ils auront rédigé. Je suis arrivé chez moi, j'ai changé de vêtements et je suis reparti immédiatement.

Je me suis retrouvé englué dans un trafic sans nom sur l'autoroute George Washington Memorial Parkway. Shanahan m'a appelé pour m'annoncer, d'une part, une information qui s'est révélée fausse au sujet d'une attaque sur l'ambassade britannique en Iran et, d'autre part, que lui et Dunford avaient décidé de repousser l'heure de l'attaque à 22 heures. La source de cette information était un agent de liaison britannique du comité des chefs d'état-major interarmées, mais Shanahan m'a dit que Pompeo était en train de vérifier (pour finalement se rendre compte qu'il s'agissait d'un banal accident automobile). Je n'arrivais pas à croire que le Pentagone ait pris l'initiative de modifier l'heure de l'attaque sans en référer à quiconque, surtout en s'appuyant sur des informations aussi maigres. J'ai appelé Trump pour lui annoncer que nous risquions de devoir repousser l'attaque d'une heure, bien que nous soyons encore en train de vérifier certains événements. Trump ne comprenait pas, lui non plus, pourquoi nous devions décaler l'opération, mais n'a formulé aucune objection.

J'ai appelé Dunford, juste après avoir raccroché avec Trump, et j'ai appris qu'il était en pleine discussion avec Shanahan. Craignant que Shanahan et Dunford aient des doutes, j'ai appelé Pompeo (qui se trouvait chez lui) pour en discuter avec lui. Il pensait que Shanahan et Dunford étaient en train de paniquer et de dérailler complètement ; ils avaient essayé de le convaincre que nous devrions attendre quelques jours, à la lumière de l'« attaque » de l'ambassade britannique, pour tenter de convaincre les Britanniques de participer aux représailles (même si, à la lumière des événements ultérieurs, cette idée n'a pas évolué). La situation devenait de plus en plus critique. Pendant que je discutais avec Pompeo, la Salle de Crise s'est manifestée pour annoncer que Trump venait de demander une conférence téléphonique avec nous deux, Shanahan et Dunford. Trump s'est connecté vers 19 h 20 (j'étais en train de traverser au ralenti le Roosevelt Bridge qui surplombe le Potomac) pour nous annoncer qu'il avait décidé d'annuler les frappes parce qu'elles n'étaient pas « proportionnées ». « Cent cinquante contre un », nous a-t-il dit. Je pensais qu'il faisait référence au nombre de missiles que nous allions peut-être tirer, en comparaison à l'unique missile iranien qui avait abattu le Global Hawk. Mais non, Trump nous a dit que quelqu'un, dont il n'a pas révélé l'identité, lui avait dit qu'il pourrait y avoir cent cinquante victimes du côté iranien. « Trop de sacs mortuaires », a dit Trump, quelque chose qu'il ne voulait pas risquer pour un drone sans pilote — « Pas proportionnées », a-t-il répété. Pompeo a tenté de le raisonner, mais sans succès. Disant que nous pouvions toujours frapper plus tard, Trump a coupé court à toute discussion en répétant qu'il ne voulait pas voir un grand nombre de sacs mortuaires à la télévision. J'ai essayé de le faire changer d'avis, mais sans succès. Je lui ai dit que j'approchais de la Maison Blanche et que je viendrais dans le Bureau ovale à mon arrivée.

De toutes mes expériences au gouvernement, il s'agissait de la décision la plus irrationnelle que j'ai vu un président prendre. Cela m'a rappelé la question que Kelly m'avait posée sur ce qui se passerait si nous étions confrontés à une crise avec Trump comme président. Eh bien, nous étions confrontés à une crise aujourd'hui et Trump s'était comporté bizarrement, exactement comme Kelly l'avait craint. Je suis arrivé à l'entrée de la Maison Blanche sur West Executive Avenue, un peu après 17 h 30. Kupperman m'attendait à l'extérieur pour m'annoncer que la frappe avait été annulée. Je suis passé par mon bureau pour déposer mon attaché-case et je me suis rendu directement dans le Bureau ovale où j'ai trouvé Cipollone, Eisenberg et un membre de l'équipe de Mulvaney. J'ai eu une conversation complètement irréelle avec Trump au cours de laquelle j'ai appris que c'était Eisenberg, de son propre chef, qui s'était rendu dans le Bureau ovale en proclamant « cent cinquante victimes », un chiffre calculé quelque part au département de la Défense (et sur lequel j'étais sur le point d'en apprendre davantage, le lendemain), et en prétendant qu'il était illégal d'exercer des représailles aussi disproportionnées. C'était du grand n'importe quoi, aussi bien le prétendu nombre de victimes, qu'aucun fonctionnaire chevronné n'avait examiné, et l'argument juridique, qui constituait une interprétation grotesque du principe de proportionnalité. (Par la suite, des analystes ont évoqué une citation de Stephen Schwebel, l'ancien président américain de la Cour internationale de justice : « Lorsqu'une action est entreprise dans le but précis de mettre fin et de repousser une attaque militaire/armée, cela ne signifie pas que l'action doive être plus ou moins proportionnée que l'attaque. ») Trump a dit qu'il avait appelé Dunford (probablement au moment où je tentais de le joindre), après son entretien avec Eisenberg, et que Dunford n'avait pas disputé la décision. Dunford m'a dit, le lendemain, que c'était faux, mais que le mal était déjà fait. Je ne savais pas quoi dire, ce qui a dû être évident pour tous ceux présents dans le Bureau ovale. J'ai essayé d'expliquer que la prétendue estimation du nombre de « victimes » était complètement hypothétique, mais Trump n'écoutait pas. Il avait à l'esprit des images de cent cinquante sacs mortuaires et il était inutile d'essayer de lui expliquer quoi que ce soit. Il n'a donné aucune autre justification. Il a juste répété que le fait de voir des images de télévision montrant des cadavres iraniens l'inquiétait. Trump a finalement ajouté : « Ne vous inquiétez pas, nous pouvons toujours attaquer plus tard, et si c'est le cas, ce sera beaucoup plus violent », une promesse qui valait exactement le prix que j'avais payé.

J'ai regagné mon bureau et j'ai appelé Pompeo à 19 h 53, chez lui. Nous étions dans le même état d'esprit. Je lui ai raconté la scène dans le Bureau ovale. Pompeo s'est déchaîné sur Eisenberg, qui avait, un jour, à l'époque où Pompeo était directeur de la CIA, bloqué une opération de l'agence du même type avec le même genre d'intercession irresponsable et stupide. Pompeo ne le lui avait jamais pardonné. Kupperman, qui se trouvait dans son bureau, juste à côté du mien, a confirmé qu'Eisenberg n'avait pas tenté de lui parler, ni de me joindre, ni de trouver Cipollone ou Mulvaney. Il s'était juste précipité dans le Bureau ovale pour dire à Trump qu'il était sur le point de tuer cent cinquante Iraniens. C'était complètement faux, invérifié et inconsidéré, mais c'était le genre de « fait » qui pouvait enflammer l'attention de Trump, comme cela avait été le cas ici. Aucune réflexion, rien. « C'est vraiment dangereux », a dit Pompeo, tandis que nous discutions des erreurs de la journée, dont la plus notable avait été d'annuler une décision reposant sur une analyse consensuelle et une estimation de données pertinentes, simplement parce qu'Eisenberg, à la dernière minute, sans consulter quiconque, a pensé que Trump devait prendre connaissance d'un « fait » qui n'en était pas un du tout, et qui était complètement faux. Comme l'a dit Pompeo : « Il y a des jours où tout ce que l'on peut dire c'est : "va comprendre." » Après avoir raccroché, Kupperman m'a dit que Pence était retourné à la Maison Blanche, s'attendant toujours à une frappe à 21 heures, et qu'il voulait savoir ce qui était arrivé. Je me suis rendu dans le bureau du VP, aux alentours de 20 heures, et nous avons discuté pendant vingt minutes. Pence était aussi sidéré que moi. Il a accepté de traverser l'allée pour rejoindre Trump et voir s'il y avait un moyen de le faire revenir sur sa décision, mais de toute évidence, il n'y en avait pas. J'ai quitté mon bureau pour regagner mon domicile, aux alentours de 20 h 40.

J'avais déjà songé à démissionner plusieurs fois, mais là je me trouvais à un tournant. Si c'était ainsi que nous allions prendre des décisions de crise et si ces décisions ressemblaient à cela, à quoi bon ? Cela faisait un peu plus de quatorze mois que j'étais à la Maison Blanche. Je ne prévoyais pas d'établir un record de longévité.

Le vendredi 21 juin, alors que des articles confus commençaient à sortir, Mulvaney m'a dit qu'il s'était entretenu avec Cipollone et Eisenberg, la veille au soir, et qu'Eisenberg avait admis qu'il n'avait parlé à personne, avant de se précipiter dans le Bureau ovale, affirmant qu'il ne restait plus beaucoup de temps avant d'atteindre le point de confirmation/annulation. Eisenberg ignorait également pourquoi le « fait » du département de la Défense n'avait émergé qu'à la dernière minute, et, démontrant à quel point il est loin dans la chaîne de décision, qu'il ignorait que l'attaque avait déjà été repoussée d'une heure. Il y avait amplement le temps d'analyser les choses avec plus de considération. Mulvaney avait déduit, à partir des réponses embrouillées d'Eisenberg et du manque de présence d'esprit de Cipollone, que le comportement d'Eisenberg était « inacceptable ». Il y avait eu beaucoup d'erreurs de procédure « inacceptables » ce jeudi, celle d'Eisenberg étant la pire.

Je me suis ensuite entretenu avec Pompeo et nous avons ressassé les pires moments de la journée précédente. Sur l'idée chimérique de l'attaque de l'ambassade du Royaume-Uni à Téhéran, Jeremy Hunt, le ministre des Affaires étrangères (que Pompeo avait réveillé pour obtenir des informations) avait écrit un e-mail à Pompeo dans lequel, si j'en crois Pompeo, il lui disait : « Toujours un plaisir de vous parler, mais pourquoi m'avez-vous tiré du lit au milieu de la nuit ? Parce qu'un abruti a embouti sa voiture dans la porte de notre ambassade ? Rien de très original pour nous ! » Voilà pour cette chimère. Nous nous sommes entretenus de nouveau, un peu plus tard dans la matinée, et Pompeo m'a redit, à propos des événements du jeudi : « Je ne peux pas faire ce qu'il [Trump] veut que je fasse. C'est profondément injuste. Je ne peux pas le faire. Nous mettons nos hommes en danger. Et vous savez ce qui se produira lorsque je vais le voir aujourd'hui pour déjeuner ; il va me retourner le cerveau. Il va me dire : "Mike, vous savez que c'était la bonne décision, n'est-ce pas ?" » J'ai demandé à Pompeo comment il prévoyait de gérer ce retournement de cerveau qui l'attendait, pas parce que Trump doutait de sa décision, mais parce qu'il voulait que Pompeo accepte sa position. Pompeo m'a répondu : « Je vais lui dire, "Monsieur, c'est une opinion. Permettez-moi de vous exposer ma théorie. Si j'étais le père d'un jeune homme stationné sur la base aéronautique d'Al-Asad, je me sentirais un peu plus inquiet," pour essayer de faire appel à ses sentiments. Je lui dirais : "Si nous ne réagissons pas, le risque de voir l'Iran disposer d'armes nucléaires augmente." » Tout ceci était strictement vrai et aucun de nous ne pensait que cela ferait osciller Trump. Il n'a jamais essayé de me rallier à sa position, peut-être parce qu'il s'en moquait désormais, ou parce qu'il s'en était toujours moqué.

Pompeo m'a dit qu'il était resté debout jusqu'à 2 heures du matin, tellement il était abattu. Il pensait que le consensus du petit-déjeuner de jeudi avait été assez ferme pour justifier une frappe aérienne. Revenir sur cette décision affaiblissait tous nos arguments concernant l'Iran. Il m'a confié : « Je peux lui [Trump] accorder une certaine latitude, quand il s'agit, pour lui, de décider ce qu'il veut, mais je ne comprends pas comment faire ce qu'il veut. Nous pouvons continuer de dire aux gens que le programme de missiles iranien nous inquiète, mais qui va nous croire ? » Ce n'était pas tout, car les remarques de Pompeo trahissaient vraiment un point de vue de plus en plus divergent entre nous. Je n'étais pas prêt à accorder à Trump une telle latitude dans ces décisions, tellement je trouvais ses décisions ô combien erronées. J'ai insisté pour que nous « continuions de dire ce que nous avions toujours dit. » Nous venions juste d'avoir la crise prédite par Kelly, et Trump s'était comporté aussi irrationnellement qu'il le craignait. Nous avons convenu de ne pas démissionner sans nous téléphoner au préalable. C'était la première fois que nous abordions ce sujet. Je n'interpréterais pas du tout cela comme un long échange entre les pour et les contre d'une démission. Il ne s'agissait pas de cela, mais la question était, de toute évidence, dans l'air.

Trump avait un appel prévu avec Mohammed ben Salmane, et avant de le passer, il m'a demandé mon opinion à propos d'une déclaration qu'il pensait twitter. Je n'ai pas fait d'objection, pensant in petto : « Pourquoi pas ? Les choses se sont tellement mal passées, la veille. Comment quelques tweets pourraient-ils envenimer les choses ? » Et bien, voilà comment :

Le président Obama a conclu un accord dangereux et abominable avec l'Iran – Il leur a donné 150 milliards de dollars plus 1,8 milliard de dollars en LIQUIDE ! L'Iran était dans la panade et il les en a sortis. Il leur a ouvert la voie vers le statut de puissance nucléaire… et c'est pour BIENTÔT. Au lieu de dire merci, l'Iran a hurlé…

… Mort à l'Amérique. J'ai mis fin à cet accord, qui avait d'ailleurs été ratifié par le Congrès, et imposé de lourdes sanctions. Leur pays est beaucoup plus faible, aujourd'hui, qu'au début de ma présidence, époque où ils ont causé d'importants problèmes dans tout le Moyen-Orient. Aujourd'hui, ils sont cramés !

Lundi, ils ont abattu un drone sans pilote qui volait au-dessus des eaux internationales. Nous avions le doigt sur la gâchette pour riposter la nuit dernière sur 3 cibles différentes lorsque j'ai demandé combien il y aurait de victimes. « 150 personnes, Monsieur », m'a répondu un général. 10 minutes avant la frappe, je l'ai annulée, pas…

… proportionnée pour répondre à la destruction d'un drone sans pilote. Je ne suis pas pressé, notre armée est reconstituée, modernisée et prête à agir, de loin la meilleure armée au monde. Les sanctions donnent des résultats et j'en ai ajouté la nuit dernière. L'Iran ne pourra JAMAIS avoir des armes nucléaires, pas contre les USA, et pas contre le MONDE.

Je suppose qu'en réalité, je pensais : « S'il veut publier quelque chose d'aussi stupide, qui suis-je pour objecter ? » Je pensais que Trump en aurait tellement la paternité après ces tweets que les gens, peut-être, comprendraient à quel point toute cette histoire était caractéristique. Cela faisait mal de révéler tout cela publiquement, mais il était impossible d'arrêter l'exposé de Trump.

J'ai appelé Dunford à 8 h 45 pour avoir sa version de ce qui s'était passé. Il m'a dit qu'il était resté debout jusqu'à une heure du matin à essayer de faire disparaître le mot « victimes », juste au cas où Trump change à nouveau d'avis lorsqu'il se réveillerait vendredi matin. Dunford n'était pas satisfait, disant, en gros, que Trump l'avait traité d'« inepte », pendant la réunion dans la Salle de Crise, parce qu'il trouvait que les options de cibles de Dunford étaient « trop faibles, » pour ensuite annuler les représailles parce qu'elles étaient trop fortes ! Il venait de marquer un point. Quant à la question des victimes, Dunford m'a dit, bien après la réunion dans la Salle de Crise, que des avocats du Pentagone avaient demandé le nombre de victimes iraniennes potentielles. Dunford avait répondu : « Nous l'ignorons », ce qui était sa réponse, déjà dans la Salle de Crise.

Les avocats avaient sorti un tableau d'effectifs à partir duquel ils pourraient produire une estimation pour chacune des cibles que nous avions choisies et avaient conclu qu'il serait d'environ cinquante personnes par batterie. « Des trucs d'avocats tout crachés », m'a dit Dunford. Voulant dire, en d'autres termes, que parmi les personnes ayant pris part à cette « estimation », aucune ne s'était jamais retrouvée, un jour, au front ou avec des responsabilités de commandement. Dunford savait, alors que l'on s'approchait de l'heure du déclenchement des frappes qu'il n'y avait pas le moindre problème juridique. Personne n'avait allumé de feu orange. À 19 h 13, m'a expliqué Dunford, Trump l'a appelé pour lui dire qu'il avait appris qu'il pourrait y avoir cent cinquante victimes du côté iranien. Dunford m'a dit qu'il lui avait répondu : « Non, pas cent cinquante. » Primo, m'a dit Dunford, nous n'avions plus que deux cibles parce qu'une de celles que nous avions identifiées avait déjà plié bagage et nous n'étions pas certains de sa nouvelle localisation. En d'autres termes, cela représentait seulement une centaine de victimes potentielles maximum, même en acceptant les estimations des avocats. Quant aux deux sites restants, Dunford m'a dit qu'ils estimaient qu'il y avait « au maximum », cinquante personnes par site et qu'il avait tenté d'expliquer à Trump qu'au milieu de la nuit, heure de l'Iran, ce nombre serait probablement très inférieur. Mais cela ne voulait pas rentrer et Trump a dit : « Je n'aime pas ça. Ils n'ont tué personne dans nos rangs. Je veux arrêter ça. Pas cent cinquante personnes. »

J'ai ensuite expliqué à Dunford ce qui s'était passé, selon moi, lorsqu'Eisenberg s'était précipité dans le Bureau ovale avec l'estimation des avocats. Je pouvais sentir Dunford hocher la tête d'étonnement à l'autre bout du téléphone. « Je veux juste que le président soit au courant », a-t-il dit. « Il n'avait pas toutes les informations, hier soir. Cette frappe va avoir des conséquences... » Dunford m'a alors dit : « Et les tweets ce matin ? Il dit aux Iraniens : "Faites ce que vous voulez, tant que vous ne blessez aucun Américain." Cela signifie qu'ils peuvent faire tout ce qu'ils veulent. » Il avait entièrement raison.

Trump a déclaré un peu plus tard dans la matinée que ses tweets étaient « parfaits » et il a ajouté : « Téhéran, c'est une ville comme ici. Il y a des gens qui font des réunions dans des pièces comme celle-ci pour discuter de ça » – encore un exemple du raisonnement en miroir de Trump – tout comme « Les Iraniens sont impatients de discuter. » Et nous avons appris, par la suite, qu'il avait mandaté Rand Paul pour discuter avec les Iraniens.

Quand j'ai transmis cette information à Pompeo samedi, il est tout simplement resté sans voix, comme moi. Il était ahurissant que Trump confie une mission si sensible à Paul, sans parler du fait que les gens s'en souviendraient au moment des prochaines élections. J'ai dit à Pompeo que je rencontrais Netanyahou, dimanche à Jérusalem, et que cela pourrait bien devenir une performance historique si jamais je disais vraiment ce que je pensais, précipitant ainsi certainement la fin de mon aventure de conseiller à la sécurité nationale. Pompeo a plaisanté : « Ce sera deux pour le prix d'une dans ce cas. » Après nos nombreuses conversations, ce vendredi, je pensais vraiment que Pompeo était sérieux à ce niveau. Si c'était le cas et si nous démissionnions tous les deux en même temps, nous serions en plein territoire inconnu. Même si cela était encore peu probable, nous n'en avions jamais été aussi prêts. Des journalistes ont posé une question à Trump, à mon sujet, avant son départ pour Camp David, samedi, et il leur a répondu : « Je ne suis pas du tout d'accord avec John Bolton... John Bolton fait du très mauvais travail, il adopte généralement une position très stricte... J'ai d'autres conseillers qui ont d'autres avis, mais la seule position qui compte c'est la mienne. » Certains devaient se demander combien de temps j'allais rester.

Quoi qu'il en soit, je me suis envolé pour Israël quelques heures plus tard. Je n'avais aucune raison de ne pas m'y rendre puisque la frappe avait été annulée. Une fois en Israël, j'ai expliqué où en étaient les choses en Iran. Netanyahou et son équipe se focalisaient sur deux points : les dernières informations glanées suite à l'audacieux raid d'Israël pour récupérer les archives iraniennes, puis sur l'inspection du site de Turquzabad, un peu plus tard, par l'Agence internationale de l'énergie atomique, qui avait révélé la présence d'uranium fabriqué par l'homme. Il ne s'agissait pas d'uranium enrichi, mais peut-être de « yellowcake » (oxyde d'uranium sous forme solide), et donc d'une preuve contredisant les affirmations répétées de Téhéran, selon lesquelles l'Iran n'avait jamais eu de programme nucléaire militaire. Le régime de Téhéran avait tenté d'assainir Turquzabad, comme il avait tenté de le faire à Lavizan en 2004 et avec les chambres explosives à Parchin, entre 2012 et 2015, mais il avait de nouveau échoué. Cela pourrait bien être la preuve que l'Iran n'avait pas mis fin à son « projet Amad », bien après sa fin présumée en 2004, et que d'un point de vue international, cela mettrait définitivement Téhéran sur la défensive.

À Washington, le Pentagone, comme d'habitude, s'opposait aux sanctions que Trump avait finalement décidé d'imposer au gouvernement du Guide suprême. Il insistait pour organiser une réunion du NSC avant d'aller plus loin. Le timing était fâcheux puisque Pompeo et moi-même nous trouvions tous les deux à l'étranger. Une réunion a, néanmoins, été convoquée. J'ai pu y assister grâce à un satellite vidéo accroché à l'ancien bâtiment du consulat américain à Jérusalem, et désormais ambassade « provisoire ». Esper et Dunford ont déclaré qu'ils craignaient que les sanctions proposées inhibent notre pouvoir de négociation avec l'Iran. (Pompeo, dans l'incapacité de prendre part à cette réunion, parce qu'il se trouvait en vol, a dit, par la suite à Esper qu'il était « touché » par leur sollicitude, mais qu'il pensait pouvoir gérer.)

Trump est intervenu pour dire : « Même nos ennemis ont apprécié que nous n'ayons pas attaqué. » (Je ne plaisante pas !) « Nous avons accumulé du capital, c'était la décision la plus présidentielle depuis des décennies. Cela a parfaitement marché. » Mnuchin faisait le forcing en faveur décret présidentiel qu'il avait rédigé et qui ne sanctionnait pas vraiment Khamenei, mais seulement son gouvernement, ce qui, selon moi, était une erreur. Trump a répondu : « Ce serait beaucoup plus efficace si nous désignions le Guide suprême », ce qui était bien évidemment exact. S'en est suivi un débat confus durant lequel Trump a déclaré : « Nous ne savions pas vraiment » quels effets produiraient les sanctions. « En réalité, je pense que cela facilitera les négociations. Beaucoup disent que cela est une bonne chose pour les négociations. Et pourquoi ne pas ajouter Qassim Soleimani [commandant de la Force Al-Quod] ? Inscrivez son nom. » Lorsque quelqu'un a suggéré que Soleimani était peut-être déjà sous le coup d'autres sanctions, Trump a dit : « Inscrivez son nom quand même. John, est-ce que vous inscririez son nom ?

– Oui, Monsieur », ai-je répondu.

– Mettriez-vous le nom du Guide suprême ? »

– Oui, Monsieur », ai-je répondu à nouveau.

– Je ne sais pas si c'est bon ou mauvais, mais je veux le faire. Inscrivez-les. Ils doivent avoir une raison de négocier. Ajoutez Zarif », a dit Trump, ce qui me faisait encore plus plaisir. « Et je veux qu'elles [les sanctions] soient fortes, super fortes », a conclu Trump.

En soulevant ces points et en essayant de bloquer la rédaction du décret présidentiel, Dunford et Esper avaient marqué un but contre leur camp. Ils l'avaient cherché. J'ai également pensé que Trump montrait aux autres que, malgré sa malheureuse décision de jeudi soir, et qu'en dépit de mes objections, comme chacun le savait, je n'étais pas encore près d'être viré. J'ai considéré l'issue de la réunion du NSC comme une victoire presque totale. (Par la suite, le secrétaire d'État, Paul, a convaincu Trump de différer les sanctions contre Zarif, de trente jours. Je me demande s'il avait demandé l'aval du secrétaire d'État, Giuliani ? Toutefois, fin juillet, Trump a de nouveau changé de cap. Il était prêt à autoriser des sanctions contre Zarif, et c'est ce qu'il a fait.) À Washington, Trump a twitté :

Le gouvernement iranien ne comprend pas les mots « gentillesse » ou « compassion », et ne les comprendra jamais. Malheureusement, les seules choses qu'il comprend ce sont la force et la puissance, et les USA sont, de loin, la force militaire la plus puissante du monde avec 1 500 milliards de dollars investis au cours des deux seules dernières années…

> **… Le merveilleux peuple iranien souffre, et cela sans la moindre raison. Leur gouvernement investit tout son argent dans la terreur et presque rien dans le reste. Les USA n'ont pas oublié l'utilisation des bombes IED et EFP, qui ont tué 2 000 Américains et qui en ont blessé beaucoup plus…**

> **… La déclaration ignorante et très insultante, publiée par l'Iran aujourd'hui, montre qu'ils refusent d'admettre la réalité. Nous répondrons avec une puissance terrible et écrasante à toute attaque iranienne sur une cible américaine. Dans certains endroits, « écrasante » signifiera destruction. John Kerry et Obama ne sont plus là !**

Comme si la débâcle après la destruction en vol du Global Hawk ne suffisait pas, nous avons immédiatement subi un assaut diplomatique de la part de Macron. De sa propre et malheureuse initiative, il avait travaillé d'arrache-pied avec Rohani pour que les activités nucléaires de l'Iran ne dépassent pas les limites imposées par l'accord sur le nucléaire. Macron, de toute évidence, voyait l'allégement des sanctions contre l'Iran comme la clé qui permettrait d'entamer des négociations, sans quoi le précieux accord sur le nucléaire de l'Union européenne prendrait la direction du cimetière. Sans aucune concession américaine en vue, selon Macron, l'Iran refuserait de s'asseoir à la table des négociations, ce qui me convenait parfaitement. En préparation à un appel avec Macron, le lundi 8 juillet, Pompeo et moi avons briefé Trump, pour lui indiquer à quoi s'attendre. Pompeo lui a expliqué que, selon nous, Macron « proposerait une grosse concession, juste pour entamer les négociations », ce qui était exactement « ce que Kerry et Obama avaient fait, une très mauvaise idée. » Trump a répondu : « Nous pouvons conclure un accord en un jour. Il n'y a aucune véritable raison d'alléger les sanctions. Une fois retirées, il est difficile de les rétablir », ce qui était on ne peut plus vrai. La discussion s'est égarée pendant un moment et la question des activités d'enrichissement de l'uranium est arrivée sur le tapis. « Nous aurons peut-être besoin de sonner le glas », a dit Trump avant de se demander inutilement quand Milley succéderait à Dunford : « Devrions-nous impliquer Milley ? Nous allons peut-être devoir le faire dans deux semaines. Si vous posez vingt Tomahawks devant une porte, je me fiche de ce qu'ils disent, c'est mauvais. » C'était également vrai, même si je n'avais pas la moindre idée de quelle porte il parlait, ni de la source où il avait pêché le nombre « vingt. »

Ce que Pompeo et moi-même ignorions (ainsi que tout le monde au département d'État ou au NSC) et n'approuvions certainement pas, c'était que Mnuchin négociait en secret avec le ministre français des Finances, Bruno Le Maire, pour faire exactement ce que Trump avait dit ne pas vouloir faire. J'ai appris cela de la bouche de Mulvaney, qui m'a dit que Mnuchin l'avait appelé pour l'informer que nous avions un accord avec l'Iran, ce que Mnuchin m'a répété, un peu plus tard. Ni Pompeo ni moi n'avions eu vent des discussions entre Mnuchin et Le Maire (même si Mnuchin prétendait que cela avait été accepté pendant le déjeuner Trump-Macron du 6 juin). D'ailleurs, cela ressemblait fortement aux négociations commerciales entre Mnuchin et les Chinois ; un accord était toujours conclu ou sur le point de l'être. Mnuchin, apparemment, n'a jamais vu une négociation où il n'arrivait pas à faire assez de concessions pour conclure un accord. Pendant l'entretien Trump-Macron, j'ai pensé que, peut-être, Trump lui-même ignorait que Mnuchin avait essayé de céder le fonds de commerce lorsque Macron a évoqué les négociations Mnuchin–Le Maire. Après une tirade Trumpesque sur Kerry et le Logan Act, Macron a demandé directement ce que Trump était prêt à lâcher, montrant précisément, par là même, sa mentalité consistant à faire des concessions à l'Iran sans rien recevoir en retour. Bien que Trump l'ait d'abord esquivé, ils ont discuté, avant la fin de l'appel, de l'idée d'une importante réduction des sanctions pétrolières et financières contre l'Iran, pendant une courte période, et Trump a paru pencher clairement en faveur de cette idée. C'était exactement ce que Pompeo et moi-même avions tenté d'éviter.

Autre désastre. Après une cérémonie protocolaire dans le Bureau ovale pendant laquelle les nouveaux ambassadeurs viennent présenter leur lettre de créance, je suis resté pour lui demander de m'expliquer son offre à Macron. Trump décriait Macron, mais il disait aussi qu'il était le genre de mec qui pourrait conclure l'accord. Il ne s'agit que de quelques sanctions pétrolières sur une brève période, m'a-t-il dit, ce qui était mieux que les autres propositions dont il avait discuté avec Macron, et que j'avais transmises immédiatement à esmon nouvel homologue français, Emmanuel Bonne. « Je me fiche du pétrole », a dit Trump, « On peut toujours les [les sanctions] rétablir. » C'était, bien sûr, exactement l'inverse de ce qu'il avait dit à Pompeo et à moi plus tôt, et qui avait poussé Pompeo à dire qu'il appellerait Graham, Cruz et Tom Cotton pour alimenter l'opposition des républicains aux négociations. J'ai envoyé à Pompeo l'enregistrement de l'appel et je me suis entretenu avec lui, plus tard dans la journée. La concession sur l'allégement des sanctions pétrolières était « au-delà de l'entendement » pour lui, comme pour moi, parce que cela montrait que Trump ne comprenait pas les dégâts que l'augmentation et la réduction des sanctions, comme s'il s'agissait d'un vulgaire rhéostat, provoqueraient sur notre politique globale de « pression maximale ». Une fois encore, Pompeo était prêt à démissionner, et il a déclaré que ce n'était qu'une question de temps avant que nous prenions tous les deux cette décision. Il a déclaré : « Nous arriverons peut-être à éteindre cet incendie, mais le prochain sera pire. » Il ne nous restait plus qu'à espérer que l'Iran vienne à notre aide une fois de plus.

Je n'étais pas resté les bras en croix sur ce plan. J'ai encouragé Netanyahou à appeler Trump, le 10 juillet, pour lui redresser la colonne. Deux heures plus tard, Trump twittait :

L'Iran « s'enrichit », en secret, depuis des années, en totale violation de l'abominable accord de 150 milliards de dollars conclu par John Kerry et l'Administration Obama. N'oubliez pas que cet accord doit expirer dans quelques petites années. Les sanctions vont bientôt augmenter considérablement !

Nous étions en train de mettre en place un programme d'escorte des navires de commerce dans le golfe, baptisé, *Opération Sentinelle*. Les Saoudiens et les Émiratis, ainsi que les Britanniques et d'autres pays européens, y participaient, ce qui, au moins, découragerait cette forme d'interférence des Iraniens sur les marchés pétroliers. Un peu plus tôt, le 4 juillet, la marine royale britannique, à la demande du gouvernement de Gibraltar, a saisi le *Grace 1*, un pétrolier appartenant à l'Iran, pour infraction aux sanctions de l'UE contre la

Syrie. En réaction, le 10 juillet, l'Iran a tenté de saisir l'*Heritage*, un pétrolier appartenant au Royaume-Uni, dans le détroit d'Ormuz ; le 13 juillet, l'Iran a capturé le *Riah*, un pétrolier appartenant aux Émiratis, battant pavillon panaméen ; et le 19 juillet, l'Iran a enfin réussi à saisir le *Stena Impero*, un navire appartenant aux Suédois, battant pavillon britannique. De toute évidence, l'Iran voulait échanger le *Grace 1* (désormais rebaptisé *Adrian Darya 1*) avec le *Stena Impero*, bien que les deux navires ne soient pas vraiment de la même taille. Malheureusement, c'était exactement ce que les Britanniques attendaient.

Clairement, la pratique était très en vogue, à moins que, et jusqu'à ce que nous mettions en place l'Opération Sentinelle, ce qui est révélé plus difficile que nous ne l'avions anticipé parce que de nombreux pays hésitaient à rejoindre l'opération. Ces hésitations étaient dues, en partie, à l'envie d'apaisement, mais également à l'incertitude entourant la détermination et l'opiniâtreté des États-Unis, à cause des décisions erratiques de Trump. À cause, premièrement, de leur dévotion au sauvetage de l'accord sur le nucléaire iranien et, deuxièmement, de leur volonté de ne rien faire qui puisse les distraire du Brexit, même le nouveau gouvernement de Boris Johnson n'avait pas tenu parole et avait restitué le *Grace 1* en échange de l'engagement de ne pas débarquer leur cargaison de pétrole en Syrie, une promesse valant exactement ce que les Britanniques ont reçu en retour. Ils ne voulaient tout simplement pas se battre. Encore une mauvaise leçon, sans doute dûment notée à Téhéran.

Le lendemain, le 11 juillet, mon nouvel homologue français, Emmanuel Bonne, m'a appelé de Paris. Il rentrait juste d'Iran. Khamenei en personne, m'a-t-il dit, avait catégoriquement rejeté ses tentatives. La formule de l'Iran était « résistance maximale à la pression maximale », ce qui était exactement la ligne que l'Iran avait commencé à suivre au grand jour. Zarif avait clairement mentionné que même si l'allégement de certaines sanctions pouvait permettre d'entamer des négociations, le programme de missiles balistiques de l'Iran ne serait pas abordé. Rohani s'est montré tout aussi ferme : l'Iran pensait finir par l'emporter et ils étaient prêts à s'opposer à l'escalade des États-Unis par tous les moyens possibles. Lorsque Bonne m'a dit que Macron avait demandé un cessez-le-feu économique, Rohani lui a répondu qu'il voulait ce cessez-le-feu, mais que seul l'abandon total des sanctions américaines ramènerait l'Iran dans le droit chemin de l'accord sur le nucléaire, ce qui était ridicule. Juste pour être clair, Rohani avait également souligné que le Guide suprême approuvait cette position. J'ai promis d'en informer Trump et je suis allé le voir aux alentours de 15 h 30. Trump m'a répondu : « C'est terminé. Retirez l'offre. Sanctionnez-les à mort. Soyez prêt à frapper les [...] sites [une ellipse requise ici par la procédure d'examen avant publication] ». Trump a ensuite remis sur le tapis le départ de nos troupes de Syrie. Lorsque j'ai quitté le Bureau ovale, Mnuchin attendait dehors et j'ai donc saisi l'occasion de lui annoncer la bonne nouvelle à propos de l'échec des tentatives de la France avec l'Iran.

Rand Paul, pendant ce temps, œuvrait pour faire venir Zarif, de New York à Washington, afin de rencontrer Trump, comme Kim Yong Chol de Corée du Nord, l'avait fait un an auparavant. Juste au cas, j'ai préparé chez moi une copie tapée de ma lettre de démission de deux lignes, que j'avais rédigée à la main, en juin, et que j'étais prêt à dégainer sans préavis. J'étais prêt.

Malgré le refus de l'Iran, les tentatives de concessions de Macron pour maintenir en vie l'accord sur le nucléaire iranien ont repris sans jamais se décourager. Cela n'améliorait pas l'accord sur le nucléaire, cela le dégradait encore plus, de manière désespérée et encore plus dangereuse, juste pour conserver la coquille de l'accord. Cela aurait été risible si Trump n'avait pas succombé à la subversion de sa propre politique. Trump, par moments, reprenait le cap, comme lorsqu'il a enfin répudié publiquement le gambit Rand Paul, le 19 juillet. Il m'a dit le lendemain : « Rand Paul n'est pas celui qu'il faut pour négocier ceci. C'est un pacifiste. J'ai arrêté les frais hier, vous l'avez vu ? » Je n'ai pas manqué l'occasion de faire remarquer que Mark Levin, pendant son émission de radio, la veille au soir, avait dit que la politique étrangère de Paul était en gros la même que celle de Ilhan Omar, le représentant démocrate radical du Minnesota. Pendant un appel ultérieur de Macron, Trump a raconté ce qu'avait fait l'USS Boxer, un navire d'assaut amphibie, qui avait abattu un drone iranien qui s'était approché de façon inacceptable du navire. Au moins, savions-nous encore nous défendre, même si le coût du drone iranien abattu était insignifiant par rapport à celui du Global Hawk. Macron n'avait rien de nouveau à offrir et Trump a continué d'affirmer qu'il dialoguerait directement avec les Iraniens. Macron maintenait toujours le même cap.

Trump a semblé le comprendre, de temps à autre, comme le 8 août, quand il m'a dit à propos de Macron : « Tout ce qu'il touche se transforme en merde. » Cela sonnait bien. Avec Pompeo, nous parlions constamment de l'implication de Macron, et plus tard ce jour-là, après une réunion avec Trump, Pompeo est entré dans mon bureau et riant déjà, il m'a dit : « J'ai résolu votre problème à votre place. Le tweet sur Macron a certainement dû partir. Cherchez-le ! ». C'est ce que j'ai fait, et j'ai découvert que quelques minutes plus tôt, Trump avait proclamé :

L'Iran connaît de graves problèmes financiers. Son gouvernement veut désespérément dialoguer avec les USA, mais il reçoit des signaux ambigus de tous ceux supposés nous représenter, y compris le président français, Macron... Je sais qu'Emmanuel veut bien faire, comme tous les autres, mais personne ne parle au nom des États-Unis. Personne n'a le droit de nous représenter !

Avec Pompeo, nous nous gondolions, en croyant, à tort, que les tentatives de Macron étaient effectivement terminées. Elles ne l'étaient pas.

Cela était évident, alors que les préparatifs pour le sommet du G7 à Biarritz, fin août, s'accéléraient. Malgré les rumeurs selon lesquelles la France inviterait Rohani à y assister, en qualité d'invité. Bonne m'a assuré, à plusieurs reprises, que cela était faux. Et c'était faux ! Ils avaient invité Zarif. Trump était moyennement enthousiaste à l'idée d'assister à un nouveau sommet du G7, après le fun de Charlevoix en 2018. Il m'a dit plusieurs fois qu'il arriverait en retard et qu'il partirait en avance. Les Français tentaient de nous faire mourir à petit feu avec les « éléments livrables » négociés lors du dernier G7, et ne se montraient, en général, d'aucun secours en matière de logistique et de sécurité, ce qui rendait fous les services secrets et protocolaires de la Maison Blanche. En substance, Bonne et les autres étaient clairs sur le fait que l'Iran était la plus haute priorité de Macron, ce qui était, de toute évidence, inquiétant. Macron refusait d'abandonner, en partie parce que Mnuchin continuait d'encourager Le Maire à croire qu'il y avait un accord à conclure.

Trump était tellement peu intéressé par le G7 que nous avions beaucoup de mal, avec Kudlow, à trouver un créneau pour son briefing, mais nous y sommes enfin parvenus le mardi 20 août, quatre jours avant le début du sommet. Trump a entendu une longue liste de doléances provenant de Kudlow, des services secrets et des officiers protocolaires de la Maison Blanche. Il a alors décidé d'appeler Macron, pendant que nous nous trouvions tous dans le Bureau ovale, aux alentours de 17 heures, heure de Washington. Trump avait demandé aux autres de faire part de leurs doléances, puis avait commencé à se plaindre de la manière dont Macron l'avait traité au cours de ses précédentes visites (comme la célèbre insulte sur la différence entre le nationalisme et le patriotisme pendant les cérémonies du 11 novembre). Macron l'a interrompu pour dire qu'il était 23 heures en France et qu'il avait sollicité un appel deux jours auparavant. Trump a explosé, a mis l'appel en pause et s'est tourné vers moi pour me dire : « On ne m'en a rien dit, bon Dieu, Bolton, vous auriez dû me le dire. Tout le monde me le dit. Passez-moi ces putains d'appels. » J'ai répondu qu'en fait, Macron n'avait rien demandé, mais cela n'a eu aucun effet. J'ai entendu dire que Trump avait, dès le début, accusé Michael Flynn de ne pas lui avoir parlé d'un appel de Poutine. Trump pensait, peut-être, qu'il était encore victime d'un complot.

J'ai été à deux doigts de quitter le Bureau ovale, à cet instant, mais cela aurait impliqué de démissionner, ce que je n'étais pas loin de faire. Mais je ne voulais pas le faire là puisque lui et Macron avaient tort tous les deux. Bonne m'avait envoyé un e-mail, il y avait plusieurs jours, pour me demander quand nous arriverions à Biarritz et je lui ai répondu, par e-mail, que nous étions encore en train d'y réfléchir. J'attendais que Trump me fasse part de ses préférences. La veille, Bonne avait demandé que Macron briefe Trump à propos de sa récente entrevue avec Poutine à Moscou. J'ai suggéré de fixer la date une fois que nous aurions notre planning des sessions du G7 avec Trump, pour que les deux chefs d'État puissent discuter des deux questions. Bonne a accepté, une solution parfaitement sensée et efficace pour les deux parties. Bien sûr, je n'avais pas dit à Bonne que, selon moi, Trump n'avait jusque-là prêté aucune attention à ce qui se passait au G7.

Cette conversation avec Macron a traîné jusqu'à 18 heures. Je suis ensuite resté pour savoir si Trump se rendrait au Danemark après le sommet. Trump s'était maintenant calmé et commençait à dicter un tweet expliquant pourquoi il ne comptait pas, pour l'instant, se rendre au Danemark. Fort de cette information, j'ai quitté les lieux. Dans le couloir, j'ai reçu une note de Kupperman m'indiquant qu'un autre drone MQ-9 avait été abattu, apparemment, par les Houthis au-dessus du Yémen. Bien que nous recevions encore des informations, les Houthis avaient déjà revendiqué cette attaque sur les réseaux sociaux. Je suis donc retourné le dire à Trump. Trump a répondu immédiatement : « Je veux un châtiment. Apportez-moi quelques options plus tard. » Je lui ai dit que je le ferai.

De retour dans mon bureau, j'ai répété à Kupperman ce que Trump m'avait dit pendant l'appel de Macron. Kupperman m'a alors dit : « Trump doit vous présenter des excuses. » Je lui ai répondu : « Cela n'arrivera jamais. »

Toutefois, le lendemain, après le briefing traditionnel des services secrets, je suis resté pour montrer à Trump l'échange d'e-mail imprimé entre Bonne et moi-même, pour lui montrer qu'un éventuel appel Macron-Trump était bien sous contrôle et que je ne le lui avais rien caché. Je ne m'attendais pas à ce que Trump lise les e-mails, pas plus qu'il ne lit le reste, mais je voulais qu'il sache que j'avais été honnête lorsque j'avais dit ne pas avoir empêché Macron de le joindre. Trump m'a répondu : « Je n'aurais pas dû vous hurler dessus. Je suis désolé, j'ai trop de respect pour vous. Mais les gens n'arrivent pas à me joindre. » Cette dernière phrase était aussi inexacte que la veille, mais vu que, justement, elle datait de la veille, elle ne valait pas la peine de s'y pencher.

J'ai pris la direction de Biarritz, en début de journée, le vendredi 23 août. J'ai voyagé toute la journée et j'y suis arrivé en début de soirée pour préparer l'arrivée de Trump, à la mi-journée, le samedi. Il est arrivé à l'hôtel à 13 h 30, et nous avons eu la surprise d'apprendre qu'il déjeunerait avec Macron à 14 heures, ce qui n'était pas prévu. J'avais pris d'autres rendez-vous que j'ai dû m'empresser d'annuler pour me rendre à l'Hôtel du Palais, où résidaient les chefs d'État du G7. Lorsque je suis arrivé, Trump et Macron étaient assis à une table, dans la véranda, en pleine conférence de presse.

D'autres membres des délégations françaises et américaines étaient assis autour d'une autre table, pas très loin. Toutefois, ce n'est que le lendemain, le dimanche, que j'ai découvert que l'Iran était presque le seul sujet de conversation entre Macron et Trump ; notamment la question de savoir si Trump devait rencontrer Zarif, qui devait bientôt arriver à Biarritz, probablement de Paris, où il était au secret depuis son rendez-vous avec Macron, la veille. Trump a, par la suite, raconté à Abe que le déjeuner en tête à tête avec Macron était la meilleure heure et demie qu'il ait jamais passée.

Le dimanche matin, Trump et Boris Johnson, le Premier ministre anglais ont pris le petit-déjeuner, leur première rencontre depuis que Johnson était devenu Premier ministre. La question de l'Irak est, inévitablement, venue sur le tapis et Johnson s'est engagé dans une provocation amicale en déclarant : « Je suis d'accord avec le président, "instaurer la démocratie" a été une erreur. En avons-nous fini avec la lubie du changement de régime, John ? » J'ai ri avant de répondre : « Eh bien, il s'agit d'un sujet sensible », mais j'ai expliqué que, dans certaines circonstances, vouloir un « changement de régime » n'était pas la même chose que « promouvoir la démocratie » ou « construire une nation ». À brûle-pourpoint, Trump a déclaré : « John a fait du bon boulot. Quand il entre dans une pièce, Xi Jinping et tous les autres le remarquent », ce qui a provoqué une hilarité générale. Il s'est tourné vers moi, m'a souri et m'a dit : « C'est vrai. » C'était sympa. Tant que cela a duré.

Les réunions du G7 se sont poursuivies jusqu'au déjeuner du dimanche. Et c'est là que la bombe a explosé. Le Centre des congrès Bellevue a commencé à être envahi par des rumeurs disant que l'avion de Zarif était sur le point d'atterrir à Biarritz. Pendant que nous tentions d'obtenir des informations, j'ai reçu un e-mail de Pompeo me demandant de l'appeler immédiatement, ce que j'ai fait aux alentours de 15 h 40. Il voulait me faire un compte rendu de l'appel qu'il venait juste d'avoir avec Netanyahou, à propos d'une frappe aérienne israélienne en Syrie, la veille au soir, dirigée contre des menaces iraniennes envers Israël, un événement pas si rare, parce qu'à la différence de l'Administration Trump, Israël n'avait pas hésité à anéantir les menaces de façon préventive. Considérant la frappe aérienne des Israéliens, nous avons discuté de notre approche, puis j'ai dit à Pompeo ce que j'avais entendu à propos de l'arrivée de Zarif à Biarritz, une nouvelle qu'il ignorait. Je lui ai expliqué que j'étais sur le point de retourner au Bellevue et que je le tiendrai informé. Je me suis ensuite mis à la recherche de Mulvaney qui m'a dit qu'il ignorait tout d'éventuels contacts avec Zarif, même s'il avait entendu les mêmes rumeurs que moi. J'ai fait parvenir un billet à la réunion des chefs d'État du G7, pour Kelly Ann Shaw, la Sherpa américaine, pour qu'elle le transmette à Trump. Il s'agissait d'un billet dans lequel je lui décrivais ce que nous savions de l'endroit où se trouvait Zarif. Elle m'en a renvoyé un, me disant que Trump avait lu le mien et qu'il avait dit que Macron l'avait invité à rencontrer Zarif aujourd'hui. « POTUS veut vraiment le rencontrer, » m'a-t-elle écrit.

Je me suis assis seul, dans une des salles habituellement réservées aux entretiens bilatéraux, afin de faire le point. J'ai dit au personnel du NSC d'entrer en contact avec nos pilotes pour établir un autre plan de vol, pour plus tard, aujourd'hui ou lundi. Au lieu de me rendre à Kiev et à mes autres escales, avant Varsovie, je voulais un plan de vol pour rentrer à Andrews. Je n'ai pas dit pourquoi, mais si Trump rencontrait Zarif, je pensais rentrer chez moi et démissionner. Je ne voyais aucun intérêt à continuer le reste de mon périple si je savais que j'allais démissionner à mon retour à la Maison Blanche. J'ai décidé que je pouvais aussi bien le faire maintenant et en finir avec tout ça.

Bizarrement, Trump avait un entretien bilatéral avec le Premier ministre australien, Scott Morrison, au cours duquel la question de l'Iran a à peine été évoquée. J'ai regagné l'Hôtel du Palais avec le cortège de Trump pour lui parler, en privé, de cette rencontre avec Zarif. Avant cela, j'ai reçu un e-mail de Pompeo, qui s'était encore entretenu avec Netanyahou. Ce dernier avait eu vent d'une éventuelle rencontre avec Zarif et insistait pour appeler Trump à 17 h 30, heure de Biarritz, un moment qui approchait à grands pas. Une fois arrivé à l'hôtel, je me suis encore entretenu avec Pompeo avant de rejoindre Trump dans sa suite. Je lui ai dit que je ferais ce que je pourrais à propos de l'appel de Netanyahou, mais que j'étais déterminé à faire une tentative de plus pour dissuader Trump de rencontrer Zarif. Netanyahou et Ron Dermer, l'ambassadeur d'Israël, essayaient, eux aussi, de me joindre. J'ai donc demandé à Pompeo de leur dire que je me sentais comme la brigade légère, dont l'issue était à déterminer. À l'étage de Trump, j'ai trouvé Mulvaney et Kushner. Ce dernier était au téléphone avec David Friedman, l'ambassadeur américain en Israël. Il disait à Friedman qu'il ne transmettrait pas l'appel de Netanyahou. (Nous savions désormais qui bloquait tous ces appels vers Trump !) Après avoir raccroché, Kushner nous a expliqué qu'il n'avait pas transmis cet appel, pas plus qu'un des appels précédents de Netanyahou, parce que selon lui, il n'était approprié pour un chef d'État étranger de dire à Trump avec qui il devrait s'entretenir.

J'ai dit à Mulvaney que j'avais besoin de briefer Trump sur l'intervention militaire israélienne de la nuit en Syrie, et sur l'Iran. Mulvaney m'a dit que Trump lui avait dit, dans la voiture, sur le trajet jusqu'à l'hôtel, que Macron s'était servi du déjeuner de samedi avec Trump pour l'inviter à rencontrer Zarif. Trump a alors convié Mnuchin à les rejoindre à leur table pour discuter de Zarif et pour suggérer que ce soit Mnuchin qui rencontre Zarif, plutôt que Trump. Mulvaney m'a dit que Trump lui avait également dit que Kushner était au courant d'une éventuelle rencontre avec Zarif. Je me suis rendu dans la suite de Trump, aux alentours de 17 h 25, flanqué de Mulvaney et Kushner. Trump a commencé par demander pourquoi je n'avais pas voulu participer aux talk-shows du dimanche (!). J'ai expliqué que Mnuchin, Kudlow et Lighthizer avaient bien fait de s'y rendre pour tenter de recentrer le G7 sur les questions économiques plutôt que sur des questions politiques. Trump a accepté l'explication, qui, au moins, présentait la petite vertu d'être la vérité.

J'ai ensuite décrit à Trump l'opération militaire israélienne. Trump a évoqué Zarif et m'a annoncé qu'il voulait le rencontrer. Il m'a demandé : « Pensez-vous que ce soit une bonne idée ? » « Non, Monsieur, je ne le pense pas », lui ai-je répondu. J'ai aussi expliqué pourquoi ce n'était pas le bon moment pour le rencontrer, encore moins d'alléger les sanctions économiques, et encore moins d'aller jusqu'à étendre la ligne de crédit de 5-15 milliards de dollars proposés par la France, que Mnuchin avait négociée avec Le Maire. Je lui ai expliqué qu'une fois que nous aurions relâché la pression sur l'Iran, il serait très difficile de la rétablir (exactement comme avec la Corée du Nord). Un répit économique, aussi petit soit-il, fait énormément de bien aux pays en difficulté qui sont sous le coup de lourdes sanctions, mais nous n'avions aucun moyen de savoir quel changement de comportement iranien nous obtiendrons. Trump a demandé les avis de Mulvaney et Kushner. Mulvaney était d'accord avec moi, mais Kushner a répondu qu'il le rencontrerait parce qu'il n'avait rien à perdre. Ces gens sont incapables de voir plus loin que l'accord qu'ils ont sous les yeux. Et, soudain, comme si la lumière s'était éteinte dans la tête de Trump, il a dit : « Ils n'auront aucune ligne de crédit tant que l'accord ne sera pas conclu. Je ne vais pas accepter quoi que ce soit, juste pour qu'ils acceptent d'arrêter d'enfreindre l'accord sur le nucléaire. » C'était, bien sûr, exactement le contraire de ce que Macron proposait. Même si la remarque de Trump était meilleure que là où j'avais peur qu'elle finisse, j'ai de nouveau insisté pour qu'il ne rencontre pas Zarif. « Je continue de penser que je vais le voir », m'a répondu Trump. « Ce sera en privé, peut-être juste une poignée de main. » Je l'ai, à nouveau, enjoint de ne pas le faire et notre entretien a pris fin.

Dehors, dans le couloir, j'ai discuté pendant encore quelques minutes avec Mulvaney et Kushner. Je leur ai expliqué que quelque chose ne tournait pas rond chez Macron, s'il pensait qu'il y avait une institution financière respectable prête à ouvrir une ligne de crédit à l'Iran. Nous étions au moins tous d'accord pour dire que Macron état une fouine (dans mes souvenirs) et qu'il tenterait de s'attribuer le mérite de la moindre rencontre. J'étais de plus en plus convaincu que Mulvaney ignorait tout de ce micmac, jusqu'à ce que je lui en parle au Bellevue, un peu plus tôt cet après-midi. J'ai appelé Pompeo une troisième fois, aux alentours de 18 h 15, pour l'informer. « Donc, ce sont Mnuchin et Jared, deux démocrates, qui dirigent notre politique étrangère », m'a-t-il dit, une fois mon rapport terminé, ce qui m'a semblé être une bonne analyse. Il a ajouté : « Nous avons là un problème de fond et un énorme problème de forme », les deux étaient évidents. « C'est le président qui doit décider s'il souhaite ou non avoir cette rencontre et il va ratisser la terre entière jusqu'à ce qu'il trouve quelqu'un qui soit d'accord avec lui » (encore une bonne analyse). Je lui ai dit que si la rencontre avait lieu, je présenterais certainement ma démission et que même si elle n'avait pas lieu, il y avait des chances que je démissionne de toute façon. « Je suis avec vous », m'a dit Pompeo. J'ai attendu, jusqu'à tard dans la soirée, pour savoir si la rencontre Trump-Zarif avait eu lieu, m'attendant à être réveillé à tout moment pour entendre cette information, mais ce n'est jamais arrivé.

Le lendemain, le lundi 24 août, j'ai compris, avec la plus grande joie, que la rencontre n'avait pas eu lieu. Aucun article ne faisait état d'une rencontre bien que le ministre français des Affaires étrangères, Jean-Yves Le Drian, ait rencontré Zarif pendant plus de trois heures, rejoints pendant un moment par Macron. Le Français a raconté à Kelly Ann Shaw que Macron avait fait, à Trump, un compte rendu en tête à tête de ces échanges, dans la chambre d'hôtel de Trump, mais qu'il n'en avait, apparemment, informé personne d'autre. Lorsque je me suis entretenu avec Mulvaney juste avant le premier entretien bilatéral de Trump, ce matin-là, il m'a dit que, selon lui, aucune rencontre avec Zarif n'aurait lieu. J'ai envoyé la nouvelle, par e-mail, à Pompeo, aux alentours de 10 h 30, en lui disant que je ne pouvais pas exclure un coup de téléphone et que je n'étais pas sûr, non plus, que Kushner ou Mnuchin n'aient pas rencontré ou discuté avec Zarif, afin d'établir une nouvelle voie de communication. (C'était cette dernière hypothèse qui, selon moi, agitait et inquiétait les fonctionnaires israéliens et qui, bien sûr, rendait Pompeo livide.)

J'ignore si je suis le seul à avoir dissuadé Trump de rencontrer Zarif, mais la décision m'a suffi pour prendre la direction de Kiev plutôt que celle de mon foyer. Mais combien de temps allons-nous attendre avant que Trump ne commette une grosse erreur irréversible ? Une fois de plus, nous n'avions fait que retarder, et peut-être pas pour très longtemps, ce jour fatidique.

CHAPITRE 13

ANTITERRORISME EN AFGHANISTAN ET QUASI-FIASCO À CAMP DAVID

En Afghanistan, j'avais deux objectifs que les autres conseillers spéciaux de Trump partageaient. Les deux étaient d'égale importance : (1) éviter la résurgence de Daech, d'Al-Qaïda et les menaces d'attentats terroristes qu'ils font peser sur les États-Unis et (2) surveiller attentivement les programmes nucléaires militaires de l'Iran à l'ouest et du Pakistan à l'est. Telle était la plateforme antiterrorisme que nous souhaitions mettre en place, début 2019. Le plus difficile était de convaincre Trump de donner son aval et d'éviter qu'il ne change d'avis par la suite. Si nous lui présentions ces deux objectifs de mauvaise manière ou au mauvais moment, nous risquions un nouvel accès de colère au cours duquel Trump exigerait un retrait complet et immédiat de l'ensemble de nos troupes ; et si nous ne les lui présentions pas, la dernière option qu'il nous resterait serait un retrait par défaut.

Les négociations en cours, conduites par Zalmay Khalilzad avec les talibans, compliquaient quelque peu les choses. Pompeo croyait que Trump lui avait donné mandat pour négocier un accord en échange du retrait de l'ensemble des troupes américaines déployées dans le pays. J'étais convaincu que c'était clairement une mauvaise décision. En théorie, le gouvernement américain était opposé à tout accord de cet ordre à moins qu'il ne s'agisse d'un accord « sous conditions ». Traduction, nous retirerions l'ensemble de nos troupes si et seulement si : (1) il n'y avait aucune activité terroriste dans le pays ; (2) Daech et Al-Qaïda étaient interdits d'établir des bases opérationnelles dans le pays et ; (3) nous disposions des ressources permettant de vérifier le respect des deux premiers points. Je trouvais tout cela d'une naïveté touchante, exactement comme les recommandations du Pentagone en matière de maîtrise des armements : nous passons un accord avec une bande de scélérats et nous espérons qu'ils vont le respecter. Quelle candeur !

Depuis le début, Pompeo insistait sur le fait que c'était le Pentagone qui souhaitait un accord avec les talibans pour réduire les menaces qui pèseraient sur le personnel américain pendant la phase de désengagement ; sans un tel accord, les risques de réduction des forces américaines étaient trop importants. Mais, là encore, je trouvais que ce raisonnement ressemblait beaucoup à un rêve d'enfant. Je n'ai jamais compris pourquoi un tel accord nous protégerait efficacement contre une organisation terroriste en laquelle nous n'avons jamais eu confiance. Si les talibans, Daech et Al-Qaïda concluaient, en constatant la réduction des effectifs américains, que nous nous désengagions et que cela augmentait les risques pesant sur nos forces réduites, que concluraient ces mêmes terroristes avec un bout de papier disant expressément que nous aurions évacué le pays en octobre 2020 ?

Un « accord sous conditions », dans le contexte afghan, ressemblait à un opiacé. Il a procuré à certains d'entre nous (mais pas à moi) un certain bien être, mais cette sensation n'allait pas tarder à se dissiper et à nous laisser, au final, un goût insipide, tout au mieux. Je doutais qu'il y ait un accord avec les talibans que nous *pourrions* trouver acceptable, au vu de leurs antécédents. Si nous faisions le choix du « retrait total », une violation des « conditions » ne suffirait pas à convaincre Trump de changer son fusil d'épaule. Une fois le retrait total amorcé, un retour en arrière ne serait plus possible. Mais si la poursuite des négociations nous permettait de mettre en place et de conserver une présence antiterrorisme durable dans la région, nous pouvions alors nous asseoir confortablement à la table des négociations.

J'étais persuadé, tout comme Shanahan, Dunford et Pompeo, que nous devions expliquer à Trump, le plus tôt possible, comment fonctionnerait cette structure. Un briefing était prévu le vendredi 15 mars et nous l'avons préparé avec une grande minutie. Conscients des enjeux, nous avions organisé une répétition générale, dans le Tank, le vendredi précédent. Curieusement, Pompeo avait demandé à John Sullivan d'y assister à sa place ; peut-être ne voulait-il pas révéler où nous en étions sur le plan diplomatique avec les talibans avant le briefing de Trump, une attitude qui cadrait bien avec sa répugnance à partager la moindre information à propos des négociations en cours. Son absence ne me dérangeait pas parce que je me doutais bien que la diplomatie afghane n'aurait, de toute façon, pas beaucoup d'importance à long terme. Mon horizon était plus limité : tout mettre en œuvre pour que la présentation proposée à Trump par le département de la Défense, le vendredi suivant, soit la meilleure possible pour le convaincre que nous devions conserver des ressources antiterrorismes substantielles en Afghanistan. Comme il en a l'habitude dans tous ces briefings, le Pentagone avait préparé toute une série de graphiques et de diaporamas qui ne font que compliquer inutilement les choses même lorsqu'ils sont porteurs de « bonnes » nouvelles pour Trump, à savoir la réduction substantielle de nos troupes et des dépenses militaires. J'ai enjoint Shanahan et Dunford de prêter très attention aux réactions de Trump pendant qu'ils le brieferaient et de ne pas se contenter d'égrener les graphiques et les diaporamas. C'était ce que faisait Mattis et, si j'en croyais les histoires, véridiques ou non, qui m'avaient été rapportées, Trump décrochait pendant les briefings, longs et exhaustifs, de McMaster. Inutile de refaire la même erreur. Je pensais que tout le monde était prêt, mais que le véritable test aurait lieu la semaine suivante.

Dans la matinée du 15 mars, Trump a appelé le président éthiopien, Abiy Ahmed Ali (qui a reçu le prix Nobel de la paix en octobre) pour lui présenter ses condoléances pour le crash d'un avion de ligne éthiopien (à la suite duquel tous les Boeing 737 Max se sont retrouvés cloués au sol). En attendant que la communication s'établisse, Trump a échangé quelques mots avec moi. Il a mentionné l'Afghanistan et m'a dit : « Il faut qu'on se tire de là. » La journée ne partait pas sur de bons auspices. Je l'ai rappelé après son coup de téléphone à Abiy pour lui expliquer que, pendant ce briefing, le Pentagone souhaitait lui montrer comment ils avaient redéfini la mission en Afghanistan en tenant compte de son plan de réduction de la présence américaine dans le pays. « Cela ne nuira pas aux négociations, n'est-ce pas ? », m'a-t-il demandé, inquiet que la réduction de nos effectifs soit interprétée comme un signe de faiblesse. Je lui ai répondu qu'il n'en serait rien. Il m'a invité à effectuer le trajet jusqu'au Pentagone dans « la bête », avec lui et Pence. Cela nous offrait une autre chance de prendre sa température et d'apaiser ses inquiétudes, mais la conversation a tourné essentiellement autour de la Corée du Nord.

Dans le Tank, Shanahan a expliqué que le but de ce briefing était de montrer comment maintenir une force antiterroriste et d'autres ressources essentielles maintenant que nous avions entamé des négociations avec les talibans. Trump l'a immédiatement interrompu pour lui demander : « Est-ce que nous affaiblissons notre main dans les négociations en annonçant que nous réduisons le nombre de nos troupes ? » J'avais appelé Shanahan et Pompeo juste après mon précédent entretien avec Trump. Ils avaient eu tout loisir de préparer leurs réponses. Ils ont expliqué que le timing était, en fait, parfait. Lorsque l'opposition est décimée, les survivants sont, en général, plus enclins à négocier. Trump est parti dans un laïus sur les erreurs des précédents chefs d'état-major (des reproches injustes mais fréquents) et les piètres résultats de Mattis, alors que Trump avait approuvé les règles d'engagement demandées par Mattis. « Comment avancent les négociations ? », a demandé Trump à Pompeo. Mais il ne lui a pas laissé le temps de répondre et s'est lancé dans une diatribe sur la corruption endémique qui règne chez les fonctionnaires afghans, surtout le président Ghani et ses prétendues richesses. Fidèle à son habitude, il confondait Ghani avec son prédécesseur, Hamid Karzaï. Très discrètement, j'ai fait signe à Dunford qu'il était temps pour lui d'intervenir et d'expliquer que la baisse de la violence, résultat de notre stratégie actuelle, nous permettrait de remplir notre mission de lutte antiterrorisme et de surveillance avec des ressources moindres, même sans un accord avec les talibans. « Nous avons suivi vos instructions », a dit Dunford à Trump, toujours une bonne réplique dans l'ère post Mattis. Dunford a également ajouté que nous serions en mesure de faire face, le cas échéant, à un affaiblissement du gouvernement afghan et de nous concentrer sur Al-Qaïda et Daech, les véritables menaces terroristes des États-Unis. J'ai rappelé que la faiblesse du gouvernement central avait été, de tout temps, le gros problème de l'Afghanistan et que cela ne serait donc pas une nouveauté pour les habitants.

Dunford a ensuite expliqué qu'il était nécessaire de maintenir une force antiterroriste active sur l'ensemble de la région. Alors qu'il égrenait ses graphiques et ses diaporamas détaillant les besoins en personnel et le coût de nos futures opérations en Afghanistan, Trump a fait remarquer : « Cela fait encore beaucoup de monde là-bas, », mais, heureusement, il a ajouté : « Il est encore plus dangereux de n'avoir personne sur place, car c'est là-bas qu'ils [les terroristes] apprennent à faire sauter des immeubles », ce qui était exactement le cas. Trump nous a ressorti une de ses vieilles rengaines, à savoir que reconstruire le World Trade Center avait coûté moins cher que la guerre en Afghanistan, ignorant de façon plutôt inconvenante le coût en vies humaines des attentats du 11 septembre, pour ne prendre en compte que le coût des bâtiments. Exactement comme il ignorait qu'un attentat terroriste qui surviendrait après un retrait décidé par Trump aurait des conséquences désastreuses sur le plan politique. Dunford a poursuivi en expliquant que notre pression militaire avait empêché la reconstitution des groupes terroristes et constituait, en quelque sorte, une police d'assurance. Il n'avait pas de calendrier précis en tête, mais le Pentagone laisserait au processus de réconciliation diplomatique le soin de le déterminer. Je me suis dit que nous étions en train de nous aventurer en terrain glissant en lui offrant une nouvelle occasion de soulever la question de notre présence en Afghanistan. La discussion a été un peu décousue pendant quelques minutes. Trump m'a demandé pourquoi nous nous battions en Irak et en Afghanistan, mais pas au Venezuela, révélant ainsi, du moins, aux personnes présentes dans la pièce, ce qu'il aurait aimé faire.

Après quelques badinages, Shanahan a présenté les réductions de coût qu'engendrerait le maintien d'une plateforme antiterrorisme, mais avant qu'il ne s'aventure trop loin, Trump l'a interrompu pour se plaindre du Congrès qui venait de refuser le financement de son mur à la frontière mexicaine. Et il s'est mis à digresser : « Pourquoi ne peut-on pas tout simplement se retirer de Syrie et d'Afghanistan ? Je n'aurais jamais dû accepter les deux cents autres [en Syrie] et c'est en réalité quatre cents de toute façon ». Dunford lui a expliqué que nous espérions que les autres pays membres de l'OTAN contribueraient à la force d'observation internationale déployée en Syrie. Trump lui a répondu : « C'est nous qui payons pour l'OTAN de toute façon », avant de se lancer dans une diatribe contre Erdogan et ce qu'il faisait en Turquie. La conversation est revenue sur l'Afghanistan, mais après littéralement quarante-cinq secondes, Trump a demandé : « Qu'est-ce que nous foutons en Afrique ? » Il nous a bien fait comprendre qu'il voulait également que nous nous retirions d'Afrique. Il s'est ensuite mis à disserter sur notre dette de 22 mille milliards de dollars et sur les problèmes liés au déficit de notre balance commerciale avant de se lancer, une nouvelle fois, dans une supplique à propos de l'aide internationale de 1,5 milliard de dollars que perçoit, chaque année, le Nigeria ; un montant que lui avait confirmé le président nigérian au cours d'une de ses précédentes visites, alors que le Nigeria refuse d'acheter les produits agricoles américains. Après d'autres discussions sur l'Afrique, Trump est revenu à l'Afghanistan et nous a dit : « Réduisez-le [le coût annuel] à 10 milliards de dollars [le montant des ressources requises pour maintenir une présence américaine] et fissa. » Il a ensuite embrayé sur les coûts des bases militaires en Corée du Sud et de la contribution dont Séoul devrait s'acquitter pour couvrir les dépenses. Trump était tout content d'annoncer que nous avions soutiré 500 millions de dollars supplémentaires aux pays du Sud pendant les négociations fin 2018 (en réalité, environ 75 millions de dollars, comme toutes les personnes présentes dans le Tank le savaient). Il insistait encore pour que la Corée du Sud verse un montant égal aux coûts américains plus 50 %. Et quelles que soient nos différences politiques avec l'Irak, Trump nous a rappelé qu'après avoir autant dépensé pour y construire nos bases, un départ était exclu.

Après un peu moins d'une heure, alors que nous étions en train de remballer nos affaires, Trump a demandé à Dunford, devant tout le monde : « Comment se débrouille notre secrétaire par intérim ? » Dunford était, de toute évidence, abasourdi, mais il s'est vite repris et a répondu : « C'est le moment où je dois dire qu'il fait un boulot formidable, » et tout le monde a ri. Je voulais juste sortir du Tank le plus vite possible. Avec Pompeo, nous nous sommes levés et nous avons commencé à ranger nos affaires. Les autres nous ont imités et nous avons tous pris la direction de l'entrée du Pentagone, côté fleuve, où nous attendait le cortège des voitures. J'ai effectué le trajet retour avec Pence et Trump dans « la bête ». La conversation a essentiellement porté sur l'interdiction de vol des Max 737. De retour dans l'aile Ouest, j'ai appelé Shanahan pour le féliciter du résultat et lui dire qu'il pouvait s'octroyer le reste de la journée. Ce n'était pas joli, comme je l'ai également dit à Dunford lorsque je l'ai appelé, quelques minutes plus tard, mais c'était incontestablement une victoire. Dunford m'a répondu : « [Trump] est à présent persuadé que nous l'écoutons, ce qui n'était pas le cas jusque-là », ce avec quoi j'étais on ne peut plus d'accord. Pompeo, avec lequel je me suis entretenu le lendemain pensait, lui aussi, que le briefing avait été un succès.

Mais il restait un problème à résoudre : les négociations avec les talibans. Le 21 mars, lors d'un petit-déjeuner de travail, Shanahan et Dunford ont apporté un diagramme qui montrait que le département d'État avait pris quelques distances vis-à-vis des consignes de négociations qui, d'après le Pentagone, avaient été établies. Ce qui me troublait le plus, c'était que les objectifs de négociation du département d'État étaient très éloignés de ce qui était, selon moi, nos véritables objectifs : être entièrement capable de prévenir une résurgence du terrorisme et de surveiller les menaces constituées par les programmes nucléaires militaires de l'Iran et du Pakistan. Les niveaux de ressources implicitement approuvés par Trump, pendant le briefing dans le Tank, étaient très loin de ce dont nous aurions besoin en cas de crise majeure, mais selon moi, au moins aurions-nous encore quelques bases en Afghanistan et la possibilité de rapidement étendre nos capacités. Pendant ce temps, Pompeo et Khalilzad continuaient de négocier comme si nous nous retirions complètement. Il s'agissait peut-être de notre point de départ en novembre, mais nous avions lutté d'arrache-pied pour regagner le terrain perdu et je craignais, tout comme Shanahan et Dunford, de perdre ces progrès. Après un petit-déjeuner de trente minutes, j'ai appelé Trump pour lui dire que c'était sa décision de laisser Khalilzad et le département d'État agir en totale indépendance, mais que je pensais que cela constituait une menace pour l'objectif que Trump nous avait déclaré vouloir atteindre. « Je ne sais même pas qui est ce type », m'a répondu Trump. Il parlait de Khalilzad. « Faites ce qui vous semblera le mieux. »

Un peu plus tard, ce matin-là, j'ai rencontré Khalilzad que je connaissais, comme je l'ai déjà dit, depuis près de trente ans. Il m'a expliqué que Pompeo lui avait ordonné de ne pas communiquer avec moi parce que je le dénigrais auprès de Trump. C'était faux et je me suis demandé si la véritable motivation de Pompeo n'était pas de vouloir s'attribuer tout le mérite sur l'Afghanistan, une pratique courante à Washington. Si c'était le cas, il se fourvoyait. Je ne croyais pas qu'il existe une chance concrète que les négociations aboutissent sur un résultat acceptable. Je n'avais, par conséquent, pas la moindre envie de me voir attribuer la « paternité » de l'accord. Khalilzad a accepté une rencontre informelle avec tous les fonctionnaires concernés afin d'éclaircir tous malentendus avant de quitter Washington et de reprendre les discussions avec les talibans. Je trouvais qu'il s'agissait d'une bonne décision. Mais, plusieurs jours plus tard, Pompeo a appelé pour se plaindre d'interférences de la part de plusieurs hauts fonctionnaires du Pentagone et de Lisa Curtis, la responsable de la branche Asie du Sud du Conseil de sécurité nationale, et que tout ce beau monde devait laisser Khalilzad travailler seul. Normalement, ces réunions permettaient d'améliorer « la coordination interagences », mais Pompeo voyait cela comme de l'ingérence. Pas étonnant que nous ayons des problèmes de communication au sein de l'Administration au sujet de l'Afghanistan.

Au beau milieu de ces difficultés, nous avons reçu, le 12 avril, une excellente nouvelle. La « chambre préliminaire » de la Cour pénale internationale avait délivré un avis de trente-deux pages rejetant la demande de la procureure d'ouvrir une enquête sur la conduite du personnel militaire et des services de renseignement en Afghanistan. Je me suis entretenu plusieurs fois avec l'ancien membre du Congrès, Pete Hoekstra, notre ambassadeur aux Pays-Bas, le pays où se trouve le tribunal, à La Haye, et j'avais constaté qu'il était tout aussi surpris que moi par le fait que nous ayons réussi à stopper cette erreur de justice. J'ai toujours été un farouche opposant de la Cour pénale internationale. J'avais d'ailleurs fait un discours, au début de mon mandat, devant la Société Fédérale[63], à Washington, dans lequel j'avais expliqué pourquoi l'Administration refusait, pour une question de principe, de la reconnaître et les mesures que nous étions prêts à prendre contre la CPI si elle tentait d'engager des

63 Federalist Society (NDT).

poursuites contre des ressortissants américains. J'ai appelé Trump à 9 h 15 pour l'informer de cette décision. Il m'a répondu : « Publiez un truc puissant », ce que j'étais ravi de faire.

Quant aux négociations États-Unis-talibans, je me souciais désormais moins de leur contenu et je m'en préoccupais, par conséquent, moins que le Pentagone parce que je pensais que nous avions largement remporté la bataille décisive dans l'esprit de Trump. Les États-Unis ne se désengageraient pas complètement d'Afghanistan et conserveraient des troupes sur place pour lutter contre le terrorisme et remplir d'autres missions. Si jamais Trump changeait d'avis et, un jour, ordonnait un retrait immédiat (ce qu'il faisait périodiquement pendant ses accès de colère), cette décision ne dépendrait pas de l'avancée des discussions. Bref, la position militaire des États-Unis n'était plus liée au processus de paix, si tant est qu'elle l'ait été un jour. Dans mon esprit, Khalilzad n'avait par conséquent aucune obligation particulière de résultat ni de véritable date butoir pour la fin des négociations.

Mais, le 1er juillet, le département de la Défense a appris que Khalilzad était sur le point d'annoncer qu'un accord avait été conclu avec les talibans, sans que quiconque à Washington ait été informé du contenu dudit accord. Esper a appelé Pompeo, son camarade de promotion à West Point, pour lui suggérer de rapporter l'accord à Washington, pour qu'il puisse être examiné. Une initiative qui n'avait, somme toute, rien d'extravagant. Kupperman a appris, de la bouche du chef du cabinet d'Esper, que Pompeo « avait incendié Esper ». Il lui avait reproché, ainsi qu'à ses subordonnés, en employant un langage relativement peu châtié de fourrer leur nez dans les négociations en Afghanistan. Pompeo hurlait à tout bout de champ, nous a-t-on dit, que Khalilzad avait pour instructions – il n'a pas pris la peine de préciser de qui elles venaient – de négocier un accord sans aucun chaperon. Shanahan avait essayé de se montrer raisonnable, mais il avait échoué et, là, c'était au tour d'Esper. Lorsque je me suis entretenu avec ce dernier, le lendemain, ses inquiétudes étaient, en réalité, plus d'ordre tactique que politique. Il se demandait s'il était prudent de retirer les forces américaines. « Mike s'est un peu emporté », m'a expliqué Esper, soucieux de ne pas jeter de l'huile sur le feu, mais au fil de la conversation, il devenait évident qu'il y avait une divergence entre l'objectif du département d'État

– plus aucun soldat américain – et ma volonté (celle du Pentagone, aussi) de maintenir une plateforme antiterrorisme et d'autres installations. Esper craignait, à juste titre, que le fonctionnement des opérations militaires n'ait à en pâtir si nous abandonnions ne serait-ce qu'une once de terrain en Afghanistan.

J'ai décidé de prendre le taureau par les cornes et, le 19 juillet, pendant un entretien avec Khalilzad, j'ai dénoncé cette schizophrénie. Je voulais qu'il y ait un consensus au sein du gouvernement américain entre tous les différents courants de pensée et que nous reconnections les points d'achoppement pendant nos réunions internes. Et donc, même si les instructions qu'il avait reçues de Trump (ou de Pompeo, qu'importe) faisaient état d'un désengagement complet, Trump lui avait donné pour instructions de soutenir la mise en place d'une plateforme antiterrorisme disposant de ressources qui lui permettrait de remplir les objectifs que nous avions présentés à Trump pendant notre briefing dans le Tank, et cela sans réelle date butoir. L'astuce étant de trouver un moyen de faire accepter aux talibans et au gouvernement afghan que nous évacuions tout le personnel affecté à la mission en cours, mais que nous maintenions des troupes pour une nouvelle mission antiterrorisme. Khalilzad n'a fait aucune difficulté et m'a assuré qu'il comprenait parfaitement ce que Trump attendait. J'ai donc considéré cela comme un progrès significatif. Je voulais être certain que tout le monde, au sein du gouvernement, soit, à cet instant précis, sur la même longueur d'onde. Un résultat que nous aurions pu atteindre plus tôt et plus facilement si Pompeo avait laissé Khalilzad nous rencontrer plus souvent au lieu de nous obliger à organiser des réunions à la sauvette comme si nous étions de vulgaires espions. Les discussions avec les talibans se sont poursuivies pendant tout l'été.

Le mercredi 14 août, Kupperman a appris de la bouche du chef de cabinet d'Esper qu'une réunion sur l'Afghanistan se tiendrait, le vendredi, au club de golf de Trump, à Bedminster, où il séjournait pendant une semaine. Nous tombions des nues. À 7 h 10, le lendemain, j'ai donc appelé Mulvaney, qui se trouvait lui aussi dans le New Jersey, pour avoir des informations. Il m'a dit qu'il avait entendu parler d'une réunion, ce vendredi, et avait demandé à Westerhout sur quoi elle portait. Elle lui avait répondu que c'était avec « le mec de l'Afghanistan » (en d'autres termes, Khalilzad) et Pompeo.

« Vous pouvez venir », m'a dit Mulvaney, « Y aura-t-il quelqu'un du département de la Défense ? » J'ai répondu par l'affirmative et nous avons raccroché. Nous avions là une nouvelle démonstration de la façon dont le département d'État traitait le reste de l'équipe de sécurité nationale. J'étais certain que les talibans étaient très satisfaits des termes du nouvel accord et j'étais persuadé qu'ils n'avaient pas l'intention d'en respecter beaucoup. Je soupçonnais Pompeo de vouloir que Trump signe avec le minimum d'opposition possible, en interne, mais les négociations s'éternisant, nous avons abouti à un résultat qui selon moi, et je n'étais pas le seul à le penser, aurait de graves conséquences pour les États-Unis. La tâche du conseiller à la sécurité nationale est d'assurer la liaison entre le département d'État, le département de la Défense et les autres membres du NSC. Si on m'empêchait de remplir cette fonction, je n'avais aucune raison de rester. En attendant, j'avais, au moins, « réussi » à me faire inviter.

Je me suis entretenu avec Pompeo un peu plus tard ce matin-là. Nous avons abordé plusieurs sujets et j'en ai profité pour évoquer la réunion de Bedminster. Il m'a répondu que les négociations « n'étaient pas terminées ». Il restait notamment à se mettre d'accord sur la nature du cessez-le-feu, convaincre les talibans d'abandonner les actions violentes, et poursuivre la mission de lutte antiterrorisme. Je lui ai annoncé que je m'y rendrai en avion, probablement sur Air Force Two avec Pence, et je lui ai demandé à quelle heure il partait. On aurait entendu les mouches voler. Il n'avait, de toute évidence, pas prévu qu'une petite armée assisterait à la réunion de Bedminster et certainement pas moi. Haspel, Cipollone, Marc Short (le chef de cabinet du VP) et Kellog étaient eux aussi présents, tout comme Mulvaney, Esper et Dunford.

Ayant entendu parler de la réunion de Bedminster, Lindsey Graham m'a appelé pour me dire qu'il avait insisté auprès de Trump, mercredi, sur le besoin de conserver des forces sur place pour lutter contre la menace terroriste et remplir d'autres missions. Mais des fuites dans la presse indiquant qu'il n'y avait nulle trace de ces termes dans l'accord avec les talibans l'avaient inquiété et il m'a demandé d'en toucher un mot à Jack Keane, le général quatre étoiles à la retraite qui intervenait régulièrement sur Fox. J'ai appelé Keane avant de décoller de la base Andrews pour lui enjoindre d'appeler Trump en personne puisque Trump et lui discutaient fréquemment de ces sujets. S'il y avait un moment où Keane devait avoir une discussion avec Trump sur l'Afghanistan, c'était bien aujourd'hui. Pence m'a demandé de le rejoindre dans sa cabine pendant le vol. Je lui ai expliqué les risques posés par l'accord proposé, en fonction des maigres informations dont je disposais. J'ai également souligné le considérable danger politique pour Trump. Graham et plusieurs autres n'avaient pas mâché leurs mots sur le sujet. Nous avons atterri à l'aéroport de Morristown, dans le New Jersey et nous avons rejoint Bedminster en voiture.

La réunion a débuté quelques minutes après 15 heures. Pompeo a ouvert les débats en déclarant : « Nous n'avons pas encore conclu d'accord avec les talibans », mais il nous a esquissé les termes généraux de l'accord qui semblait sur le point d'être conclu. Cette description était très différente de celle que Pompeo m'avait faite au téléphone un peu plus tôt, ce jour-là. Trump a posé des questions, surtout au sujet des termes d'un échange de prisonniers et d'otages entre les talibans et le gouvernement afghan, qui en matière de chiffres, semblait beaucoup plus favorable aux talibans qu'à nous. Cela ne plaisait pas du tout à Trump, qui s'est ensuite lancé dans une diatribe contre le président afghan Ghani et sa luxueuse demeure à Dubaï, qui, comme une enquête nous l'avait révélé, n'existait pas. Pompeo a balayé cela d'un revers de main en rappelant que Ghani était désormais président et qu'il avait le contrôle des forces armées. Fidèle à lui-même, Trump a demandé : « Qui les paie ? » Esper, qui n'avait pas encore vu le film, s'est empressé de répondre : « C'est nous », offrant par là même la possibilité à Trump de se lancer dans une diatribe contre Mattis qui avait l'habitude de répondre : « Ces soldats se battent courageusement pour leur pays », jusqu'au jour où Trump lui avait demandé qui les payait et avait appris que le coût total (équipement et autres fournitures inclus) avoisinait les 6,5 milliards de dollars par an. Un échange que Trump avait conclu par un : « Ce sont les soldats les mieux payés du monde ». Il a ensuite embrayé sur les attaques « vert contre bleu », où des soldats afghans avaient attaqué des soldats américains : « Nous leur apprenons à tirer et ensuite ils prennent les armes, nous disent "Oh, merci monsieur" et ils descendent les nôtres ». Nous avons ensuite évoqué les élections afghanes et Trump nous a répété, pour la énième fois, pourquoi il n'aimait pas tel ou tel haut fonctionnaire afghan. Si seulement Trump avait pu, une bonne fois pour toutes, arrêter de confondre le président en fonction, Ghani, avec son prédécesseur, le président Karzaï, nous aurions gagné un temps fou.

La discussion s'est poursuivie et, à un moment, Trump a dit : « Un mauvais accord serait pire qu'un simple retrait. Je préfère ne pas conclure un mauvais accord. » Je me suis dit que cette remarque nous fournissait une lueur d'espoir. Mais Trump n'a pas été plus loin et a, de nouveau, changé de sujet pour se plaindre, une nouvelle fois, des fuites dans la presse et notamment du fait que CNN avait eu vent de cette réunion. « On devrait les exécuter. Ce sont des ordures, » a-t-il déclaré avant de faire remarquer que, « ce n'était pas une mauvaise chose que la nouvelle ait été ébruitée » concernant nos discussions à propos de l'Afghanistan. Trump nous a alors ressorti un de ses gambits juridiques préférés, à savoir demander au département de la Justice d'arrêter les journalistes, de les écrouer quelque temps puis de les obliger à révéler leurs sources. Ce serait le seul moyen de faire cesser les fuites. Trump a demandé à Cipollone d'appeler Barr pour lui en parler. Cipollone a répondu qu'il le ferait. Trump a poursuivi : « J'aime bien mon message. S'ils nous attaquent, nous détruirons leur pays. Mais pas avec des armes nucléaires. Et ils nous détestent. Les talibans veulent récupérer leur pays. Nous leur avons pris leur pays et ils ont des escrocs », dans les plus hautes sphères de leur gouvernement.

La conversation s'est poursuivie, mais je sentais que l'esprit de Trump vagabondait de plus en plus. Quelque chose le troublait, mais je ne voyais pas quoi. Soudain, là encore à brûle-pourpoint, il a dit : « Je veux qu'on se retire de partout » avant de se livrer à une critique de notre programme militaire en Afrique. Esper et Dunford se sont empressés de lui expliquer que nous l'avions déjà réduit. Il a, ensuite, remis sur le tapis le sommet de l'OTAN en 2018 et nous a raconté, encore une fois, comment il avait menacé de se retirer (ce qui était inexact) et combien nous dépensions en Ukraine. Il nous a, encore une fois, raconté son premier entretien avec Angela Merkel pendant lequel, avant même de le féliciter pour sa victoire, Merkel lui avait demandé ce qu'il comptait faire au sujet de l'Ukraine. Trump avait répondu en lui demandant ce qu'*elle* comptait faire au sujet de l'Ukraine. Il a ensuite demandé : « On veut vraiment de ce Fort Trump [en Pologne] ? » J'ai répondu qu'il avait donné son accord au cours de plusieurs entretiens avec Andrzej Duda, le président polonais, que sa construction était financée par les Polonais et qu'il se rendait en Pologne, le 1er septembre, pour commémorer le quatre-vingtième anniversaire de l'invasion du pays par les nazis. Mais cela ne l'a pas arrêté dans son élan. Il a prétendu ne pas se souvenir d'avoir donné son accord pour Fort Trump, ce qui reflétait soit la qualité de sa mémoire soit sa faculté à oublier tout ce dont il n'avait pas envie de se souvenir.

Esper a tenté de lui expliquer que les troupes déployées en Pologne le seraient en rotation et ne seraient pas stationnées en permanence, mais Trump était déjà passé à autre chose : les exercices militaires conjoints en cours en Corée du Sud. « Vous n'auriez pas dû les laisser continuer », m'a-t-il dit alors qu'il avait donné son accord. Il ne s'agissait, après tout, que d'exercices sur table, pas de manœuvres sur le terrain. « J'essaie de faire la paix avec un psychopathe », a-t-il ajouté, admettant ainsi que Kim Jong Un pouvait être *quelque peu* lunatique. « Ces exercices conjoints sont une grave erreur. Je n'aurais jamais dû donner mon accord pour ces exercices », a-t-il fini par déclarer. « On dégage s'ils n'acceptent pas de nous verser les 5 milliards de dollars (pour le financement sud-coréen des bases américaines). Nous accusons un déficit commercial de 38 milliards de dollars avec la Corée du Sud. Tirons-nous. » Il a demandé plusieurs fois à quelle date se terminaient les exercices en cours, à savoir le 20 août. « Terminez-les en deux jours, ne les prolongez pas, ne serait-ce que d'un jour. »

Comme s'il avait déjà décidé d'approuver l'accord Pompeo-Khalilzad, Trump a déclaré : « Faisons beaucoup de bruit là-dessus, présentons-le comme un accord fabuleux. S'ils font quoi que ce soit de mal [ce que j'ai traduit par, si les talibans violent l'accord], nous ferons exploser leur pays en un million de morceaux. [Je ne pensais pas qu'il s'agissait d'une stratégie militaire bien réfléchie, mais d'une analyste simpliste à la Trump.] Et ce n'est pas de la faute de l'armée parce qu'on ne vous a pas donné les outils. » Ce dernier point n'aurait pas manqué de surprendre Mattis à qui Trump n'avait eu de cesse de répéter qu'il les lui avait donnés. Et il est parti sur le Groenland avant de revenir rapidement sur l'Afrique : « Je veux que nous dégagions d'Afrique le plus vite possible et d'un maximum d'endroits. Je veux que nos soldats rentrent au pays. Sortez-les d'Allemagne. Je vais dire à l'Allemagne : "Vous devez payer immédiatement". »

Il est revenu sur Fort Trump et Esper a tenté, une deuxième fois, de lui expliquer que les troupes seraient déployées en rotation et ne seraient pas vraiment stationnées là-bas. « J'ai été élu sur la promesse que nous nous retirerions d'Afghanistan et de ces exercices militaires conjoints. Nous avons cinquante-deux mille soldats en Europe... Les gens sont tellement amoureux de l'OTAN. » Et il est passé au Cachemire : « Je vais appeler Modi lundi. Nous sommes en position de force [...] grâce au commerce. »

Pence a tenté de ramener la conversation sur l'annonce de l'accord avec l'Afghanistan, en demandant si cette annonce aurait lieu la semaine prochaine. Trump a répondu : « Ne mentionnez pas le mot “retrait” dans la déclaration, mais dites bien que nous aurons quitté le pays en octobre [2020] juste avant l'élection. On pourra le repousser après l'élection. Qu'est-ce que ça donne sur le plan politique ? » Dunford a expliqué que nous pouvions descendre jusqu'au niveau de ressources proposées à Trump pendant le briefing dans le Tank (cf. ci-dessus) et nous arrêter là. Pompeo a, une nouvelle fois, insisté pour mentionner un retrait total dans l'accord parce que les talibans avaient insisté là-dessus. C'était le cœur du problème. Un peu avant la fin de la réunion, j'ai déclaré que je n'avais pas vu le texte de l'accord et Pompeo a répondu : « C'est vrai, nous avons fait preuve d'une très grande discrétion à ce sujet, mais nous aurons des fuites dès que nous élargirons le cercle. » C'était un autre problème. Pompeo faisait de son mieux pour que hormis Khalilzad, ils soient les seuls, lui et Trump (même si, au début de la réunion, Trump avait déclaré que cela faisait longtemps qu'il n'avait pas rencontré Khalilzad) à connaître le contenu de cet accord. En refusant d'élargir le cercle des initiés, Pompeo était certain de s'en voir attribuer l'entière paternité. Cela me convenait parfaitement. Si c'était ce que lui et Trump voulaient, ils pouvaient se garder le lynchage politique. La réunion a pris fin vers 16 h 50 sans qu'il soit décidé s'il y allait avoir une déclaration la semaine prochaine. En partie, parce que des problèmes importants restaient en suspens, si tant est qu'ils puissent être résolus un jour.

Le lundi, j'ai rencontré Khalilzad, à sa demande, pour un entretien de suivi de la réunion de Bedminster. Khalilzad et Pompeo avaient clairement pris l'issue de la réunion de vendredi comme un blanc-seing pour poursuivre les négociations. En cela, ils outrepassaient, selon moi, comme je l'ai dit à Khalilzad, leur mandat. De toute façon, j'étais à peu près certain que Trump se réservait le droit de rejeter tout ce qui ne lui plairait pas, à la dernière minute et même après. Khalilzad voulait que je commence par lire les documents sur lesquels nous étions à peu près d'accord, mais il ne pouvait pas laisser de copies. Je l'ai remercié, mais je les lui ai rendus sans les lire en lui expliquant qu'il n'y avait aucune raison que je me précipite sur un sujet aussi important. Je voulais du temps pour étudier les documents. J'ai campé sur mes positions même après que Khalilzad m'ait annoncé qu'Esper, Dunford et Haspel avaient tous accepté cette démarche. Il semblait stupéfait que je ne suive pas leur exemple, mais je me suis montré très clair. Je n'allais pas lire, en dix minutes, des documents sur lesquels Pompeo et lui avaient planché pendant dix mois. Je lui ai expliqué que j'avais beau faire tous les efforts de la terre, je n'arrivais pas à comprendre pourquoi Pompeo tenait autant à garder un secret absolu en se cachant derrière l'argument de vouloir éviter des fuites pour ne le montrer à personne. Pourquoi, ai-je demandé, alors que nous savions que la plupart des républicains ne voulaient pas d'un tel accord, sans parler des démocrates, Pompeo ne cherchait-il pas des alliés ? S'il voulait en retirer tout le mérite, je pouvais le comprendre, mais il y aurait peu de « mérite » lorsque l'accord échouerait, ce que Pompeo, lui-même, m'avait avoué être inévitable. Quelle était la logique ? Khalilzad n'a pas répondu. Je soupçonnais que lui non plus ne comprenait pourquoi Pompeo l'obligeait à opérer avec autant de contraintes.

Nous avons ensuite discuté du contenu des négociations. Je lui ai expliqué pourquoi, dans le contexte actuel, un retrait total « sous conditions » était peu probable. Nous aurions beau répéter les mots « sous conditions » autant que nous le voulions, tous les analystes politiques expliqueraient que nous avions augmenté les mises pour ensuite nous coucher (ce que Trump aurait probablement préféré même s'il avait été le seul parmi nous) et pris le risque de provoquer un chaos. Khalilzad comprenait, mais il m'a expliqué que c'était le mieux que nous puissions faire. Personnellement, j'étais encore prêt à accepter de réduire, jusqu'à un certain point, nos effectifs sans accord (mais de mauvaise grâce parce que même si les niveaux que nous avions présentés à Trump correspondaient au maximum que nous puissions lui soutirer, je restais convaincu qu'ils n'étaient pas assez importants). Néanmoins, Khalilzad a déclaré qu'il pensait encore que Trump, et certainement Pompeo, voulaient un accord signé, point à la ligne. Ayant, par nature, une propension à voir toujours le verre à moitié plein, j'ai demandé à Khalilzad de rester en contact une fois qu'il aurait repris les négociations.

Au déjeuner, un peu plus tard, ce jour-là, Pompeo m'a dit qu'il « sentait » que Trump n'était « pas à l'aise », un avis que je n'étais pas loin de partager. Trump ne voulait pas mettre fin aux négociations, mais il craignait, de toute évidence, de s'exposer à de plus gros risques sur le plan politique qu'il ne l'avait prévu, et peut-être sans la moindre raison. Quelques jours plus tard, le 27 août, Pompeo m'a appelé à Kiev pour me dire que Khalilzad avait finalisé l'accord et rapportait le texte final. Fait notable, il pensait que Trump penchait vers mon option de réduire nos forces à un niveau permettant de maintenir une plateforme antiterrorisme (Trump évoquait désormais en public un effectif de 600 8) sans signer l'accord. Pompeo pensait que Trump comprenait l'effet dévastateur de voir le niveau « zéro » inscrit noir sur blanc, surtout au milieu de tout le jargon juridique utilisé pour égrener l'ensemble des conditions. C'était, en tout cas, mon analyse et l'argument que j'avais défendus le plus opiniâtrement possible à Bedminster. Restait à savoir si l'armée pouvait se passer de la « protection d'un accord » Pompeo a répondu qu'il pensait que l'état-major préférerait un accord, mais qu'il s'adapterait dans les deux cas. Cela m'a convaincu. Trump a également déclaré sur Fox radio, dans l'émission de Brian Kilmeade : « Nous conserverons une présence là-bas. Nous réduisons cette présence de façon très substantielle, mais nous demeurerons présents. Nous aurons un important service de renseignement... mais nous réduisons la voilure – si l'accord se négocie. Je ne sais pas ce qui va se passer... Vous connaissez ma position sur ce genre de choses, Brian. » Le 29 août, j'ai appelé Pompeo depuis l'avion qui me conduisait à Varsovie. Il m'a dit qu'à peine Trump avait prononcé ces mots, tous les voyants de son téléphone s'étaient allumés avec, au bout du fil, Stoltenberg et les ministres des Affaires étrangères des pays de l'OTAN.

Un peu plus tard, ce jour-là, Trump a annulé sa visite en Pologne à cause de l'ouragan Dorian et a annoncé que Pence prendrait la tête de la délégation américaine. La réunion sur l'Afghanistan qui s'est avéré décisive s'est donc déroulée le vendredi 30 août. Pence y a assisté à distance ; Khalilzad était à Doha, je crois ; moi par vidéo-conférence depuis Varsovie, tandis que tous les autres, y compris Kupperman qui, par la suite, m'a décrit l'ambiance qui régnait dans la pièce, avaient pris place dans la Salle de Crise. Deux points figuraient à l'ordre du jour : l'Afghanistan et l'Ukraine. Nous avions donc du pain sur la planche pendant cette vidéoconférence qui, en réalité, n'a débuté qu'à 20 h 45, heure de Varsovie. Je me suis permis un petit sourire narquois au début de cette réunion parce que le toujours diligent *Washington Post* était sur le point de publier (et l'a fait) un article déclarant que j'avais été exclu des réunions importantes sur l'Afghanistan. (Ils sont impayables.) Au début, la discussion ressemblait beaucoup à celle de Bedminster. Trump nous faisait part de ses opinions : « Les talibans veulent juste récupérer leur pays », et confondait le président Ghani avec l'ancien président Karzaï et leurs revenus nets respectifs.

« Est-ce que vous le signeriez, John ? », m'a soudainement demandé Trump. « Non, Monsieur le président, je ne le signerais pas. » Et j'ai, une nouvelle fois, exposé mes arguments et plaidé pour que Trump conserve 8 600 hommes, plus des forces associées et les troupes de la coalition, puis qu'il attende la suite des événements, à commencer par les élections en Afghanistan. Nous n'avions aucune raison de faire confiance aux talibans et aucun mécanisme de mise en place. Nous n'étions pas en train de conclure une transaction immobilière à New York. Khalilzad a expliqué que c'était l'accord que Trump avait dit souhaiter. Esper trouvait que j'avais fait valoir beaucoup de bons arguments, mais le département de la Défense voulait l'accord parce que, après tout, il était « sous conditions ». Trump a posé la seule question importante à ses yeux : « Est-ce que cet accord me vaudra une image très négative ? Les démocrates cloueraient un accord génial au pilori. » Esper a suggéré d'inviter les leaders du Capitole pour les consulter. Trump a demandé : « Est-ce que cet accord est vendable ? » J'ai répondu qu'il ne l'était pas, essentiellement parce que, selon moi, les talibans ne le respecteraient pas et que tout le monde le savait.

Et là Trump a lâché une bombe : « Je veux parler aux talibans. Faites-les venir à Washington. » J'étais content de me trouver dans une pièce sécurisée en Europe de l'Est et pas dans la Salle de Crise lorsque je l'ai entendu prononcer ces mots. Trump a demandé à Pence ce qu'il en pensait. Ce dernier lui a prudemment répondu :

« Nous devrions réfléchir avant de prendre cette décision. Ils ont maltraité et opprimé la population. Ont-ils vraiment changé ? » Trump a alors cité le petit-fils de Billy Graham, un major qui a servi en Afghanistan et qui avait, un jour, déclaré : « Nous leur avons volé leur pays. » « Pourquoi n'est-il encore que major ? », a demandé Trump à Dunford. « Il est beau, on dirait qu'il vient de gagner un casting. » Nous avons ensuite discuté de la réaction du Congrès à un engagement des États-Unis de retirer l'ensemble de nos troupes et de notre attitude vis-à-vis du gouvernement afghan dûment élu, quelle que soit l'opinion de Trump au sujet de Ghani.

Trump a déclaré : « Je veux que Ghani vienne aussi, ainsi que les talibans. Organisons ça avant de signer. Je veux une rencontre avant de signer. Pas un coup de téléphone. »

« Ils seront ravis de venir », a répondu Khalilzad.

Trump s'est tourné vers l'écran de la Salle de Crise pour me demander : « Hé, John. Qu'est-ce que vous en pensez ? »

Mon instinct me disait que cette rencontre pourrait tuer dans l'œuf l'accord en gestation parce que les talibans et le gouvernement ne seraient certainement pas d'accord sur ses implications ou, du moins, le retarderait suffisamment longtemps à cause du temps nécessaire aux partis afghans pour adopter une position. Cela nous donnerait le temps de trouver un autre moyen de torpiller cet accord. J'ai donc répondu : « Je suis d'accord à condition qu'ils passent par le portail détecteur de métaux le plus puissant du monde avant de vous rencontrer. »

« Et de substances chimiques », a ajouté Trump judicieusement.

Il n'y a que Trump qui puisse envisager une rencontre entre un président des États-Unis et ces scélérats. Mais avec cette décision, il mettait en danger l'accord que Pompeo essayait de promouvoir. « Peut-être qu'ils viendront, peut-être pas », a dit Trump.

« Nous devons y réfléchir très sérieusement », a dit Pompeo.

Pence est intervenu : « Est-ce que vous rencontrerez d'abord Ghani ? »

« Seulement si Ghani sait que je rencontrerai ensuite les talibans », a répondu Trump.

Et il a parlé de commencer à réduire immédiatement le nombre de nos troupes. Personne n'était d'accord avec cette idée, mais seul Khalilzad s'est prononcé contre. Trump a déclaré : « Notre attitude est, je ne suis pas en train de chercher un moyen de nous retirer. Je vais d'abord rencontrer Ghani. Ce sera peut-être une avancée décisive. Les talibans auront envie de rencontrer Donald Trump pour discuter de paix. Nous devons annoncer à la presse que le président a donné son accord pour une rencontre et qu'il attend cette rencontre avec impatience. » Bien que me trouvant à plusieurs milliers de kilomètres, je pouvais sentir (et Kupperman me l'a confirmé par la suite) que Pompeo et tous ceux qui étaient présents dans la Salle de Crise étaient en train de se liquéfier. Pence a ajouté : « Pour rencontrer Ghani et les autres membres du gouvernement afghan, » et Trump a acquiescé : « Oui, avant de rencontrer les talibans. »

Là-dessus, Trump s'est levé et a commencé à se diriger vers la sortie. Depuis Varsovie, j'ai hurlé : « Et l'Ukraine ? » et nous sommes passés au deuxième point inscrit à l'ordre du jour de la réunion que je vous décrirai en détail dans le prochain chapitre.

J'ai conclu après cette vidéoconférence que Trump avait suggéré une rencontre avec les talibans parce qu'il cherchait d'autres options qui lui éviteraient de signer l'accord Pompeo-Khalilzad. De toute évidence, il n'avait pas été complètement convaincu par mon conseil de ne pas le signer, mais, au moins, il était conscient des risques politiques manifestes s'il acceptait de le signer. Face à ce choix affligeant, il cherchait une échappatoire à ce dilemme et une option qui lui permettrait de se présenter dans le rôle de la vedette. Que risquait-il ? La bataille faisait rage.

À son retour à Washington, le mercredi après la fête du Travail[64], Kupperman a appris, de la bouche de Dan Walsh, un adjoint de Mulvaney, que Trump voulait rencontrer les talibans et Ghani à Camp David.

64 Aux États-Unis la fête du Travail est célébrée le premier lundi de septembre (NDT).

Je ne m'étais pas, à tort, préoccupé des préparatifs pour cette rencontre parce que je pensais qu'elle exigerait une logistique tellement compliquée qu'un délai était inévitable, sans parler des chances que les chefs des talibans soupçonnent un piège et refusent l'invitation. Ainsi, l'idée avait fait son chemin. Trump avait même choisi de l'organiser à Camp David. C'était vraiment décourageant. Je ne voulais pas de ces rencontres et je ne voulais pas de l'accord et, là, il semblait bien que nous risquions d'avoir droit aux deux. Le lendemain, le 5 septembre, Mulvaney est entré dans mon bureau un peu avant 8 heures pour me décrire, en personne, le déroulé des opérations. Il avait prévu de se rendre à Camp David avec Trump, le samedi, et suggérait que je les rejoigne le dimanche avec le reste des troupes (Pompeo, Dunford et Khalilzad). Pompeo se chargeait de préparer le plan de voyage des talibans et les Qataris se chargeraient du transport de cette bande de scélérats. Autre fait notable, Pompeo semblait prendre ses distances vis-à-vis de l'accord, peut-être comprenait-il enfin qu'il y avait un danger politique pour lui de continuer à en être le plus grand supporter.

Walsh était à deux doigts de l'attaque d'apoplexie à cause des dangers physiques qui entouraient cette rencontre et du manque de temps nécessaire pour bien l'organiser, mais Trump était déterminé à ce qu'elle se tienne dans les plus brefs délais. Il s'inquiétait que des mesures de sécurité trop intrusives offensent la dignité des talibans, d'où le nombre de réunions chaotiques, en ce début de matinée, pendant lesquelles nous discutions des mesures destinées à protéger Trump de ses « honorables » invités. Il y a une chose sur laquelle Mulvaney, Kupperman, Walsh et moi-même étions d'accord : Pence ne se rendrait pas à Camp David, quoi qu'il arrive. Il y a beaucoup de choses que je ne peux pas décrire ici, mais je peux vous affirmer que, à une exception près, cette pantomime n'enchantait personne dans l'aile Ouest.

C'est au milieu de ces discussions que nous avons reçu des rapports d'Afghanistan faisant état d'un attentat suicide à Kaboul ayant fait dix morts, dont deux militaires, un Américain et un Roumain, et plusieurs blessés. Nous étions presque certains que les talibans étaient responsables de cette attaque même si, au vu du récent regain de l'Iran en Afghanistan, il aurait pu s'agir d'un attentat commun. Mulvaney est entré dans mon bureau un peu avant 9 heures pour me dire : « Si ma lecture de mon Trumpomètre est exacte, je pense qu'il y a au moins 20 % de chances pour qu'il annule [la réunion de dimanche]. » En l'entendant [Trump] déclarer immédiatement : « Nous ne pouvons pas organiser la réunion », je me suis dit que les chances étaient supérieures à 20 %. J'ai fait remarquer – sachant qu'il n'était probablement pas trop tard – qu'une fois que Trump aurait rencontré Ghani et les talibans, son nom serait irrémédiablement lié à cet accord et qu'il n'aurait plus la moindre chance de prendre ses distances avec ce dernier, en cas d'échec. D'ailleurs, le flot des critiques concernant cet accord commençait à grossir alors que personne, en dehors de l'Administration, n'était au courant d'une rencontre avec les talibans et encore moins d'une rencontre à Camp David. Il y avait donc, au minimum, une chance de faire traîner les choses encore un peu, et d'augmenter, par là même, la possibilité de torpiller définitivement cet accord. Sans compter que si la réunion avait eu lieu, elle se serait déroulée le 8 septembre, trois jours avant la date anniversaire des attentats du 11 septembre perpétrés par Al-Qaïda auxquels les talibans avaient apporté soutien et logistique. Comment avions-nous pu manquer cela ?

Avec Mulvaney, nous avons convenu de rencontrer Trump le plus tôt possible. Ce fut à 11 h 45 avec Pompeo et quelques autres, dont, pour une raison inconnue, Mnuchin. Nous étions en train de prendre place dans le Bureau ovale lorsque Trump a déclaré : « Annulez la réunion. Sortez un communiqué qui dit, "Nous avions prévu une rencontre, mais ils ont tué un de nos soldats et neuf autres personnes, nous avons donc décidé de l'annuler." Je refuse de négocier. Nous devrions les bombarder, leur infliger des pertes sévères. S'ils sont incapables d'instaurer un cessez-le-feu, je ne veux pas d'un accord. » Fin de l'épisode. Je me suis entretenu avec Pompeo après qu'il eut regagné le département d'État pour voir s'il avait la même interprétation des événements que moi. Il pensait, lui aussi, que les deux rencontres, celle avec les talibans et celle avec Ghani, étaient annulées. Nous avons également conclu, comme nous l'avions déjà fait avec Mulvaney, qu'il ne fallait pas publier de communiqué à propos de la rencontre avortée avec les talibans. Il était, de très loin, préférable de garder le silence là-dessus et espérer que cette information n'arrive jamais aux oreilles du public. Il y avait déjà quelques articles en Afghanistan qui faisaient état d'une prochaine visite de Ghani à Washington, mais la presse américaine n'en avait pas évoqué la véritable raison ; peut-être les choses en resteraient-elles là.

Mais ce ne fut, bien sûr, pas le cas. Le samedi soir, le 7 septembre, sans aucun avertissement, Trump twittait :

> **Dans le plus grand secret, je devais rencontrer dimanche, séparément, les principaux chefs talibans et le président afghan à Camp David. Ils devaient arriver aux États-Unis ce soir. Malheureusement, dans le faux espoir de renforcer leur pouvoir de négociation, ils ont revendiqué…**

> **… un attentat à Kaboul qui a tué un de nos très valeureux soldats et 11 autres personnes. J'ai immédiatement annulé la réunion et mis un terme aux pourparlers de paix. Qui peut tuer autant de personnes uniquement pour, semble-t-il, renforcer sa position dans une négociation ? Ils ont échoué, ils…**

> **… n'ont fait que la fragiliser. S'ils sont incapables d'accepter un cessez-le-feu pendant ces très importants pourparlers de paix et n'hésitent pas à tuer 12 innocents, ils n'ont probablement pas le pouvoir de négocier un accord significatif de toute façon. Combien de décennies veulent-ils continuer cette guerre ?**

Il n'avait pas pu s'en empêcher. Les éditions dominicales des journaux regorgeaient d'articles narrant le quasi-fiasco de Camp David. Dans un communiqué qui faisait la part belle à l'arrogance, les talibans ont déclaré que les États-Unis auraient « le plus à souffrir » de l'annulation de la rencontre, ce qui était totalement faux. Mais cela signifiait également que l'élection présidentielle du 28 septembre pourrait, désormais, avoir lieu. Ni Ghani, le président sortant, ni Abdullah, le chef du gouvernement, n'ont obtenu la majorité absolue et ils devront être départagés lors d'un second tour de scrutin qui devrait être organisé en 2020[65]. Et donc, malheureusement, plutôt que de renforcer la position du gouvernement, ces élections, à cause du second tour, ont fait naître une nouvelle incertitude politique.

65 La Commission électorale indépendante (IEC) a annoncé les résultats définitifs le 18 février 2020 après examen de nombreux recours, le Président Ghani a été élu Président avec 50,64 % des suffrages (NDT).

Mais la détermination des Afghans à avoir un gouvernement élu et pas un gouvernement théocratique, n'a pas faibli. Cela a, au moins, donné plus de poids à tous ceux qui sont déterminés à ne pas capituler devant les talibans.

• • •

Ce fut, dans les faits, ma dernière intervention dans le dossier afghan. Depuis ma démission, Trump a repris les discussions avec les talibans, une décision toujours aussi néfaste pour les États-Unis. Mais combinée avec le retrait aux allures de débâcle en Syrie du mois d'octobre, une erreur dont Trump est l'unique responsable, l'opposition politique à une capitulation face aux talibans a gagné du terrain. Les États-Unis et les talibans ont, pourtant, signé, le 29 février 2020, un accord qui, selon moi, ressemblait beaucoup à celui qui avait capoté en septembre. Comme nous sommes encore en pleine présidence Twitter, j'ai twitté mon opposition ce matin : « Signer cet accord avec les talibans constitue un risque inacceptable pour la population civile des États-Unis. C'est un accord à la Obama. Légitimer les talibans envoie un mauvais signal aux terroristes de Daech et d'Al-Qaïda ainsi qu'à tous les ennemis des États-Unis en général. » Fidèle à lui-même, Trump a répondu pendant sa conférence de presse, quelques heures plus tard, en déclarant que votre serviteur, « avait eu sa chance, mais qu'il n'avait pas su la saisir. » Le chapitre précédent prouve le contraire. Cet accord en Afghanistan est entièrement l'œuvre de Trump. L'avenir dira qui avait raison. Nous ne mesurerons, peut-être, toutes les conséquences de cet accord qu'après le départ de Trump. Mais que personne ne s'y trompe : Trump sera responsable des conséquences, politiques et militaires.

CHAPITRE 14

LA FIN DE L'IDYLLE

L'Ukraine n'est pas, au premier abord, le champ de bataille sur lequel on s'attendrait à voir mise en péril une présidence des États-Unis. Et pourtant, c'est exactement ce qui s'est produit en 2019. La bombe a explosé littéralement quelques jours après ma démission. Mon timing n'aurait pas pu être mieux. Acteur, puis témoin de l'essentiel de la débâcle, il s'en est fallu de peu – dois-je m'en plaindre ou m'en féliciter – pour que je joue un rôle dans la procédure de destitution d'un président américain, seulement la quatrième de toute l'histoire des États-Unis. Pendant mes 453 jours en fonction dans l'aile Ouest, Trump aurait aimé ne pouvoir en faire qu'à sa tête, faire fi des avis de ses conseillers et prendre les décisions qui serviraient au mieux ses intérêts personnels. Et en Ukraine, il a semblé être enfin en mesure d'y parvenir.

L'Ukraine subit une forte pression politique et économique de la part de la Russie. En 2014, Moscou a orchestré, en toute illégalité, l'annexion de la Crimée, après une intervention militaire, la première modification armée d'une frontière européenne depuis 1945. Les troupes russes sont restées déployées dans la région du Donbass, à l'est de l'Ukraine, d'où elles soutiennent et dirigent, de fait, les forces séparatistes locales. Cette ligne de fracture majeure entre les États-Unis et la Russie aurait pu être évitée si nous avions déployé plus d'efforts pour que l'Ukraine rejoigne l'OTAN, le plus tôt possible. Malheureusement, cet échec a laissé cet immense pays, d'une importance critique, vulnérable aux tentatives de Poutine de restaurer l'hégémonie russe à l'intérieur des frontières de la défunte Union soviétique. En 2008, au sommet de l'OTAN de Bucarest, l'Administration Bush a plaidé en faveur de l'entrée de la Géorgie et de l'Ukraine au sein de l'OTAN. L'Europe, principalement l'Allemagne et la France, s'y est opposée ; nous avons pu observer les conséquences tragiques de cette décision, pas plus tard qu'au mois d'août de cette même année lorsque les troupes russes ont envahi la Géorgie pour placer, sans coup férir, deux régions sous le contrôle de Moscou, deux régions qui le sont encore aujourd'hui. Les souffrances de l'Ukraine ont commencé plus tard, mais la méthode est la même ; des sanctions occidentales ont suivi, mais la Russie ne s'est pas retirée et n'a pas modifié d'un iota son attitude belliciste pendant la présidence d'Obama, sentant la faiblesse palpable qu'Obama dégageait à l'étranger.

Trump a hérité de cette débâcle, mais il y a prêté peu d'attention pendant les deux premières années de son mandat, du moins officiellement. En 2017, Tillerson a nommé Kurt Volker, un ancien membre du Service extérieur, que je connaissais, au poste de représentant spécial pour l'Ukraine. Mon premier entretien avec Volker, après ma prise de fonction, s'est déroulé le 10 mai 2018. Il m'a décrit son rôle et ses responsabilités. Il prônait, à l'époque, une « politique de non-reconnaissance » de l'annexion de la Crimée par la Russie et de sa présence militaire au Donbass, le long de la frontière entre les deux pays. Par la suite, Volker m'a régulièrement rendu visite dans mon bureau de l'aile Ouest pour me tenir au courant de ses efforts. Je le trouvais professionnel et il m'a été d'une grande aide lorsque j'ai rencontré mes homologues européens pour discuter de l'Ukraine et des problèmes dans cette région du monde.

C'est en 2018 que j'ai eu mon premier véritable contact avec l'Ukraine sous l'Administration Trump, lorsque je me suis envolé pour Kiev afin d'assister aux commémorations du 24 août, la fête nationale ukrainienne, date anniversaire faisant référence au 24 août 1991, le jour où l'Ukraine a accédé à l'indépendance en séparant son destin de celui de l'Union soviétique. Jim Mattis avait assisté à la cérémonie en 2017, et il avait ressenti, comme moi-même, à quel point il était important que les États-Unis montrent qu'ils étaient résolus à aider l'Ukraine à conserver son indépendance et sa viabilité économique. Au vu de l'annexion unilatérale de la Crimée par la Russie et du soutien et du contrôle manifeste que cette même Russie offrait aux forces « séparatistes » russes situées dans l'est de l'Ukraine, cette inquiétude était loin d'être une simple vue de l'esprit.

J'étais arrivé, la veille, de Genève où j'avais participé à une réunion américano-russe avec Nikolaï Patrouchev, mon homologue russe, à la fin de laquelle j'avais été ravi de leur annoncer que je prenais un vol vers l'Ukraine afin d'assister aux commémorations. Leurs sourires de façades étaient des plus éloquents. Intentionnel ou pas, je l'ignore, mais l'Ukraine était l'un des derniers points sur l'agenda de Patrouchev et nous avions, tous les deux, très peu de temps pour en discuter avant le départ de la délégation américaine pour l'aéroport de Genève. En lieu et place d'une véritable discussion, mais pour qu'il n'y ait néanmoins aucun doute quant à l'importance que nous accordions à l'Ukraine, je lui ai dit : « Je réitère tout ce que nous avons dit auparavant et nous n'avons pas changé d'avis ! » Patrouchev n'a rien répondu.

Le 24 août, au cours d'un petit-déjeuner de travail avec le Premier ministre, Volodymyr Hroïsman, nous avons discuté de l'économie ukrainienne et des tentatives d'interférence de plus en plus nombreuses de la Russie dans les prochaines élections prévues en 2019. Pour Hroïsman, l'Ukraine était un test pour Poutine. S'il le passait sans encombre, il s'offrirait une impunité pour toutes ses actions en Europe et dans le monde entier, ce qui pouvait légitimement inquiéter les États-Unis. Marie Yovanovitch, notre ambassadrice en Ukraine, et plusieurs membres de l'ambassade assistaient également à ce petit-déjeuner. Ils m'ont accompagné pendant presque toute la journée. Après ce petit-déjeuner, nous avons rejoint la tribune pour regarder le défilé militaire sur le boulevard Khrechtchatyk, c'est-à-dire le théâtre, en 2013-2014, des manifestations Euromaïdan qui avaient provoqué la chute du gouvernement pro-russe de Ianoukovytch. J'étais debout, sur l'estrade, en compagnie du président Petro Porochenko et de huit ou dix membres de son gouvernement, à côté du procureur général, Iouri Loutsenko, ce qui était, somme toute, plutôt cocasse à la lumière des rebondissements ultérieurs. Bien que rappelant les défilés organisés le 1er mai sur la place Rouge de Moscou pendant la guerre froide, le défilé était, politiquement parlant, aux antipodes. Porochenko a prononcé un discours viscéralement antirusse et c'est lorsqu'il a promis de nommer un patriarche de l'Église orthodoxe ukrainienne autocéphale (indépendant de Moscou) qu'a retenti la salve d'applaudissements la plus nourrie.

Pendant le défilé, Porochenko m'a remercié plusieurs fois pour les systèmes d'armes et le matériel fournis par les États-Unis, au moment où ces équipements passés devant nous, ainsi que pour l'unité de la Garde nationale du Tennessee qui défilait avec d'autres soldats de l'OTAN déployés en Ukraine, afin d'assurer la formation des troupes ukrainiennes. Nous avons ensuite rejoint en voiture le Palais Maryinsky, bâti pour Catherine La Grande et récemment restauré par l'épouse de Porochenko, pour une grande réception organisée par Porochenko. J'y ai retrouvé, à midi, Porochenko, le ministre des Affaires étrangères, Pavlo Klimkine, le conseiller à la sécurité nationale, Kostya Yeliseyev, et quelques autres. Nous avons discuté des menaces qui pesaient sur la sécurité de l'Ukraine, surtout celles émanant de la Russie. Bien sûr, ils existaient des risques militaires, mais également des tentatives de Moscou visant à perturber les élections ukrainiennes de 2019. Porochenko voulait acheter davantage d'armes aux États-Unis. Je lui ai fait part de nos inquiétudes concernant la vente de moteurs d'avions militaires dernier cri par des entreprises ukrainiennes à la Chine, des craintes qui deviendraient encore plus vives tout au long de l'année précédant ma prochaine visite à Kiev.

Après cette réunion, Porochenko m'a conduit dans une autre pièce pour un tête-à-tête au cours duquel il a sollicité le soutien des États-Unis pour sa campagne de réélection. Il a également demandé un certain nombre de choses auxquelles j'ai fait suite, ce qui m'a permis d'atténuer quelque peu la fin de non-recevoir que j'ai adressée à sa demande de soutien. En fait, Porochenko voulait surtout que les États-Unis sanctionnent Ihor Kolomoïsky, un oligarque ukrainien qui soutenait Ioulia Tymochenko, une ancienne Première ministre qui était, du moins à cette date, la principale rivale de Porochenko pour l'élection de 2019. Bien que cela n'ait pas été évoqué pendant cette conversation, Kolomoïsky soutenait également Volodymyr Zelensky qui caracolait en tête dans les sondages, mais qui n'était pas considéré comme un candidat sérieux à cause de son passé d'acteur… (pour les lecteurs progressistes, c'est une plaisanterie. Ronald Reagan, un des plus grands présidents américains, était, lui aussi, un ancien acteur.) J'ai expliqué à Porochenko que s'il disposait de preuves sur Kolomoïsky, il devait les faire parvenir au département de la Justice. J'ai informé Yovanovitch de cette conversation dans la voiture qui nous conduisait vers notre prochain rendez-vous, une conférence de presse avec les médias ukrainiens.

La dernière rencontre sur mon agenda était un café organisé, à 14 h 45, à la résidence officielle de Yovanovitch, auquel avaient été conviés plusieurs leaders du parlement, dont Tymochenko, dont j'avais fait la connaissance au début des années 2000, sous l'Administration Bush, et que j'avais rencontrée plusieurs fois par la suite. Le département d'État ne souhaitait pas que j'aie un entretien en tête à tête avec Tymochenko parce qu'il la trouvait trop proche de la Russie. Bien que ce genre de manœuvre soit typique des méthodes du département d'État, ce n'est pas ainsi que la chose m'a été formulée. Je devrais me contenter de cette réunion collégiale. Cela ne prêtait pas à conséquence. Tymochenko était la seule candidate à l'élection présidentielle parmi les leaders du parlement, et sans surprise, elle a monopolisé la conversation. Elle m'a rappelé qu'elle avait lu mon livre, *Surrender is not an Option*[66], toujours un bon moyen d'attirer l'attention d'un auteur. Elle a également mentionné le conseil du sénateur Kyl, selon lequel il fallait continuer d'avancer sans jamais s'arrêter de tirer, tel un gros cuirassé. Elle avait manifestement bien préparé cette réunion. À l'époque, Zelensky était le seul à caracoler dans les sondages.

66 La capitulation n'est pas une option (NDT).

Tous les autres candidats visaient les deux premières places au premier tour afin de gagner le droit de participer au second tour. À la fin de cette réunion, nous avons pris la direction de l'aéroport pour regagner Andrews.

Pendant environ trois mois, je n'ai pas vraiment eu à me préoccuper de l'Ukraine. Ce n'est que le dimanche 25 novembre que j'ai eu vent, en début d'après-midi, d'un incident en mer entre la Russie et l'Ukraine. Des navires de guerre ukrainiens et un remorqueur avaient tenté de pénétrer en mer d'Azov par le détroit de Kertch, le petit bras de mer qui sépare la péninsule de Crimée de la Russie, au-dessus duquel la Russie avait récemment construit un pont. Selon nos premières informations, un navire russe avait arraisonné un navire ukrainien, mais de nouvelles informations indiquaient que les Russes avaient ouvert le feu, peut-être pour tirer des coups de sommation, dont un, ou plusieurs, avaient touché les navires ukrainiens. Cela ne pouvait pas être un accident. Les Russes avaient capturé les trois navires ukrainiens et leurs équipages (dont certains avaient été, paraît-il, blessés) bien que l'on ne sache pas trop dans quelles eaux ces navires se trouvaient lorsqu'ils avaient été interceptés. La plupart de ces informations émanaient de notre ambassade de Kiev. Nous n'avions donc que le son de cloche ukrainien, du moins au début.

À cause du risque d'escalade, j'ai décidé d'appeler Trump. Je voulais être sûr qu'il sache que nous surveillions la situation de près au cas où les journalistes commenceraient à lui poser des questions. Son premier réflexe a été de me demander : « Et que font les Européens à propos de cet incident ? ». La réponse était, bien sûr : « Rien », comme nous. (Les Européens ont, par la suite, publié un communiqué, mais c'était la guimauve habituelle.) Trump a d'abord pensé qu'il s'agissait d'une provocation de l'Ukraine, une hypothèse envisageable vu l'approche des élections présidentielles. Mais nous ne pouvions pas non plus écarter l'hypothèse selon laquelle les Russes auraient cherché la confrontation, peut-être pour essayer de légitimer leur « annexion » de la Crimée, que peu de pays avaient reconnue. Trump voulait attendre avant de réagir même si la Russie était entièrement dans son tort. En début de soirée, Porochenko semblait prêt à instaurer la loi martiale, une réaction apparemment surprenante après un incident en mer. Le département d'État voulait publier un communiqué aux forts relents antirusses. J'y ai mis mon veto à cause de ce que Trump m'avait dit quelques heures plus tôt. Une réunion du conseil de sécurité de l'ONU était prévue lundi, ironie du sort, convoquée par la Russie, durant laquelle les États-Unis publieraient, évidemment, un communiqué. Cela nous laisserait plus de temps pour recueillir des informations.

Jan Hecker m'a appelé d'Allemagne à 7 h 30, le lundi matin. L'incident du détroit de Kertch a été le premier point qu'il a abordé. Les Allemands étaient prudents. Hecker m'a donné l'impression de penser que Porochenko n'était pas vraiment mécontent de cet incident à cause des bénéfices potentiels qu'il espérait en tirer. En effet, Hecker pensait que cela lui permettrait de se positionner, pendant la campagne, comme le candidat viscéralement antirusse. Il a également fait remarquer que la Rada[67] devait ratifier, dans environ deux heures et demie, un décret soumis par Porochenko promulguant l'instauration de la loi martiale pendant soixante jours. Le décret rappelait cent mille réservistes sous les drapeaux et suspendait également toute activité politique tant que la loi martiale serait en vigueur. Étant donné l'existence d'une autre loi ukrainienne exigeant que la campagne électorale précédant une élection nationale dure au moins quatre-vingt-dix jours, le décret de Porochenko entérinerait le report des élections du 31 mars, un report qui lui serait certainement bénéfique au vu de ses faibles scores dans les sondages. L'Allemagne, toutefois, était contre un report des élections, m'a dit Hecker. Jusque-là, l'Ukraine et la Russie avaient livré des versions opposées/différentes de l'épisode, mais certains points demeuraient obscurs. Merkel devait avoir un entretien imminent avec Porochenko et, d'ailleurs, pendant notre discussion, Hecker a été appelé dans le bureau de Merkel pour écouter l'entretien. Il m'a dit qu'il me rappellerait après cet appel.

Entre-temps, Pompeo m'a informé qu'il venait juste de s'entretenir avec Trump à propos du briefing que lui et Mattis devaient faire devant le Congrès, quelques jours plus tard, au sujet de la législation interdisant d'aider l'Arabie saoudite dans sa guerre au Yémen.

---

67 Parlement ukrainien (NDT).

Pendant l'appel, Trump a évoqué l'incident du détroit du Kertch et déclaré que l'incident avait peut-être été provoqué par Porochenko à des fins politiques. « Laissez les Européens s'en occuper, » a dit Trump, « Je ne veux pas m'en occuper. » Pompeo n'avait pas dit à Trump que le département d'État avait demandé, dès dimanche, un communiqué de la Maison Blanche. En revanche, il lui avait dit que son équipe essayait d'atténuer le communiqué rédigé par Nikki Haley à destination du Conseil de sécurité, dans lequel elle était vent debout contre Moscou vis-à-vis de l'incident. (Elle profitait des quelques rares apparitions qu'il lui restait devant les objectifs, ses jours à New York étant comptés.) Pompeo a dit à Trump que nous veillerions à ce qu'Haley suive ses instructions. J'ai suggéré d'exprimer, dans le futur communiqué de Haley, la position des États-Unis afin d'éviter de multiplier les communiqués. Une suggestion qu'il a acceptée. Pompeo m'a dit qu'il allait appeler Haley pour lui dire de « ne pas colorier en dehors des cases », ce avec quoi j'étais d'accord. J'ai ensuite appelé Trump pour l'informer des décisions que Pompeo et moi-même avions prises vis-à-vis du communiqué de Haley. Elles lui ont plu. Je l'ai également briefé sur la réaction de l'Allemagne et sur la législation relative à la loi martiale en Ukraine.

En attendant qu'Hecker me rappelle, j'ai tenté de joindre Sedwill, à Londres, et Étienne, à Paris, pour connaître leur analyse de la situation. Étienne n'était pas à Paris, mais Sedwill m'a rappelé, très rapidement, et nous avons comparé les informations dont nous disposions sur cette crise. Sedwill avait appris que le Canada, qui occupait encore la présidence du G7 jusqu'à fin 2018, préparait un communiqué, mais ni lui ni moi ne l'avions encore lu. J'ai informé Sedwill de ce que Trump avait dit au cours des vingt-quatre dernières heures pour que les Britanniques puissent intégrer ces éléments à leur processus de réflexion.

À 11 h 05, Pompeo m'a appelé. Il était remonté comme une pendule. Il m'a expliqué qu'il avait appelé Haley pour l'informer de ce dont nous avions convenu et qu'elle s'était rangée à notre avis. Mais il a appris, par la suite, qu'elle avait immédiatement appelé Trump pour se plaindre. Elle avait lu à Trump une liste d'arguments complètement différents que Trump avait validés. Pompeo voulait organiser une conférence téléphonique avec elle et moi-même pour que tout le monde soit sur la même longueur d'onde, mais avant d'avoir pu l'organiser, Trump a appelé Pompeo pour lui dire que les arguments de Haley étaient bons et qu'il ne voulait pas se faire clouer au pilori par la presse en paraissant manquer de fermeté. J'étais, tout comme Pompeo, très heureux d'avoir un communiqué plus virulent que nous pourrions attribuer à Trump, mais nous savions tous les deux que Haley était mue par *son* désir de ne pas se faire clouer au pilori par la presse. Peu après, dans le Bureau ovale, pendant le briefing des services secrets, Trump m'a dit : « Vous savez que le communiqué [de Haley] était un peu plus virulent que ce que j'avais dit, mais cela me va. Vous vouliez probablement qu'il soit plus virulent, n'est-ce pas ? » Je lui ai répondu que le communiqué me convenait parfaitement. J'ai ajouté que nous avions demandé à la Russie de libérer les navires ukrainiens et leurs équipages. Trump m'a coupé : « Ne demandez pas la libération des équipages. S'ils refusent, cela ressemblera à la crise des otages en Iran. Je ne veux pas de ça. » J'ai promis de faire passer la consigne à Haley, mais lorsque je suis sorti du Bureau ovale, elle avait déjà fait ses remarques. Beaucoup d'autres pays ayant dit la même chose, je ne pensais pas que nous nous démarquions d'une façon qui aurait déplu à Trump. L'incident aura au moins permis à Trump de raconter une nouvelle fois une de ses histoires favorites, à propos de son premier coup de téléphone avec Merkel, pendant lequel elle lui avait demandé ce qu'il comptait faire à propos de l'Ukraine et qu'il lui avait répondu en lui demandant ce qu'*elle* comptait faire à propos de l'Ukraine.

Un peu plus tard, lorsque Pompeo et moi avons analysé cet épisode, il nous a sauté aux yeux que Haley continuait d'agir comme lorsque Tillerson occupait le poste de secrétaire d'État : en électron libre. Cela changerait dans un mois, après son départ. Pompeo et moi étions d'accord que son successeur, qui qu'il soit, ne se comporterait pas de la sorte. « Légère comme une plume, » pour reprendre la description utilisée par Pompeo à son égard pendant une conversation ultérieure.

Hecker a appelé à 13 h 30 pour terminer notre conversation. Il m'a informé qu'au cours d'une réunion qui venait juste de se terminer entre des représentants de l'Ukraine, de la Russie, de la France et de l'Allemagne, la Russie avait déclaré que les navires ukrainiens n'avaient pas demandé l'autorisation de pénétrer dans une zone d'exclusion temporaire (autorisée par le droit maritime international pour certains motifs, par exemple des manœuvres militaires), ce qui paraissait ridicule. Au cours de leur entretien, Porochenko a annoncé à Merkel qu'il avait modifié le décret sur la loi martiale, en attente de ratification par la Rada, en réduisant la période concernée de soixante à trente jours, ce qui permettrait aux élections d'avoir lieu en mars, comme prévu. C'était un progrès, même si la loi martiale aidait Porochenko politiquement, mais encore fallait-il voir si cette période de trente jours ne serait pas étendue par la suite (elle ne l'a pas été). Merkel devait s'entretenir avec Poutine, d'ici environ unc heure, pour demander une désescalade des deux côtés, notamment en demandant à Poutine d'engager des discussions avec Porochenko.

Dans la matinée du 28 novembre, j'ai décollé d'Andrews, direction Rio de Janeiro, pour rendre visite à Jair Bolsonaro, le nouveau président brésilien, avant le sommet du G20 à Buenos Aires. Comme la Russie détenait toujours les navires ukrainiens et leurs équipages, j'ai appelé Trump depuis l'avion, aux alentours de 8 h 45, pour lui demander ce qu'il avait décidé à propos de son entretien bilatéral avec Poutine prévu au G20. Trump a concédé que cela ferait très mauvais effet de rencontrer Poutine dans ces circonstances et que la presse ne parlerait que de la crise en Ukraine. Il m'a demandé d'envoyer un message à Poutine pour lui expliquer qu'il était impatient de le rencontrer, mais que la Russie devait d'abord libérer les marins et les navires pour que l'entretien puisse se concentrer sur les questions importantes et ne pas être parasité par l'Ukraine. J'ai contacté Patrouchev à Moscou, environ deux heures plus tard, pour lui relayer le message de Trump. Il m'a dit qu'il le transmettrait immédiatement au président Poutine, qui, selon lui, ne manquerait pas d'y réfléchir. Il savait que je connaissais la position russe, mais il me l'a quand même répétée en long, en large et en travers.

J'ai atterri au Brésil, vers 23 heures, heure de Rio. Trump m'a de nouveau appelé pour me dire qu'il accepterait l'entretien bilatéral si, à la fin de cet entretien, Poutine annonçait qu'il libérait les navires et leurs équipages, ce qui donnerait l'impression que Trump était à l'origine de ce revirement et lui permettrait d'en retirer tout le crédit. À cause du décalage horaire, je n'ai pas appelé Moscou. Sans compter que modifier notre position à cet instant aurait donné l'impression que Trump coulait à tout prix cet entretien, ce qui était probablement la vérité. Le lendemain matin, je me suis entretenu avec Anthony Godfrey, notre chef de mission adjoint à Moscou (Huntsman étant absent), qui m'a appris que les Russes accusaient les équipages d'avoir violé leur frontière, ce qui n'était pas bon signe ; c'était le moins qu'on puisse dire. Patrouchev m'a contacté, pendant mon vol pour Buenos Aires, pour me dire qu'il avait un message qu'il voulait que je transmette à Trump de la part de Poutine, à savoir qu'à cause du « franchissement illégal » de la frontière russe, des poursuites criminelles avaient été engagées et que les enquêtes suivraient leur cours. Les Russes prétendaient que, à la lumière des documents qu'ils avaient saisis sur les navires et des informations données par les équipages, il s'agissait d'une provocation militaire, une opération orchestrée et dirigée par les services de sécurité ukrainiens. Et donc, selon Patrouchev, pour respecter les procédures légales en vigueur en Russie, tant que l'instruction était en cours, la restitution des navires et la remise en liberté des équipages étaient impossibles. Il a ajouté qu'il était convaincu que nous ferions la même chose en faisant une analogie entre les actions de Moscou et les politiques de Trump le long de la frontière mexicaine. Et il m'a égrené la liste de nos actions au cours des semaines récentes sur ce sujet et plus.

Le message de Patrouchev était relativement clair, mais je lui ai demandé combien de temps pourraient durer les procédures contre les équipages ukrainiens. Il m'a dit qu'il se trouvait dans l'incapacité de me répondre, mais qu'il allait se renseigner et qu'il me transmettrait cette information dès qu'elle serait en sa possession. Je lui ai expliqué que j'allais en parler à Trump et voir s'il était possible de maintenir l'entretien bilatéral. Trump étant en retard (comme d'habitude), je n'ai pas pu le joindre sur Air Force One avant 11 h 20, heure de Washington. Je lui ai répété le message de Poutine, transmis par Patrouchev, que j'avais traduit comme « un non catégorique. » « Que feriez-vous ? », m'a demandé Trump. Je lui ai répondu que j'annulerais l'entretien. Trump a immédiatement approuvé en concédant : « Nous ne pouvons pas transiger là-dessus. » Un tweet à cet effet est apparu peu de temps après, avant que j'aie eu le temps de rappeler Patrouchev qui a refusé de prendre mon appel pour bien me signifier leur courroux.

À Buenos Aires, j'ai rencontré plusieurs fois le conseiller diplomatique de Poutine, Iouri Ouchakov, pour voir si nous pouvions trouver une échappatoire et organiser un entretien Poutine-Trump. Nous avons conclu, vu les positions publiques respectives des deux camps sur l'incident du détroit de Kertch, que cela était impossible. Trump a dû se contenter d'échanger quelques mots avec Poutine au dîner des dirigeants du G20, un échange auquel aucun autre citoyen américain, hormis la Première dame, n'a assisté. Ils ont utilisé l'interprète de Poutine, car l'officier protocolaire américain chargé de suivre le président comme son ombre n'a pas pu entendre la conversation. Les journaux russes n'ont rien publié de ces conversations.

Trump m'a dit, le lendemain matin, qu'il avait, grosso modo, dit à Poutine qu'il ne voyait pas comment ils pouvaient avoir un entretien en tête à tête tant que l'incident du détroit de Kertch n'était pas résolu et que les navires et leurs équipages n'avaient pas été rendus à l'Ukraine, ce qui semblait peu probable dans un avenir proche. Pendant un entretien bilatéral ultérieur entre Trump et Merkel, Trump a sous-entendu qu'un président ukrainien compréhensif à l'égard de la Russie pourrait permettre d'éviter une troisième guerre mondiale. Les Russes auraient adoré cela.

Le dossier ukrainien est resté en suspens jusqu'au 31 mars, date où sont tombés les résultats du premier tour de l'élection présidentielle, mais d'autres problèmes avaient commencé à poindre. Trump se plaignait depuis longtemps de Yovanovitch, notre ambassadrice. Il m'avait dit, le 21 mars, au cours d'un appel téléphonique pendant lequel nous avions abordé un certain nombre de sujets qu'elle « passait son temps à nous dénigrer » et qu'elle ne s'intéressait qu'aux problèmes de la communauté LGBTQ. « Elle n'arrête pas de me casser du sucre sur le dos et elle fait la même chose avec vous », a-t-il ajouté en disant qu'il voulait la virer « sur-le-champ. » Je lui ai répondu que j'appellerai Pompeo, qui se trouvait au Moyen-Orient. J'ai tenté plusieurs fois de le joindre, mais à cause de nos emplois du temps et du décalage horaire, je n'y suis pas parvenu. Un peu plus tard, cet après-midi, après le Comité des directeurs, j'ai pris à part John Sullivan, le secrétaire d'État adjoint, pour lui transmettre les instructions de Trump afin qu'il puisse en informer Pompeo. Sullivan savait que

Trump voulait virer Yovanovitch. Il a donc compris que ces instructions répétées de la part de Trump étaient à prendre au sérieux.

Quelques jours plus tard, le 25 mars, Trump m'a demandé de le rejoindre dans le Bureau ovale, mais c'est dans sa petite salle à manger que je l'ai retrouvé en compagnie de Rudy Giuliani et Jay Sekulow (un autre de ses avocats chargé de ses affaires privées). Ils discutaient, tous les trois, tout sourire, des réactions au rapport Mueller dans lequel ce dernier avait présenté les conclusions de son enquête sur la Russie. C'est au cours de cette réunion que j'ai appris que Giuliani était la source des fables sur Yovanovitch qui, selon lui, était protégée par un secrétaire d'État adjoint du bureau des affaires européennes, du nom de George Kent (je ne crois pas que Giuliani connaissait l'intitulé exact du poste de Kent ; c'est Pompeo qui m'a donné ces précisions plus tard). Trump, là encore, a dit que Yovanovitch devait être virée sur-le-champ. J'ai appelé Pompeo, en fin d'après-midi, pour lui transmettre ces derniers éléments et l'informer que cela venait de Giuliani. Pompeo m'a dit qu'il s'était déjà entretenu avec Giuliani et qu'il n'existait aucun élément soutenant la moindre de ses allégations, bien que Pompeo n'ait aucun doute, comme 90 % des membres du Service extérieur, que Yovanovitch avait probablement voté pour Clinton. Il m'a expliqué qu'elle essayait de réduire la corruption en Ukraine et qu'elle s'était peut-être attaquée à certains clients de Giuliani. Pompeo m'a dit qu'il rappellerait de nouveau Giuliani avant de parler à Trump. Le lendemain matin, j'ai appelé Trump pour discuter de plusieurs sujets et j'en ai profité pour lui demander s'il avait parlé de Yovanovitch avec Pompeo. Il ne l'avait pas fait, mais il m'a répété qu'il en avait « assez de son persiflage » et de ses ragots à propos de sa prochaine destitution et d'autres élucubrations du même ordre. « Elle a dépassé les bornes », a ajouté Trump. J'ai appelé Pompeo aux alentours de 9 h 45 pour lui faire part de cette conversation. Il m'a répété que les allégations de Giuliani étaient fausses et qu'il appellerait Trump. J'ai mentionné cet appel à Trump, un peu plus tard dans la journée, pour éviter qu'il pense que je n'avais pas tenu compte de ses récriminations.

Je ne sais pas si la chasse aux sorcières de Giuliani avait un lien avec les résultats imminents des élections ukrainiennes. Quoi qu'il en soit, le dimanche 31 mars, une fois tous les bulletins dépouillés,

Zelensky arrivait en tête des suffrages, Porochenko second, les deux étaient donc qualifiés pour le second tour prévu le 21 avril. Quelques jours plus tard, je me suis entretenu avec le Français, Étienne, et l'Allemand, Hecker, pour décider de la stratégie que nous allions suivre. Alors que nous avions convenu de ne prendre parti ni pour l'un ni pour l'autre, Hecker m'a informé que l'Allemagne avait invité Porochenko à Berlin, et cela en dépit du risque d'un éventuel retour de bâton de l'Ukraine, en cas de victoire de Zelensky au second tour. Étienne m'a indiqué que la France avait invité, avant le second tour, Porochenko et Zelensky à Paris, décision qui me semblait plus équitable. Nous ne disposions pas, ni les uns ni les autres, de beaucoup d'éléments sur la capacité de Zelensky à endosser l'habit de président. Il y avait quelques inquiétudes à propos de la nature de ses liens avec l'oligarque Kolomoïsky, ce qui l'exposait à des rumeurs de corruption. Des allégations inquiétantes commençaient à circuler et la prudence incitait à adopter une position neutre. Le changement d'attitude des Allemands et des Français – soit leur volonté de prendre parti – m'a paru malavisé. Tout le monde était d'accord pour dire que Zelensky abordait le second tour avec une grosse avance dans les sondages, essentiellement grâce à sa dénonciation des énormes problèmes de corruption auxquels l'Ukraine faisait face.

L'avance de Zelensky a tenu et le 21 avril, le dimanche de Pâques, il a devancé Porochenko avec 73 % des suffrages. Nous avions préparé un « appel type » pour Trump, si jamais il décidait de féliciter Zelensky ce jour-là, tâche dont il s'est acquitté aux alentours de 16 h 30, heure des États-Unis. J'ai briefé Trump avant l'appel. Je lui ai expliqué que Zelensky l'inviterait peut-être à son investiture (dont la date n'avait pas encore été fixée officiellement). Trump m'a répondu qu'il enverrait Pence à sa place. L'appel a été bref, moins de cinq minutes, mais très chaleureux. C'est Trump qui a parlé le premier : « Je veux vous féliciter pour votre belle victoire ». « Merci infiniment », a répondu Zelensky. Il n'a pas manqué d'ajouter que ces félicitations lui venaient droit au cœur en se fendant d'un : « vous nous avez servi d'exemple. » Trump lui a dit que beaucoup de ses amis le connaissaient et l'appréciaient avant d'ajouter : « Je suis certain que vous serez un président fantastique. » Zelensky l'a, en effet, invité à son investiture. Trump a répondu qu'il « consulterait son agenda » avant d'ajouter : « Nous vous enverrons une délégation américaine de marque pour ce grand jour. » Trump a, à son tour, invité Zelensky à la Maison Blanche, après quoi il a ajouté : « Nous vous soutenons à 100 %. » Zelensky a insisté pour que Trump se rende en Ukraine en lui expliquant que c'était un pays fantastique où les gens étaient charmants, la nourriture excellente et j'en passe. Trump a répondu qu'en tant qu'ancien propriétaire du concours de Miss Univers, il savait que l'Ukraine y était toujours bien représentée. Zelensky a conclu l'appel en ajoutant, en anglais : « Je vais prendre des cours intensifs en anglais » (pour pouvoir s'exprimer dans cette langue lors de leur prochaine rencontre). Trump lui a répondu, « Je suis très impressionné. Je serai incapable d'en faire autant dans votre langue. »

Deux jours plus tard, le 23 avril, j'ai été convoqué dans le Bureau ovale où j'ai trouvé Trump et Mulvaney au téléphone, encore en train de discuter de Yovanovitch avec Giuliani qui insistait encore pour qu'elle soit renvoyée. Il a révélé à Trump le « scoop » selon lequel elle avait dit au président élu Zelensky que Trump, en personne, voulait l'arrêt de plusieurs enquêtes diligentées par des procureurs ukrainiens. Selon Giuliani, Yovanovitch protégeait Hillary Clinton, dont la campagne était prétendument au centre des enquêtes criminelles ukrainiennes, ainsi que le fils de Joe Biden, Hunter, qui était, lui aussi, impliqué. Giuliani ne débitait qu'un tas de ragots de troisième ou quatrième main ; il n'a donné, pendant cet appel, aucune preuve de ses allégations. J'ai dit que je m'étais entretenu avec Pompeo au sujet de Yovanovitch et que je vérifierai de nouveau auprès de lui. Trump était stupéfait que Pompeo n'ait pas encore renvoyé Yovanovitch. Il ne voulait pas entendre le moindre « si », ni le moindre « mais ». Trump m'a demandé de joindre immédiatement Pompeo pour savoir où cette affaire en était et d'appeler Zelensky pour lui affirmer que Yovanovitch ne s'exprimait pas au nom du gouvernement américain. Bien sûr, comme nous n'avions pas la moindre idée de ce qu'elle avait dit, je ne voyais pas trop ce que je devais demander à Zelensky d'ignorer.

J'ai regagné mon bureau et j'ai appelé Pompeo aux alentours de 16 heures. Il m'a dit qu'il avait déjà avancé la date du rappel de Yovanovitch, initialement prévu fin novembre ou début décembre au 1er juin et qu'il en avait informé Trump plusieurs jours auparavant et que ce dernier n'avait formulé aucune objection. Pompeo voulait en rester là. Je lui ai expliqué que Trump fulminait parce qu'elle n'avait pas encore été rappelée au pays, une information qu'il a accueillie avec un grognement. Il a de nouveau mentionné ses précédentes conversations avec Giuliani qui était incapable de donner le moindre détail à propos de ces prétendus événements même si cela ne l'avait manifestement pas empêché d'en rebattre les oreilles de Trump depuis plusieurs mois. Mais Pompeo a ajouté que grâce à une petite enquête à l'ambassade, le département d'État disposait, à présent, d'une pile de documents qu'il allait transmettre au département de la Justice (qui impliquait Yovanovitch et son prédécesseur dans certaines activités qu'il ne m'a ni mentionnées ni décrites, et qui pourraient bien être de nature criminelle). Pompeo a conclu notre entretien en disant qu'il allait lui ordonner de rentrer à Washington dès ce soir. Yovanovitch rappelée au pays, il était inutile d'appeler Zelensky (ce que je ne voulais pas faire de toute façon) et je ne l'ai donc pas fait.

J'ai partagé avec Eisenberg les dernières avancées du dossier Yovanovitch. Un peu plus tard, Mulvaney est entré dans mon bureau flanqué de Cipollone et d'Emmet Flood, un des conseillers juridiques de la Maison Blanche en charge de l'enquête Mueller. J'ai évoqué avec eux un point que j'avais déjà abordé, aussi bien avec Cipollone qu'avec Eisenberg : Giuliani n'était-il pas en train d'enfreindre le code de déontologie des avocats en utilisant le privilège client-avocat qu'il entretenait avec un client pour favoriser les intérêts d'un autre client, une dynamique, qui selon moi, pourrait bien décrire ses agissements au service de Trump. J'ai expliqué que, selon moi, il s'agissait d'une infraction à l'éthique, mais mon avis était minoritaire ; même si les autres convenaient que c'était « tendancieux ». Tant pis pour l'éthique juridique.

Un peu plus tôt ce jour-là, je me suis rendu au département de la Justice pour déjeuner avec Bill Barr, que je connaissais depuis le milieu des années 1980. Et donc avant qu'il prenne ses fonctions de procureur général au sein de l'Administration Bush, un poste que Barr occupait (de nouveau) depuis mi-février. Nous avions essayé depuis lors de trouver une date pour nous voir et discuter de la vie au sein de l'Administration Trump. Je voulais surtout lui faire part de ma détermination d'instaurer une meilleure coordination lorsque les intérêts de la sécurité nationale étaient susceptibles d'entrer en conflit avec des enquêtes diligentées par le département de la Justice. Nous avions besoin de définir quelles étaient les priorités des États-Unis dans ces circonstances pour éviter de devoir les résoudre au cas par cas. Très sensible aux questions de sécurité, Barr était évidemment favorable à toute suggestion qui permettrait d'améliorer les relations de travail entre les départements et les agences concernés.

Mais, plus précisément, je voulais également le briefer à propos du penchant que j'avais noté chez Trump à rendre des services aux dictateurs qu'il appréciait, par exemple dans les enquêtes criminelles sur Halkbank, ZTE, peut-être Huawei, et peut-être d'autres. Barr m'a dit que l'image donnée par Trump le rendait très inquiet, surtout les remarques sur Halkbank qu'il avait faites à Erdogan, à Buenos Aires, au sommet du G20, et ce qu'il avait dit à Xi Jinping sur ZTE, ainsi que d'autres échanges. J'avais eu, peu ou prou, la même conversation avec Cipollone et Eisenberg pendant presque une heure, le 22 janvier, quelques semaines après que Cipollone eut succédé à McGahn, le 10 décembre 2018. À cette époque, la discussion avait porté sur plusieurs points dont : Halkbank, ZTE, un agent turc arrêté par Israël (et que Trump avait fait libérer grâce à plusieurs conversations téléphoniques avec Netanyahou durant son séjour du mois de juillet à Turnberry), le débat sur la levée des sanctions américaines contre l'oligarque russe, Oleg Deripaska (qui l'avaient été début avril), Huawei, les conséquences pour les négociations commerciales avec la Chine, les démêlés privés de Trump avec la justice et d'autres problèmes. Je n'avais aucun doute sur l'autorité constitutionnelle du président à définir les priorités entre les responsabilités conflictuelles du pouvoir exécutif, par exemple le respect de la loi et la sécurité nationale. Néanmoins, dans l'atmosphère fébrile qui régnait à Washington, suite aux allégations de connivence avec la Russie, il n'était pas difficile de voir comment tout cela serait interprété politiquement. Existait-il quelque chose de plus troublant sous la surface ? Aucun de nous ne le savait. Personne n'avait briefé Cipollone sur ces questions et il était complètement stupéfait de l'approche de Trump en matière d'application de la loi, ou plutôt de sa non-application, dans ces différentes affaires.

Le 10 décembre, déjà, troublé par certaines remarques de Trump sur Huawei et les Ouïghours, pendant les fêtes de Noël, j'avais évoqué ces problèmes avec Pompeo. Je lui avais également fait part de mes interrogations au sujet des règlements de certains des problèmes juridiques personnels de Trump. Tout cela ressemblait fortement à une entrave systématique à l'exercice de la justice, une pratique intolérable. Sans compter que l'indulgence manifestée envers les entreprises chinoises, qui s'affranchissaient des sanctions américaines, était préjudiciable à nos entreprises et mettait en danger l'infrastructure de nos réseaux de télécommunication. Bref, elle ne servait qu'à apaiser nos adversaires et était complètement contraire à nos intérêts. J'avais dit à Pompeo que nous n'étions pas loin de quelque chose qui pourrait provoquer une démission. Pompeo était d'accord avec moi. Nous n'avions pas atteint la case « rédaction d'une lettre de démission », mais les warnings étaient allumés.

Le 3 mai, Trump a appelé Poutine, parce que, comme il l'a prétendu sans avancer la moindre preuve, Poutine « mourait » d'envie de lui parler. En fait, c'était Trump qui « mourait » d'envie de parler à Poutine, n'ayant pas eu de véritable conversation avec ce dernier depuis l'incident du détroit de Kertch qui l'avait contraint à annuler leur entretien bilatéral au G20 de Buenos Aires. Même si Trump avait annoncé alors qu'il n'y aurait aucun entretien tant que les navires ukrainiens n'auraient pas été rendus à l'Ukraine et les équipages libérés, cet appel à Poutine rendait ce moratoire, instauré depuis novembre dernier, caduc alors que la Russie les détenait encore. Ils ont brièvement discuté de l'Ukraine, mais sans que cela fasse avancer les choses. Poutine se demandait, étant donné le soutien financier qu'il avait apporté à la campagne victorieuse de Zelensky, si Ihor Kolomoïsky allait récupérer ses actifs en Ukraine. Poutine lui a ensuite expliqué que Zelensky était très connu en Russie grâce à sa carrière à la télévision et qu'il y comptait de nombreux contacts. Mais, Poutine a aussi ajouté qu'il devait encore s'affirmer. Il a dit à Trump qu'il ne s'était pas encore entretenu avec Zelensky, d'une part, parce que ce dernier n'avait pas encore pris ses fonctions et d'autre part, parce que le résultat final n'était pas encore connu. Il était difficile de savoir si Poutine faisait référence à la situation actuelle à la Rada ou s'il se demandait si Zelensky prendrait la décision de dissoudre l'assemblée pour provoquer des élections législatives anticipées.

Le 8 mai, le dossier Ukraine a commencé à s'emballer. Aux alentours de 13 h 45, Trump m'a appelé pour me demander de le rejoindre dans le Bureau ovale pour une réunion avec Giuliani, Mulvaney, Cipollone et peut-être d'autres. L'ordre du jour était l'Ukraine et la volonté de Giuliani de rencontrer Zelensky, le président élu, pour discuter soit de l'enquête en cours dans son pays sur les tentatives d'Hillary Clinton d'influencer la campagne de 2016 ou sur celle en rapport avec Hunter Biden et l'élection de 2020, ou peut-être les deux. Dans tous les commentaires que j'ai pu entendre sur ces sujets, les deux sujets semblaient toujours entremêlés et nébuleux, une des raisons pour lesquelles je ne leur ai pas prêté beaucoup d'attention. Même après qu'ils aient été rendus publics, j'ai eu du mal à démêler les brins des multiples théories du complot à l'œuvre. Trump voulait plus que jamais que j'appelle Zelensky et que je m'assure que Giuliani obtienne un entretien à Kiev, la semaine suivante. Giuliani a juré qu'aucun de ses clients n'était impliqué. J'ai trouvé cela difficile à croire, mais j'espérais encore pouvoir éviter de me mêler de ce bourbier. Les journaux évoquaient déjà le renvoi de Yovanovitch et nul doute qu'ils feraient leurs choux gras d'une visite de Giuliani en Ukraine. Giuliani nous a également annoncé qu'il était en quête d'informations sur un fonctionnaire du département d'État, répondant au nom de Kent, qui, selon Giuliani, conspirait avec George Soros pour abattre Trump. J'avais déjà entendu son nom au moment du rappel de Yovanovitch, mais je ne le connaissais ni d'Ève ni d'Adam.

J'ai été ravi de m'esquiver aux alentours de 13 h 55 et de regagner mon bureau où je me suis empressé de *ne pas* appeler Zelensky, en espérant que toute cette affaire disparaisse d'elle-même. Je venais à peine de m'installer à mon bureau lorsque John Sullivan et Marc Short sont venus à la charge. Ils m'ont expliqué que Trump les avait fait sortir de la réunion économique hebdomadaire, dans la salle Roosevelt, pour venir discuter de Kent. (Je trouvais ces réunions tellement chaotiques que j'ai laissé Kupperman y assister, une punition qu'il n'avait pas méritée, mais bon, la vie est dure, hein ?) Sullivan, lui aussi, ne connaissait Kent que de nom. Il m'a décrit la scène qui venait de se jouer dans la salle Roosevelt : Trump lui murmurait à l'oreille, entre deux soupirs lourds, pendant que Bob Lighthizer présentait une série de graphiques sur différents problèmes économiques auxquels Trump, de toute évidence, ne prêtait aucune attention. Ses murmures au sujet de Kent terminés, Trump s'est tourné vers Lighthizer pendant quelques secondes et a dit, à voix haute, à Sullivan : « Allez discuter de Kent avec Bolton. » Il s'est ensuite tourné vers Short pour lui dire : « Montrez-lui où se trouve le bureau de John. » D'où leur présence dans mon bureau. Short nous a laissés. J'ai répété à Sullivan la dernière conversation sur l'Ukraine que je venais juste d'avoir dans le Bureau ovale et je lui ai demandé d'en parler à Pompeo le plus vite possible. Pompeo revenait à Washington à 9 heures, le lendemain matin. Sullivan m'a dit qu'il le brieferait à ce moment-là.

L'idée d'un voyage de Giuliani en Ukraine a mijoté pendant quelques jours sans que la question soit tranchée. Cipollone et Eisenberg sont venus me voir le 10 mai, tandis que le rappel de Yovanovitch recevait plus d'écho dans la presse (bien que la presse grand public ne lui ait témoigné que peu d'intérêt) et que Giuliani, lui-même, générait pas mal d'attention. Dans une interview au *New York Times* publiée dans l'édition papier du matin, on pouvait lire cette citation : « Nous n'interférons pas dans une élection, nous interférons dans une enquête, ce que nous avons le droit de faire... Cela n'a rien d'illégal... D'aucuns pourraient dire que c'est déplacé. Et il ne s'agit pas de politique étrangère. Je leur demande de faire une enquête qu'ils mènent déjà et que d'autres leur ont demandé d'arrêter. Et je vais leur donner les raisons pour lesquelles ils ne doivent pas suspendre cette enquête parce que ces informations seront très, très utiles pour mon client et peuvent se révéler utiles pour mon gouvernement. » Nous étions tous les trois d'accord sur le fait que nous ne pouvions pas autoriser Giuliani à se rendre en Ukraine, mais à cause de tout ce brouhaha, il devenait très difficile de choisir quel membre de l'Administration Trump nous pourrions envoyer à l'investiture de Zelensky pour limiter au maximum la publicité négative.

La participation de Pence paraissait, par conséquent, compromise. La date de la cérémonie d'investiture n'ayant pas encore été fixée, cela compliquait encore un petit peu plus les choses. Notre ambassade de Kiev a été très surprise d'apprendre, le 16 mai, que la Rada, le parlement ukrainien, avait choisi le 20 mai. Cela ne nous laissait pas beaucoup de temps pour consulter nos agendas et choisir la composition de la délégation américaine. Trump avait déjà décidé que Pence ne pouvait pas s'y rendre et Pompeo a décidé de ne pas y aller pour des raisons qui lui sont propres. Le 16 mai, en fin d'après-midi, il semblait que ce serait Rick Perry, le secrétaire à l'Énergie, qui conduirait la délégation. Un choix qui se défendait, à cause des problèmes énergétiques importants que posaient l'Ukraine et l'importance d'une coopération Kiev-Washington face à l'exploitation par Moscou des ressources énergétiques dans toute l'Europe centrale et orientale. L'ambassadeur américain auprès de l'Union européenne, Gordon Sondland, a déployé beaucoup d'efforts pour que son nom soit ajouté à la liste des membres de la délégation américaine. Mais comme il n'avait aucune raison légitime d'assister à ladite cérémonie, j'ai supprimé plusieurs fois son nom. Il faisait néanmoins partie de la délégation, sur l'insistance, avons-nous appris, de Mulvaney. La raison pour laquelle la Rada a choisi de procéder à l'investiture aussi tôt n'était pas claire, mais nos observateurs sur place pensaient que le parti de Porochenko avait fait le pari des élections législatives anticipées, persuadé que Zelensky ne pourrait pas répondre aux attentes qui augmentaient autour de lui. Un mauvais calcul de la part des conseillers de Porochenko et un énorme coup de boost pour Zelensky.

L'investiture de Zelensky, le 20 mai, nous a réservé une autre surprise. Zelensky a décidé de suivre le bluff de Porochenko et d'annoncer la dissolution de l'assemblée parlementaire pour provoquer des élections législatives anticipées. Aucune date précise n'avait été fixée, mais on s'attendait à ce que le scrutin ait lieu en juillet. Il est aussi devenu de plus en plus évident, pas seulement pour moi, mais aussi pour d'autres, dont Fiona Hill, la directrice principale du NSC en Europe et en Russie, que Trump avait complètement avalé la théorie de Giuliani selon laquelle la fable de la « collusion avec la Russie », inventée par les adversaires politiques américains, avait été orchestrée depuis l'Ukraine. En d'autres termes, Trump avait gobé l'idée que l'Ukraine était le véritable responsable (et non Moscou) des tentatives de manipulation des élections américaines. Cela signifiait, bien évidemment, que nous ne risquions pas de faire quelque chose de sympa pour l'Ukraine de sitôt, même si cela avait pu nous aider à ralentir les avancées de la Russie dans la région.

Le 22 mai, après avoir assisté à la cérémonie de remise des diplômes de l'Académie des garde-côtes, à New London, dans le Connecticut, j'ai décollé d'Andrews pour rejoindre le Japon, et gérer les derniers préparatifs à la visite d'état de Trump, la première depuis l'accession au trône impérial de Naruhito. Deux jours plus tard, depuis Tokyo, je me suis entretenu avec Kupperman, qui avait assisté au débriefing que Trump avait entendu, un peu plus tôt ce même jour (c'était encore le 23 mai à Washington lorsque nous avons eu cet entretien), de la part de notre délégation à l'investiture de Zelensky : Perry, Sondland, Volker, et le sénateur Ron Johnson. Je cite Kupperman qui cite Trump « Je refuse de lever le petit doigt pour l'Ukraine. » Du Trump pur jus. « Ces salauds m'ont attaqué. Je ne comprends pas pourquoi. Demandez à Joe diGenova, il sait tout sur cette histoire. Ils ont essayé de me baiser. Cette bande de corrompus. Je ne veux rien avoir à faire avec eux. » Tout ceci, a-t-il prétendu, avait été fomenté par les soutiens de Clinton, avec l'aide de Hunter Biden, pour abattre Trump en 2016 et en 2020.

Volker a tenté d'intervenir pour dire quelque chose de pertinent sur l'Ukraine. Trump lui a répondu : « Je n'en ai rien à foutre. » Perry a fait valoir que nous ne pouvions pas laisser un État tomber en déliquescence, en d'autres termes, une Ukraine sans gouvernement. Trump a répondu : « Parlez-en avec Rudy et Joe. »

« Donnez-moi quatre-vingt-dix jours », a de nouveau plaidé Perry, mais Trump lui a coupé la parole : « L'Ukraine a essayé de m'abattre. Je ne veux pas les aider. » Il s'est un peu calmé et a déclaré que Zelensky pouvait lui rendre visite à la Maison Blanche, à condition que quelqu'un lui révèle le fond de la pensée de Trump. « Je veux le putain de serveur du DNC[68] », a dit Trump, en remontant dans les tours avant d'ajouter : « OK, vous pouvez avoir vos quatre-vingt-dix jours. Mais je n'ai aucune envie de le rencontrer. »

---

68 Comité National Démocrate (NDT).

Perry et Kupperman ont admis, par la suite, qu'il était impossible d'inviter Zelensky avant les élections de la Rada. Ce n'était qu'à la lumière des résultats que nous saurions si Zelensky aurait les coudées franches pour gouverner. (Plusieurs dirigeants des pays voisins, comme le Hongrois, Viktor Orbán, pensaient que les chances de Zelensky étaient minces, ce qui faisait écho à l'avis de Poutine qui pensait que l'Ukraine était dans une impasse politique.) Il se murmurait également que Perry allait très bientôt quitter l'Administration. Le chiffre de « quatre-vingt-dix jours » laissait donc à penser qu'il voulait ce délai pour réussir quelque chose en Ukraine. Le sénateur Johnson m'a confié, plusieurs semaines plus tard, à propos de cette réunion avec Trump : « J'ai été très choqué par les réponses du président. » Personnellement, c'était le pain quotidien.

Pendant les semaines qui ont suivi, Sondland, à qui apparemment l'Union européenne laissait beaucoup de temps libre dans son quartier général de Bruxelles, continuait de faire le forcing pour que Zelensky soit invité à Washington avant les élections législatives. Pompeo n'avait pas vraiment de préférence. Il était évident qu'il n'avait pas envie de rappeler Sondland à l'ordre. Plutôt étrange de la part de quelqu'un qui, d'habitude, insistait pour que les ambassadeurs ne rendent compte qu'à lui (par l'intermédiaire des secrétaires adjoints) et n'essaient pas de le court-circuiter en s'adressant directement au président. Peut-être pas la façon la plus efficace de diriger le département d'État, mais une gestion fidèle à la ligne de conduite de Pompeo : éviter les conflits. C'est en juin que Trump a résolu le problème de la visite, juste avant son départ pour le Royaume-Uni, en déclarant : « Pas avant l'automne », la bonne décision selon moi. Les principaux dirigeants européens se montraient, eux aussi, prudents quant aux chances de Zelensky. Heiko Maas et Jean-Yves Le Drian, les ministres des affaires étrangères allemand et français, avaient rendu visite à Zelensky, à Kiev, fin mai, mais sans s'être forgés d'opinion définitive. Lorsque Trump a rencontré le président français Macron, le 6 juin, ce dernier semblait plus optimiste au sujet de Zelensky, tout comme Merkel, d'après sa rencontre avec Trump lors du sommet du G20 à Osaka. Mais, en nous basant sur la récente conversation téléphonique entre Trump et Poutine, rien n'indiquait que Poutine soit prêt à entamer de sérieuses discussions au sujet de la Crimée ou du Donbass et certainement pas avant les élections de la Rada.

D'après mes souvenirs, Trump et moi n'avons pas reparlé de l'Ukraine avant le 25 juin. Je me trouvais en Israël pour rencontrer Netanyahou et pour participer à une réunion tripartite avec Patrouchev et Ben-Shabbat. J'ai donc assisté à une réunion du NSC par vidéoconférence, depuis notre ancien consulat à Jérusalem, près du David Citadel Hotel, où je séjournais. La réunion, organisée à Washington dans la Salle de Crise, en présence de tous les habitués, devait aborder d'autres sujets, mais Trump s'est soudainement lancé dans une diatribe sur le Nord Stream II, dans laquelle il s'est plaint de « nos grands Alliés européens » et des faibles dépenses de défense de l'Allemagne : « Angela [Merkel] disant qu'elle atteindrait l'objectif [2 % du PIB] en 2030, vous vous souvenez, John », a-t-il dit en regardant l'écran de la Salle de Crise qui leur permettait de me voir en Israël. « J'écoute mes conseillers quoiqu'en pensent les gens », Trump a ri (moi aussi !), et il est reparti à plein régime : « Tout le monde nous baise sur le commerce. Nous allons avoir le meilleur mois de juin depuis des années. Un max d'argent afflue dans les caisses des douanes. » Et il a embrayé sur l'Ukraine et un programme d'aide militaire de 250 millions de dollars pour acheter des armes. « L'avez-vous approuvé, John ? » J'ai répondu qu'il s'agissait de fonds alloués par le Congrès au département de la Défense. « C'est d'une stupidité sans nom », a enchaîné Trump. « L'Allemagne ne dépense rien pour défendre ses pays voisins. Angela a dit : "Nous ne dépensons pas, justement parce que ce sont des pays voisins." John, vous êtes d'accord sur l'Ukraine ? » Je n'ai pas répondu directement. Je me demandais pourquoi cette aide militaire, en particulier, avait attiré l'attention de Trump. J'ai botté en touche en suggérant qu'Esper soulève toutes ces questions au sujet de l'OTAN et du partage du fardeau de l'Ukraine, pendant la réunion des ministres de la Défense des pays de l'OTAN prévue dans les prochains jours. C'était probablement la première fois que j'entendais l'aide militaire à l'Ukraine être remise en cause. Mais je me demandais surtout comment Trump avait eu connaissance de cette aide et qui avait eu l'idée de s'en servir comme moyen de pression contre Zelensky et son nouveau gouvernement. Je n'ai jamais découvert les réponses à ces questions, mais Mulvaney, de par son long bail à la tête du Bureau de la Gestion et du Budget, était certainement une source possible. Le point important que j'ai retiré de cette conversation était que l'aide militaire à l'Ukraine risquait d'être avalée par les théories du complot fantaisistes sur l'Ukraine.

Le 10 juillet, j'ai reçu dans mon bureau mon homologue ukrainien, Oleksandr Danylyuk, le nouveau directeur de leur Conseil de défense et de sécurité nationale. Danylyuk était un réformateur pro-occidental. Ancien ministre des Finances de Porochenko, il avait démissionné parce qu'il ne croyait pas que le gouvernement Porochenko soit prêt à lancer de véritables réformes. Perry, Sondland et Volker avaient demandé à assister à cette réunion (arrive-t-il à Sondland de passer un peu de temps à Bruxelles ?) et j'ai immédiatement compris que tous les trois essayaient de me convaincre qu'il fallait inviter Zelensky à la Maison Blanche avant les élections législatives de juillet. Comme je savais, et ils auraient dû le comprendre après leur réunion du 23 mai dans le Bureau ovale avec Trump, que ce dernier ne voulait pas lever le petit doigt pour les Ukrainiens (influencé, à tort, par les tombereaux de conneries que Giuliani lui avait racontés), j'ai fait la sourde oreille. Danylyuk souhaitait, de toute évidence, un rapprochement entre nos deux pays, quelque chose que j'appelais de mes vœux et dont il était beaucoup plus facile de discuter. Danylyuk avait été surpris et mis mal à l'aise par ma fin de non-recevoir à leur suggestion d'une visite de Zelensky, qui provenait des pressions incessantes des autres participants de la réunion, mais je n'allais pas expliquer à des étrangers qu'ils étaient, tous les trois, en train d'outrepasser leurs fonctions. Plus je résistais, plus Sondland insistait, en mettant Giuliani sur le tapis, un argument qui, à mes yeux, n'avait aucune valeur.

Par la suite, pendant son audition devant le Congrès, Fiona Hill a certifié, à juste titre, qu'après la réunion et une photo avec Danylyuk et la horde de fonctionnaires américains présents, je lui avais dit de se rendre à une réunion que Sondland organisait de sa propre initiative au mess des officiers, dans la salle à manger de la Navy, avec les Ukrainiens et plusieurs personnes ayant participé à la réunion dans mon bureau. J'étais effaré par la stupidité de l'argument selon lequel il fallait organiser un tête-à-tête Trump-Zelensky afin de pouvoir répondre aux « interrogations de Giuliani », une démarche qui, semblait-il, avait l'aval de Mulvaney, à en juger par ses fréquentes réunions avec Sondland. Je lui avais dit de porter toute cette affaire devant les conseillers juridiques de la Maison Blanche ; elle a cité mes propos : « Il est hors de question que je me laisse embringuer dans le plan sordide que Sondland et Mulvaney sont en train de concocter. » Je pensais que toute cette affaire était une erreur politique, douteuse sur le plan juridique, et un comportement inacceptable de la part d'un président. Est-ce que cela a joué un rôle dans ma future démission ? Oui, mais ce n'est qu'une des nombreuses « gouttes d'eau » qui ont contribué à mon départ. Un peu plus tôt durant son audition, Hill a déclaré que j'avais qualifié Giuliani de « grenade qui ferait sauter tout le monde », une description qui me semble encore appropriée aujourd'hui. Perry et Sondland, en particulier, ont continué d'insister, y compris auprès de Danylyuk, pour me convaincre d'accepter, au minimum, un appel téléphonique Trump-Zelensky avant les élections de la Rada. J'ai continué de faire la sourde oreille, craignant que cet appel puisse se retourner contre nous.

J'ai pris la direction du Japon et de la Corée du Sud, le samedi 20 juillet, dans la matinée, la veille des élections législatives, pour discuter de la question du coût des bases militaires. J'ai appelé Kupperman depuis l'avion. Il était clair, à présent, que Trump n'appellerait qu'après les élections de la Rada. J'ai donc demandé à Kupperman d'appeler Danylyuk et de lui dire poliment d'arrêter d'écouter Sondland. Kupperman m'a confié, peu de temps après, que Danylyuk avait été très heureux de recevoir cette information, tout comme Bill Taylor, notre chargé d'affaires à Kiev, qui savait, comme nous, que Sondland opérait en freelance. Fait encore plus notable, Danylyuk nous a confié que la rencontre (ou l'appel) Trump-Zelensky n'était pas son idée, mais celle de Sondland. Toute cette affaire n'était qu'une vaste fumisterie. Les supporters de Zelensky se sont très bien comportés aux élections en totalisant presque 43 % des suffrages, suffisamment pour donner, à son parti et aux candidats indépendants partageant leurs idées, la majorité à la Rada. J'espérais qu'il s'agissait d'une étape importante vers un retour des choses à la normale.

Je suis rentré d'Asie la veille au soir du désormais célèbre appel de Trump à Zelensky du 25 juillet. J'ai l'ai rapidement briefé avant l'appel prévu à 9 heures. Je m'attendais à un remake de l'appel essentiellement pro forma de félicitations que Trump lui avait passé le soir de sa victoire au second tour de l'élection présidentielle. J'ai expliqué que l'Ukraine venait juste d'arraisonner un pétrolier russe et de capturer son équipage en représailles à l'arraisonnement des navires ukrainiens par les Russes pendant l'incident du détroit de Kertch en 2018. Cela montrait bien que Zelensky et sa nouvelle équipe avaient du cran à revendre. Sondland, que je n'avais bien évidemment pas convié à ce briefing (cela aurait été la première fois, pendant tout mon mandat, qu'un ambassadeur aurait participé à ce genre de briefing), avait déjà, par l'intermédiaire de Mulvaney, discuté avec Trump, à 7 h 30, à propos de dieu seul sait quoi.

L'« enregistrement de l'appel » de l'entretien Trump-Zelensky, auquel j'avais assisté, comme de coutume, qui avait été compilé par les greffiers du NSC et qui a, depuis, été rendu public, ne ressemble pas à la « transcription » d'un témoignage ou d'une déposition retranscrite par un greffier pendant un procès. Peu après mon arrivée à la Maison Blanche, le 18 mai 2018, j'avais rencontré Eisenberg pour discuter de la procédure de production de ces enregistrements d'appels téléphoniques et de son évolution. Nous avions décidé de laisser les choses en l'état pour éviter d'enregistrer, en vertu du Presidential Records Act[69], des éléments qui ne devaient pas passer à la postérité. Jusqu'à ce que la controverse sur l'Ukraine éclate, j'ignorais que nous avions dévié de cette politique, et que nous avions notamment des procédures de « stockage ». Je ne pensais pas non plus, à l'époque, que les remarques de Trump, pendant l'appel, traduisaient un changement de cap important ; le lien entre l'aide militaire et les fadaises de Giuliani était déjà établi. L'appel ne constituait pas, à mes yeux, la pierre angulaire. Ce n'était qu'une autre brique dans le mur. Voilà les points importants de la conversation, et non de l'enregistrement de l'appel, dont je me souviens.

69 Loi du Congrès américain régissant les documents officiels des présidents et qui prévoit la conservation de tous les documents présidentiels (NDT).

Trump a félicité Zelensky pour les élections de la Rada. Zelensky a remercié Trump avant d'ajouter : « Je devrais me présenter plus souvent, cela nous permettrait de discuter plus souvent.

Nous essayons d'assécher le marais en Ukraine. Nous avons fait élire de nouveaux députés, pas les anciens politiciens. »

Trump lui a répondu : « Nous faisons beaucoup pour l'Ukraine, beaucoup plus que les pays européens, qui devraient en faire davantage, notamment l'Allemagne. Ils ne font que parler. Lorsque je discute avec Angela Merkel, elle me parle de l'Ukraine, mais elle ne fait rien. Les États-Unis se sont montrés très, très bons vis-à-vis de l'Ukraine, mais ce n'est pas réciproque au vu de certains événements [les théories du complot de Giuliani]. »

Zelensky lui a répondu : « Vous avez absolument raison, à 1 000 % ! J'ai, en effet, rencontré Merkel et Macron. Ils m'ont écouté, mais ils ne font pas autant qu'ils le devraient. Ils n'appliquent pas les sanctions [contre la Russie]. L'UE devrait être notre partenaire le plus important, mais ce sont les États-Unis et je vous en suis très reconnaissant. Les États-Unis en font beaucoup plus au niveau des sanctions. » Il a alors remercié les États-Unis pour leur aide militaire et a ajouté qu'il voulait acheter plus de Javelins.

Trump est passé au plat de résistance : « J'aimerais que vous nous rendiez un service parce que notre pays a connu beaucoup de troubles et que l'Ukraine en sait beaucoup à ce sujet. Enquêtez sur CrowdStrike [une cyber entreprise utilisée par le DNC], le serveur, les gens disent que c'est l'Ukraine qui l'a. J'aimerais que notre procureur général vous appelle pour éclairer cette confusion. Toute cette affaire s'est conclue hier avec Mueller [son audition télévisée devant la Chambre] : faible et incompétent. J'espère que vous pourrez nous aider à résoudre cette affaire. »

Zelensky lui a répondu : « En tant que président, cela est très important pour moi, et nous sommes prêts à coopérer et à ouvrir une page nouvelle de nos relations. Je viens juste de rappeler l'ambassadeur ukrainien aux États-Unis et il sera remplacé pour veiller au rapprochement de nos deux pays. Je veux avoir une relation privilégiée avec vous. Je vais vous dire, en personne, qu'un de mes assistants vient de s'entretenir avec Giuliani. Il se rendra en Ukraine et je le rencontrerai. Je vais m'entourer des meilleurs. Nous poursuivrons notre partenariat stratégique. Cette enquête sera ouverte en toute transparence et en toute honnêteté. Je vous en fais la promesse en tant que président de l'Ukraine. »

Trump a répondu : « Vous avez eu un bon procureur. M. Giuliani est un homme très respecté. S'il pouvait vous appeler avec le procureur général et si vous pouviez lui parler, cela serait génial. L'ancienne ambassadrice des États-Unis n'était pas quelqu'un de bien. Elle fréquentait des gens qui n'étaient pas des gens bien. On parle beaucoup du fils de Biden qui a fait arrêter l'enquête [contre ceux qui avaient fomenté et orchestrer la campagne de collusion avec la Russie]. Il s'est vanté d'avoir fait arrêter l'enquête. Cela paraît affreux. »

Zelensky a répondu : « Puisque nous détenons une majorité absolue au parlement, le prochain procureur général sera à 100 % mon candidat. Il entrera en fonction en septembre. Il diligentera une enquête sur cette entreprise. L'enquête établira la vérité. Si vous avez d'autres informations à nous fournir, n'hésitez pas. Quant à l'ambassadrice américaine en Ukraine, Yovanovitch, je suis heureux que vous m'ayez dit que ce n'était pas quelqu'un de bien. Je suis d'accord à 100 %. Son attitude à mon égard était loin d'être excellente. Elle n'a jamais accepté ma victoire à l'élection présidentielle. »

Trump lui a répondu : « J'en informerai Giuliani et Barr, le procureur général. Je suis sûr que vous mettrez toute cette affaire au clair. Bonne chance pour tout. L'Ukraine est un pays formidable. J'ai beaucoup d'amis ukrainiens. »

Zelensky lui a répondu qu'il avait, lui aussi, beaucoup d'amis ukraino-américains et a ajouté : « Merci pour votre invitation à Washington. Je prends cette affaire très au sérieux. Nos deux pays ont un grand potentiel. Nous voulons l'indépendance énergétique. »

Trump lui a répondu : « N'hésitez pas à appeler. Nous fixerons une date. » Zelensky a alors invité Trump en Ukraine, faisant remarquer que tous les deux seraient à Varsovie, le 1er septembre (pour le quatre-vingtième anniversaire de l'invasion de la Pologne par l'Allemagne, l'événement qui a déclenché la Seconde Guerre mondiale), et a suggéré que Trump vienne alors jusqu'à Kiev, une suggestion que Trump a poliment repoussée.

Voilà, selon moi, les points importants de l'appel du 25 juillet qui ont, par la suite et à juste titre, suscité de nombreuses questions visant à savoir si ces faits étaient passibles de destitution, de nature criminelle ou pas. En 1992, lorsque les supporters de Bush ont suggéré de demander aux gouvernements étrangers de l'aide pour obtenir des informations sur Bill Clinton afin de relancer sa campagne qui battait de l'aile, Bush et Jim Baker ont catégoriquement rejeté l'idée. Trump a fait exactement le contraire.

La semaine suivante, le département d'État et celui de la Défense ont demandé le transfert d'environ 400 millions de dollars d'aide militaire à l'Ukraine, en convoquant une réunion des directeurs, un vieux réflexe de bureaucrates. Les bureaucrates ignoraient, bien sûr, qu'avec Pompeo et Esper, nous discutions de ce sujet depuis quelque temps et que nous avions essayé à plusieurs reprises de convaincre Trump de débloquer l'argent, des tentatives qui avaient toutes échoué. (Au moment de ma démission, nous avons calculé que, individuellement et collectivement, avec différentes combinaisons, nous avions abordé le sujet avec Trump entre huit et dix fois.) Si les bureaucrates pensaient qu'une réunion du Comité des directeurs ferait changer Trump d'avis, ils n'avaient pas dû être très attentifs depuis deux ans et demi. J'ai dit à Tim Morrison, le successeur de Fiona Hill, de dire au département d'État et à celui de la Défense d'arrêter de se focaliser sur les réunions. À la place, je voulais que les fonds soient prêts au cas où Trump accepte de les débloquer. Pour que cela se produise, nous avions besoin de préparer la paperasse nécessaire, pour être sûrs de pouvoir affecter l'aide militaire avant la fin imminente de l'année fiscale, le 30 septembre. En vertu des règles budgétaires qui régissent l'allocation des fonds par le Congrès, ils disparaîtraient s'ils n'avaient pas été affectés à cette date. Raison pour laquelle les bureaucrates commençaient à s'agiter. Vous devez certainement vous demander pourquoi les bureaucrates n'ont pas commencé à s'agiter plus tôt pendant l'année fiscale, au lieu d'attendre le dernier moment et de mettre leurs éventuels problèmes sur le dos du reste du monde, n'est-ce pas ? Je comprends, il s'agit là d'une question très pertinente. Mais c'est ainsi que la bureaucratie fonctionne, avec une lenteur maladive qui permet ensuite de rejeter la faute sur autrui lorsque les choses tournent mal.

Le 1er août, je me suis entretenu avec Barr pour lui indiquer ce que Trump avait dit à Zelensky à propos de Giuliani et à son propre propos. Je lui ai suggéré de demander à quelqu'un de serrer la vis à Giuliani avant qu'il ne devienne complètement incontrôlable. Nous avons également discuté du statut d'Halkbank et de la question, encore en suspens, des sanctions à l'encontre de la Turquie pour l'achat des systèmes de défense antiaérienne russes S400-. Barr m'a dit qu'il attendait la réponse de l'avocat de Halkbank à la dernière offre de règlement à l'amiable du département de la Justice. (Le 15 octobre, un mois après ma démission, le département de la Justice a sévèrement condamné Halkbank, à New York, ayant trouvé, de toute évidence, la dernière offre de règlement à l'amiable de l'avocat de la banque inacceptable.)

Avec Esper et Pompeo, nous avons continué d'échanger des idées pour tenter de persuader Trump de débloquer l'aide militaire avant le 30 septembre. Nous aurions pu confronter Trump sur son désinvestissement, essayer de réfuter les théories de Giuliani et argumenter qu'il était inacceptable d'utiliser l'autorité du gouvernement américain pour faire pression afin d'obtenir un avantage politique personnel. Nous aurions pu et nous aurions presque certainement échoué et peut-être également provoqué une ou plusieurs disparitions dans les rangs des conseils spéciaux de Trump. La bonne stratégie consistait à dissocier l'aide militaire à l'Ukraine des fantasmes à propos de l'Ukraine, faire approuver l'aide militaire et s'occuper de Giuliani et des fantasmes ensuite. Je pensais, en fait, avoir déjà initié le second mouvement en ce qui concernait Giuliani, en ayant attiré l'attention des conseillers juridiques de la Maison Blanche sur la question et, ensuite, celle de Bill Barr. Il n'y avait donc plus aucun intérêt à demander davantage d'efforts inutiles dans les basses sphères de la bureaucratie. Cela n'aurait aucun impact sur la prise de décision de Trump et, surtout, cela pourrait entraîner la publication d'articles dans la presse qui risqueraient de conforter encore plus

Trump de ne pas débloquer l'aide. C'était, en tout cas, mon analyse à l'époque, et je crois qu'Esper et Pompeo la partageaient.

La deadline approchait et nous en comprenions parfaitement les conséquences, mais nous savions également que notre marge de manœuvre était limitée, et qu'elle le resterait tant que les théories du complot sur les élections de 2016 et de 2020 n'auraient pas été infirmées. Nous connaissions tous l'opinion de Trump sur cette question, raison pour laquelle nous étions persuadés qu'il était essentiel d'aborder le sujet au bon moment. Un mauvais timing pourrait sceller définitivement le destin de cette aide. C'est pourquoi, lorsque Trump a évoqué la question de l'Ukraine pendant les discussions sur l'Afghanistan, à Bedminster, le vendredi 16 août, en demandant combien nous dépensions là-bas, j'ai eu peur que, dans la chaleur des débats houleux sur l'Afghanistan, l'aide militaire pour l'Ukraine soit perdue corps et biens. J'ai été surpris d'entendre Esper répondre que Russ Voight, le directeur par intérim du Bureau de la Gestion et du Budget, « y avait mis fin ». Autrement dit, il avait stoppé les tentatives de déblocage de l'aide. Cela impliquait que la décision était déjà prise et que toute discussion était désormais inutile, ce que je ne croyais absolument pas. Heureusement, l'Ukraine est passée entre les cris du monologue de Trump sans subir d'autres dommages.

Le Bureau de la Gestion et du Budget était, bien sûr, désormais entré dans la danse, prétendument pour des raisons de contraintes budgétaires, mais, plus probablement, en tout cas c'était ce que nous soupçonnions, parce que Trump se servait de Mulvaney pour enrayer toutes les tentatives des départements d'État ou de la Défense de transférer les fonds qui leur avaient été alloués. Le Bureau du Budget tentait également de faire annuler plus de 4 milliards de dollars d'aide économique internationale (qui ne concernaient que le département d'État, pas le Pentagone), un petit exercice auquel il se livre chaque année. Comme en 2018, les gratte-papiers du budget ont dû faire machine arrière, essentiellement parce qu'en persistant dans ses velléités d'annulation, Trump risquait de déclencher une guerre ouverte avec le Congrès. Mulvaney et d'autres ont prétendu, par la suite, que c'était l'annulation de l'aide économique qui était à l'origine du conflit au sujet de l'aide militaire à l'Ukraine, mais il ne s'agissait que d'une justification ultérieure aux faits.

Le temps commençant à manquer, j'ai fait la suggestion suivante à Pompeo et à Esper. Je me proposais de sonder Trump pour voir de quel côté il penchait et qu'ensuite, nous coordonnerions, tous les trois, nos emplois du temps de façon à pouvoir aborder ensemble la question avec Trump ; une suggestion qu'ils ont acceptée. Le lendemain matin, le 20 août, j'ai subtilement abordé l'aide militaire à l'Ukraine avec Trump. Il m'a répondu qu'il refusait de leur envoyer quoi que ce soit, tant que tous les documents de l'enquête sur la Russie en rapport avec Clinton et Biden ne lui avaient pas été remis. Cela pouvait prendre plusieurs années. Les chances de voir débloquer cette aide militaire semblaient minces. Néanmoins, le temps commençant à manquer, j'ai dit à Trump qu'avec Esper et Pompeo, nous aimerions le voir pour discuter de cette question plus tard dans la semaine, ce qu'il a accepté. À cause de difficultés d'emplois du temps de Pompeo et d'Esper, et parce que je partais, vendredi matin, pour le sommet du G7 à Biarritz, Kupperman m'a remplacé le 23 août dans cette réunion sur l'Ukraine. Une réunion, malheureusement, pendant laquelle Trump a, une fois encore, décidé de ne rien faire après que les Houthis pro-iraniens aient encore détruit un autre drone américain, le troisième ces derniers mois. La discussion sur l'aide militaire à l'Ukraine a été brève. Trump leur a répondu : « Laissez-moi y réfléchir pendant quelques jours. Je vais en parler aux autres au G7. » Esper, qui devait bientôt assister à une réunion des ministres de la Défense des pays de l'OTAN, a dit qu'il insisterait auprès des autres membres pour qu'ils fassent davantage pour l'Ukraine, ce qui pourrait également aider. Cela aurait pu être pire, mais le temps continuait de s'égrener.

Au G7, la France et l'Allemagne étaient optimistes et semblaient penser que Poutine était prêt à faire un geste pour faire retomber les tensions avec l'Ukraine, peut-être un échange d'otages et d'équipages des navires détenus depuis novembre. Mais nous avons frôlé, tant de fois, la catastrophe à Biarritz sur la question de l'Iran, qu'au final, l'Ukraine a joué un rôle relativement mineur (même si la plupart des autres membres du G7 se sont prononcés contre le fait d'inviter la Russie au prochain sommet du G7 qui se tiendrait aux États-Unis en 2020). Après Biarritz, où j'avais été à deux doigts de démissionner, je me suis envolé pour Kiev afin de rencontrer Zelensky en personne ainsi que plusieurs membres importants de son futur gouvernement. Je voulais tout faire pour que la prochaine rencontre Zelensky-Trump de Varsovie, à laquelle il serait impossible de couper, soit un succès. Pendant mon vol pour Kiev, le 26 août, Volker m'a briefé, au téléphone, sur les cérémonies de la fête nationale ukrainienne qui s'étaient déroulées deux jours auparavant, un événement que, selon lui, Zelensky avait bien géré. Volker a insisté sur le fait que Zelensky ne souhaitait surtout pas se mêler des querelles politiques internes des États-Unis, mais qu'il avait été ravi d'avoir diligenté une enquête sur des événements qui s'étaient peut-être déroulés en 2016, avant son élection.

À Kiev, j'ai de nouveau rencontré Danylyuk, un long entretien auquel ont également participé le chargé d'affaires, Bill Taylor, et plusieurs fonctionnaires du NSC, et pendant lequel nous avons esquissé les contours de ce que pourrait devenir le Conseil de sécurité nationale ukrainien et de sa politique vis-à-vis des Russes en Crimée et au Donbass. Avec Taylor, nous avons déposé une couronne devant un mémorial en hommage aux quelque treize mille Ukrainiens qui avaient péri depuis le début du conflit actuel avec la Russie. Le lendemain, nous avons pris le petit-déjeuner avec Ivan Bakanov, qui était, à cette date, le directeur par intérim du Service de sécurité de l'Ukraine. Confirmé à ce poste quelques jours plus tard, il a pu supprimer la mention « par intérim » à la fin de son titre. Bakanov était responsable de réformer les services de sécurité, une tâche colossale, mais les membres de notre ambassade pensaient qu'il était la personne idoine. Le plus gros de la conversation, comme avec Danylyuk la veille, a porté sur Motor Sich et Antonov, deux entreprises aérospatiales importantes qui risquaient de passer sous contrôle chinois (ou d'un autre pays). Si cela se produisait, toute coopération avec les États-Unis deviendrait presque impossible. Ces entreprises (et beaucoup d'autres) étaient un héritage de l'époque soviétique. Elles avaient été implantées là par ces experts communistes en planification économique, sans aucune raison particulière, mais cela avait offert à une Ukraine indépendante des atouts importants qu'elle n'entendait pas voir passer sous pavillon étranger. La question présentait désormais un intérêt stratégique et elle aurait dû figurer en tête de liste des préoccupations des décideurs américains.

J'ai ensuite rencontré le ministre désigné de la Défense, Andriy Zagorodnyuk, qui était déterminé à procéder à d'importantes réformes au sein de l'armée ukrainienne, alors en plein conflit armé avec la Russie et les troupes séparatistes sous sa coupe au Donbass. Il ne voulait pas utiliser l'aide militaire américaine en suspens uniquement pour acheter des armes aux entreprises américaines, même si c'était certainement son intention. Il voulait également s'en servir pour solliciter l'aide américaine afin de moderniser les infrastructures de l'armée ukrainienne. Il espérait ainsi pouvoir faire fructifier les effets de l'aide sur le long terme. (En fin de journée, j'ai également rencontré le général Rouslan Khomtchak, le chef d'état-major ukrainien, avec qui j'ai eu une longue discussion sur le Donbass et la Crimée. Khomtchak était, lui aussi, un fervent supporter de l'aide militaire américaine. Il insistait sur le besoin de changer la culture des militaires ukrainiens, y compris, au besoin, en instaurant des formations dispensées en langue anglaise ainsi que d'autres réformes qui permettraient de se libérer de l'influence de Moscou. Il craignait également les tentatives russes de stationnement de forces militaires dans la région, ce qui constituerait une menace directe pour la Pologne et l'Ukraine. Il s'agissait de questions substantielles que Zagorodnyuk et Khomtchak, me semblait-il, prenaient très au sérieux.)

Nous avons ensuite rejoint, en voiture, le bâtiment administratif présidentiel pour une réunion avec le chef de Cabinet de Zelensky, Andriy Bohdan, et un de ses adjoints, Rouslan Ryabochapka. Bohdan avait été l'avocat personnel de Zelensky. Il avait également représenté l'oligarque Igor Kolomoïsky. La tension était palpable entre Bohdan et Danylyuk, qui nous avait rejoints un peu plus tard, signe avant-coureur de la démission de Danylyuk à la mi-septembre de son poste de conseiller à la sécurité nationale de Zelensky. Ivan Bakanov, Vadym Prystaiko (le ministre désigné des Affaires étrangères) et Aivaras Abramovicius (le directeur du conglomérat étatique qui chapeautait le secteur industriel de défense auquel appartenaient Motor Sich et Antonov) étaient arrivés en même temps que Danylyuk. Bohdan a insisté sur le fait que l'Ukraine comptait sur le soutien des États-Unis pour le programme de réformes. Même si Zelensky détenait une majorité absolue à la Rada, la plupart des nouveaux parlementaires, comme le cercle rapproché de Zelensky, n'avaient aucune expérience en matière de gouvernement. Les ministres avaient donc été choisis en fonction de leur expertise technique et plusieurs d'entre eux appartenaient à d'autres partis. Il y avait aussi quelques fonctionnaires de carrière, comme Prystaiko, qui était l'ambassadeur de l'Ukraine à l'OTAN, auprès duquel il n'avait eu de cesse de plaider pour son admission.

Nous avons discuté d'un grand nombre de sujets. Après cela, j'ai eu un entretien de 45 minutes, en tête à tête, avec Prystaiko pour discuter de politique étrangère. Fait notable, et presque inimaginable, l'Ukraine et les avocats du service juridique du département d'État étaient d'accord sur le fait que notre retrait du Traité sur les FNI entérinait, de fait, sa suspension. À ce titre, en tant qu'État successeur de l'URSS, et donc jusque-là théoriquement liée par le traité, l'Ukraine était désormais libre de fabriquer ses propres systèmes de missiles à portée intermédiaire. Dans le contexte ambiant, suite à l'annexion de la Crimée et au conflit dans le Donbass, cela pouvait avoir de sérieuses répercussions pour l'Ukraine, l'Europe ou les États-Unis. Quoi qu'en pensaient les pays d'Europe de l'Ouest, l'Ukraine et les autres États de l'Europe de l'Est avaient leurs propres idées sur la façon de répondre aux batteries de missile russes à portée intermédiaire.

À la fin de cette réunion et avant de rencontrer Prystaiko, j'ai pris Ryabochapka à part pour lui parler en tête à tête. Il n'avait pas dit grand-chose au cours de la réunion, ce qui, je l'espérais, était un gage de discrétion. Ryabochapka, qui serait bientôt l'homologue du secrétaire à la Justice des États-Unis, était le ministre de Zelensky qui avait le plus de chances de se coltiner les théories du complot de Giuliani. Il était également le fonctionnaire ukrainien vers lequel Bill Barr se tournerait pour les questions juridiques intergouvernementales. Et c'est là que j'ai eu ma seule conversation en Ukraine sur les élucubrations de Giuliani, et elle a été fort brève. J'ai enjoint Ryabochapka de prendre contact directement avec Barr et le département de la Justice dès qu'il aurait pris ses fonctions. Je pensais que c'était le meilleur moyen d'éviter que les fantasmes obscurcissent la réalité. Je n'ai pas prononcé les mots « Rudy » et « Giuliani », espérant que cette omission en dise beaucoup. Le temps le dirait.

L'entretien avec Zelensky a débuté à 12 h 30 et s'est prolongé jusqu'aux alentours de 14 heures. La délégation ukrainienne était composée de tous ceux qui avaient participé aux entretiens précédents. La délégation américaine, elle, de Bill Taylor, des fonctionnaires du NSC et de plusieurs membres de l'ambassade. Zelensky s'est montré impressionnant tout au long de l'entretien, très au fait des sujets. Il a commencé par nous remercier de maintenir nos sanctions sur la Crimée et de ne pas avoir reconnu la prétendue annexion par la Russie. Je me suis dit in petto : s'il savait à quel point nous étions proches de tout jeter par la fenêtre ! Nous avons discuté de la Crimée, du Donbass, de l'échec du processus de paix format Normandie et de son désir de voir les États-Unis et le Royaume-Uni s'impliquer davantage dans la résolution du conflit entre la Russie et l'Ukraine. Sur le plan national, Zelensky a déclaré que la lutte contre la corruption, le thème central de sa campagne présidentielle, était sa principale priorité. Son parti « Serviteur du peuple », du nom du feuilleton auquel il devait sa célébrité, comptait 254 élus à la Rada. Il m'a dit que lorsque la nouvelle session s'ouvrirait, ils présenteraient 254 projets de réforme. Chaque membre devra initier puis chapeauter la réforme qu'il soumettra. Zelensky a insisté sur le fait que le temps des promesses était révolu et qu'il fallait, désormais, tenir les promesses qu'il avait faites pendant la campagne.

Il m'a expliqué que la première fois qu'il avait décroché son téléphone pour appeler Poutine, c'était pour essayer d'obtenir la libération des marins ukrainiens. Il était déterminé à récupérer le Donbass le plus rapidement possible et à mettre fin à la guerre, conformément au protocole de Minsk. Zelensky avait des idées très arrêtées pour instaurer un cessez-le-feu. Il voulait commencer par une seule ville et ensuite l'étendre ville par ville. Il m'a dit qu'il ne fallait pas s'attendre à le voir se livrer au traditionnel ballet diplomatique, mais que l'Ukraine avait besoin de voir la Russie appliquer des mesures réciproques. Il voulait résoudre le conflit et ne pas le laisser s'éterniser pendant des années. Nous avons également abordé un problème épineux : que se passerait-il si la crise du Donbass était résolue, mais pas celle de la Crimée ? Aucun pays, y compris les États-Unis, n'avait de réponse à ce dilemme. Mais Zelensky a insisté sur le fait que l'Occident, dans son ensemble, devait maintenir les sanctions prises après l'annexion de la Crimée, même après une éventuelle fin du conflit au Donbass. L'entretien s'est conclu par une discussion sur la Biélorussie et la Moldavie, et notamment sur leurs problèmes communs avec la Russie et les problèmes de corruption auxquels les trois pays faisaient face. Il n'y a pas eu la moindre discussion sur Hillary Clinton, Joe Biden, ou quoi que ce soit gravitant dans la sphère de Giuliani. Si cela ne montrait pas quels étaient les véritables intérêts des États-Unis et les points que Zelensky devait aborder avec Trump à Varsovie, je ne voyais pas ce que nous pouvions faire de plus.

J'ai quitté Kiev confiant. J'étais certain que Zelensky, et tous ceux qui constitueraient son futur gouvernement étaient conscients de l'ampleur de la tâche qui les attendait, sur le plan intérieur et sur la scène internationale. Il s'agissait de gens avec lesquels nous pourrions travailler tant que nous n'attrapions pas la fièvre des marais, ce qui restait à voir. Taylor, qui avait participé à tous mes entretiens, à l'exception de mon bref tête-à-tête avec Ryabochapka, m'a pris à part avant que je ne parte pour l'aéroport et m'a demandé ce qu'il devait faire à propos des élucubrations de Giuliani. J'ai eu pitié de lui. Je l'ai donc enjoint d'écrire un « câble à la première personne » à Pompeo pour lui dire ce qu'il savait. Un « câble à la première personne » est un message rare, direct qu'un chef de mission envoie directement au secrétaire d'État. Ce genre de communication est réservé aux circonstances extraordinaires, ce qui était, de toute évidence, le cas ici. Il était d'ailleurs plus que temps que Pompeo s'implique davantage dans la bataille contre ces théories fantaisistes. Quelques mois plus tard, l'audition de Taylor devant le Congrès lui a valu de devenir un des témoins les plus importants de l'enquête de la Chambre de la procédure de destitution.

Le 29 août, j'ai décollé de Kiev pour rejoindre la Moldavie et la Biélorussie, poursuivant mon périple dans les anciennes républiques de l'URSS. Je voulais montrer à la Russie que nous avions un intérêt durable sur ce qui se passait à sa périphérie et que nous ne laisserions pas ces États en difficulté se dépatouiller seuls avec Moscou. Si j'étais resté plus longtemps à la Maison Blanche, j'avais des projets plus importants pour améliorer les relations des États-Unis avec les anciennes républiques soviétiques, mais ils resteront au rang de projet. Je voulais prouver, notamment à Minsk et malgré les antécédents en matière de droits de l'homme extrêmement peu reluisants de Lukashenko, que les États-Unis ne regarderaient pas la Biélorussie être de nouveau absorbée par la Russie, un projet que Poutine semblait envisager sérieusement. Sur ma feuille de route, j'avais coché une réunion que les Polonais avaient organisée à Varsovie, le samedi 31 août, entre les conseillers à la sécurité nationale de la Pologne, de la Biélorussie, de l'Ukraine et des États-Unis. Histoire de donner à réfléchir au Kremlin. J'avais, de toute évidence, des objectifs plus sérieux que de caser le maximum d'entretiens dans mon agenda et cela montrerait aux autres anciennes républiques soviétiques que ni nous ni eux ne devaient rester passifs face à l'attitude belliqueuse de la Russie ou à des menaces sur leur gouvernance interne. Il y avait beaucoup de choses que nous pouvions faire sur le plan diplomatique, mais également sur le plan militaire. Après ma démission, l'Administration et quelques autres ont semblé vouloir poursuivre cette voie.

Dans l'avion qui m'emmenait de Minsk à Varsovie, j'ai appelé Pompeo pour le briefer sur mes voyages en Ukraine, en Moldavie et en Biélorussie. J'ai répété, à la virgule près, ce que Taylor m'avait confié, en toute franchise, à Kiev. Il avait quitté le secteur privé pour rejoindre, temporairement, le gouvernement en qualité de chargé d'affaires dans un pays où il avait été ambassadeur (quelque chose qui ne se voyait pas tous les jours, il était peut-être bien le premier à occuper ces deux postes dans cet ordre), ce qu'il souhaitait parce qu'il était un fervent supporter d'un rapprochement entre l'Ukraine et les États-Unis. Si nous manifestions de l'indifférence ou de l'hostilité envers l'Ukraine, m'avait-il dit : « Je ne suis pas l'homme de la situation. » Pompeo m'a confirmé que c'était également ce que Taylor lui avait dit de façon explicite, au printemps, avant d'accepter le poste, après le renvoi de Yovanovitch. Pompeo, tout comme moi, était certain que la démission de Taylor était presque acquise si l'aide militaire n'était pas débloquée.

Je lui ai demandé s'il y avait une chance que Trump prenne une décision sur l'aide militaire avant de s'envoler pour Varsovie. Pompeo pensait que oui. Il m'a également fait remarquer qu'il lui resterait encore une chance de convaincre Trump, à bord d'Air Force One, au départ d'Andrews vendredi soir pour une arrivée à Varsovie, samedi matin. L'entretien avec Zelensky était prévu dimanche matin, il lui resterait donc également encore un peu de temps à Varsovie. Jim Inhofe, le président de la commission des forces armées du Sénat essayait de me joindre. Avec Pompeo, nous avons passé en revue les options du Capitole que nous avions envisagées et dont nous avions calmement discuté et qui nous permettraient d'obtenir un peu de répit vis-à-vis de la deadline du 30 septembre. Il y avait peut-être des moyens de gagner du temps, quelque chose de généralement impossible à la fin d'une année fiscale. Il existait, toutefois, plusieurs options dans ce cas précis grâce au soutien écrasant du Capitole – dans les deux camps – en faveur de l'aide militaire à l'Ukraine.

Nous avons appris, dans la soirée, que Trump ne se rendrait pas en Pologne à cause de l'ouragan Dorian qui approchait de la Floride. Pence le remplacerait, mais ce dernier n'atterrirait que dimanche matin. Pompeo et Esper ne feraient pas le voyage. Le planning établi à Varsovie avait donc volé en éclat parce que Pence arriverait vingt-quatre heures plus tard que la date initialement prévue pour Trump. La rencontre avec Zelensky, notamment, devrait être déplacée. Elle se déroulerait après les cérémonies du quatre-vingtième anniversaire de l'attaque de la Pologne par les nazis et non pas avant. Rien d'insurmontable, mais cela signifiait, de toute évidence, que Trump bénéficierait encore d'un délai pour prendre sa décision sur l'aide militaire à l'Ukraine. Le temps filait, à présent, à toute vitesse.

Le vendredi 30 août, tard dans la soirée, heure de Varsovie, j'ai participé, depuis la Pologne, via vidéoconférence à une réunion du NSC sur l'Afghanistan, avec Trump et la plupart des autres qui se trouvaient dans la Salle de Crise. Comme je l'ai décrit dans le chapitre précédent, la discussion sur l'Afghanistan avait duré tellement longtemps que Trump s'apprêtait à quitter la pièce. Lorsque j'ai compris que la réunion menaçait de s'achever là-dessus, j'ai presque hurlé à l'écran : « ATTENDEZ ! ET L'UKRAINE ? » et tout le monde s'était rassis. Trump a déclaré : « Je me contrefiche de l'OTAN. Je suis prêt à leur dire : "Si vous ne payez pas, nous ne les défendrons pas. " Je veux que les trois cents millions de dollars [il voulait dire deux cent cinquante millions de dollars, une partie de l'aide attribuée à l'Ukraine] soient versés par l'entremise de l'OTAN. » C'était, bien évidemment, physiquement impossible.

Cela montrait le manque de compréhension permanent de Trump de la provenance de ces fonds et de la façon dont ils avaient été attribués. Malheureusement, rien de nouveau sous le soleil de ce côté-là. « L'Ukraine est un mur entre nous et la Russie », a-t-il dit, je pense, pour symboliser l'entrave à une amélioration des relations entre Moscou et Washington. Il s'est alors adressé à Pence : « Appelez Stoltenberg [le secrétaire général de l'OTAN] et dites-lui que l'OTAN doit payer. Dites : "Le président est d'accord, mais l'argent doit venir de l'OTAN" », ce qui n'avait toujours aucun sens. « Attendez jusqu'au sommet de l'OTAN en décembre, vous allez voir », a ajouté Trump, sous-entendant, du moins dans mon esprit, qu'il allait annoncer que nous allions nous retirer.

Ce n'était pas une bonne nouvelle même si Kupperman m'avait appris que le sénateur Inhofe s'était entretenu avec Trump pendant presque trente minutes après la réunion du NSC, pour étudier les modalités de transfert de l'aide militaire. Trump lui avait dit à la fin de cette réunion : « Pence va atténuer mon message », lui seul savait ce que cela signifiait. Le sénateur Ron Johnson m'a confié, quelques jours plus tard, qu'il avait également parlé à Trump, et fait valoir l'argument politique que le soutien à l'Ukraine était presque unanime au Congrès. Il n'était pas certain que cela ait ému Trump, mais je savais que le nombre de membres de la Chambre et du Sénat qui se préparaient à rencontrer Trump augmentait rapidement. Les considérations politiques se révéleraient peut-être plus efficaces pour convaincre Trump que des arguments concrets. Mais pour l'instant la situation restait inchangée.

Pence m'a appelé samedi soir depuis l'avion qui le conduisait à Varsovie pour discuter de Trump : « Je pensais l'avoir entendu dire qu'il savait que c'était la fin de l'année fiscale et que nous n'avions envoyé aucun avertissement préalable ne] pour leur signaler que nous comptions annuler cette aide, mais il nourrissait de véritables inquiétudes. Je pense connaître suffisamment bien le président pour penser qu'il va dire quelque chose comme : "Faisons ceci, mais obtenons de nos Alliés qu'ils fassent davantage à l'avenir." » J'espérais que c'était le message qu'il délivrerait à Varsovie. Mais ni lui ni moi ne le savions encore. Pence a atterri à Varsovie le dimanche matin, légèrement en avance sur le planning, juste avant 10 heures. À ma grande surprise, Sondland avait fait le vol sur Air Force Two et était également parvenu à s'incruster au briefing organisé par le staff du VP, et cela en dépit des tentatives des officiers protocolaires pour l'en empêcher. Par la suite, pendant son audition, Sondland a déclaré avoir été « invité à la toute dernière minute. » Il s'était invité malgré les tentatives physiques des officiers protocolaires du VP pour le laisser à quai. Au briefing, j'ai fait un résumé de mon voyage dans les trois pays d'Europe de l'Est, surtout de ma rencontre avec Zelensky et les autres Ukrainiens à Kiev. Durant la suite de son audition, Sondland a déclaré qu'il avait dit, pendant cette même réunion, que l'aide à l'Ukraine était liée aux « enquêtes » demandées par Trump et Giuliani et que sa remarque avait été « dûment notée » par Pence. Je ne me souviens pas que Sondland ait dit quoi que ce soit au cours de cette réunion.

Nous ne disposions que de très peu de temps pour discuter avant de devoir nous rendre sur la place Pilsudski, le lieu de la cérémonie, l'endroit même où le pape Jean Paul II avait célébré la fameuse messe en 1979 qui, dans l'esprit de beaucoup de Polonais, avait marqué le début de la fin de la Guerre froide. Nous n'avons regagné l'hôtel qu'à 14 h 30, bien après l'heure prévue, à cause de problèmes logistiques dus à la présence d'un grand nombre de chefs d'État. Profitant d'une autre occasion de briefer Pence, sans la présence de Sondland, j'ai expliqué que je devais quitter la réunion avec Zelensky (qui a commencé à 15 h 30, avec presque une heure de retard) au plus tard à 15 h 45. Avec Pence, nous nous sommes concentrés sur la question de l'aide militaire et il a admis que nous n'avions toujours pas de bonne réponse à donner. Les journalistes se sont engouffrés dans la pièce, dès l'arrivée de Zelensky, et ils ont commencé à poser des questions sur ce sujet, que Pence a esquivées le plus habilement possible. Les journalistes sont sortis. Moi aussi, afin que mon avion ne perde pas le créneau de décollage qui lui avait été attribué dans l'aéroport congestionné de Varsovie. Ce n'est, par conséquent, que plus tard que j'ai appris, lorsque Morrison m'a appelé, que Zelensky s'était enquis de l'aide militaire dès que les journalistes avaient quitté la pièce. Pence a tourné autour du pot, mais l'absence d'un « oui, elle va arriver » était devenue impossible à cacher. Heureusement, Sondland n'a pas évoqué les élucubrations de Giuliani pendant la réunion avec

Zelensky, alors qu'il avait insisté pour que nous le fassions. Mais j'ai appris, par la suite, de la bouche de Morrison, que Sondland avait pris à part un des conseillers de Zelensky, Andriy Yermak, qui était en charge des « questions américaines » et qui avait déjà rencontré Giuliani. Morrison ignorait de quoi Sondland et Yermak avaient discuté, mais je doutais que l'échange ait porté sur la Crimée ou le Donbass, et encore moins sur les conséquences de la suspension du Traité sur les FNI. Morrison m'a confié, au cours d'une conversation ultérieure, que Sondland avait évoqué les fadaises de Giuliani avec Yermak.

Après une fête du Travail au calme, j'ai passé le mardi à la Maison Blanche, à rattraper le retard accumulé. Haspel, qui, flanquée de ses collègues, venait pour le briefing sur les activités des services de renseignements avec Trump, a d'abord fait un détour par mon bureau pour me lancer un : « Ne vous avisez jamais de recommencer ! » « Quoi ? », lui ai-je demandé. « Partir pendant une semaine », m'a-t-elle répondu, et cela nous a tous fait beaucoup rire. Le 4 septembre, je me suis entretenu avec Pence, qui se trouvait encore en Europe, à l'hôtel golf de Trump, à Doonbeg, en Irlande, ce qui était en passe de devenir le dernier scandale en date. Pence avait été impressionné par Zelensky et il en avait, bien sûr, fait part à Trump, en concluant son avis par : « Je recommande, et c'est le consensus parmi vos conseillers de leur envoyer les deux cent cinquante millions de dollars. » Pence a également enjoint Trump à rencontrer Zelensky à l'Assemblée générale de l'ONU et m'a confié « un secret entre meilleurs amis », selon lequel il pensait que Trump attendait un gros titre pour prendre ce que nous espérions comme la bonne décision. « Zelensky n'avait pas vraiment conclu la vente [pendant leur entretien], alors je l'ai conclue pour lui », m'a dit Pence, ce qui semblait positif. Pendant ce temps, la presse commençait à évoquer le lien entre le gel de l'aide militaire à l'Ukraine et l'obsession de Trump pour les élections de 2016 et 2020, matérialisée par les figures tutélaires de Hillary Clinton et de Joe Biden. Au Capitole, les rangs des opposants au gel de l'aide continuaient de grossir dans les deux camps (ce qui permettrait, si tout le reste échouait, je l'espérais, d'obtenir le bon résultat). Mais, ce n'est que fin septembre que les médias ont commencé à cerner ce qui s'était passé depuis bien avant l'appel du 25 juillet.

L'échange de prisonniers entre l'Ukraine et la Russie pendant le weekend était déjà, en soi, un événement positif, mais cerise sur le gâteau, Trump avait laissé entendre que cela pourrait lui suffire pour mettre fin au gel de l'aide militaire. J'en avais discuté avec Pompeo le matin du 9 septembre puis avec Esper, au téléphone, un peu plus tard ce même jour. Pendant ces deux conversations, je les avais enjoints à solliciter l'aide d'élus du Congrès pour gagner du temps. Le mercredi après-midi, Trump a décidé de débloquer l'argent pour l'Ukraine.

Ce jour-là, je ne faisais plus partie de la Maison Blanche. Le lundi 9 septembre, aux alentours de 14 h 15, Trump m'a appelé pour me demander de le rejoindre dans le Bureau ovale où nous avons eu un entretien en tête à tête. Il s'est plaint des critiques dans la presse à propos de l'Afghanistan et de l'annulation de la rencontre de Camp David avec les talibans, mais aussi des réactions majoritairement négatives, certainement chez les républicains, à l'accord et à l'invitation des talibans à Camp David. Bien sûr, il s'était lui-même attiré la plupart de ces réactions négatives à cause de tweets qui manquaient de discernement. Cela peut paraître surprenant, mais rien n'avait fuité avant les tweets. Ce sont eux qui ont révélé cette histoire. Il était furieux d'être dépeint comme un imbécile même s'il ne l'a pas exprimé en ces termes. Il m'a dit : « Il y a beaucoup de gens qui ne vous aiment pas. Ils disent que vous faites fuiter des infos à la presse et que vous aimez la jouer perso. » Je n'allais pas laisser passer cela. Je lui ai répondu que j'avais été la victime d'une campagne de fuites négatives au cours des derniers mois, ce que je serais heureux de décrire en détail, tout comme je serais heureux de lui dire qui, selon moi, était à l'origine des fuites (je pensais que l'essentiel des fuites était orchestré par Pompeo et Mulvaney).

Quant aux accusations me décrivant comme celui à l'origine des fuites, je l'ai encouragé à chercher tous les articles favorables sur moi dans le *New York Times*, le *Washington Post* et ailleurs, qui, bien souvent, permettaient d'identifier la personne à l'origine des fuites, et où il ne verrait jamais mon nom dénigré. Trump a posé des questions précises sur la rencontre avec les talibans et je lui ai rappelé que j'avais simplement dit que les talibans devraient passer sous un puissant portail détecteur de métaux. J'avais dit que je n'aurais pas signé l'accord du département d'État et Trump m'a pointé du doigt en disant : « Je suis d'accord. » Et il est remonté en selle : « Vous disposez de votre propre avion ? » Je lui ai expliqué brièvement que ce n'était pas le cas. J'empruntais un avion militaire pour tous les voyages officiels, suivant précisément en cela une politique identique à celle de mes prédécesseurs et beaucoup d'autres hauts fonctionnaires de la sécurité nationale. Ce n'était pas moi qui avais édicté ces règles ; je les suivais. Je savais que c'était notamment une des récriminations de Mulvaney, l'origine de beaucoup de ces conneries. « Vous avez ramené tous vos fidèles [au sein du personnel du Conseil de sécurité nationale] », m'a dit Trump, une autre récrimination de Mulvaney. La récrimination habituelle de Trump étant, bien sûr, qu'il y avait beaucoup trop de membres de l'« État profond » au sein du NSC.

À cet instant, je me suis levé de ma chaise et, devant le Resolute desk, je lui ai dit : « Si vous voulez que je parte, je m'en vais » Trump m'a répondu : « Nous en discuterons dans la matinée. »

Ce fut ma dernière conversation avec Trump. J'ai quitté le Bureau ovale à environ 14 h 30 pour regagner mon bureau. J'ai parlé de cette conversation avec Kupperman et Tinsley. Je leur ai dit que pour moi c'était terminé. J'ai donné ma courte lettre de démission, rédigée plusieurs mois auparavant, à Christine Samuelian, mon assistante, pour qu'elle la tape sur du papier à en-tête de la Maison Blanche. Je leur ai dit que je rentrais chez moi pour me laisser une nuit de réflexion, mais que j'étais prêt à démissionner le lendemain. Au vu de la polémique ultérieure, je dois ajouter que ce mardi, Kupperman m'a dit qu'il avait été contacté par Dan Walsh, un des adjoints de Mulvaney, revenant juste d'un rassemblement politique en Caroline du Nord, auquel Trump s'était rendu avec Air Force One, juste après notre entretien. Trump vitupérait encore à propos de mes vols sur avions militaires. Walsh ayant tenté, en vain, de lui expliquer que c'était l'usage courant, il lui a répondu : « Vous lui direz qu'il ne mettra plus les pieds dans un autre avion à moins que je l'aie expressément approuvé. » Cette remarque de Trump montre que lundi, en fin de soirée, il pensait encore que je serais là, en train de demander à solliciter des vols sur des avions militaires après notre entretien de mardi.

Le mardi 10 septembre, je suis arrivé à la même heure que d'habitude, j'ai rempli quelques-unes des obligations qu'il me restait et j'ai regagné mon domicile pour être chez moi avant le début de l'orage. J'ai demandé à Christine d'apporter la lettre jusqu'au bureau des secrétaires du président et d'en donner une copie à Pence, Mulvaney, Cipollone et Grisham à 11 h 30. Je suis certain que Trump ne s'y attendait pas. Il a tweeté à environ 11 h 50 pour donner, le premier, sa version de l'histoire. J'aurais dû penser à faire une frappe préventive – une leçon à retenir – mais j'étais heureux de contre-tweeter en présentant les faits. Je sais comment cela s'est vraiment terminé. Et après cela, j'étais de nouveau un homme libre.

CHAPITRE 15

ÉPILOGUE

Lorsque j'ai démissionné de mon poste de conseiller à la sécurité nationale, le 10 septembre 2019, personne n'imaginait que Trump serait sous le coup, quelques semaines plus tard, d'une procédure de destitution. Je n'étais pas au courant, à l'époque, de la plainte, aujourd'hui célèbre, déposée par un lanceur d'alerte ni de son traitement par la branche exécutive. Mais il est indéniable que cette plainte, et l'attention qu'elle a suscitée par la suite, ont chamboulé le microcosme politique washingtonien de façon complètement inattendue. Je n'ai pas la moindre idée de l'identité du lanceur d'alerte.

En revanche, comme le chapitre précédent l'a montré, j'en savais plus que je le voulais sur la manière dont Trump avait géré le dossier ukrainien. Pendant que toute la nation se focalisait sur les révélations faites en rapport avec la destitution, je me concentrais pour décider ce que mes responsabilités personnelles et constitutionnelles étaient vis-à-vis de ces informations. Il ne m'appartenait pas de juger si la conduite de Trump méritait l'ouverture d'une procédure de destitution même si je l'avais trouvée extrêmement choquante. J'avais fait part de mes inquiétudes à Pat Cipollone, le conseiller juridique de la Maison Blanche, et à son équipe ainsi qu'au procureur général, Bill Barr, que j'avais également évoquées pendant mes conversations avec Pompeo et Mnuchin. Mais je devais aussi préserver l'autorité constitutionnelle du président, ce qu'Hamilton appelait « l'énergie de l'exécutif ». Tout au long de l'Armageddon partisan qui a suivi, les parangons de vertu des deux camps ont expliqué à la terre entière que ce choix était évident. Je ne voyais pas les choses ainsi.

Je ne me suis pas exprimé dans la presse. Mes avocats, une équipe extraordinaire dirigée par Chuck Cooper, un vieil ami et un collègue du département de la Justice, sous l'Administration Reagan, non plus. Et nous avions des raisons légitimes de nous abstenir. Le peu de sens de la nuance et de rigueur intellectuelle qui restait dans le débat politique aux États-Unis a très vite été porté disparu pendant les débats qui ont émaillé la procédure de destitution. Une rapide analyse coûts/bénéfices m'a dissuadé de tenter de faire valoir mon opinion. Au vu de l'issue prévisible, j'y aurai gaspillé mon temps et mon énergie. Beaucoup des protagonistes/acteurs de la procédure de destitution avaient leurs propres agendas qu'ils poursuivaient avec souvent plus d'assiduité dans les médias que sur le terrain. Il était, dès lors, inévitable que la couverture médiatique de cette procédure de destitution en pâtisse, souvent, terriblement, reflétant à la fois les agendas pas si dissimulés que cela de beaucoup des autres acteurs, le traditionnel parti pris des médias, la paresse, le manque de connaissances et de professionnalisme et une capacité d'attention limitée. Je n'ai pas ressenti à l'époque, et je ne ressens toujours pas aujourd'hui, l'obligation de corriger les erreurs colportées par plusieurs journalistes à mon propos ; si je l'avais fait, je n'aurais plus eu le temps de faire autre chose. J'étais persuadé que l'occasion de le faire me serait offerte en temps voulu (un des rares commentaires que j'ai livrés à la presse, à plusieurs occasions). Je me suis donc contenté d'attendre mon heure. Comme le dit si bien un des héros de *Hamilton*, « Je refuse de gaspiller mes balles » et surtout pas pour répondre aux vociférations de la presse, des défenseurs de la procédure de destitution ou des défenseurs de Trump.

Je nourrissais vraiment des sentiments mitigés vis-à-vis de la procédure de destitution. Et surtout, depuis le début de l'enquête à la Chambre des représentants, tous ceux qui voulaient destituer Trump à cause de ses agissements dans le dossier Ukraine se rendaient coupables d'une faute politique grave. Ils semblaient davantage mus par leurs propres impératifs politiques et, donc, plus pressés de passer au vote des chefs d'accusation du procès en destitution pour éviter toute interférence avec le calendrier de la campagne des primaires démocrates, que soucieux de mener une enquête approfondie. Cette démarche ne tenait pas la route sur le plan constitutionnel. Si Trump méritait d'être destitué et inculpé, le peuple américain méritait une enquête sérieuse et méticuleuse pour justifier l'extraordinaire sanction que constitue la destitution d'un président élu. Mais il en fut autrement. Les impératifs subodorés des démocrates inhérents au calendrier électoral auraient pu soulever des questions politiques sensibles et de sérieux problèmes logistiques pour les partisans de la destitution, mais ils ne pouvaient s'en prendre qu'à eux-mêmes. Ces limites calendaires, qu'ils s'étaient eux-mêmes imposées, empêchaient la tenue d'un débat constitutionnel, et certainement pas sur un sujet aussi sérieux que la destitution d'un président, une des prérogatives constitutionnelles majeures du Congrès. Ces problèmes calendaires ne justifiaient pas non plus les décisions tactiques ultérieures des partisans de la destitution, par exemple, ne pas obliger les témoins assignés à comparaître à obtempérer ou ne pas se contenter d'accumuler un dossier de preuves « suffisant », mais plutôt un dossier qui soit irréfutable. En fait, d'une certaine façon, c'était le reflet exact de ce que les partisans de la destitution reprochaient à Trump : usurper les pouvoirs légitimes de l'exécutif pour poursuivre un objectif personnel illégitime.

Cette attitude partisane de la Chambre a eu deux conséquences. Primo, cela a considérablement réduit l'étendue de l'enquête sur la destitution et cela n'a pas permis d'enquêter sur les comportements douteux de Trump dans d'autres affaires — pénales et civiles, de politique étrangère et de politique intérieure — qui ne devaient jamais être sujettes aux manipulations d'un président cherchant à satisfaire ses intérêts personnels (politiques, économiques ni d'aucune sorte). Il ne s'agit pas d'une remise en cause de l'Article II qui confère au président l'autorité sur le département de la Justice. Je veux juste rappeler que le devoir constitutionnel d'un président est de « veiller à ce que les lois soient fidèlement exécutées », en d'autres termes, que les lois soient appliquées de façon impartiale. Un président ne peut pas usurper les pouvoirs légitimes que lui confère l'exercice du gouvernement pour confondre ses intérêts personnels avec l'intérêt national ou en inventant des prétextes pour dissimuler la poursuite d'intérêts personnels sous couvert de l'intérêt de la nation. Si la Chambre ne s'était pas uniquement focalisée sur la collusion des intérêts personnels (politiques ou économiques) de Trump en Ukraine, mais sur les nombreux épisodes où il a manifesté ce penchant — par exemple ses campagnes de pression au bénéfice de Halkbank, ZTE et Huawei, entre autres — elle aurait pu avoir de meilleures chances de convaincre des tiers que des « crimes et des délits » avaient été perpétrés. En fait, j'aurais bien du mal à trouver une décision importante prise par Trump pendant mes 453 jours à la Maison Blanche qui ne l'ait pas été pour favoriser sa réélection.

Secundo, les débats accélérés et l'hystérie qui s'est emparée de nombreux partisans de la destitution qui refusaient de démordre du postulat que Trump devait être destitué par tous les moyens possibles, montraient que rassembler un dossier de preuves réellement étoffé — au minimum, un dossier *complet* — n'était pas une option que les démocrates de la Chambre envisageaient. Cela a eu, presque littéralement, un effet répulsif sur les républicains de la Chambre qui auraient pu être enclins à, au moins, instruire les chefs d'accusation relatifs au comportement général de Trump. Cela signifiait, dès le début des débats à la Chambre, que toute l'affaire serait malheureusement polarisée. Et c'est exactement ce qui s'est passé. Cela était surtout vrai du deuxième chef d'accusation du procès en destitution (« entrave à la bonne marche du Congrès »), dont l'intitulé même prêtait à sourire. Et ce qui valait pour la Chambre valait également pour le Sénat, ce qui signifiait que les débats seraient polarisés et que l'acquittement de Trump par le Sénat était chose acquise avant même le vote final de la Chambre pour décider de la mise en accusation. Ce scénario n'était pas inévitable ab initio,[70] mais il a été rendu inévitable par les choix délibérés des représentants de la Chambre favorables à la destitution.

C'est une faute politique grave, ni plus ni moins. Et c'était mon analyse depuis le début des débats. Bien sûr, c'était bien avant que la Commission permanente de la Chambre des représentants qui supervise les agences de renseignement des États-Unis[71] ne demande

70 En latin dans le texte, formule signifiant « depuis le début » (NDT).

71 House Permanent Select Committee on Intelligence (NDT).

à l'ancien adjoint du conseiller à la sécurité nationale, Charlie Kupperman, et à moi-même, si nous étions prêts à témoigner devant ses membres. Imitant les avocats d'autres témoins auditionnés par cette commission, Cooper a demandé des assignations à comparaître et l'une a été dûment délivrée pour Kupperman. Immédiatement, la Maison Blanche a informé Kupperman que le président lui intimait l'ordre d'invoquer l'« immunité absolue », un ordre plus contraignant que ceux que les autres témoins assignés à comparaître devant cette commission, et de ne pas se présenter à l'audition. Au nom de Kupperman, Cooper s'est empressé de déposer un recours en justice auprès d'un juge fédéral pour que ce dernier tranche ce dilemme et lui indique auquel de ces deux ordres contradictoires il devait se soumettre. J'aurais fait exactement la même chose si j'avais été à la place de Kupperman. Tous les actes déposés par Cooper au nom de Kupperman stipulaient clairement que ce dernier ne demandait pas à la cour de se prononcer sur le fond des injonctions envoyées par le pouvoir exécutif et le pouvoir législatif, mais qu'il sollicitait juste un conseil du pouvoir judiciaire.

Beaucoup des événements qui s'ensuivirent ont fait l'objet de tellement d'erreurs dans la presse que cela dépasse l'entendement. Toutefois, le communiqué que j'ai publié le 6 janvier 2020 reste le meilleur résumé de ces événements et de mon point de vue sur la question :

> « Pendant la présente controverse au sujet de la destitution, j'ai essayé de remplir mes devoirs de citoyen et d'ancien conseiller à la sécurité nationale. Mon collègue, le docteur Charles Kupperman, pris en tenaille entre une assignation à comparaître devant une commission de la Chambre et un ordre du président lui intimant de ne pas se rendre à cette convocation, s'est tourné vers le pouvoir judiciaire pour que ce dernier tranche ce dilemme constitutionnel. Mon avocat a indiqué à la commission de la Chambre que j'allais demander, moi aussi, l'avis du pouvoir judiciaire pour trancher ces questions de droit constitutionnel, et finalement, la commission a choisi de ne pas m'assigner à comparaître. Et cela bien que j'aie déclaré publiquement que je me plierais au verdict du recours du procès du docteur Kupperman.

> Mais le président et la Chambre des représentants se sont opposés au fond et à la forme de ce recours. La commission de la Chambre a même été jusqu'à retirer l'assignation à comparaître du docteur Kupperman dans une tentative délibérée d'obliger le juge à déclarer le recours sans objet, pour l'empêcher ainsi de statuer. Le 30 décembre, le juge Richard Leon a déclaré, dans un avis raisonné, dans lequel chaque mot est pesé, que le recours du docteur Kupperman était sans objet et que, par conséquent, il n'avait pas pu se prononcer sur les questions de séparation des pouvoirs.
>
> La Chambre a rempli son devoir constitutionnel en votant la mise en accusation de Trump pour ses agissements dans le dossier ukrainien. Il incombe, à présent, au Sénat de remplir son devoir constitutionnel en instruisant le procès en destitution et il semble impossible qu'une résolution juridique des questions de droit constitutionnel, encore en suspens, puisse intervenir avant le début du procès au Sénat.
>
> Par conséquent, puisque la question de mon témoignage est, une nouvelle fois, évoquée, j'ai dû résoudre ce grave dilemme de mon mieux. Et, après avoir étudié attentivement la question, j'ai décidé que si le Sénat délivrait une assignation à comparaître pour entendre mon témoignage, je me rendrais à l'audition. »

Le Sénat a, bien sûr, refusé d'auditionner des témoins et a acquitté Trump des deux chefs d'accusation adoptés par la Chambre. Même si une majorité de sénateurs avait accepté d'entendre des témoins et même si j'avais témoigné, je reste persuadé, vu le contexte ambiant de l'époque et à cause de la faute politique grave commise par la Chambre, que mon témoignage aurait eu peu d'incidence sur la décision du Sénat.

Un incident survenu pendant le procès en destitution au Sénat a généré beaucoup d'attention ; la fuite de prétendus extraits du manuscrit de ce livre dans le *New York Times*. En réponse à ce rebondissement aussi troublant que fâcheux, Cooper a publié un communiqué, le samedi 26 janvier 2020, auquel il a joint la lettre (datée du 30 décembre 2019) envoyée en même temps que le manuscrit au Conseil de sécurité nationale (NSC) pour le soumettre à la procédure d'examen avant publication pour vérifier qu'il ne contenait aucune information classifiée. Bien que convaincus de ne pas avoir à soumettre le manuscrit, nous l'avons fait par excès de prudence/précaution et parce qu'il avait toujours été dans ma ferme intention de n'inclure aucune information qui puisse être considérée comme classifiée. Nous avions même réussi, jusqu'à présent, à dissimuler l'information que nous avions soumis le manuscrit, mais la fuite exigeait, de toute évidence, une réponse publique. Voilà un extrait du communiqué de Cooper :

> « L'article publié aujourd'hui dans le *New York Times* montre clairement, et nous le déplorons, que la procédure d'examen avant publication a été galvaudée et que des informations ont été divulguées à des personnes non mandatées pour assurer l'examen du manuscrit. Lorsque nous avons soumis le manuscrit… nous avons reçu l'assurance que « la procédure d'examen du document transmis ne serait confiée qu'à des fonctionnaires et à des employés du gouvernement dûment mandatés pour cette tâche » et que le « contenu du manuscrit de l'Ambassadeur Bolton ne serait ni examiné ni divulgué à quiconque ne prenant pas habituellement part à cette procédure. »

Cooper a également déclaré au *Washington Post* : « Je peux vous affirmer sans la moindre équivoque que nous n'avons absolument aucun lien avec la fuite d'informations contenues dans le manuscrit de John. » Le lendemain, le 27 janvier, nous avons également publié le communiqué suivant : « L'ambassadeur John Bolton, Simon & Schuster et Javelin Literary nient catégoriquement qu'il y ait eu la moindre collusion avec le *New York Times* ou quiconque pour publier des extraits du livre, “THE ROOM WHERE IT HAPPENED”, sur des sites de librairies en ligne. Toute affirmation du contraire relève de la pure spéculation. » La personne à l'origine de ces fuites, dont l'identité demeure malheureusement inconnue, ne voulait certainement pas devenir l'un de mes amis.

L'acquittement de Trump, quelques jours plus tard, met en lumière encore une autre conséquence de la faute politique grave commise par la Chambre des représentants. Les démocrates ont prétendu, pour justifier leurs actions à la Chambre, que le déclenchement de la procédure de destitution, à elle seule, ternirait à jamais la présidence de Trump. Inexplicablement, ils ont ignoré la réalité tangible qu'un acquittement de Trump lui permettrait de se poser en victime et de s'en servir comme argument de campagne. Et il ne s'en est pas privé. Un résultat exactement aux antipodes des prétendus objectifs des partisans de la destitution de la Chambre, mais cela ne les a pas empêchés de marcher en rangs serrés jusqu'au précipice, éliminant au passage encore un autre « garde-fou », le terme communément utilisé, censé limiter les abus de pouvoir de Trump. Comme l'a demandé Yogi Berra[72] pendant une prestation calamiteuse des New York Mets : « Il n'y a personne dans cette équipe qui sait jouer à ce sport ? »

La destitution, bien sûr, n'est, pour l'essentiel, qu'un garde-fou constitutionnel théorique. Le véritable garde-fou, ce sont les urnes que Trump affrontera en novembre 2020. S'il l'emporte, le vingt-deuxième Amendement interdit (et doit continuer d'interdire) à Trump de se représenter. Alors que les progressistes et les démocrates se focalisent sur la destitution, les conservateurs et les républicains devraient s'inquiéter de la suppression du garde-fou électoral pour un Trump qui n'aurait pas à s'inquiéter de se faire réélire. Comme le montrent ces mémoires, beaucoup des décisions prises par Trump en matière de sécurité nationale reposaient davantage sur des considérations d'ordre politique que philosophique, stratégique ou de politique étrangère et de défense. Plus généralement, face à la crise du coronavirus, Trump a déclaré : « Lorsque quelqu'un est président des États-Unis d'Amérique, son autorité est totale et c'est très bien ainsi » Il a menacé de suspendre le Congrès en s'appuyant, à tort, sur un article de la Constitution, qui n'a jamais été utilisé. Tout conservateur qui a lu la Constitution ne pourrait qu'être écœuré devant de telles affirmations.

La politique joue, bien sûr, toujours un rôle dans les décisions gouvernementales, mais pendant un second mandat, Trump serait beaucoup moins entravé par la politique qu'il ne l'a été pendant son premier mandat. Et ironie du sort, les démocrates pourraient bien

72 Joueur de base-ball dont la carrière s'étend de 1946 ayant joué pour les New York Yankees (1946-1963) et les New York Mets (1965) qui, avec 10 succès, détient le record de victoire dans les World Series (NDT).

être beaucoup plus réjouis avec un Trump cherchant à laisser une « trace » pendant son second mandat que les conservateurs et les républicains. Un point à méditer.

• • •

Comme si la destitution ne suffisait pas, j'ai également dû faire face aux terribles pressions d'un président en exercice déterminé à empêcher la publication d'un livre dans lequel je décris les 17 mois que j'ai passés au cœur de la Maison Blanche. Trump s'est montré fidèle à lui-même. Il a ordonné la saisie et la confiscation de mes documents personnels de conseiller et d'autres documents non classifiés malgré les nombreuses injonctions réclamant qu'ils me soient restitués ; il m'a empêché d'accéder à mon compte Twitter ; et il a brandi des menaces de censure. Une réaction qui allait donc de la mesquinerie à des actes que la constitution juge inadmissible. Ma réaction… ma réponse ? Le match ne fait que commencer.

Trump a dégainé la soi-disant « légitime » procédure d'examen, avant publication, du gouvernement américain, une procédure longue et bureaucratique à laquelle j'ai, à contrecœur accepté de me soumettre pour que ce livre puisse être publié. Pour avoir accès à des informations classifiées, pendant mon mandat de conseiller à la sécurité nationale, comme beaucoup d'employés du gouvernement, j'ai signé plusieurs clauses de confidentialité avant de prendre mes fonctions, mais aussi pendant mes 17 mois en poste. Quiconque bénéficiant d'un accès à des informations classifiées ne doit, bien sûr, au grand jamais, les révéler à quelqu'un qui ne bénéficie pas de cette habilitation et je n'ai jamais eu l'intention de le faire dans ce livre. Il y avait tellement à raconter. Je n'avais pas besoin de révéler ce genre d'informations.

Les clauses de confidentialité ne définissaient pas clairement dans quelles circonstances ce genre de manuscrit devait être soumis à la procédure d'examen avant publication pour vérifier qu'il ne contenait aucune information classifiée. Je n'avais, par exemple, pas soumis *Surrender Is Not an Option* à la procédure d'examen avant publication en 2007, et, si je me souviens bien, Colin Powell n'avait pas, lui non plus, soumis ses mémoires, *My American Journey*. En revanche, James Baker m'a confié, peu après la parution de son livre *The Politics of Diplomacy*, sous l'Administration Clinton, qu'il avait regretté de l'avoir fait. Il était, à juste titre, consterné du nombre d'objections formulées à propos de certaines de ses déclarations, par exemple que la politique des États-Unis envers la Chine avait pris quelques distances par rapport à la ligne politique prônée par l'Administration Clinton. Cela avait occasionné d'importants retards. Toutes ces expériences suggéraient de faire l'impasse pour se prémunir du risque de censure inhérent à cette procédure d'examen conduite par le gouvernement, surtout sous une présidence comme celle de Trump.

D'un autre côté, il était évident, depuis le début, vu les circonstances dans lesquelles j'avais quitté l'Administration, et pendant la rédaction de ce livre que Trump ferait tout son possible pour empêcher sa publication, au moins avant l'élection présidentielle de 2020. À la lumière de cette hostilité sans précédent et suivant les conseils juridiques avisés de Chuck Cooper, j'ai décidé de soumettre mon manuscrit à la procédure d'examen avant publication, malgré notre conviction que nous n'étions pas obligés de le faire parce que le manuscrit ne contenait aucune information pouvant légitimement être considérée comme classifiée.

À croire que sous la présidence de Trump, les règles habituelles sont, tout simplement, devenues caduques.

La procédure d'examen, en elle-même, a été conduite de façon professionnelle, courtoise et méticuleuse, mais certainement pas de façon aussi diligente que je l'aurais voulu (bien qu'il me faille reconnaître que la crise du COVID-19 a eu des conséquences sur le calendrier). J'ai effectué plusieurs modifications au manuscrit pour obtenir l'autorisation de publication sans que cela ait altéré, selon moi, les événements qui y sont dépeints. Dans certains cas, j'ai juste dû ajouter une phrase, par exemple « selon moi » (cf. la phrase précédente) pour que les lecteurs comprennent bien que je donnais là mon avis et que je ne m'appuyais pas sur des informations hautement sensibles. Dans d'autres cas, on m'a demandé de décrire les informations que je présentais avec un plus grand niveau d'abstraction, par exemple, décrire les cibles militaires potentielles en Iran d'une façon plus générale que je ne l'avais fait dans mon premier jet. Le lecteur peut, par conséquent, dûment imaginer ce que Trump, les autres et moi-même pensions réellement.

Il y a deux grandes catégories de changement. Dans presque toutes les retranscriptions des conversations entre Trump et des leaders étrangers, mais aussi dans celles entre moi-même et mes homologues étrangers et d'autres hauts fonctionnaires étrangers, j'ai été sommé d'« enlever les guillemets. » Dans de nombreux cas, c'est littéralement tout ce que j'ai fait : supprimer les guillemets. Dans beaucoup d'autres cas, j'ai eu besoin de paraphraser pour indiquer que je n'étais plus en train de faire des citations directes et j'ai donc dû modifier les pronoms et adjectifs personnels pour qu'il n'y ait aucune ambiguïté au niveau du contenu. Dans un très petit nombre de cas, on m'a interdit de donner des informations qui, selon moi, ne pouvaient pas être classifiées puisque ces informations pouvaient uniquement être décrites comme gênantes pour Trump ou comme révélatrices d'un possible comportement inadmissible. J'ai l'intention de continuer à me battre pour obtenir la déclassification de ces passages et de pouvoir utiliser les citations directes dans les prochaines éditions de ce livre ou dans d'autres écrits.

Les lecteurs peuvent être assurés que j'ai, dans ce livre, retranscrit le plus fidèlement possible, la substance des conversations de Trump avec des leaders étrangers, mais également celles qu'il a eues avec moi-même. Dans certains cas, vous n'aurez qu'à ajouter vous-même les guillemets sur les passages intéressants ; vous ne devriez pas être très loin de la vérité. Et, phénomène intéressant, je n'ai presque pas eu besoin de modifier les retranscriptions des conversations entre Trump et ses subordonnés. Cette anomalie apparente s'explique parce que la procédure d'examen est conçue pour éviter aux leaders étrangers de devoir nier ce que Trump leur a dit. Au lieu de nier des citations directes, ils devront nier des paraphrases. Cette différence de traitement se justifie peut-être, mais, malheureusement, cette justification m'échappe. Et il se pourrait bien que Trump l'apprécie encore moins que moi.

J'ai également dû presque tripler le nombre de notes de fin. Le but de cet exercice était d'apporter la preuve que les faits présentés ne provenaient pas d'informations classifiées. Cet ajout de notes de fin a été fastidieux, bien sûr, mais chaque fois que j'ai pu fournir une citation, j'ai évité de devoir effacer des informations, un compromis auquel j'étais toujours ravi de me plier.

De nombreux observateurs ont dénoncé la procédure d'examen avant publication mise en place par le gouvernement au prétexte qu'elle présente de nombreuses failles constitutionnelles ; un risque d'obstruction, de censure et d'abus de pouvoir ; et néfaste à un débat opportun sur des questions essentielles de politique publique. Vous pouvez ajouter mon nom à la liste des critiques, surtout lorsque la procédure est entre les mains d'un président tellement allergique aux critiques que l'idée même de faire interdire un livre lui vient naturellement et sans sourciller.

Il y a un autre point que je me dois d'aborder dans ce chapitre. Il n'a aucun lien avec la procédure d'examen, mais plutôt avec l'idée de rédiger un livre comme celui-ci immédiatement après avoir quitté mes fonctions au sein du gouvernement. Bon nombre de critiques, qui n'avaient, bien sûr, pas lu le livre, l'ont dénoncé comme étant un déballage indécent, pour les plus gentils, et, pour reprendre les mots de Trump lui-même, une trahison. J'ai déjà répondu de façon détaillée à ces critiques en 2014 lorsque j'ai rédigé une critique de l'ouvrage de Robert Gates, « *Duty: Memoirs of a Secretary at War* », (En service : mémoires d'un ministre en guerre) dans laquelle je répondais aux critiques formulées à l'encontre de Gates qui étaient similaires à celles qui me sont adressées aujourd'hui :

« Les critiques adressées à Gates portent sur le plan politique et sur le plan éthique. En premier lieu, ils lui reprochent de publier un livre sur une Administration encore en place, alors que la guerre en Afghanistan (un aspect majeur du livre) continue de faire rage et, plus cocasse encore, au moment où l'ancien secrétaire d'État, Hillary Clinton, intensifiait les préparatifs pour sa future campagne présidentielle de 2016.

Ils prétendent également que Gates a trahi la confiance du président Obama et d'autres collègues haut placés au département de la Défense et dans l'Administration en divulguant leurs conversations, leurs positions et leurs émotions…

Je crois que les anciens hauts fonctionnaires ont quasiment une obligation d'expliquer les décisions qu'ils ont prises dans l'exercice de leurs fonctions… Il ne fait pas l'ombre d'un doute pour les vétérans d'un gouvernement qu'il est très difficile et parfois impossible pour ceux qui n'ont jamais été « aux affaires » de comprendre les événements et leurs causes. Les comptes rendus journalistiques et les « reportages en direct » manquent beaucoup trop souvent de connaissance et de compréhension des rouages du gouvernement. Les mémoires jouent donc un rôle essentiel parce qu'elles révèlent les arcanes du pouvoir, comme le fait ici Gates.

Quant aux critiques adressées à Gates vis-à-vis de son timing, je les trouve injustes et déplacées. Il n'existe pas de meilleur moment pour un auteur pour écrire un nouveau livre que lorsque ses souvenirs sont encore vivaces dans son esprit, juste après avoir quitté ses fonctions. Si ce timing est inconvenant pour l'Administration en place ou d'anciens collègues, c'est leur problème, pas celui de l'auteur. Surtout que pour ceux qui sont soumis au même genre de critiques cinglantes que Gates adresse à Obama, il n'y aura jamais de bon moment. Imaginez ce que ceux qui se plaignent du timing de Gates auraient dit si le livre était sorti en septembre 2012.

En fait, le reproche que l'on peut adresser à Gates au sujet de son timing, c'est précisément de ne pas l'avoir publié avant l'élection de 2012, à un moment où révéler les opinions de Barack Obama sur l'Afghanistan et son manque d'intérêt pour la lutte antiterrorisme aurait pu être important. Par exemple, les électeurs auraient peut-être aimé savoir ce que Gates s'était dit pendant une réunion du Conseil de sécurité nationale, en mars 2011, dans la Salle de Crise de la Maison Blanche en écoutant son commandant en chef : « Le président n'a pas confiance en son chef d'état-major, il déteste Karzai, il ne croit pas en sa propre stratégie et il considère que cette guerre n'est pas la sienne. Tout ce qu'il veut, c'est sortir de ce guêpier. »

La question plus ardue et plus importante est de savoir si Gates aurait dû s'abstenir de révéler les confidences implicites du Président et d'autres collègues haut placés. Sur certains aspects, cette critique rejoint la justification du « privilège de l'exécutif », à savoir que les subordonnés du Président doivent pouvoir s'adresser à lui en toute franchise et qu'une telle franchise est, tout simplement, impossible si ces derniers pensent que leurs avis pourraient, dans un proche avenir, se retrouver sur les pages d'un livre. L'intégrité du mécanisme de prise de décision du pouvoir exécutif étant mise à mal de toute part, il est essentiel qu'elle ne soit jamais mise en péril par les conseillers proches du Président.

Mais l'analogie du privilège de l'exécutif n'est pas totalement pertinente. La moindre anecdote constitue une menace pour le privilège de l'exécutif et les gens du sérail ont révélé au grand jour les luttes intestines de l'Administration depuis qu'Alexandre Hamilton et Thomas Jefferson se sont affrontés par journaux interposés, acquis à leurs thèses. Cela n'a pas empêché le Président Washington de gouverner. Nous ne devons jamais oublier que la véritable justification du privilège de l'exécutif est de permettre au gouvernement de se protéger d'un pouvoir législatif ou judiciaire trop intrusif et que sa logique diffère, par conséquent, des attentes humaines traditionnelles qui veulent que les confidences ne soient pas éternelles. Sauf dans le cas d'informations classifiées, ce qui n'est pas le cas dans cet ouvrage, les hommes et les femmes qui participent à la politique des États-Unis aujourd'hui, comprennent qu'ils sont toujours en représentation. L'omerta ne règne pas en politique, sauf peut-être à Chicago. »

J'ai rédigé ces lignes en 2004. Seize ans plus tard, je persiste et je signe.

Les sources et les notes sont disponibles sur simple demande par e-mail à la maison d'édition : contact@talenteditions.fr

Imprimé en France par CPI
en septembre 2020
N° d'impression : 160036
Dépôt légal : octobre 2020

Talent Éditions est engagé dans le développement durable afin de limiter l'empreinte carbone de la fabrication de ses livres. Soucieux de l'impact environnemental de notre métier, nos ouvrages sont imprimés en France sur du papier certifié issu de plantations gérées de manière éco-responsable. Les livres non-commercialisables sont recyclés et réutilisés pour la fabrication d'autres produits cartonnés.
